ZONDER ANGST

LISA GARDNER BIJ UITGEVERIJ CARGO

In haar naam
Aangeraakt

Lisa Gardner

Zonder angst

Vertaald door Els Franci-Ekeler

2015
Amsterdam

Cargo is een imprint van Uitgeverij De Bezige Bij,
Amsterdam | Antwerpen

Oorspronkelijke titel *Fear Nothing*
Oorspronkelijke uitgever Dutton/Penguin Group, New York
Omslagontwerp Marry van Baar
Omslagillustratie © Lyn Randle / Trevillion Images
Foto auteur Philbrick Photography
Vormgeving binnenwerk CeevanWee, Amsterdam
Druk Koninklijke Wöhrmann, Zutphen
ISBN 978 90 234 9119 4
NUR 305

www.uitgeverijcargo.nl

PROLOOG

Het regent, het regent, de pannen worden nat...

Het lijk was weg, maar de stank niet. Rechercheur D.D. Warren van de politie van Boston wist uit ervaring dat de geur van bloed op een plaats delict als deze nog weken kon blijven hangen. Zo niet maanden. De mensen van de technische recherche hadden het beddengoed meegenomen, maar bloed leidt een heel eigen leven. Het dringt in gipswanden. Het sijpelt onder plinten. Het nestelt zich tussen vloerplanken. In de aderen van de achtentwintigjarige Christine Ryan had circa 4,7 liter bloed gevloeid. Het merendeel daarvan was opgezogen door het matras, dat nu het middelpunt van ieders aandacht vormde in de macabere, grauwe kamer.

Er kwamen twee soldaatjes aan...

De melding was om even over negenen binnengekomen. Midge Roberts was ongerust geworden toen haar beste vriendin Christine niet opendeed en niet reageerde op de sms'jes die ze haar stuurde. Dat was niets voor Christine. Ze was een meisje dat zich nooit versliep, er nooit halsoverkop vandoor zou gaan met een knappe barman, zelfs geen griep kreeg zonder dat te laten weten aan haar beste vriendin, die haar elke ochtend om halfacht ophaalde om samen naar het accountantskantoor te gaan waar ze werkten.

Midge had een paar andere vriendinnen gebeld. Ze zeiden allemaal dat ze sinds het etentje van de avond ervoor niets meer van Christine hadden gehoord. Midge had haar intuïtie gevolgd en de huisbaas erbij gehaald, die er na lang wikken en wegen in had toegestemd de deur van Christines woning voor haar te openen. En die boven de hele gang had ondergekotst toen hij had ontdekt wat er aan de hand was.

Midge was niet naar boven gegaan. Midge was in de hal van de kleine duplexwoning blijven staan. Ze had het meteen geweten, had ze tegen D.D.'s teamgenoot Phil gezegd. Ze wist het gewoon. Waarschijnlijk was, zelfs vanaf die afstand, de geur van het opdrogende bloed tot haar doorgedrongen.

Het regent, het regent...

Het eerste wat D.D. was opgevallen, waren de scherpe contrasten. Het slachtoffer, een jonge vrouw die met gespreide armen en benen op haar eigen bed lag en met nietsziende, blauwe ogen naar het plafond staarde. Een lieftallig gezicht met een bijna serene uitdrukking. Halflang, golvend bruin haar dat op het spierwitte kussen lag uitgespreid.

Maar vanaf de hals...

Huid, afgestroopt in smalle, krullende repen. D.D. had over zulke dingen gehoord. Nu zag ze het met haar eigen ogen, om elf uur op een doodgewone doordeweekse ochtend. De jonge vrouw was in haar eigen bed gevild. Op het nachtkastje een fles champagne, op haar bloederige buik een rode roos.

Naast de fles champagne lagen handboeien, van het soort dat je in een luxe sekswinkel kunt kopen, gevoerd met bont opdat ze geen pijn doen. Boeien, champagne, een rode roos...

Een liefdesnacht die op ruzie was uitgelopen, redeneerde Phil. Of, gezien de mate van geweldpleging, de wraak van een afgewezen minnaar. Christine had het uitgemaakt met een of andere klootzak en de klootzak was teruggekomen om voor eens en voor altijd te bewijzen wie de baas was.

Maar D.D. geloofde dat niet. Oké, er lagen handboeien, maar die zaten niet om de polsen van het slachtoffer. Oké, er stond een geopende fles champagne, maar de wijn was niet in de klaarstaande fluitglazen geschonken. En tot slot de roos, die niet in het cellofaan van een bloemist was verpakt.

Ze vond het tafereel te... bedacht. Geen misdaad uit hartstocht of ruzie tussen twee geliefden, maar een zorgvuldig geënsceneerde productie waaraan maanden, jaren, misschien een heel leven aan goed doordachte planning vooraf waren gegaan.

Wat ze hier zagen, was naar D.D.'s mening niet zomaar een misdaad. Wat ze hier zagen, was de diepgewortelde fantasie van een moordenaar.

En hoewel dit de eerste plaats delict was die ze onderzochten, zou het, gezien de rituele aspecten, vermoedelijk niet bij één moord blijven.

De pannen worden nat...

D.D.'s team was wel zes uur bezig geweest, samen met de mensen van de technische recherche, de forensisch patholoog en een keur aan specialisten. Alles was bekeken, besproken, gefotografeerd en geschetst, tot de zon onder was, de forensen alweer op weg naar huis waren en de sfeer kribbig werd. Toen had D.D., als leider plaats delict, haar collega's naar huis gestuurd om uit te rusten en nieuwe krachten op te doen. Morgen was er weer een dag. Morgen zouden ze de databanken afspeuren naar soortgelijke moorden en proberen het profiel van zowel het slachtoffer als de moordenaar samen te stellen. Veel werk, veel aspecten die onderzocht moesten worden. Daarom was het verstandig dat iedereen nu ging uitrusten.

Iedereen had haar advies opgevolgd. Behalve D.D. zelf natuurlijk.

Nu was het bijna tien uur. Ze zou naar huis moeten gaan. Naar haar man. Naar haar zoontje van drie dat allang in bed lag. Ze zou zelf ook van een goede nachtrust moeten genieten in plaats van op deze ijzingwekkende plaats delict te blijven rondhangen terwijl het favoriete kinderliedje van haar zoontje door haar hoofd spookte.

Maar ze kon niet naar huis gaan. Instinct – inzicht? – had haar teruggelokt naar het nu doodstille huis. Zij en haar collega's hadden hier het grootste deel van de dag doorgebracht. Ze hadden besproken wat hun ogen hadden gezien. Nu stond ze in haar eentje in het donker in de naar geronnen bloed stinkende kamer af te wachten wat ze zou voelen.

Het regent, het regent...

Christine Ryan was al dood geweest toen de moordenaar de eerste snee in haar huid had gemaakt. Dat hadden ze afgeleid uit het feit dat haar gezicht niet van pijn was vertrokken. Het slachtoffer was naar verhouding een zachte dood gestorven. Daarna, mogelijk op het moment dat haar hart voor de allerlaatste keer had geklopt, had de moordenaar op haar rechterflank de eerste lijn getrokken.

Dit betekende dat de moord niet was gepleegd om het slachtoffer te zien lijden, maar om...

De presentatie? De mise-en-scène? Het ritueel? Een moordenaar met een huidfetisj. Misschien was hij als kind begonnen met kleine dieren, misschien zelfs met huisdieren, en had hij later, naarmate zijn verbeeldingskracht sterker was geworden...

De forensisch patholoog zou erop letten of er tijdens het snijden sprake was geweest van enige aarzeling, als het überhaupt mogelijk was in de hoopjes flinterdunne, opgerolde repen huid sporen te vinden waaruit bleek dat het mes had gehaperd. Hij zou ook bekijken of er sprake was geweest van seksuele geweldpleging.

Maar D.D. hield het knagende gevoel dat er iets niet klopte. Dit waren de dingen die iedere misdaadonderzoeker kon zien. D.D. kreeg het idee dat ze daarmee op een verkeerd spoor werden gezet. Dat ze zich bezighielden met wat de moordenaar wílde dat ze zouden zien.

Een opvallende mise-en-scène had tot doel het publiek zodanig te beïnvloeden dat het alleen zag wat jij wilde dat het zou zien.

Opeens wist ze het. Wat haar al die tijd had dwarsgezeten. De eerste en belangrijkste vraag die beantwoord moest worden en de reden waarom ze hier in het donker stond en zichzelf met opzet belette details te zien: waarom de mise-en-scène?

Een geluid. Ver weg. Werd de voordeur van het huis voorzichtig geopend? Kraakte de trap omdat iemand zijn voet op de onderste tree zette? Waren het de vloerplanken van de gang?

Een geluid. Eerst ver weg, toen dichterbij, en nu besefte brigadier D.D. Warren iets wat haar een kwartier geleden al had moeten opvallen. Jacks favoriete kinderliedje, het liedje dat haar niet losliet... zat niet alleen in haar hoofd.

Iemand neuriede het. Zachtjes. Niet in deze kamer. Maar wel in dit huis.

Het regent, het regent...

Haar hand vloog naar haar wapen. Ze klikte de flap van haar schouderholster open, trok haar Sig Sauer, zakte op één knie en keek ingespannen naar de deuropening. Er veranderde niets aan de duisternis, er waren geen schaduwen die de vorm van een menselijke gedaante kregen.

Weer hoorde ze iets. Een krakende vloerplank.

De pannen worden nat...

Met haar wapen voor zich uit sloop ze door de slaapkamer naar de deur. In de gang was geen verlichting. De lange, smalle ruimte was gevuld met schaduwen vanwege de straatverlichting achter het onbedekte raam. Onrustige vlekken in grijs en zwart.

Je kent dit huis nu, zei ze in zichzelf. Ze was vandaag meerdere malen door deze gang gelopen, zorgvuldig om de plassen braaksel heen, en had alle belangrijke details in haar geheugen opgeslagen.

Haar blik flitste heen en weer terwijl ze naar de trap sloop. Ze gluurde naar de inktzwarte ruimte van de hal beneden. Het neuriën was gestopt, maar de doodse stilte was nog griezeliger.

Toen, ergens in de duisternis, lijzig maar melodieus: '*Het regent, het regent...*'

D.D. verroerde zich niet. Alleen haar ogen flitsten heen en

weer, op zoek naar de indringer, die spottend doorging: *'De pannen worden nat...'*

Opeens begreep ze het. Ze voelde haar bloed in ijs veranderen toen tot haar doordrong wat dit betekende. Waarom een mise-en-scène? Omdat je een publiek wilt. Of één bepaalde persoon uit het publiek. Bijvoorbeeld een overijverige rechercheur die zo dom is 's avonds laat in haar eentje terug te keren naar de plaats delict.

Te laat tastte ze naar haar mobieltje.

Ze hoorde achter zich een nieuw geluid.

Geschrokken draaide ze zich om.

Een gedaante maakte zich los uit de duisternis.

'Er kwamen twee soldaatjes aan...'

Instinctief deed D.D. een stap achteruit. Ze was vergeten dat ze boven aan de trap stond. Haar linkervoet kwam niet op de vloer terecht, maar stapte in het niets.

Nee! Haar telefoon kletterde de trap af. Ze richtte haar wapen. Te laat deed ze een poging haar gewicht naar voren te brengen, haar evenwicht terug te vinden.

De schaduw stak zijn arm uit. Ze viel.

Ze viel achterover van de trap.

Ze haalde de trekker over. Een instinctieve daad van zelfbehoud. *Pang, pang, pang.* Ook al wist ze dat het te laat was, dat het niet meer hielp.

Ze smakte met haar hoofd op de hardhouten vloer. Een krakend geluid. Een flits van pijn. De laatste regel, gefluisterd in het donker: *'Die vielen op hun gat.'*

HOOFDSTUK 1

Mijn zus ontdekte wat ik mankeerde toen ik drie was. Onze pleegmoeder betrapte haar met de schaar uit de naaimand terwijl ik gehoorzaam tegenover haar stond met mijn blote armen gestrekt voor me uit. Bloed droop uit mijn polsen op het dikke, olijfkleurige tapijt.

Mijn zesjarige zusje zei: 'Kijk eens. Ze voelt er niks van.' Ze sneed weer in mijn arm. Vers bloed welde op.

De vrouw gilde en viel flauw.

Ik keek naar haar en vroeg me af waarom ze zo raar deed.

Daarna werd mijn zusje uit huis gehaald. Mij brachten ze naar het ziekenhuis. Daar hielden artsen zich wekenlang bezig met tests die mij net zoveel pijn hadden moeten doen als de scherpe schaar van mijn zus, maar dat was nu juist het punt: vanwege een uiterst zeldzame mutatie van mijn SCN9A-gen voel ik geen pijn. Ik voel wel druk. Van de schaar op mijn huid. Ik voel ook textuur. Hoe glad de bladen van de schaar zijn.

Maar het splijten van mijn huid, het parelende bloed...

Ik voel niet wat u voelt. Ik heb dat nooit ervaren. En ik zal het ook nooit ervaren.

Nadat Shana mijn armen met de schaar had bewerkt, zag ik haar twintig jaar niet meer terug. Zij bracht het grootste deel van die tijd door in inrichtingen en werd een van de jongste kinderen in de staat Massachusetts die antipsychotica kregen. Op haar elfde deed ze haar eerste poging tot moord, op haar veertiende slaagde ze erin. Ze had dat specifieke familietrekje blijkbaar geërfd.

Maar terwijl zij het zoveelste slachtoffer werd van het rechtsstelsel, werd ik een levend voorbeeld van succes.

Vanwege mijn aandoening waren de artsen er niet van overtuigd dat er in een pleeggezin adequaat in mijn behoeften kon worden voorzien. Er waren gevallen bekend van baby's met deze genetische afwijking die hun eigen tong hadden afgebeten zodra ze tandjes hadden gekregen. Van peuters die derdegraads verbrandingen opliepen omdat ze hun handjes op een gloeiende kookplaat legden. Om nog maar te zwijgen van de kinderen van zeven, acht, negen jaar die dagenlang met een gebroken enkel rondliepen of die aan een geperforeerde blindedarm bezweken omdat ze niet voelden dat ze pijn in hun buik hadden.

Pijn is nuttig. Pijn waarschuwt je voor gevaar, leert je op te passen en laat je zien wat de consequenties zijn van de dingen die je doet. Zonder pijn kan van het dak springen een erg leuk idee lijken. Net als je hand in kokende olie steken om er een paar frietjes uit te halen. Of een nijptang pakken en je eigen nagels uittrekken. De meeste kinderen die geen pijn voelen, zeggen dat ze deze dingen impulsief doen. Het is geen kwestie van waarom, maar van waarom niet.

Anderen vertellen je weemoedig dat ze het deden omdat ze wilden weten of het pijn zou doen. Want het níét kunnen voelen van iets wat zoveel mensen dagelijks ervaren, kan zich ontwikkelen tot een heilig ideaal. Een persoonlijke drijfveer. Een obsessie. Het genot eindelijk pijn te voelen.

Het sterftecijfer is hoog onder kinderen die lijden aan hereditaire sensibele en autonome neuropathie, ofwel HSAN; weinigen van ons worden volwassen. We hebben dag en nacht verzorging nodig. In mijn geval had een van de genetici in het ziekenhuis, een oudere man zonder vrouw of kinderen, het voor elkaar gekregen dat ik bij hem mocht komen wonen. Ik werd zijn geliefde dochter en zijn favoriete studieobject.

Mijn adoptievader was een goed mens. Hij nam de allerbeste verzorgers in dienst die dag en nacht op me pasten en leerde me in de weekeinden om met mijn aandoening om te gaan.

Als je geen pijn voelt, moet je andere manieren zoeken om gevaren voor je gezondheid te herkennen. Al op jonge leeftijd leerde ik dat kokend water gelijkstond aan gevaar. Hetzelfde gold voor roodgloeiende kookplaten. Ik moest bij alles eerst de textuur voelen. Als iets scherp aanvoelde, mocht ik er niet aankomen. Voor mij geen mes of schaar. Meubels met scherpe randen waren taboe. Net als honden en katten en andere huisdieren met scherpe nagels. Ik mocht alleen wandelen. Niet hardlopen, springen of hinkelen. En ook niet dansen.

Als ik in de tuin wilde spelen, moest ik een helm op en werden mij allerlei lichaamsbeschermers omgebonden. Als ik weer binnenkwam, werd dat harnas verwijderd en werd mijn lichaam geïnspecteerd op verwondingen. Zo ook die keer dat mijn verzorger mijn schoen uittrok en mijn voet achterstevoren draaide. Ik bleek tijdens het spelen alle pezen gescheurd te hebben. Een andere keer zat ik onder de wespensteken. Ik was op een wespennest gestuit en had met de onschuld van een vijfjarige gedacht dat ze met me wilden dansen.

Naarmate ik ouder werd, leerde ik mezelf te inspecteren. Ik nam dagelijks mijn temperatuur op om te zien of ik koorts had, want dat kon erop wijzen dat ergens in mijn lichaam een ontsteking zat. Elke avond stond ik naakt voor een grote spiegel en bekeek ik elke centimeter van mijn huid om te zien of ik blauwe plekken of wondjes had. Ik onderzocht mijn gewrichten op zwellingen en verkleuringen. Daarna bekeek ik mijn ogen: een rood oog is een boos oog. Mijn oren: bloed in het oor kan wijzen op een gescheurd trommelvlies en/of mogelijk letsel aan het hoofd. Tot slot: mijn neusgaten, de binnenkant van mijn mond, tanden, tong en tandvlees.

Het lichaam is een werktuig, een nuttig bezit, dat je moet inspecteren, onderhouden en verzorgen. Iemand als ik moet het dubbel zo goed verzorgen, want het ontbreken van de moleculaire kanalen die elektrische signalen van de voor pijn gevoelige zenuwen naar de hersenen sturen, betekent dat het lichaam niet op zichzelf kan passen. Iemand met mijn aandoening kan niet vertrouwen op wat hij of zij voelt. Mensen als ik moeten afgaan op wat we zien, horen, proeven en ruiken.

Wie niet sterk is, moet slim zijn, zei mijn vader de geneticus. Dat is alles. Wie niet sterk is, moet slim zijn.

Toen ik dertien werd zonder te zijn bezweken aan een zonnesteek, een inwendige infectie of doodgewone onoplettendheid, ging mijn vader met zijn onderzoek nog een stapje verder. Van de paar honderd kinderen die over de hele wereld met deze aandoening waren geboren, waren er inmiddels nog maar een stuk of veertig over die alsnog hoopten volwassen te worden. Toen hij deze gevallen bestudeerde, stuitte hij op nog meer nadelen van een leven waarin je nooit lichamelijke pijn ervaart. Veel van zijn studieobjecten vertelden over hun onvermogen zich te verplaatsen in het lijden van anderen, beknotte emotionele groei en beperkte sociale vaardigheden.

Mijn adoptievader zette onmiddellijk een allesomvattend psychologisch onderzoek op. Voelde ik het als een ander pijn had? Herkende ik verdriet op het gezicht van vreemden? Was ik in staat passend te reageren op het lijden van mijn medemensen?

Als je nooit hebt gehuild om een snee in je vinger, zul je dan op je zestiende huilen als je beste vriendin je opeens een wangedrocht noemt en niets meer met je te maken wil hebben? Als je in staat bent kilometers te lopen met een gebroken knieschijf, zal je hart dan een slag overslaan als op je drieëntwintigste blijkt dat je biologische zus je heeft opgespoord, maar dat haar brief in een envelop van de Dienst Justitiële Inrichtingen zit?

Als je nooit pijn hebt gevoeld, kun je dan begrijpen hoe je adoptievader zich voelt als hij op zijn doodsbed je hand grijpt en amechtig uitstoot: 'Adeline. Dit. Is. Pijn.'

Toen ik in mijn eentje bij zijn graf stond, meende ik het te begrijpen.

Maar als dochter van mijn vader wist ik dat ik daar nooit volkomen zeker van kon zijn. Dus deed ik wat hij me had geleerd. Ik schreef me in bij een vooraanstaande universiteit voor een doctoraatsstudie. Ik studeerde, nam proeven, deed onderzoek.

Ik legde me toe op pijn.

Een nuttig specialisme, om meer dan één reden.

Toen ik bij het Massachusetts Correctional Institute aankwam, zat mijn zus al op me te wachten. Ik tekende het logboek, legde mijn tas in een kluisje en wachtte tot ik aan de beurt was voor de veiligheidscontrole. Gevangenbewaarders Chris en Bob, twee oude rotten in het vak, noemden me bij mijn voornaam. Bob bewoog zijn metaaldetector over mijn medische armband, zoals hij op elke eerste maandag van de maand deed. Daarna bracht Maria, de derde gevangenbewaarder, me naar het bezoekerskamertje waar mijn zus zat, met haar handen geboeid in haar schoot.

Maria duidde met een knikje aan dat ik naar binnen mocht. De kamer was ongeveer drie bij drie meter. Er stonden twee oranje plastic stoelen en een houten tafel met een formicablad. Shana zat achter de tafel, met de kale muur als rugdekking en vrij zicht op het enige raam en de gang daarachter. Strategisch de beste plek.

Ik nam tegenover haar plaats, met mijn rug naar het raam en dus zonder bescherming tegen wie er ook langsliep. Ik nam de tijd, trok het stoeltje naar achteren, ging zorgvuldig in een bepaalde positie zitten. Een minuut verstreek. En toen nog een.

Mijn zus was degene die de stilte verbrak: 'Doe dat jasje uit.' Ze klonk nu al kribbig. Er was iets wat haar irriteerde en het had waarschijnlijk niets met mij te maken, maar dat wilde niet zeggen dat ze het niet op mij zou afreageren.

'Waarom?' In tegenstelling tot haar korzelige bevel sprak ik heel kalm.

'Zwart staat je niet. Hoe vaak moet ik je dat nog zeggen? Het maakt je bleek.'

En dat zei een vrouw in een vaalblauwe overall, met halflang, bruin haar dat in vette pieken om haar hoofd hing. Mijn zus was misschien ooit leuk om te zien geweest, maar na al die jaren hadden de strenge leefomstandigheden en de tl-verlichting hun tol geëist. En dan had ik het nog niet eens over haar kille ogen.

Ik trok de Ann Taylor-blazer uit en hing hem over de rugleuning van mijn stoel. Eronder droeg ik een grijs wollen truitje met lange mouwen. Mijn zus keek nijdig naar mijn bedekte armen. Ze boorde haar bruine ogen in de mijne en snoof de lucht op.

'Ik ruik geen bloed,' zei ze.

'Wat klink je teleurgesteld.'

'Vind je het gek? Ik zit drieëntwintig uur per dag naar een spierwitte bakstenen muur te staren. Je had me op zijn minst een snijwondje kunnen geven.'

Mijn zus beweerde dat ze de pijn kon ruiken die ik niet kon voelen. Dit kon niet wetenschappelijk onderbouwd worden. Het was louter zusterlijke superioriteit. Toch was het al drie keer gebeurd dat ik, een paar uur na mijn bezoek aan haar, wondjes had ontdekt waarvoor zij me had gewaarschuwd.

'Hardroze is jouw kleur,' zei Shana. 'Jij bent degene die in vrijheid leeft. Leef dus een beetje, Adeline. Misschien krijg ik dan eens smeuïge verhalen van je te horen. Niet dat gezeur over je werk, je patiënten en pijnbeheersing. Verhalen over een knappe vent die een hardroze beha van je armzalige borsten rukt. Dan heb ik tenminste ook wat aan deze maandelijkse bezoeken. Of ben jij niet in staat seks te hebben?'

Ik gaf geen antwoord. Ze had deze vraag al zo vaak gesteld.

'O ja. Je kunt niet voelen wat pijn doet, maar wel wat lekker is. Dat wil dus zeggen dat mijn kleine zusje niet aan sm doet. Jammer.'

Shana zei dit allemaal volkomen monotoon. Het was niets

persoonlijks. Ze ging in de aanval omdat ze dat gewend was. Daar hadden gevangenisstraf, medicatie en zusterlijke aandacht niets aan kunnen veranderen. Shana was een roofdier, de rasechte dochter van onze vader. Ze zat in de gevangenis omdat ze op haar veertiende een jongetje had vermoord. Ze zou de rest van haar leven in de gevangenis blijven omdat ze inmiddels ook een medegevangene en twee gevangenbewaarders had gedood.

Was het mogelijk van iemand als mijn zus te houden? Objectief gezien was ze een interessant studieobject met haar antisociale persoonlijkheidsstoornis. Totaal narcistisch, gespeend van elke vorm van empathie, en uitermate manipulatief. Subjectief gezien was zij de enige familie die ik nog had.

'Ik hoorde dat je deelneemt aan een nieuwe cursus,' zei ik. 'McKinnon zegt dat de schilderijen die je tot nu toe hebt gemaakt, blijk geven van een goed oog voor detail.'

Shana haalde haar schouders op. Complimentjes deden haar niets.

Ze snoof weer. 'Geen parfum, maar een keurige outfit. Dat betekent dat je vandaag werkt. Dat je hiervandaan regelrecht naar je praktijk gaat. Of doe je in de auto parfum op? Ik hoop dat je iets hebt wat sterk genoeg is om de Eau de Bajes te verdoezelen.'

'Ik dacht dat je niet over mijn werk wilde praten.'

'Ik weet dat jij niks anders hebt om over te praten.'

'Het weer.'

'Rot op. Dat het maandag is, wil niet zeggen dat ik verplicht ben hier een uur te verdoen als jouw liefdadigheidsproject.'

Ik zei niets.

'Ik heb er genoeg van, Adeline. Jij. Ik. Deze maandelijkse bezoekjes waarin jij elke keer bewijst dat je je niet weet te kleden en ik het me allemaal moet laten welgevallen. Je hebt zonder mij patiënten genoeg. Laat me met rust. Ga weg. Vooruit, lazer op. Ik meen het!'

Een klopje op de deur. Maria, die door het kogelvrije glas kon zien wat er in de kamer gebeurde, wilde weten of alles in orde was. Ik negeerde haar en bleef naar mijn zus kijken.

Haar uitbarsting stoorde me niet; ik was gewend aan deze komedie. Woede was Shana's favoriete emotie, die ze zowel aanvallend als verdedigend gebruikte. En mijn zus had redenen genoeg om mij te haten. Niet alleen vanwege mijn zeldzame genetische kwaal, en ook niet omdat ik zo gelukkig was geweest door een welgestelde man te worden geadopteerd, maar vooral omdat mijn moeder er na mijn geboorte voor had gekozen mij in de kast te verstoppen, waar niet genoeg ruimte was geweest voor twee.

Shana vloekte weer. In haar ogen smeulde een doffe woede en een nog doffere depressie en weer vroeg ik me af wat er die ochtend was gebeurd, waarom mijn gewetenloze zus in zo'n sombere stemming was.

'Wat kan het je schelen?' vroeg ik abrupt.

'Wat?'

'Hardroze. Wat kan het jou schelen wat voor kleren ik draag en of anderen mij daardoor aantrekkelijk vinden of niet? Wat kan het je schelen?'

Shana fronste, uit haar evenwicht gebracht door de vraag. Toen zei ze: 'Jezus, wat ben jij een achterlijke mongool.'

'Eindelijk,' zei ik, 'scheld je me uit zoals zussen doen.'

Een opmerking waarmee ik haar over de streep kreeg. Ze sloeg even haar ogen ten hemel, maar glimlachte toen, zij het met tegenzin. De spanning zakte. We konden weer ademhalen.

Shana deed wel stoer, maar volgens de directeur van de gevangenis keek ze echt uit naar deze maandelijkse gesprekken. Zozeer zelfs dat tijdens een periode van extreem wangedrag het dreigement dat mijn aanstaande bezoek geannuleerd zou worden vaak de enige strafmaatregel was waarmee ze weer in het gareel was te krijgen. En zo dansten wij maandelijks om elkaar heen, nu al bijna tien jaar.

Dit was misschien de beste relatie waar je op kon hopen met een geboren psychopaat.

'Slaap je goed?' vroeg ik.

'Als een roos.'

'Goede boeken gelezen de laatste tijd?'

'O ja. De volledige werken van William Shakespeare. Je weet maar nooit wanneer een jambische vijfvoeter nog eens van pas komt.'

'*Et tu, Brute?*'

Weer een flauwe glimlach. Shana ging iets relaxter zitten. En zo gingen we door en vulden de rest van het uur met zinnetjes die zowel spits als bot waren, zoals we elke eerste maandag van de maand deden. Toen tikte Maria op de ruit en was onze tijd plotseling alweer om. Ik stond op. Mijn zus, die nergens naartoe kon, bleef zitten.

'Hardroze,' zei ze nogmaals toen ik mijn zwarte blazer van de stoelleuning pakte.

'Misschien moet jij je eigen advies opvolgen,' zei ik, 'en wat kleur gebruiken in je schilderijen.'

'En de zielenknijpers nog meer stof voor hun studie geven?' zei ze smalend. 'Ik kijk wel uit.'

'Droom je in zwart-wit?'

'Jij?'

'Ik weet niet zeker of ik droom.'

'Misschien is dat een voordeel van je kwaal. Ik droom aldoor. Meestal in bloedrood. Soms heb ik zelf het mes in handen en soms is het pa.'

Ze staarde me aan. Haar ogen waren opeens weer doods, de ogen van een haai, maar ik zorgde wel dat ik niet in het aas hapte.

'Je zou je dromen moeten opschrijven in een soort dagboek,' adviseerde ik haar.

'Wat denk je dat die stomme schilderijen zijn?'

'Een verontrustende explosie van diepgeworteld geweld.'

Ze lachte en in deze sfeer liep ik de kamer uit en liet ik haar achter.

'Hoe is het met haar?' vroeg ik toen ik met Maria door de gang liep. Op maandag was de gevangenis niet open voor gewone bezoekers, dus was het er relatief rustig.

'Ik weet het niet. De dertigste gedenkdag nadert.'

Ik keek haar vragend aan.

'Shana's eerste slachtoffer,' verduidelijkte Maria. 'Het twaalfjarige buurjongetje? Donnie Johnson? Het is volgende week dertig jaar geleden dat Shana hem vermoordde. Een journalist heeft al een paar keer gebeld of hij haar mag interviewen.'

Ik slikte. Om de een of andere reden was dit niet tot me doorgedrongen. Als therapeut en als iemand die zich bezighield met zelfmanagement, zou ik me straks moeten afvragen waarom. Welk leed probeerde ik te ontlopen? Een moment van ironische zelfbespiegeling.

'Niet dat ze antwoord zal geven op vragen,' zei Maria. 'En dat is maar goed ook. Die jongen kan zijn verhaal niet meer doen. Waarom zou degene die hem heeft vermoord dat dan wel mogen doen?'

'Hou me op de hoogte.'

'Doe ik.'

In de hal haalde ik mijn tas uit het kluisje, tekende het logboek en liep naar mijn auto, die op het parkeerterrein stond, een paar honderd meter van het enorme, met prikkeldraad omgeven complex waar mijn zus permanent woonde.

Op de passagiersstoel lag de hardroze blouse die ik aan had gehad toen ik was aangekomen. Ik had hem, zittend in mijn auto, verwisseld voor de grijze, nadat ik eerst, in navolging van de reglementen, mijn sieraden had afgedaan. Gezien de omgeving had ik geopteerd voor een minder opzichtig uiterlijk.

Ik had de roze blouse, die ik pas twee weken geleden had gekocht, op de stoel gelegd, en ik zweer dat dit het enige hardroze kledingstuk is dat ik bezit.

Heleen van der Kemp *Bijwerking*

Midden in het toeristenseizoen wordt politie-rechercheur Britt Franken opgeroepen na de mysterieuze dood van een jongen. Hij heeft partydrugs op zak van hetzelfde soort als waardoor meerdere toeristen in de stad onwel zijn geworden. Een week later wordt Britts team opgeschrikt door een tweede dode, een slachtoffer van een schijnbaar willekeurige kopschoppartij in de Jordaan. Het Amsterdamse uitgaansleven wordt steeds grimmiger. Ook Britts dochter Bo ondervindt dit aan den lijve. Plotseling komt de dreiging wel heel dichtbij.

Maud Mayeras *Reflex*

Iris Baudry werkt als politiefotografe. Dag en nacht is ze beschikbaar om verminkte lichamen voor altijd vast te leggen. Ze is discreet, obsessief en vastberaden, en probeert door haar werk de herinneringen aan haar eigen overleden zoon uit te bannen. Als er een lichaam van een kind wordt gevonden op dezelfde plek als destijds haar zoon, moet Iris terugkeren naar haar geboortestad. Het blijkt dat de overeenkomsten tussen de twee zaken niet op toeval berusten.

Karin Slaughter *Mooie meisjes*

'You will always be my pretty girl...'

Wanneer op het nieuws melding wordt gemaakt van een vermist meisje, moet Claire Scott ongewild terugdenken aan haar eigen zusje.
Zij verdween twintig jaar geleden, en het mysterie is nooit opgelost. Maar wanneer Claire alsnog de waarheid over de verdwijning van haar zus ontdekt, zal haar leven nooit meer hetzelfde zijn.

Ik keek naar de bakstenen muren. Het complex had best veel ramen. Zelfs mijn zusters geïsoleerde cel had een hoog, smal raam. Maar vanaf deze afstand, onhandig weggedoken achter het stuur, beschermd door de getinte ruiten van mijn SUV...

Ik zou nooit alles over mijn zus kunnen uitleggen. Maar waarschijnlijk dacht zij hetzelfde over mij.

Ik startte de motor van mijn Acura en reed naar de binnenstad van Boston, waar me een drukke middag wachtte, vol patiënten die genezen wilden worden van hun aandoeningen. Ik kreeg vandaag een nieuwe patiënt, een rechercheur die onlangs bij de uitoefening van haar werk geblesseerd was geraakt.

Ik hield van mijn werk. Ik verheugde me altijd op de uitdaging als ik een patiënt begroette en zei, zoals bij een vrouw met mijn aandoening paste: 'Vertel me waaraan u lijdt.'

HOOFDSTUK 2

Diep in haar hart wist D.D. dat ze geluk had gehad. Alleen kon haar verstand zich daar nog niet bij neerleggen.

Ze werd laat wakker. Over tienen, wat verwarrend was. Als iemand ooit zou hebben beweerd dat ze in staat was op maandagochtend tot tien uur in bed te blijven liggen, zou ze hem voor gek hebben verklaard. De ochtend was bedoeld om op te staan en de deur uit te gaan. Om zwarte koffie te drinken, updates van je team te krijgen en zo mogelijk aan een nieuw moordonderzoek te beginnen.

Ze hield van zwarte koffie, van haar team en van interessante moorden.

Waar ze niet van hield, waren onrustige nachten vol angstdromen. Dromen waarin schimmen kinderliedjes zongen en soms opeens armen en benen kregen en haar dan achternazaten.

En ze viel. Elke keer. In haar nachtmerries viel de stoere rechercheur D.D. Warren haar ongeluk tegemoet. Haar hart wist dat ze geluk had gehad, maar haar verstand kon zich daar nog niet bij neerleggen.

De babyfoon op het nachtkastje naast haar stond aan, maar het was volkomen stil. Alex moest Jack al naar de crèche hebben gebracht. En daarna kon hij naar zijn werk gaan, naar de politieacademie, terwijl zij...

Terwijl zij haar dag besteedde aan opstaan.

En dat moest heel voorzichtig, want de minste of geringste

beweging van haar linkerarm en -schouder veroorzaakte hevige pijnscheuten. Ze had de afgelopen weken geleerd zich eerst op haar rechterzij te draaien. Vanuit die positie kon ze haar voeten op de vloer zetten, waardoor het iets eenvoudiger werd haar bovenlichaam rechtop te krijgen. Als ze eenmaal zover was, bleef ze een paar minuten roerloos zitten om op adem te komen.

Want wat daarna kwam, deed écht pijn, en god helpe haar, zelfs na zes weken slaagde ze er niet in zich in de pijn te schikken, maar walgde ze er nog meer van dan in het begin.

Verrekte spieren. Ontstoken pezen. Overbelaste zenuwen. En alsof dat nog niet genoeg was: een avulsie. In haar linkerbovenarm was een stuk bot afgescheurd. In een paar seconden had D.D.'s vierenveertigjarige lichaam zulk ernstig letsel opgelopen dat ze zich nu bewoog als een robot, zonder in staat te zijn opzij te kijken, haar linkerarm op te tillen en haar bovenlichaam te draaien. Een avulsie kon niet geopereerd worden, had men haar verteld. Het moest vanzelf genezen. En daarvoor waren tijd, volharding en fysiotherapie vereist. Ze deed haar best. Tweemaal in de week ging ze naar fysio en thuis deed ze dagelijks de oefeningen die ze meekreeg, ook al deden die haar gillen van de pijn.

Haar pistool kon ze vergeten. Op dit moment kon ze haar eigen kind niet eens optillen.

Diep inademen. Tot drie tellen. Opstaan. Het opstaan moest in één keer gebeuren en het lukte nooit om daarbij haar evenwicht te bewaren. Ze compenseerde dat instinctief met een beweging van haar gezonde schouder, een lichte draai van haar hoofd, terwijl ze haar kiezen op elkaar klemde, haar rechterhand tot een vuist balde en de ergste vloeken uit haar arsenaal uitstootte, wat na twintig jaar bij de politie woorden waren waar een vrachtwagenchauffeur met een niersteen nog van zou gaan blozen. Evengoed werd ze kotsmisselijk van de pijn.

Maar ze stond. Zwetend. Wankelend. Maar rechtop.

En voor de zoveelste keer vroeg ze zich af wat ze in godsnaam zo laat op de avond nog op die plaats delict had gedaan. Want dat kon ze zich nog steeds niet herinneren. Ze had het ergste letsel van haar leven opgelopen, haar carrière in gevaar gebracht en haar gezin ontwricht, maar ze had geen flauw idee wat er was gebeurd.

Zes weken geleden was ze 's ochtends gewoon naar haar werk gegaan. Sindsdien was het leven een mysterie.

Het kostte haar nu een halfuur om haar tanden te poetsen en haar haar te kammen. Om te douchen had ze hulp van Alex nodig. Hij kweet zich hoffelijk van die taak. Zei dat hij tot alles bereid was zolang ze naakt was. Maar in zijn donkerblauwe ogen lag een waakzame blik. Alsof D.D. opeens erg broos was en heel voorzichtig moest worden aangepakt.

Toen ze net thuis was uit het ziekenhuis, had ze gezien hoe hij naar de blauwe plekken op haar lichaam had gekeken. De blik op zijn gezicht...

Schrik. Ontzetting. Verdriet.

Ze had geen woord gezegd. Hij had haar zachtjes gewassen en de shampoo uit haar korte, blonde krullen gespoeld. Later die avond had hij heel voorzichtig naar haar getast, maar toen ze instinctief had gesist van de pijn, had hij zijn hand teruggetrokken alsof ze hem had geslagen, en zo was het sindsdien gebleven.

Hij hielp haar met de dagelijkse dingen. In ruil daarvoor veranderde zij langzaam maar zeker in een schim van zichzelf en werd ze voor haar geduldige echtgenoot een tweede kind dat verzorgd moest worden.

In haar hart wist ze dat ze geluk had gehad. Maar haar verstand kon zich daar nog niet bij neerleggen.

Tijd voor kleren. Ze kon haar linkerarm niet voldoende bewegen om een bloes aan te trekken, dus pakte ze een ruim flanellen overhemd van Alex. Ze stak haar rechterarm in de mouw, maar hield haar linkerarm tegen haar ribben. Ze kreeg niet alle knoopjes dicht, maar genoeg om te kunnen gaan ontbijten.

Lopen viel mee. Als ze eenmaal stond, en als ze dan haar

schouders stilhield en haar bovenlichaam niet draaide, vonden haar nek en schouder het niet zo erg. Voorzichtig liep ze de trap af, met haar rechterhand om de leuning geklemd. De laatste keer dat ze zich met een trap had gemeten, had de trap gewonnen en sindsdien vertrouwde ze trappen niet.

Het regent, het regent...

O, leuk. Nu had ze dat stomme kinderliedje weer in haar hoofd.

Toen ze eindelijk in de woonkamer was, hoorde ze stemmen in de keuken. Twee mannen die zachtjes met elkaar praatten. Zou haar schoonvader zijn langsgekomen voor een kop koffie? Alex' ouders waren een halfjaar geleden in Boston komen wonen om meer tijd te kunnen doorbrengen met hun enige kleinzoon. In het begin was D.D. daar een beetje nerveus van geworden. Ze had de voorkeur gegeven aan de situatie met haar eigen ouders, die in Florida woonden, maar Bob en Edith bleken net zo makkelijk in de omgang te zijn als hun zoon. Bovendien was Jack dol op hen en was het voor haar en Alex, met hun drukke banen, best fijn om grootouders in de buurt te hebben. D.D. had het uiteraard prettiger gevonden dat haar schoonouders soms op Jack pasten vanwege haar werk en niet omdat ze een invalide was die zichzelf niet eens meer kon aankleden, maar een kniesoor die daar een punt van maakt.

Het was duidelijk dat de mannen hun best deden haar niet in haar slaap te storen. Reden te meer om naar binnen te gaan.

'Morgen.'

Aan de ronde keukentafel keek Alex onmiddellijk op. Niet zijn vader maar haar teamgenoot Phil reageerde trager. Alex bracht zijn gezicht snel in de plooi. Het was duidelijk dat hij al uren op was, zich had gedoucht en geschoren, voor hun zoontje had gezorgd en in feite klaar zat om naar zijn werk te gaan, met het donkerblauwe academieoverhemd netjes in zijn kakikleurige broek gestopt. Het overhemd accentueerde zijn donkere ogen en zijn met grijs doorweven haar. Een knappe man, dacht ze, niet voor het eerst. Knap, intelligent, dol op hun zoon, zorgzaam voor haar.

Tegenover hem zat D.D.'s oudste partner, Phil, kalend, al eeuwen getrouwd met zijn eerste liefde Betsy, vader van vier kinderen. Phil had ooit gezegd dat hij bij de recherche was gegaan om te ontsnappen aan de rommel.

Haar achterdocht was meteen gewekt.

'Koffie?' vroeg Phil monter. Zonder haar aan te kijken schoof hij zijn stoel naar achteren en liep naar de koffiepot.

'Jij golft niet,' zei D.D.

Een beginnende glimlach trok Alex' mondhoeken omhoog.

'Wat?' Phil schonk overdreven geconcentreerd een grote mok koffie in.

'Jullie gokken geen van beiden. Jullie hebben geen gezamenlijke vrienden voor een vrijgezellenfeest. Het enige wat jullie gemeen hebben, ben ik.'

De mok was vol. Zorgvuldig zette Phil de koffiepot weer op zijn plek. Behoedzaam pakte hij de dampende mok. Langzaam draaide hij zich naar haar om.

D.D. trok een stoel bij, verbeet zich tegen de pijn en ging zitten. Ook dat moest in één keer.

Ze was er opeens niet zeker meer van dat ze wilde weten wat er aan de hand was.

Alex' glimlach verdween. Hij legde zijn hand op haar gezonde rechterhand.

'Heb je een beetje kunnen slapen?' vroeg hij.

'Een beetje veel. Ik ben van mijn leven nog niet zo uitgerust geweest. Ik wou dat ik nog een keer van de trap viel, zodat ik nog langer in bed kon blijven liggen.'

D.D. hield al die tijd Phil in de gaten. Hij was de zwakke schakel. Wat er ook aan de hand was, hij was degene die zou bezwijken.

'Het OGD?' gokte ze toen Phil met beide handen rond de mok langzaam naar haar toe liep.

In politietaal stond OGD voor Onderzoeksteam Gebruik Dienstwapen. Elke keer dat een agent met zijn dienstwapen schoot, ook als dat gebeurde op een onverlichte plaats delict waar geen aanwijsbaar doelwit was geweest, was het de verantwoordelijkheid van het OGD om het incident te onderzoeken en te bepalen of de agent in kwestie juist of onjuist had gehandeld.

Toen D.D. in het ziekenhuis bij kennis was gekomen, was haar dienstwapen al door het OGD in beslag genomen. Haar toekomst bij de politie hing nu af van het rapport dat men zou indienen bij de Dienst Beroepsethiek.

Haar collega's zeiden dat ze zich geen zorgen moest maken. Dat haar wapen naar alle waarschijnlijkheid was afgegaan toen ze van de trap was gevallen. Alleen sprong een Sig Sauer niet zomaar vanuit een gesloten schouderholster in de hand van de rechercheur en kromde de rechterwijsvinger van die rechercheur zich niet uit eigen beweging om de trekker om drie schoten te lossen terwijl zij van de trap viel.

D.D. had bewust geschoten. Op iets of iemand.

Dat was haar inmiddels duidelijk.

Maar op wat of wie? En met of zonder verdedigbare reden? Haar collega's hadden in het huis niemand anders aangetroffen dan zijzelf, bewusteloos onder aan de trap, en niets anders dan drie kogelgaten in de muur. Een van de kogels was dwars door de muur gegaan en in het huis van de buren terechtgekomen. Godzijdank was daar niemand geraakt, maar de buren hadden nogal wat stennis gemaakt. Waarom was de politie goddorie zomaar gaan schieten?

Rapporten aan de Dienst Beroepsethiek gingen niet alleen over wat de agent had gedaan, maar ook over de consequenties die zijn daden hadden voor het hele politieapparaat.

D.D. bevond zich in een kwetsbare positie en dat wist ze heel goed. Dat er nog geen uitspraak was gedaan, had ze te danken aan het feit dat ze vanwege de ernst van haar blessure voor onbepaalde tijd ziekteverlof had gekregen. Men hoefde geen haast te maken met beslissen wanneer ze weer aan het werk mocht. De dokter had gezegd dat dat er voorlopig toch nog niet inzat.

'Nee, nog niet,' zei Phil nu.

'O.'

'Dat is waarschijnlijk gunstig,' zei hij snel. 'Als men bewijs had gevonden van onwelvoeglijk gedrag, had je het allang gehoord. Geen nieuws, goed nieuws, moet je maar denken.'

D.D. keek haar trouwe partner aan en wenste dat zijn woorden overeenkwamen met de uitdrukking op zijn gezicht.

'Schouder?' vroeg Phil.

'Vraag me dat over drie maanden nog maar eens.'

'Gaat het zo lang duren?'

'Blijkbaar, op mijn leeftijd. Maar ik doe mijn oefeningen. En ik probeer geduldig te zijn.'

Phil keek bedenkelijk. Na al die jaren wist hij precies hoe weinig geduld D.D. had.

'Precies,' zei ze.

'Pijn?'

'Alleen maar de hele tijd.'

'Krijg je er niks voor?'

'Ik krijg er van alles voor, maar je kent me, Phil. Waarom zou ik pijn verlichten als ik hem met anderen kan delen?'

Phil knikte instemmend. Alex streelde haar hand.

'Ik heb vandaag een afspraak met een nieuwe therapeut,' zei ze. Ze haalde haar gezonde schouder op. 'Eentje die is gespecialiseerd in psychologische methodes om je te leren omgaan met je pijn. In de sfeer van "je kunt het wel, als je maar wilt". Wie weet leer ik er iets van.'

'Mooi.' Phil deed eindelijk afstand van haar mok. Hij zette hem met zorg op een plek waar ze er met haar gezonde hand moeiteloos bij kon. Nu hij deze taak had volbracht, leek hij niet te weten wat hij verder moest doen.

'Als je niet bent gekomen vanwege het rapport aan de Dienst Beroepsethiek,' zei D.D. zachtjes, 'waarom dan wel?'

Toen Phil haar blik bleef mijden en Alex haar hand bleef strelen, sloot D.D. haar ogen en liet ze tot zich doordringen wat ze onbewust al had vermoed.

'Er is nog een moord gepleegd.'

'Ja.'

'Afgestroopte huid, een roos op haar buik en een fles champagne op het nachtkastje.'

'Ja.'

'Je wilt weten wat ik me herinner.' En daarop volgde automatisch: 'Je bent hier niet als mijn partner. Je bent hier niet als collega-rechercheur. Je wilt weten wat ik die avond heb gezien. Wat jou betreft, ben ik nu een getuige.'

Hij zweeg. Alex bleef met de zijkant van zijn duim over haar knokkels strijken.

Ze staarde naar haar koffie.

'Oké,' fluisterde ze. 'Dat begrijp ik. En ik wil graag helpen. Zeg maar wat ik voor jullie kan doen.'

Voormalig rechercheur D.D. Warren, dacht ze. En ze probeerde te onthouden dat ze in haar hart wist dat ze geluk had gehad, ook al wilde haar verstand zich daar nog niet bij neerleggen.

HOOFDSTUK 3

Maandag, één uur. Mijn nieuwe patiënt. Ik zag onmiddellijk dat brigadier D.D. Warren sceptisch van aard was.

Dat verbaasde me niet. Ik zat lang in dit vak en had al veel hulpverleners behandeld – politieagenten, ambulancepersoneel, brandweermannen. Mensen die hielden van werk dat het uiterste van hen vergde, lichamelijk zowel als geestelijk. Mensen die opbloeiden in moeilijke situaties. Mensen die bevelen gaven, de leiding namen, hun overwicht lieten gelden.

Met andere woorden, mensen die niet graag aan de zijlijn zaten terwijl een therapeut in een duur mantelpak uitlegde dat de eerste stap van pijnmanagement was dat ze zich met hun pijn moesten identificeren. Hem een naam geven. Er een relatie mee ontwikkelen.

'Dat meent u niet,' zei rechercheur D.D. Warren. Ze zat kaarsrecht op een eenvoudige houten stoel, die ze had verkozen boven de lage bank. Ook als ik haar medische dossier niet had bekeken, zou ik meteen hebben begrepen dat ze erg veel pijn in haar schouder en nek had. Het was te zien aan haar stijve houding, aan de manier waarop ze haar hele lichaam en niet alleen haar hoofd draaide om de kamer te bekijken. En aan het feit dat ze haar linkerarm stijf tegen haar lichaam gedrukt hield, alsof ze zich nog steeds probeerde te beschermen tegen de naderende val.

Ik denk niet dat iemand de blonde brigadier ooit zal hebben beschreven als een zachtaardige vrouw, maar nu, met de wallen onder haar ogen, de verbeten stand van haar mond en haar bleke wangen, zag ze er grimmig uit, en ouder dan ze was.

'Mijn methode is gebaseerd op het interne-familiesysteem,' legde ik geduldig uit.

Ze trok een wenkbrauw op, maar zei niets.

'Het beginsel van IFS is dat de geest kan worden verdeeld in een aantal specifieke delen. Het belangrijkste van die delen is de Zelf, die de leiding moet hebben over de rest. Als je Zelf apart staat en verheven is boven de andere delen van het systeem, verkeer je in een positie die je in staat stelt je pijn te begrijpen, te beheersen en te overwinnen.'

'Ik ben van de trap gevallen,' zei D.D. nuchter. 'Als mijn zélf daar iets aan had moeten doen, is het nu te laat.'

'Laat me u een andere vraag stellen: Lijdt u pijn?'

'Bedoelt u op dit moment?'

'Ja, op dit moment.'

'Ja, op dit moment lijd ik pijn. De artsen hebben me uitgelegd dat mijn eigen pezen een stuk van het bot van mijn linkerbovenarm hebben gescheurd. Zoiets doet pijn.'

'Op een schaal van één tot tien, waarbij één staat voor licht ongemak en tien voor de ergst denkbare pijn...'

De rechercheur tuitte haar lippen. 'Zes.'

'Iets boven het gemiddelde dus.'

'Ja. Ik moet armslag houden. Vanavond staat douchen op het programma en dat is een zeven, gevolgd door pogingen in slaap te komen, wat van mij een acht krijgt omdat ik ongemerkt steeds op mijn linkerzij ga liggen. Dit alles wordt morgenochtend gevolgd door het probleem van uit bed komen, wat een dikke negen krijgt.'

'En wat zou bij u een tien krijgen?'

'Dat weet ik nog niet,' zei ze verbeten. 'Het hele concept van "lopende gewonden" is nog nieuw voor me, maar voor zover ik het heb begrepen, is het de taak van de fysiotherapeut om uit te zoeken waar je tien zit.'

Ik glimlachte. 'Dat hoor ik van meer patiënten.'

'Ik ken die schaal,' zei D.D. 'Russ Ilg, de beul die mij is toegewezen, heeft dat allemaal al aan me uitgelegd. Dat je pijn niet moet zien als een soort stip, maar als een heel spectrum. Je moet steeds bij jezelf nagaan waar je je bevindt op dat spectrum, vandaag, deze week. Dan ervaar je pijn niet als pijn op zich, maar kun je die een plek geven op de hele regenboog van folteringen. Of zoiets.'

'Wil hij dat u uw pijn een cijfer geeft als hij met u bezig is?'

'Ja. Hij brengt mijn linkerarm omhoog. Ik gil. Hij zegt dat ik door mijn mond moet ademen. Ik gil weer. Hij vraagt me of ik al bij de acht ben. Als ik nee zeg, tilt hij mijn arm nog twee centimeter hoger.' D.D. keek niet meer naar mij. Ze staarde over mijn rechterschouder naar een punt op de muur terwijl ze rusteloos met haar rechterbeen begon te wippen.

Ik had haar medische dossier gelezen. De afscheuring in haar linkerarm was een zeldzame en bijzonder pijnlijke blessure, waarvoor een zeer onprettige remedie vereist was: fysiotherapie. Pijnlijke oefeningen die moesten voorkomen dat haar schouder vast kwam te zitten en ervoor moesten zorgen dat er tijdens het genezingsproces zo weinig mogelijk littekenweefsel werd gevormd.

In haar dossier stond dat ze tweemaal per week fysiotherapie kreeg. Ik nam aan dat aan het eind van de behandelingen de tranen over haar wangen rolden.

Ik vroeg me nu al af hoe een vrouw die eraan gewend is de touwtjes in handen te hebben daarmee omging.

'U neemt dus de tijd om uw pijn te beoordelen en een cijfer te geven,' zei ik.

Ze maakte een beweging waarvan ik niet zeker was of het een knikje was.

'Hoe vaak?' Ik wilde het naadje van de kous weten.

'Elke keer dat Russ het me vraagt.'

'Tijdens de fysiotherapie?'

'Ja.'

'En thuis? Stel dat u 's nachts wakker wordt en pijn hebt. Wat doet u dan?'

Ze gaf niet meteen antwoord.

Ik wachtte af, nam de tijd.

'Dan probeer ik weer in slaap te vallen,' zei ze uiteindelijk.

'En lukt dat?'

Weer die beweging, het knikje dat geen knikje was.

'Wilt u hier zijn?' vroeg ik abrupt.

Ze keek verbaasd. 'Wat bedoelt u?'

'Nu. Vandaag. Wilt u hier in mijn kantoor zijn en met mij praten?'

De rechercheur staarde niet meer naar de muur. Ze keek mij aan. Haar blik was opstandig. Dat verbaasde mij niet. Sommige mensen laten nooit iets van pijn merken. Anderen brengen die juist naar buiten, slaan ermee om zich heen. Het was niet moeilijk te raden tot welke groep D.D. Warren hoorde.

'Nee,' zei ze kortaf.

'Waarom bent u hier dan?'

'Omdat ik weer aan het werk wil. Ik hou van mijn werk.' Ze klonk nu minder vijandig, meer in de verdediging.

'U werkt bij de recherche.'

'Ja.'

'En u houdt van uw werk.'

'Ik ben gek op mijn werk.'

'Dan moet het erg moeilijk voor u zijn dat u vanwege uw blessure tijdelijk niet in staat bent te werken.'

'Ik ben met ziekteverlof,' zei ze. 'Het lijkt zo simpel: je bent gewond, je blijft thuis. Je geneest, je gaat weer aan het werk. Maar zoals in elk bureaucratisch apparaat willen ze het bij de politie graag ingewikkeld maken. Want mijn schouder kan dan wel genezen, maar hoe zit het met mijn hoofd? Ben ik nog steeds de koele, kalme rechercheur van voorheen? Ik zal in lichamelijk opzicht op een gegeven moment weer in staat zijn in een crisissituatie in actie te komen. Maar zal ik dat ook doen? Of zal ik aarzelen, bang dat ik nieuw letsel zal oplopen aan dezelfde schouder? Ze willen niet dat mijn lichaam weer aan het werk gaat als mijn hoofd thuis blijft. Daar heb ik best begrip voor, maar...'

'U bent hier dus omdat uw meerderen dat willen.'

'Laat ik het zo zeggen: de hoofdinspecteur van mijn afdeling heeft me persoonlijk uw visitekaartje gegeven. Een vrij duidelijke hint.'

'En wat wilt u doen?' vroeg ik. Ik leunde geïnteresseerd naar voren. 'Eén sessie is niet voldoende. Niemand zal geloven dat u pijntherapie serieus opvat als u het bij dit ene gesprek laat. Zes sessies is misschien iets te veel. Ik schat u op drie. U komt voor drie gesprekken; daarna bekijken we de zaak opnieuw.'

Dat leek haar te bevallen. 'Drie is te doen.'

'Goed. Drie sessies. Maar u moet ze serieus nemen; dat is mijn voorwaarde. U hoeft niet alles wat ik zeg te geloven, maar als u toch voor drie sessies komt, kunt u net zo goed luisteren. En uw huiswerk doen.'

'Huiswerk?'

'Uiteraard. Uw eerste opdracht is uw pijn een naam geven.'

'Wat?' Ze bekeek me onderzoekend. Waarschijnlijk omdat ze nu dacht dat ik stapelgek was.

'U geeft uw pijn een naam. En als u dan 's nachts wakker wordt, moet u niet proberen weer in slaap te vallen, maar met uw pijn praten, hem bij zijn naam noemen, en luisteren naar wat hij te zeggen heeft.'

'Wat zou hij moeten zeggen? "Neem een paracetamolletje"?' vroeg D.D.

Ik glimlachte. 'Neemt u pijnstillers?'

'Nee.'

'Waarom niet?'

Dat halve knikje weer, of misschien was het een halve schouderophaling. '"Zeg nee tegen drugs" et cetera, et cetera. Met of zonder recept zijn de grenzen van de narcotica erg vaag en ik kom liever niet aan de verkeerde kant terecht.'

'Bent u bang voor medicijnen?'

'Wat?'

'Veel mensen zijn er bang voor. Bang voor hoe ze zich zullen voelen als ze pillen gaan slikken; bang eraan verslaafd te raken. Ik zeg niet dat daar iets mis mee is. Ik vraag het alleen.'

'Ik hou gewoon niet van medicijnen. Dat is alles. Ik slik ze liever niet.'

'U vindt dat u sterk genoeg bent?'

'Waarom denkt u mij te kunnen stereotyperen?'

'Waarom geeft u geen antwoord op mijn vraag?'

'Is het waar dat u geen pijn voelt?'

Ik glimlachte, leunde achterover en keek op mijn horloge. 'Tweeëntwintig minuten.'

De rechercheur was niet dom. Ze keek naar de klok achter mijn bureau en fronste haar wenkbrauwen.

'Het zal voor u, als rechercheur, niet moeilijk zijn geweest mijn achtergrond na te pluizen,' zei ik. 'Aangezien de *Boston Herald* en een groot aantal wetenschappelijke tijdschriften mijn aandoening erg interessant vinden, hebt u heel wat informatie kunnen vinden. Ik was benieuwd hoe lang het zou duren voordat u behoefte zou voelen mij af te leiden, mijn vragen te ontwijken. En de aanval is nog altijd de beste verdediging.' Ik sprak rustig. 'Ik voel inderdaad geen fysieke pijn. En dat betekent dat ik niets beters te doen heb dan me bezighouden met úw pijn. En u hebt nog steeds geen antwoord gegeven op mijn vraag. Vindt u uzelf zo sterk?'

'Ja,' snauwde ze.

'Zo sterk dat uw schouder u niet zou mogen hinderen?'

'Ik kan niet eens zelf mijn haar wassen!'

Ik wachtte.

'Ik kan mijn kind niet optillen. Ik heb een zoontje van drie. Gisteravond deed ik een stap achteruit toen hij me wilde knuffelen omdat ik wist dat het pijn zou doen. Ik kon de pijn niet aan!'

Ik wachtte.

'De dokter zegt dat ik zal genezen. Doe dit, slik dat. Maar intussen slaap ik niet, kan ik me amper bewegen en kan ik ook niet lekker in bed luieren, want ik haat mijn bed. Omdat het gruwelijk veel pijn doet om te gaan liggen en om weer overeind te komen. Ik ben oud, ik ben kapot, en in zekere zin ben ik werkloos. En dat vind ik goed klote!'

Toen: 'Die godverdommese rotpijn kan van mij de kolere krijgen!'

'Melvin,' zei ik.

'Wat?' D.D. keek me aan. Er lag een woeste blik in haar ogen. Ik kende die; het was de blik van een gewond dier.

'Melvin,' herhaalde ik. 'Melvin is een goede naam voor uw pijn. Krijg godverdomme de kolere met je stomme rotpijn, Melvin. Elke keer dat hij u dwarszit, vloekt u tegen hem, scheldt u hem verrot. Waarom niet? Zoiets lucht op. Als u uw Zelf de baas maakt over Melvin, wordt hij vanzelf kleiner en wordt uw Zelf sterker. Dat is wat u het meest mist, nietwaar? De baas zijn?'

'Melvin,' mompelde D.D.

'Melvin is maar een suggestie. Het moet een naam zijn die u goed in de oren klinkt.'

'Hoeveel verdient u ook alweer per uur?'

'Het uurloon van een psychiater met Ph.D. achter haar naam.'

'Melvin. Herejezus, mijn pijn heet Melvin.'

'Het interne-familiesysteem verdeelt de geest in vier hoofddelen. De kern is de Zelf, de natuurlijke leider van het systeem. Daarnaast heb je de groep die we de Bannelingen noemen. Die vertegenwoordigen de pijn die je nog niet kunt verwerken en die je daarom van je afschuift. Jammer genoeg willen de Bannelingen hun verhalen met anderen delen. Ze blijven opspelen, via woede, angst, verdriet en schaamte, tot je naar hen luistert.

Als de Bannelingen lastig zijn, komt de volgende groep in actie: de Blussers. Blussers gebruiken drugs, alcohol, overmatig eten en andere kortetermijnoplossingen voor de bestrijding van langetermijnpijn. Tot slot hebben we de Managers. Ook zij proberen de Bannelingen op afstand te houden en dat doen ze door agressief hun stempel op de situatie te drukken. Uw streven, uw oordeel, uw zelfkritiek, het zijn allemaal technieken van de Managers. Met andere woorden: de verbannen pijn veroorzaakt emotionele stress, wat de Blussers aanzet tot zelfvernietigende daden en de Managers tot autoritaire maatregelen. Zo blijf je in een kringetje ronddraaien. Je komt vast te zitten in een verstoorde levenscyclus, die je zelf hebt gecreëerd wegens gebrek aan overwicht.'

'Ik ben van de trap gevallen,' zei D.D.

'Dat klopt.'

'Ik snap niet wat dat te maken heeft met Bannelingen, Blussers en Managers. O, en met mijn Zelf.'

'De val is het trauma. Het gevolg van de val is de pijn, maar ook angst, machteloosheid en onvermogen.'

D.D. haalde haar schouders op. Meteen vertrok haar gezicht van pijn.

'Die emoties zijn uw Bannelingen,' legde ik rustig uit. 'Zij willen gehoord worden. De Blussers kunnen daarop reageren door u verslaafd te maken aan drank, drugs of pijnstillers.'

'Ik gebruik niets.'

'Of de Managers treden op de voorgrond,' vervolgde ik, 'en proberen het systeem naar hun hand te zetten door uw reactie op de pijn te beheersen en te veroordelen. Door te eisen dat u sterk genoeg bent.'

D.D. staarde me een volle minuut aan. Toen kneep ze haar ogen halfdicht.

'Ik moet naar de Bannelingen luisteren,' zei ze. 'Daarom wilt u dat ik met mijn pijn praat.'

'Met Melvin. Over het algemeen is het makkelijker om een gesprek te voeren als de gesprekspartner een naam heeft.'

'En wat zal Melvin zeggen? Ik lijd pijn. Ik ben machteloos. Ik haat trappen. En dan zeg ik "oké" en dan verdwijnt de pijn?'

'Dan is uw pijn misschien beter te beheersen. De rest van het systeem bedaart als de Zelf naar voren treedt. Er zijn heel veel studies gemaakt van lichamelijke pijn. Een van de interessantste bevindingen is dat iedereen pijn lijdt, maar dat lang niet iedereen zich eraan stoort. Populair gezegd: veel hangt af van je houding.'

'Populair gezegd,' zei de rechercheur traag, 'heb ik nog nooit van mijn leven iemand zoveel onzin horen uitkramen.'

'Niettemin. Dit was onze eerste sessie. We hebben er nog twee te gaan.'

D.D. haalde haar gezonde schouder op en kwam langzaam overeind. 'Klote Melvin,' zei ze half binnensmonds. 'Oké, het is best lekker om tegen Melvin te vloeken.'

'Rechercheur Warren,' zei ik toen ze naar de deur liep, 'we hebben nog maar twee sessies. Welk doel is voor u het belangrijkst? Wat wilt u het liefst? Dan kunnen we daarnaartoe werken.'

'Ik wil weten wat er gebeurd is,' zei ze zonder erover te hoeven nadenken.

'Hoe bedoelt u?'

'Toen ik viel.' Ze keek me vragend aan. 'Dit valt onder beroepsgeheim, nietwaar?'

'Uiteraard.'

'Het letsel dat ik heb opgelopen... Het is gebeurd toen ik op een plaats delict van de trap viel. Tijdens mijn val heb ik schoten gelost met mijn dienstwapen. Maar ik kan me niet herinneren waarom ik daar was en op wie ik schoot.'

'Interessant. Hebt u vanwege de val een hersenschudding opgelopen?'

'Dat zou kunnen. En volgens de artsen kan dat de oorzaak zijn van het geheugenverlies.'

'Wat is het laatste wat u zich herinnert?'

Ze bleef zo lang zwijgen dat ik dacht dat ze mijn vraag niet had gehoord. Toen: 'De geur van bloed,' fluisterde ze. 'En dat ik viel. "Er kwamen twee soldaatjes aan. Die vielen op hun gat."'

'Rechercheur Warren?'

'Ja?'

'Als u 's nachts voldoende tegen Melvin hebt gevloekt, moet u hem een vraag stellen. U moet hem vragen waarom hij het zich niet wil herinneren.'

'Echt?'

'Echt. En dan moet u tegen hem zeggen dat het nu mag. Dat u veilig bent en dat u het nu aankunt.'

'Dat ik het aankan me te herinneren wat er is gebeurd?'

'Ja. Maar bereid u voor, rechercheur Warren. Melvin kan een heel goede reden hebben waarom hij wil dat u het vergeet.'

HOOFDSTUK 4

'Mijn pijn heet Melvin.'

'Beter dan Wilson,' zei D.D.'s man, Alex Wilson. 'Of Horgan.' Hoofdinspecteur Cal Horgan was D.D.'s baas.

'Van jullie tweeën heb ik niet de hele dag last. Van Melvin wel.'

D.D. liep naar haar man, die op de veranda van het kleine huis stond. Het begon al te schemeren en de kilte was een voorbode van de naderende winter. Haar auto stond drie straten verderop. Ze kon iemand zijn die hier woonde en na een lange werkdag thuiskwam. Ze kon ook een geblesseerde rechercheur zijn die toevallig in de buurt was van een huis waar een moord was gepleegd en daar nu een wandelingetje maakte.

Wat ze eigenlijk niet moest doen. Wat ze eigenlijk helemaal niet mocht doen.

Maar toen ze na de sessie bij haar nieuwe therapeut weer op straat had gestaan, had ze geweten dat ze naar de nieuwe plaats delict zou gaan. Ze had het geweten toen ze voorzichtig in haar auto stapte, haar rechterarm voor haar lichaam langs uitstak om de veiligheidsgordel te pakken die Alex aan de binnenkant van het portier had bevestigd, en die ze gebruikte om het portier dicht te trekken zonder haar linkerarm te hoeven bewegen.

Een handeling die ze evengoed met veel overleg moest verrichten.

Waardoor ze ruimschoots de tijd had om van gedachten te veranderen.

Sleuteltje in het contact. Pookje van parkeren in zijn achteruit.

Opeens kreeg ze een déjà vu. Ze had dit al eens eerder gedaan. Zichzelf gemaand naar huis te gaan, om uiteindelijk toch naar een plaats delict te rijden.

Niet verwonderlijk. Ze volgde dit patroon al zolang ze bij de politie werkte.

Het enige verschil was dat haar man ditmaal voor het huis van het slachtoffer stond en dat het hem niet leek te verbazen zijn vrouw te zien.

'Hoe is de psychiater?' vroeg Alex. Hij tilde het gele lint op zodat ze niet hoefde te bukken. Ze stapte op de overdekte veranda.

'Ze zegt dat ik met mijn pijn moet praten. Dan weet je het wel.'

'Zegt je pijn iets terug?'

'Dat schijnt een eigenschap van pijn te zijn.'

'Interessant,' zei hij.

'Je reinste flauwekul,' zei zij.

Ze stonden tegenover elkaar. Zoals altijd zag Alex er kalm uit en was zijn gezicht ondoorgrondelijk. Ze merkte dat haar hart snel en onregelmatig klopte en dat ze oppervlakkig ademde. De pijn, dacht ze. Haar genezing vereiste zoveel energie dat ze al moeite had met drie treetjes van een veranda.

'Hebben ze jou erbij geroepen?' vroeg ze. 'Hebben ze je expertise nodig?' Alex was docent criminologie aan de politieacademie, gespecialiseerd in het analyseren van plaatsen delict. Daarnaast deed hij privéklusjes als consultant. Om zijn vakkennis op peil te houden deed hij af en toe ook veldwerk. Zo hadden ze elkaar leren kennen, nu alweer een flink aantal jaren geleden. Bij een soortgelijk huis. Alleen was het daar een man geweest die zijn hele gezin had vermoord alvorens de hand aan zichzelf te slaan.

D.D. herinnerde zich nog precies hoe ze door het huis waren

gelopen, in het spoor van bloed, terwijl Alex de toedracht uit de doeken deed die hij geschreven zag staan in de plassen op de vloer en de spetters op de muren: over de vrouw bij wie de wervelkolom doormidden was gehakt, de atletische tienerzoon die was bezweken toen er een mes tussen zijn ribben werd gestoken, en de twee jongere kinderen die hun toevlucht hadden gezocht in een slaapkamer achter in het huis. Het kind dat daar niet meer was weggekomen en het veel ongelukkigere kind dat het wel was gelukt.

'Ik wist dat je zou komen,' zei Alex.

'En ga je me nu wegsturen? Zeggen dat ik braaf naar huis moet gaan?'

Haar man glimlachte en streek een krul achter haar oor. 'Ik kan net zo goed tegen de wind zeggen dat hij niet mag waaien. Het Boston PD heeft hulp nodig bij dit onderzoek. Nu ik hier toch ben, kunnen we samen een kijkje nemen.'

'Dit is de reden waarom ik mijn pijn niet Wilson heb genoemd,' zei ze eerlijk.

Maar Alex keek opeens somber. 'Bedank me nog maar niet.'

D.D. ging het schemerige huis binnen. Het eerste wat haar opviel, was de stank. Die veroorzaakte een nieuw déjà vu. Ze zag zichzelf het huis van Christine Ryan binnengaan, waar ze dezelfde metaalachtige geur had geroken en waar ze, nog voordat ze het lijk had gezien, had geweten dat de aanblik gruwelijk zou zijn. Het was de aanloop geweest naar het schokkende moment waarop ze had beseft dat ze stond te kijken naar het lijk van een jonge vrouw wier huid in lange, krullende repen was afgestroopt en op een hoopje naast haar lichaam achtergelaten.

Alex bestudeerde haar. Niet de vloer, de muren of de trap, wat op zich allemaal interessante elementen waren voor een analist van plaatsen delict. Nee, hij bestudeerde háár en dat dwong haar, meer dan haar pijn, zich groot te houden.

Ze haalde diep adem, door haar mond, en trok een professioneel gezicht.

Alex wees naar een bak bij de muur. Een bak met schoenbeschermers en mutsjes voor iedereen die nog aan dit onderzoek zou deelnemen; een voorzorgsmaatregel die werd genomen als een plaats delict erg gecompliceerd of het bewijsmateriaal erg kwetsbaar was.

Dit in tegenstelling tot de eerste plaats delict. Die was ook ijzingwekkend geweest, maar daar waren de gruwelen beperkt gebleven tot het met bloed doorweekte matras van het slachtoffer. Hier...

D.D. trok schoenbeschermers aan over haar laaggehakte laarzen. De beschermers waren groot en elastisch en dus niet moeilijk te hanteren met één hand. Het mutsje was lastiger. Ze wist niet hoe ze het op zijn plek kon houden en gelijktijdig haar weerbarstige krullen eronder stoppen. Alex hielp haar. Zijn vingers volgden haar haarlijn, pakten steeds een paar blonde krullen bij elkaar en duwden die onder het mutsje. D.D. stond doodstil, liet hem zijn gang gaan, voelde zijn adem op haar wang. Behalve wanneer hij haar hielp met douchen, hadden ze elkaar al weken niet aangeraakt.

'Kijk,' zei Alex. Hij wees naar de muur naast de trap.

Ze zag wat hij bedoelde: een donkere vlek op de lichte verf, vlak boven de onderste tree. De eerste bloedsmeer.

'En daar.' Hij wees nu naar een plek op de vloer, vijftien centimeter van haar linkervoet. Zelfs in het schemerige licht was te zien dat deze vlek groter was en scherper omlijnd.

D.D. bukte zich om hem beter te kunnen bekijken. Alex deed zijn HID-lamp aan. D.D.'s adem stokte.

'Een pootafdruk.'

'De vermoorde vrouw had een hondje. Lily. Een pluizig beestje, te oordelen naar de vlek bij de trap.'

Toen D.D. die vlek nader bekeek, zag ze wat hij bedoelde. Het bloed had een smeerpatroon van tientallen dunne rode lijntjes, veroorzaakt door met bloed doorweekt haar dat langs de muur was gestreken.

'Steil haar. Geen krullen,' zei ze zachtjes.

Nu begreep ze waarom ze schoenbeschermers aan moesten. Het hondje had in zijn onschuld de plaats delict verstoord en de rechercheurs mochten er niet nog meer aan verknoeien.

Alex wilde naar de trap lopen, maar D.D. hield hem tegen. Ze wilde zich eerst oriënteren, een indruk krijgen van het huis en de vrouw die er had gewoond.

De hal had bescheiden afmetingen. Er stond een bankje met een gebloemde zitting. Op en onder het bankje lag schoeisel. Ze zag laarzen, slippers en pumps. Ook makkelijke schoenen met een lage hak, in neutrale tinten bruin en zwart. Allemaal damesschoenen, allemaal dezelfde maat.

Vanuit de hal kwam je in een kleine woonkamer met een ouderwetse, grijsgroene bank en een bijpassende poef. Op de bank lag een fleecedeken en op de poef lag een dekentje voor de hond. Er stond ook een fauteuil die half schuilging onder een stapel kleren – wasgoed dat moest worden opgevouwen? – en tegenover de bank stond een middelgrote flatscreentelevisie.

D.D. liep door naar de keuken: vintage jaren zeventig, compleet met versleten geel linoleum en een oude olijfgroene oven. In tegenstelling tot de rommelige woonkamer en hal was de keuken erg netjes. Op het aanrecht stond een koffiezetapparaat van het merk Keurig en een kleine magnetron. In de gootsteen één bord, één vork, één mes en één glas. De keuken van iemand die gewend was afhaalmaaltijden te eten. D.D. wist dat omdat zij precies zo'n keuken had gehad voordat ze met Alex was getrouwd.

Ze keerde terug naar de hal. 'Ik denk een verpleegster,' peinsde ze hardop. 'Verdient redelijk, genoeg om een klein huis te kopen, maar niet genoeg voor een nieuwe keuken en nieuwe meubels. Ze moet voor haar werk veel staan, vandaar de makkelijke schoenen. Ze is alleenstaand of net aan een relatie begonnen. In het laatste geval gingen ze altijd naar zijn huis, want dit is haar domein en ze is er nog niet aan toe om het met iemand te delen.'

Alex trok één wenkbrauw op. 'Je zit aardig in de buurt. Regina Barnes, een onlangs gescheiden ergotherapeut. Ze werkte in een bejaardentehuis hier in de buurt. Ik weet niet of ze een nieuwe vriend had, maar er hebben zich geen getuigen gemeld en er zijn geen sporen van braak.'

'Misschien had ze pas iemand leren kennen. Al dan niet online. Misschien heeft ze de dader zelf binnengelaten.'

Alex reageerde daar niet op. De technische recherche zou de computer en de mobiele telefoon van het slachtoffer bekijken. Tot Alex' domein hoorden de bloederige pootafdrukken en het patroon van uitgesmeerde bloedvlekken langs de trap.

'In het huis van Christine Ryan waren ook geen sporen van braak,' zei D.D. peinzend. 'En haar vriendinnen zwoeren dat ze het zouden hebben geweten als ze een nieuwe vriend had, virtueel of in het echt. Hebben de buren niets gehoord?'

'Nee.'

Ze klopte op een muur. Over het algemeen waren de huizen in wijken als deze vrij gehorig. Een gevecht op leven en dood, het gegil van een vrouw, zou niet onopgemerkt zijn gebleven.

'Zijn er op straat surveillancecamera's? Heeft het huis een beveiligingssysteem?'

'Geen van beide.'

'Tijdstip van overlijden?'

'Tussen middernacht en twee uur.'

'Misschien overvalt hij zijn slachtoffers in hun slaap en zijn er daarom geen sporen van weerstand.'

'Maar hoe komt hij binnen?'

'Misschien is hij goed met lockpicks.' D.D. bekeek het slot van de voordeur. Regina had haar huis goed beveiligd, zoals een alleenstaande vrouw in een grote stad betaamt. De voordeur had een vrij nieuw stalen meerpuntsslot. Christine Ryan, het eerste slachtoffer, was net zo voorzichtig geweest.

Alex wachtte zwijgend of ze tot dezelfde conclusie zou komen als hij.

‘Het is mogelijk,’ zei D.D. ‘Al is het niet makkelijk.’

‘En niet waarschijnlijk.’

‘Maar als ze hem heeft binnengelaten… in de gootsteen staan één bord en één glas. Dan had ze hem niet uitgenodigd. Hij was geen vriend die een glaasje kwam drinken. Zijn er in de woonkamer en keuken sporen gevonden? Voetafdrukken, haren, vezels?’

‘Geen voetafdrukken. Met haren en vezels zijn ze nog bezig.’

Ze knikte en keek weer naar de pootafdruk op de vloer, terwijl Alex zich naar de trap keerde.

Ze zocht uitvluchten. Haar voeten bleven staan waar ze stonden in plaats van nu eindelijk die eerste stap naar de trap te doen, naar de slaapkamer boven, waar het was gebeurd. Zag ze zo op tegen wat ze daar zou aantreffen? Of was het nog erger? Was ze bang voor de trap?

Alex nam uiteindelijk het initiatief. Hij liep de eerste treden op. Nu moest D.D. hem wel volgen.

Met zijn HID-lamp bescheen Alex onderweg alle bloedvlekken. Pootafdrukken, halve en hele, op de treden. De hond moest een paar keer de trap op en af zijn gelopen. Boven aan de trap een beduidend grotere vlek, alsof iemand daar had geprobeerd een plas bloed op te dweilen.

‘We zullen bekijken of we dit kunnen reconstrueren,’ zei Alex, ‘maar volgens mij is deze vlek ook door de hond veroorzaakt. Het beestje was nerveus, heeft een tijdje bij het lijk gelegen en is toen door de gang heen en weer gerend. Ik denk dat hij hier is gaan liggen. Misschien om te wachten tot er hulp zou komen.’

D.D. had moeite met ademhalen. Vanwege de klim, zei ze tegen zichzelf. Maar ze hield haar rechterhand om de leuning geklemd alsof haar leven ervan afhing. Het was net alsof er een strakke band om haar borst zat. Alsof een reus zijn hand in haar lichaam had gestoken en haar longen samenkneep.

Ze boog zich voorover. Hapte naar adem.

Opeens zag ze allemaal witte stipjes…

Het regent, het regent...

'Geef me je hand. Goed zo. Haal rustig adem. Door je mond, een, twee, drie, vier, vijf. Uitademen door je neus. Een... twee... drie... vier... vijf. Rustig aan, lieverd. Rustig aan.'

Een minuut. Misschien twee, drie, tien. Ze geneerde zich toen ze merkte dat ze onbedaarlijk beefde. En transpireerde. Zweetdruppels parelden op haar voorhoofd. Gleden langs haar slapen. Een ogenblik werd ze bevangen door een allesoverheersende aandrang de trap af te hollen en het huis te ontvluchten. Weg van deze plaats delict. Ze wilde vluchten en nooit meer terugkomen.

Alex' hand omvatte de hare.

'Je hoeft dit niet te doen,' zei hij rustig. 'Als het niet gaat, breng ik je naar huis. Helemaal geen punt.'

Dat gaf de doorslag. Hij sprak zo rustig, zo begripvol, dat er voor haar niets anders op zat dan zich te vermannen. Ze wilde deze persoon niet zijn. Deze zwakke, bevende vrouw die zich aan haar man moest vastklampen om de trap op te komen.

Ze haalde adem, telde tot vijf. Blies haar adem uit. Hief haar hoofd op.

'Sorry,' zei ze kortaf. Ze keek overal naar, behalve naar Alex. 'Ik merk dat het hoog tijd is om mijn conditie op te vijzelen.'

'D.D.'

'Al dat lanterfanten. Daar heeft een mens niks aan.'

'D.D.'

'Misschien kan ik mijn pijn beter dwingen te gaan joggen dan hem een naam te geven. Dat zal hem leren.'

'Stop.'

'Wat?'

'Lieg niet tegen mij. Als je tegen jezelf wilt liegen, is dat jouw zaak, maar lieg niet tegen mij. Je bent voor het eerst sinds je ongeluk terug op een plaats delict. Dat je een soort paniekaanval krijgt, is...'

'Een paniekaanval? Doe niet zo raar.'

'Een emotionele reactie is heel normaal. Je bent niet van steen, schat.' Alex sprak liefdevol. 'Je bent een mens. Mensen ervaren angst, pijn en onzekerheid. Dat wil niet zeggen dat je zwak bent. Het wil zeggen dat je een mens bent.'

'Het was geen paniekaanval,' zei ze, nog steeds zonder hem aan te kijken. Toen vroeg ze, omdat ze het moest weten: 'Hoe is het met de hond?'

'Die is bij de buren. Ik geloof dat hij daar sowieso vaak was.'

'Het arme beest moet helemaal onder het bloed hebben gezeten. Om zo'n grote vlek te maken moeten zijn poten en zijn buik onder het bloed hebben gezeten. Hij is vast naast zijn vrouwtje op het matras gaan liggen...'

'We gaan naar huis wanneer je maar wilt, D.D.'

'Er kwamen twee soldaatjes aan,' fluisterde ze.

'Wat zeg je?'

Ze glimlachte, hief haar hoofd op en trok haar gezonde schouder naar achteren. 'Die vielen op hun gat.'

Ze liep de gang in.

De kamer was min of meer intact gelaten. Het lijk was uiteraard weggehaald, maar het met bloed doorweekte matras, de fles champagne en de met bont gevoerde handboeien waren er nog. Het bloederige laken hing nog aan de muur. D.D. kende die techniek. Soms werd beddengoed, kleding, zelfs een vloerdeel opgehangen om het patroon van bloedspatten beter te kunnen analyseren. Niettemin zette ze zich schrap toen Alex het licht aandeed waardoor de verstikkende schaduwen verdwenen en de gruwelen in hun volle glorie zichtbaar werden.

'Ik heb gevraagd of ze alles zo veel mogelijk in de oorspronkelijke staat wilden laten,' zei Alex.

D.D. knikte. Diep in haar geblesseerde schouder stak de pijn de kop weer op.

'Precies dezelfde champagne,' merkte ze op. Ze keek overal naar, behalve naar het laken.

'Phil denkt dat de moordenaar alles heeft meegebracht – de champagne, de handboeien en de roos.'

'Rekwisieten voor zijn toneelstuk.'

'Heel specifieke rekwisieten,' zei Alex. 'Niet een willekeurige fles champagne en een willekeurige bloem, maar deze.'

'Een geritualiseerde moord.' Ze had dit al eens eerder gedacht. Wat ze hier zagen, was de zorgvuldig uitgewerkte fantasie van een moordenaar. Andere gedachten kwamen in haar op, als schimmen in een droom. 'VICAP?' vroeg ze, doelend op het Violent Criminal Apprehension Program, een landelijke dienst met een databank tjokvol informatie uit criminele dossiers. Rechercheurs konden daarvan gebruikmaken om misdrijven in hun rechtsgebied te vergelijken met soortgelijke misdrijven uit andere delen van het land.

'Daar zijn ze ongetwijfeld al mee bezig.'

'Hij creëert een romantisch decor,' zei ze. 'Roos, champagne, seksspeeltjes. Maar het gaat om macht. Hij wil macht uitoefenen.'

Alex zei niets. Hij draaide zich om en richtte de smalle lichtbundel van zijn HID-zaklantaarn op de gang. In het felle witte licht zagen ze een groot aantal vlekken, hoofdzakelijk de bloederige pootafdrukken van de hond die heen en weer was gelopen. Vervolgens richtte hij de lichtbundel op de vloer van de slaapkamer. Het contrast viel D.D. meteen op. De pootafdrukken vormden een spoor tussen het tweepersoonsbed en de deur, en naast het nachtkastje aan de rechterkant van het bed zag ze een smallere vlek, een bloedvlek die de moordenaar had geprobeerd te verwijderen.

Maar verder... niets.

In de kamer die het decor vormde van een van de gruwelijkste moorden die D.D. ooit had gezien, was vrijwel nergens bloed achtergebleven. Niet op de vloer. Niet op de muren.

'Dit... dit...' stamelde D.D. Ze schraapte haar keel. 'Dit bestaat niet. Je kunt iemand niet villen zonder dat je onder het bloed komt te zitten. En de dader kan deze kamer, laat staan dit huis niet hebben verlaten zonder een zichtbaar spoor achter te laten. Zelfs als hij alles met bleekwater schoonmaakt, blijven er sporen achter. Dat is het mooie van jouw werk. Bloed dat met het blote oog niet te zien is, is nog wel aanwezig en kan zichtbaar worden gemaakt met de juiste verlichting of de juiste chemische middelen. Dus...' Ze gebaarde naar het ogenschijnlijk bloedvrije deel van de hardhouten vloer. 'Ik zie het, maar ik geloof het niet.'

'Daarom wil het Boston PD hulp bij dit onderzoek.' Alex liep langzaam de kamer in terwijl hij de lichtbundel van zijn zaklantaarn methodisch van links naar rechts en weer terug liet gaan. 'Zullen we eerst het laken bekijken? Daar begint en eindigt alles mee, lijkt mij.'

Ze knikte kort. Op een teken van Alex deed ze het licht in de kamer uit. In het donker was het iets makkelijker haar aandacht bij Alex' witte lichtbundel te houden, die nu van het opgehangen laken een naargeestig vloeiblad vol lugubere vlekken maakte.

Het patroon van rondspattend bloed, had D.D. geleerd, was afhankelijk van de kracht waarmee de wond werd toegebracht en van de mate van poreusheid van de omringende stof. Beddengoed, zoals dekens en matrassen, waren zacht en poreus, waardoor bloed erdoor werd opgezogen in plaats van rond te spatten. Vandaar dat op het witte laken een lange, bijna cilindervormige afdruk te zien was, die op twee plaatsen was doorbroken door witte strepen. Ze liep er samen met Alex naartoe om de omtrek van de vlek te bestuderen.

'Ik zie geen waas,' mompelde D.D. 'Het rode waas dat wordt veroorzaakt door de inslag van een kogel.'

'Er is ook niet op het slachtoffer geschoten. Het bloedpatroon wijst op verwondingen die met een lagere snelheid zijn toegebracht.'

Zoals steekwonden. D.D. fronste. 'Er zijn ook geen spatten, zelfs geen druppels die van het handvat of lemmet van het mes zijn gevallen. Hoe verklaar je dat?'

'De moordenaar heeft haar niet doodgestoken. We weten nog niet wat de doodsoorzaak is. Maar gezien het ontbreken van verweerwonden en van slagaderlijke bloedspatten moet het slachtoffer dood zijn geweest voordat de moordenaar is begonnen in haar te snijden. Ik ben een criminoloog, geen gedragspsycholoog, maar alles wijst erop dat het bij deze moord gaat om macht, niet om pijn en lijden. Wat we hier zien, is het resultaat van iets wat post mortem is gedaan.'

Dat zou op zich een geruststelling moeten zijn. Dat de vrouw al dood was toen de moordenaar de koude punt van zijn mes onder haar huid stak. Maar D.D. vond dit bijna nog erger. Ze kon een seksueel-sadistische folteraar met een onweerstaanbare drang iemand pijn te laten lijden min of meer begrijpen. Maar dit? Een moordenaar die zijn dode slachtoffer voor de lol vilde?

'Het wit?' zei ze hees. Ze wees naar de twee schone, witte strepen in het midden van de donkere cilinder.

Alex haalde een potlood uit zijn zak om dingen aan te wijzen terwijl hij uitleg gaf. 'De verminking, die na intrede van de dood is toegebracht, had hoofdzakelijk betrekking op het bovenlichaam en de dijbenen. Als je deze bloedvlek goed bekijkt, zie je dat die aan de bovenzijde enigszins uitwaaiert. Dat deel van deze afdruk is volgens mij gemaakt door de schouderbladen van het slachtoffer. Omdat die op het laken drukten, werd op die plek de absorptie van het bloed beperkt. Met dit als uitgangspunt zien we hier het hoofd, de schouders, het bovenlichaam en de benen. Dat wil zeggen...'

'Dat het wit aan weerskanten van de dijbenen van het slachtoffer zit.'

'Vermoedelijk onder de schenen van de moordenaar. Als hij schrijlings op zijn slachtoffer zat, drukten zijn scheenbenen aan weerskanten van haar dijbenen op het matras, waardoor dat deel van het laken beschermd werd tegen het bloed.'

'Eerst doodt hij zijn slachtoffer,' zei D.D. zachtjes. Ze probeerde zich het verloop van de gebeurtenissen voor te stellen. 'Daarna richt hij het decor in. De champagne, de boeien, de roos. Hij wil alles in gereedheid hebben voordat het... een bloederige toestand wordt.'

Alex draaide zich om en scheen met zijn lantaarn op het nachtkastje met de fles champagne en de rest van de rekwisieten. In het witte licht was niet één druppel bloed te zien.

'Dat lijkt me een correcte veronderstelling,' zei hij.

'Daarna moet hij het slachtoffer van haar kleding hebben ontdaan. Het was hem immers om haar huid te doen.'

De lichtbundel zwaaide naar de vloer links van het bed, waar D.D. nu een hoopje donkere kleren zag liggen.

'Zwarte trainingsbroek, ruim T-shirt met opdruk van de Red Sox, ondergoed,' meldde Alex.

'Dat klinkt als iets wat een alleenstaande vrouw 's avonds aantrekt. De moordenaar heeft de kleding achteloos op de grond gegooid.'

Een knikje.

'Daarna...' Ze draaide zich om naar het bed. '... klimt hij op het bed, gaat schrijlings op het naakte lichaam van de vrouw zitten en begint haar te villen. Waarom?'

Alex haalde zijn schouders op. 'Een ritueel? Misschien is hij een necrofiel, voor wie elke minuut die hij met het lijk doorbrengt puur genot is. De repen zijn smal en het pathologische onderzoek van het eerste slachtoffer heeft uitgewezen dat de dader heel nauwkeurig en methodisch werkt. Volgens de patholoog moet de moordenaar minstens een uur, zo niet twee of drie, nodig hebben gehad om het slachtoffer te villen.'

'Sperma?' vroeg D.D. 'Sporen van seksuele geweldpleging?'

'Bij het eerste slachtoffer niet. Bij het tweede is het wachten op de resultaten van het onderzoek.'

'Ik begrijp het niet. Hij dringt het huis binnen en doodt zijn slachtoffer. Met een verdovend middel?'

'Het resultaat van het toxicologisch onderzoek is ook nog niet binnen.'

‘En dan... gaat hij snijden. Minstens een uur.’

‘En hij doet dat heel vakkundig,’ vertelde Alex. ‘Volgens de patholoog kan de dader een jager zijn, of zelfs een slager. De gelijkmatige dikte en breedte van de repen huid wijst erop dat hij dit vaker heeft gedaan.’

‘Met wat voor soort mes?’

‘Waarschijnlijk een klein, vlijmscherp mes, misschien een dat speciaal hiervoor is ontworpen. En dat brengt me op iets waar we ook nog aandacht aan moeten besteden. Bij dit soort misdrijven legt de dader zijn wapen meestal af en toe neer. Om even uit te rusten of zijn greep erop te verstevigen. Of wanneer hij op het bed klautert en er weer afstapt. Dat zou hij automatisch doen, zonder erbij na te denken, en dan zouden wij ergens een afdruk van het wapen moeten zien. Als een moordenaar zoveel tijd met zijn slachtoffer doorbrengt en in zulke bloederige omstandigheden werkt, is dergelijk bewijsmateriaal te verwachten. Maar...’

‘Deze moordenaar heeft het mes niet neergelegd.’

‘Of hij was slim genoeg en had voldoende tegenwoordigheid van geest om het in een plas bloed te leggen, in de veronderstelling dat het daar geen afdruk kon achterlaten.’

D.D. keek naar haar man. ‘In de veronderstélling dat het daar geen afdruk kon achterlaten...?’

Alex glimlachte even. Hij keek weer naar het bloederige laken aan de muur en bescheen het van dichtbij met zijn zaklantaarn. ‘Bij dit soort misdrijven, als het slachtoffer gedurende lange tijd uit vele wonden bloedt...’

‘Om het netjes te zeggen.’

‘Krijg je patronen van bloed op bloed. Als bloed begint op te drogen, wordt het dik, en de randen worden geel omdat de hemoglobine zich scheidt van de bloedplaatjes. Het oude bloed vormt daardoor een oppervlakte waarop nieuw bloed kan druppelen.’

Ze kon het zich min of meer voorstellen. ‘Dus als de dader

een met vers bloed bedekt mes zou neerleggen op een plas half opgedroogd bloed, kan er op het oudere bloed een afdruk van het wapen achterblijven.'

'Precies.'

'En in dit geval?'

Alex bestudeerde de hard geworden, roodbruine vlek op het laken van heel dichtbij. 'Ik geloof... dat ik hier een afdruk zie. Vaag weliswaar, maar toch... Het lijkt mij een fileermes, al moet ik eerlijk zeggen dat het soms moeilijk te bepalen is of je ziet wat je wílt zien of wat het in werkelijkheid is. Maar we kunnen dit in het laboratorium nader onderzoeken, het contrast laten uitkomen met behulp van chemicaliën. Het is beslist de moeite van het proberen waard.'

'Goed,' zei ze.

Hij fronste zijn wenkbrauwen en bekeek de vlek nogmaals. Voor de vorm deed D.D. dat ook, maar zij zag de nuance van een vlek op een vlek niet. Ze was zich hoofdzakelijk bewust van de intense geur van het geronnen bloed. Zoveel bloed. In dit laken. In het matras.

Maar, dacht ze terwijl ze zich omdraaide, niet in de rest van de kamer.

Alex draaide zich ook om en liet de felle lichtbundel nogmaals over de muren en vloer gaan terwijl ze nu de laatste etappe van het moordproces onder de loep namen.

'Hij heeft de boel schoongemaakt,' zei D.D.

Alex knikte instemmend. 'Ja, dat moet wel.'

Hij liet de lichtbundel langzaam en ritmisch heen en weer gaan, rond het bed, over de pootafdrukken, over de vlek bij de deur van de slaapkamer. Omdat die ongeveer net zo groot was als de vlek boven aan de trap had de hond daar waarschijnlijk ook gelegen.

'Heeft de hond niet geblaft?' vroeg D.D.

'Zo ja, dan heeft niemand dat gehoord.'

'Ook al was hij erg van streek.' Ze wees naar de pootafdrukken die aangaven hoe het beestje heen en weer had gelopen.

'Van streek, of misschien vooral verward? Het kan wat vreemd klinken, maar dit was geen moord waarbij veel geweld is gebruikt. Er zijn geen sporen dat de dader heeft ingebroken en dat hij het slachtoffer met geweld heeft overmeesterd. Hoe het ook precies in zijn werk is gegaan, het is stilletjes gedaan. Ook de verminking. Hij is op het lijk gaan zitten. De vrouw gilde niet, verzette zich niet, aan niets is te merken dat er iets niet in orde was.'

D.D. rilde. Ze kon er niets aan doen. 'Hij had een plan,' zei ze om zich weer te concentreren. 'En dat heeft hij uitgevoerd. En toen...'

'Heeft hij de kamer schoongemaakt,' zei Alex. Hij fronste. 'Dit is het deel dat ik niet begrijp. Het zal geen chaotische scène zijn geweest – niemand probeerde te vluchten, hij hoefde niemand achterna te gaan of in bedwang te houden –, maar gezien de hoeveelheid bloed die uit het lichaam van het slachtoffer in het matras is gedrongen, moeten de handen en onderarmen van de dader onder het bloed hebben gezeten. Net als zijn benen en voeten, als hij schrijlings op het slachtoffer zat. De vloer had vol bloedsporen moeten zitten. Ook zonder voetafdrukken zouden we minstens sporen moeten zien van het bloed dat hij heeft opgedweild. Waarom is er dan helemaal niets te vinden?'

D.D. begreep wat hij bedoelde. Ze zag tientallen pootafdrukken tussen het bed en de deur, maar verder niets.

'Misschien heeft hij zich in de badkamer gewassen,' opperde ze. 'Misschien is hij zelfs onder de douche gegaan. Ik neem aan dat Phil het team opdracht heeft gegeven de douche en de wasbak te onderzoeken?'

'Dat denk ik wel. Maar hoe is de moordenaar in de badkamer gekomen? Is hij ernaartoe gezweefd?' Alex bescheen het traject van het bed naar de badkamer. Op de vloer was geen enkel spoor te zien. Hij richtte het licht op de koperen deurknop. Daarop waren evenmin vlekken te bespeuren. Voor de goede orde liet hij het licht langzaam over de gebarsten linoleumvloer, de oude witte badkuip, de staande wastafel en het toilet gaan. Niets, niets, niets.

'Een speciaal soort schoonmaakmiddel?' D.D. dacht hardop. 'Misschien heeft hij alle kiertjes met een tandenborstel schoongemaakt, elke centimeter geschrobd...'

'Dat is mogelijk, maar is het waarschijnlijk?' Alex keek weifelend. Zoals hij al had uitgelegd, was het onmogelijk om bloed voor honderd procent te verwijderen. Vandaar dat criminologen hele carrières konden bouwen op sporen die misdadigers achterlieten omdat ze wel de muren met bleekwater schoonmaakten, maar het handvat van het raam vergaten, of hun eigen huid rauw schrobden, maar het opwindknopje van hun horloge over het hoofd zagen. Een moordenaar kon alleen schoonmaken wat hij met het blote oog kon zien. Onderzoekers konden met instrumenten als HID-lampen en met chemicaliën als luminol elke plaats delict bekijken alsof ze röntgenogen hadden.

D.D. bedacht iets. 'Laten we dit even van een andere kant bekijken. We hebben een moordenaar die niet alleen ongemerkt het huis is binnengedrongen, maar ook ongemerkt weer is vertrokken. Maar na de moord moet hij er op zijn minst verfomfaaid hebben uitgezien. Er moet bloed op zijn kleren hebben gezeten. Hoe heeft hij dat kunnen verbergen?'

Alex haalde zijn schouders op. 'Het voor de hand liggende antwoord op deze vraag is dat hij na de moord onder de douche is gegaan, zoals jij al zei, schone kleren heeft aangetrokken en via de voordeur is vertrokken, alsof hij gewoon op bezoek was geweest.'

'Maar je zei zelf dat er dan sporen te zien moeten zijn tussen het bed en de slaapkamer, om nog maar te zwijgen over de badkamervloer, de douche en de wastafel. Dus... Stel dat hij naakt was? Stel dat hij, nadat hij zijn slachtoffer had gedood en voordat hij aan de hoofdact begon... zich heeft uitgekleed?'

‘Dat zou verstandig zijn,’ zei Alex. ‘Je krijgt bloed makkelijker van je huid dan uit je kleren.’

‘Wat me verder opvalt, is dat er geen handdoek lijkt te ontbreken in de badkamer. Er hangt een kleine handdoek bij de wastafel en er liggen twee badlakens op het rek. Als hij zich hier heeft gedoucht, waarmee heeft hij zich dan afgedroogd?’

Alex knikte nadenkend.

‘Misschien,’ vervolgde D.D., ‘heeft deze moordenaar niet alleen de rekwisieten voor de moord meegebracht, maar ook een tas met andere spullen. Een handdoek, misschien zelfs een badmat voor op de vloer naast het bed. Hij legt de badmat op de vloer, kleedt zich uit, klimt op het bed om te doen waar hij voor is gekomen. Als hij klaar is, stapt hij vanaf het bed op de badmat, wrijft zich schoon met zijn eigen handdoek, en trekt zijn kleren, sokken en schoenen weer aan. Daarna hoeft hij alleen nog maar de badmat op te rollen met daarin de vuile handdoek en het mes. Hij doet de mat in zijn tas en vertrekt. Dat verklaart waarom er in de rest van het huis, inclusief de badkamer, geen bloedsporen zijn.’

‘Niet alleen verstandig,’ zei Alex, ‘maar ook slim.’

‘Ervaren,’ benadrukte D.D. ‘Dat zei de patholoog toch? We hebben te maken met een slimme man. Een slimme man die bovendien zijn zelfbeheersing weet te bewaren. Van begin tot eind. Daarom denk ik dat we hier geen antwoorden op onze vragen zullen vinden.’

Alex deed een leeslampje aan en zijn zaklantaarn uit. ‘Dat is niet helemaal zeker. Door zich uit te kleden heeft hij het risico van het achterlaten van bloedsporen vrijwel tenietgedaan, maar het risico een haar of huidschilfer met DNA achter te laten, juist vergroot.’

‘Daar heb je gelijk in.’

‘En we zitten nog met de vraag hoe hij zijn slachtoffer heeft uitgeschakeld. Zodra de patholoog erachter is hoe hij dat heeft gedaan, hebben we een nieuw aanknopingspunt.’

Ze verlieten de kamer en liepen door de gang naar de trap.

'Ik wil niet meer geblesseerd zijn,' hoorde D.D. zichzelf zeggen, starend naar de trap.

'Dat weet ik.'

'Ik wil me niet meer zo zwak en nutteloos voelen. Ik wil werken. Ik wil deze moordenaar opsporen.'

'Begin je je al iets te herinneren?'

'Waarom ik dacht van een trap te kunnen vliegen, bedoel je? En waarom ik driemaal op een muur heb geschoten?' Ze schudde haar hoofd.

'Je hebt me hier juist geholpen.'

'Niet officieel. Officieel ben ik een rechercheur die in haar eentje naar een plaats delict is teruggekeerd en al dan niet zonder aanwijsbare reden heeft geschoten. Op dit moment ben ik voor het Boston PD een blok aan het been, en zelfs als ik plotsklaps op wonderbaarlijke wijze zou genezen, weet jij net zo goed als ik dat ik dan nog niet meteen mijn dienstwapen terugkrijg. Ik ben een onbeantwoorde vraag en daar hebben rechercheurs een hekel aan.'

'Jij bent inderdaad een onbeantwoorde vraag,' zei Alex. Hij liep naar haar toe.

'Bedankt.'

Hij bekeek haar peinzend. 'Maar je bent nog meer.'

'Een briljante rechercheur? Een volmaakte echtgenote? Een liefhebbende moeder? Zeg het gerust. Melvin werkt me zo op mijn zenuwen dat ik wel wat mierzoete complimentjes kan gebruiken.'

'Eerlijk gezegd bedoel ik het meer in de zin van hoe rechercheurs antwoorden op vragen zoeken. Of eigenlijk hoe ík antwoorden op vragen zoek.'

Ze staarde hem aan. 'Jij bent criminoloog.'

'Ja. Ik bestudeer plaatsen delict. En jij, D.D., jouw schouder, jouw arm, jouw blessure, is een plaats delict. Sterker nog, jij bent de enige plaats delict waar de moordenaar geen macht over had.'

HOOFDSTUK 5

Pijn is...

Een gesprek. Mijn adoptievader begon ermee toen ik twaalf was, omdat hij me wilde helpen te begrijpen in hoeveel vormen en om hoeveel redenen zowel lichamelijke pijn als emotioneel leed bestaat.

Pijn is... zien hoe de huishoudster een scherfje van een gebroken glas met een pincet uit haar duim trekt en daarbij scherp sissend ademt.

Pijn is... bij een proefwerk vergeten hoe je 'genealogie' schrijft, ook al heb je nog zo zitten blokken. Ik kreeg daarom een negen, wat volgens mijn vader heel goed was, al wisten we beiden dat het niet perfect was.

Pijn is... dat je adoptievader niet naar de regionale wetenschapscompetitiedag komt waarvoor je een project hebt ingestuurd. Een belangrijk onderzoek, een artikel dat op tijd af moest, zijn werk, altijd zijn werk. Maar hij zei dat hij van me hield en dat het hem speet, terwijl ik hem onderzoekend aankeek en probeerde ook die emoties te begrijpen. Spijt. Gewetenswroeging. Berouw. De emoties die bij verdriet hoorden.

Pijn is... als je beste vriendin je in geuren en kleuren over haar eerste kus vertelt. Haar zien stralen, horen giechelen, en je afvragen of jij dat ooit zult ervaren. Mijn vader had twee gevallen opgespoord van zussen die geboren waren met HSAN en die toch getrouwd waren en kinderen hadden gekregen. Theoretisch sloot het onvermogen pijn te voelen het vermogen om verliefd te worden en liefde te vinden niet uit. Het weerhield de genetisch abnormale mens er niet van te hopen een normaal leven te kunnen leiden.

Het weerhield je niet van de wens een gezin te willen stichten.

Mijn adoptievader hield van me. Niet onmiddellijk. Dat lag niet in zijn aard. Hij had een weloverwogen en beheerste kijk op het leven. Omdat hij inzag hoe zwaar het leven voor een pleegkind moest zijn, investeerde hij in mijn toekomstige zorg door zijn grote huis en niet onaanzienlijke financiële middelen tot mijn beschikking te stellen. Ik denk dat hij dacht dat als adequaat personeel in al mijn dagelijkse behoeften zou voorzien, hij mij en mijn aandoening op zijn gemak kon bestuderen en er zijn droge, academische artikelen over schrijven.

Waar hij niet op had gerekend, waren de nachtmerries, en wat hij niet had voorzien, was dat een kind dat geen pijn voelt, er toch over kan dromen, elke nacht. In het begin, toen hij nog helemaal verbijsterd was over dit fenomeen, stelde hij me eindeloos veel vragen. Wat zag ik? Wat hoorde ik? Wat voelde ik?

Ik was niet in staat zijn vragen te beantwoorden. Ik kon hem alleen vertellen dat ik bang was. Voor de nacht. Voor het donker. Voor het geluid van ingeblikt studiogelach. Voor poppen. Scharen. Nylons. Potloden. Ooit zag ik een schoffel tegen de schuur geleund staan; ik verstopte me gillend in mijn kast en weigerde urenlang eruit te komen.

Onweer, bliksem, slagregens. Zwarte katten. Blauwe quilts. Een deel van mijn angsten behoorde tot het normale lexicon van kinderen. Een deel was niet te bevatten.

Mijn adoptievader besprak het met een kinderpsycholoog. Zij adviseerde hem mij te vragen mijn dromen uit te tekenen. Maar dat kon ik niet. Mijn artistieke vermogens waren beperkt tot een zwarte vlek, doorsneden door een dunne gele lijn.

Later hoorde ik de psycholoog tegen mijn vader zeggen: 'Waarschijnlijk het enige dat ze kan zien als ze zich in de kast verstopt. Maar let wel, zelfs een baby is in staat dreigingen te herkennen en erop te reageren. En als je bedenkt wat er in dat huis allemaal gebeurde, wat haar vader allemaal deed...'

'Maar hoe kan ze dat weten?' vroeg mijn vader haar. 'Ik bedoel niet omdat ze nog maar een baby was. Ik bedoel, als je geen pijn voelt, hoe weet je dan waar je bang voor moet zijn? Is fysieke pijn niet de bron van de meeste van onze angsten?'

De psycholoog wist de antwoorden niet, en ik ook niet.

Op mijn veertiende besloot ik niet langer te wachten op wonderbaarlijke openbaringen omtrent mijn nachtmerries en begon ik in plaats daarvan onderzoek te doen naar mijn familie. Ik las wat mijn biologische vader, Harry Day, allemaal had gedaan, in berichten met koppen als 'De martelkamers van Beverly' en 'De moordzuchtige timmerman'. Mijn biologische vader had, zo bleek, niet alleen acht prostituees vermoord, maar hen ook in de schuur en onder de vloer van onze woonkamer begraven. Volgens de politie had hij sommigen van de vrouwen dagenlang, misschien wekenlang, in leven gehouden en gemarteld.

Een tijdlang deed ik mijn best zo veel mogelijk informatie over Harry te vergaren, omdat mijn afkomst weliswaar gruwelijk en schokkend was, maar ver van me af stond. Als ik naar foto's van het huis keek, met de verroeste fiets tegen de veranda, deed het me niets.

Als ik de foto van mijn vader bekeek, ervoer ik geen enkele herkenning. Ik zag in hem niet mijn ogen of de neus van mijn zus. Ik herinnerde me geen grote, vereelte handen, hoorde geen grinnikende lach. Harry Day, Bloomfield Street 338. Het was alsof ik naar foto's van een filmdecor keek. Allemaal echt, maar allemaal nep.

Nu is het natuurlijk wel zo dat ik nog geen jaar oud was toen de politie ontdekte dat Harry deze moordzuchtige hobby had en een inval deed in ons huis. Waar ze Harry met doorgesneden polsen in de badkuip aantroffen. Morsdood. Mijn moeder werd naar een psychiatrisch ziekenhuis gebracht. Ze stierf daar eenzaam en alleen, omwille van haar eigen veiligheid permanent vastgebonden. Mijn zusje en ik kwamen onder voogdij van de staat.

Soms, als ik even niet naar Harry's lachende gezicht staarde, bestudeerde ik in plaats daarvan mijn moeder. Van haar waren er niet veel foto's. Ze kwam oorspronkelijk uit het Middenwesten en had de middelbare school niet eens afgemaakt. Ze was van huis weggelopen en naar Boston gegaan, waar ze een baantje had gevonden als serveerster. In het restaurant leerde ze Harry kennen en daarmee was haar lot bezegeld.

De enige foto's die ik van haar heb gevonden, zijn die uit het politiedossier. Daarop staat zij op de achtergrond terwijl agenten de vloer van haar huis openbreken. Een magere vrouw met een verslagen gezicht, lang, ongekamd bruin haar en een slaafse houding.

In haar gezicht zag ik evenmin mijn ogen of de neus van mijn zus. Ik zag slechts een geest, een vrouw die al gedoemd was voordat hulp van buitenaf was gearriveerd.

Langzaam maar zeker verdwenen de nachtmerries. Ik maakte me niet druk meer om de ouders die me hadden opgezadeld met een defect DNA en werkte nog harder om complimentjes van mijn adoptievader te verdienen. Hij gaf het personeel in het weekend vrij, hielp me dan met mijn schoolwerk en kwam bij me zitten als ik 's nachts niet kon slapen, om me met zijn vertrouwde, bedaarde aanwezigheid tot rust te brengen.

Hij hield van me. Ondanks zijn academisch hart, ondanks mijn verstoorde bedrading werden we een gezin.

Toen stierf hij en keerden mijn nachtmerries in alle hevigheid terug.

Eerste nacht, moederziel alleen thuis na mijn vaders begrafenis. Te veel port gedronken. Eindelijk zakten mijn ogen dicht...

Ik zag de deur van de kast opengaan. Ik zag het doffe licht van een kaal peertje in een kleine, overvolle slaapkamer. Ik zag mijn zus midden in de kamer staan, met een versleten teddybeer tegen zich aan geklemd, terwijl mijn vaders ogen heen en weer gingen, van haar naar mij en weer terug.

Ik hoorde mijn moeder zeggen: 'Niet de baby, Harry. Alsjeblieft niet.' Waarna ik weer door duisternis werd opgeslokt.

Pijn is niet wat je ziet en wat je voelt. Pijn is wat je alleen maar kunt horen, in je eentje in het donker.

De eerste keer dat ik wakker werd, was het even over elven. Ik had maar tien minuten geslapen en toch klopte mijn hart als een razende en was mijn gezicht nat van het zweet. Ik staarde naar het plafond van mijn slaapkamer. Deed de ademhalingsoefeningen die ik jaren geleden had geleerd.

De ruismachine in de hoek van mijn slaapkamer. Ik was vergeten die aan te zetten. Natuurlijk.

Ik stapte uit bed, drukte op de grote knop van de Brookstone en werd beloond met de kalmerende geluiden van ruisende golven en roepende meeuwen. Terug naar bed. Ik ging in de houding liggen, op mijn rug, kaarsrecht, als in een doodskist, met mijn armen langs mijn lichaam. Ik deed mijn ogen dicht en concentreerde me op de geluiden van de exotische, zoute branding.

Acht minuten, volgens de oplichtende rode cijfertjes van het klokje naast mijn bed. Toen schoot ik weer overeind, met het laken in mijn vuisten geklemd. Ik slaagde erin niet te gaan gillen en staarde gespannen naar de schaduwen in de grote kamer. Drie nachtlampen. Ovale led-lampjes die je in stopcontacten stak en die dan een zacht, geruststellend, groen licht verspreidden. Ik telde ze vijf keer terwijl ik wachtte tot mijn hartslag bedaarde en mijn ademhaling tot rust kwam. Toen gaf ik het op en deed het leeslampje aan.

Ik heb een schitterende slaapkamer. Duur. Op de vloer een zacht wollen tapijt. Een interieur van kostbare zijden stoffen, zowel de op maat gemaakte lakens als de met de hand geborduurde gordijnen, uitgevoerd in zachtblauw, roomwit en grijsgroen.

Een oogstrelende oase, waar alles zacht aanvoelt. Ik heb die te danken aan de goedgeefsheid van mijn adoptievader en aan mijn eigen succes.

Maar vanavond werkte het niet en toen het halftwaalf sloeg, wist ik wat ik ging doen.

Want ondanks het feit dat ik een uitmuntende opvoeding heb genoten, ondanks het feit dat ik zowel een geliefd kind als een studieobject was en ondanks het feit dat ik nu zowel arts als patiënt ben, ben ik ook een mens. En mens-zijn is een gecompliceerd systeem, waar weten wat juist is je er niet noodzakelijkerwijs van weerhoudt te doen wat verkeerd is.

Ik ging onder de douche. Trok een strakke, zwarte rok aan, hoge zwarte laarzen en, zonder erbij stil te staan, de hardroze blouse waar mijn zus mij zo graag in wilde zien. Ik maakte me op, liet mijn bruine haar loshangen en deed een eenvoudige, gladde, gouden ring om mijn linkerringvinger. Ik had jaren geleden geleerd dat dit de sleutel tot succes was: er net zo getrouwd uitzien als zij. Hun angst voor toekomstige verwikkelingen wordt daardoor aanmerkelijk kleiner, terwijl het hun gevoel van wederzijdse aansprakelijkheid juist opvoert. Jij bent geen haar beter dan zij, en daarom ben je een aantrekkelijk doelwit.

Tien over twaalf. Ik pakte het plastic mapje dat ik achter in de onderste la van het badkamerkastje bewaar. Deed het in mijn grijze schoudertas. Even later reed ik in de richting van Bostons Logan Airport en mijn uitverkoren bestemming: de Hyatt Boston Harbor.

Op maandagavond wordt het in de meeste bars na twaalven rustig, zelfs in grote steden. Maar de bars van luchthavenhotels bestaan in een tijdloos vacuüm. Mensen worden wakker, mensen gaan slapen, mensen met zoveel verschillende tijdschema's dat dag en nacht hun betekenis verliezen. In de bar van een luchthavenhotel zijn altijd mensen te vinden.

Ik koos een tafeltje bij het raam dat uitzicht bood op de skyline van Boston waar de Hyatt om bekendstaat. Beneden het donkere water van de haven, daarboven de knipogende lichtjes van de stad. Ik bestelde een Cosmopolitan, qua alcohol pittig, maar toch vrouwelijk. Toen ging ik aan het werk.

Ik telde behalve mijzelf acht mensen in de bar: een stelletje en zes mannen, onder wie twee heren op leeftijd. De ene zag eruit als een Europeaan en ging helemaal op in zijn whisky, de andere was een Aziaat. Ik verwierp hen wegens mijn eigen gebrek aan belangstelling, niet het hunne.

Twee mannen aan het eind van de toog hielden mijn aandacht het langst vast. Beiden in een blauw pak. Kort, donker haar, goed geknipte kapsels. Type Middenwesten. Nog net niet van middelbare leeftijd. De rechter was de grootste van de twee, het alfamannetje, goed in zijn vel, volkomen op zijn gemak. Een vertegenwoordiger, schatte ik. Een man gewend aan reizen, extrovert, zodat hij het niet vervelend vond elke dag een andere stad aan te doen, en slim genoeg om een systeem te ontwikkelen waarbij hij de voordelen van reizen tot het uiterste kon uitbuiten en de nadelen zo veel mogelijk kon beperken.

Ik nipte aan mijn fruitige drankje, voelde de harde rand van het glas met mijn tanden en tong. Liet mijn blik weer naar hem dwalen, liet die op hem rusten.

Een kwartier later stond hij bij mijn tafel, met blozende wangen en flonkerende ogen. Alcohol? Voorpret? Maakte het iets uit?

Ik zag hem naar mijn linkerhand kijken, naar de ring die leek op de zijne. Twee volwassenen, vrij in hun bewegingen, met dezelfde kortetermijnwens en dezelfde langetermijnbeperkingen. Zijn glimlach werd breder. Hij bood me iets te drinken aan. Ik wees uitnodigend naar de vrije stoel tegenover me.

Hij liep terug naar de toog om de drankjes te bestellen en tegen zijn reisgenoot te zeggen dat hij niet op hem hoefde te wachten. De reisgenoot grinnikte en verliet de bar.

De handelsreiziger kwam terug, zei dat hij Neil heette, bewonderde mijn blouse – mooie kleur! – en daarmee gingen we van start. Vragen voor mij, vragen voor hem. Vlotte antwoorden, hoofdzakelijk leugens. Maar goed bedoeld en leuk verwoord. Het gebruikelijke voorspel, een derde Cosmo voor mij, een vierde, vijfde, zesde? whisky voor hem. Toen het exquise moment waarop ik hem aan zijn onderlip zag likken terwijl hij zijn volgende stap overwoog.

Ik maakte het hun nooit te makkelijk. Nam mijn toevlucht nooit tot vleierig gegiechel of suggestieve gebaren. Ik had mijn eigen maatstaven. De man moest het initiatief nemen. Hij moest er iets voor doen.

Eindelijk kwam de vraag, in de stijl van een ervaren vertegenwoordiger. Had ik soms zin om een rustiger plekje op te zoeken? Om daar ons gesprek onder vier ogen voort te zetten?

Bij wijze van antwoord pakte ik mijn tas en stond op. Zijn glimlach werd breder toen hij besefte dat het verdorie echt ging gebeuren, dat de onbekende vrouw in de bar 'ja' zei. En ze zag er staand ook nog eens net zo goed uit als toen ze zat, en o god, laat haar onder die strakke rok alsjeblieft een zwarte string dragen...

Ik ging met hem mee naar zijn kamer, want hij hoefde niet te weten dat ik er zelf geen had. Vandaag de dag moet je een identiteitsbewijs met foto overhandigen om een kamer te krijgen, en ik wilde niet dat avonden als deze naar mij teruggevoerd konden worden.

Eenmaal in de kamer verliep alles min of meer volgens het geijkte patroon. Niets speciaals, geen kinky gedoe. Dat verbaasde mij elke keer. Al die mannen die de grenzen van hun huwelijk overschreden om uiteindelijk doodgewone seks te hebben. Een vast repertoire van hun kant? Of hadden ze niet zoveel behoefte aan variatie als ze zelf dachten? Zelfs met een nieuwe partner vielen ze instinctief terug op de routine die hun het best lag.

Mijn enige verzoek: dat hij het licht aan liet.

Dat vond hij prima. Mannen hielden daarvan. Mannen zijn visueel ingesteld.

Hij mocht mijn hoge leren laarzen uittrekken. Mijn zwarte rokje van me afstropen om de zwarte string te ontdekken. Toen begonnen mijn vingers aan de gesp van zijn riem en de knopen van zijn overhemd. Kleding op de vloer, twee lichamen op het bed, condoom op het nachtkastje. Ik rook zijn aftershave, die hij waarschijnlijk had opgedaan alvorens naar beneden te gaan, op zoek naar een verovering. Ik hoorde zijn gebromde complimenten terwijl zijn handen mijn naakte lichaam streelden.

Ik zuchtte en liet me gaan. De druk van zijn vingers toen hij mijn heupen omvatte. De ruwte van zijn baardstoppels op mijn tepels. Het eerste, penetrerende gevoel toen hij in mijn lichaam stootte. De zintuiglijke gewaarwordingen die ik kon voelen. De lichamelijke daad die ik bewust meemaakte.

En toen dat zwevende moment, zijn hoofd achterover, kiezen op elkaar, trillende armen...

Ik deed mijn ogen open. Dat deed ik altijd. Ik moest weten, ook al was het nog zo kortstondig, dat de extase van deze persoon iets met mij te maken had.

Ik raakte zijn wang aan. Stak mijn vingers in zijn dikke, bruine haar. En stond hem toe te zien, gedurende deze ene seconde waarin hij zich nergens van bewust was, hoeveel dit vluchtige ogenblik van contact betekent voor iemand als ik.

Een vrouw die alles wilde beheersen, die haar hele leven had moeten horen dat het een lichamelijk risico was te vertrouwen op wat ze in staat was te voelen. Een kind dat nog altijd probeerde de geheimen van pijn te ontdekken en dat nog steeds doodsbang was voor geluiden in de nacht.

Daarna viel hij slap neer op het bed. Ik deed meteen het licht uit.

'Ik heb een vroege vlucht,' zei ik, de enige woorden die gezegd dienden te worden.

Gerustgesteld viel hij in slaap terwijl ik naast hem lag, de gespierde vorm van zijn bovenarm streelde, me concentreerde op de richels van zijn schouders en armspieren, alsof ik de vlakten van zijn lichaam afspeurde met mijn vingertoppen.

Ik telde in stilte de minuten. Toen er vijf waren verstreken en zijn ademhaling trager en dieper werd, versuft van de whisky, verzadigd van de seks, ging ik aan de slag.

Eerste punt op de agenda: het licht in de badkamer aandoen. Ik greep mijn tas, ging de verlichte ruimte binnen, deed de deur achter me dicht. Ik had nu geen gedachten meer. Wat ik ging doen, had niets te maken met gezond verstand of normaal gedrag.

Wat had ik eerder op de dag aan mijn nieuwe patiënt, rechercheur Warren, uitgelegd? Zonder evenwicht probeerden de afzonderlijke delen van de Zelf elk overmacht te krijgen. Dat betekende dat zelfs een erg sterke Manager de boel niet dag en nacht in het gareel kon houden. Op een gegeven moment wisten de zwakke, lijdende Bannelingen uit te breken en een ravage aan te richten die de Blussers dan moesten opruimen.

Door zelfvernietigende daden te verrichten. Door een drama te creëren om het drama. Door zich ervan te verzekeren dat de rest van de wereld – al was het maar voor korte tijd – zich ervan bewust werd hoe moeilijk ze het hadden.

Ik haalde het platte, zwarte, plastic mapje uit mijn tas. Deed het voorzichtig open. Haalde de vierkante pakketjes met in lidocaïne gedrenkte doekjes eruit. Scheurde een pakketje open, nam het doekje eruit. Hield het in mijn rechterhand, terwijl ik met mijn linkerhand het smalle, roestvrijstalen scalpel pakte.

Zette de badkamerdeur op een kier. Duwde hem zo ver open dat de felle streep wit licht als een spotlight op mijn slapende doelwit viel. Wachtte. Toen hij bleef snurken, liep ik op mijn blote voeten naar zijn kant van het bed.

Eerst het doekje met lidocaïne. Met lichte, gelijkmatige, wrijvende bewegingen bracht ik de plaatselijke verdoving aan op de linkerschouder van de reizende verkoper. Langzaam maar zeker werd zijn huid verdoofd.

Ik legde het doekje neer. Telde zorgvuldig tot zestig om de lidocaïne de tijd te geven zijn werk te doen.

Mijn vingers gleden over de contouren van zijn schouderblad, terwijl ik in gedachten zijn spieren in kaart bracht.

Toen pakte ik het scalpel. Bracht het snijvlak naar de huid. Maakte een sneetje om zijn reactie te testen.

Terwijl mijn vertegenwoordiger rustig bleef snurken, zich van niets bewust, vertelde ik mezelf dat ik hierdoor anders was dan mijn familie. Ik was niet zoals mijn zus. Ik was niet zoals mijn vader.

Ik werd niet gedreven door een behoefte andere mensen pijn te doen. Ik wilde alleen... soms...

Geen enkel normaal mens zou doen wat ik op het punt stond te gaan doen. En toch. En toch...

Mijn rechterhand bewoog. Vier snelle sneden. Twee lange, twee korte. Een smalle reep huid, ongeveer tien centimeter lang en nog geen centimeter breed. Toen, met het scherpe lemmet van het scalpel, sneed ik de reep los van het vlees en liet hem, warm en nat, in mijn handpalm vallen.

Bloed welde op uit het verdoofde vlees van de vertegenwoordiger. Ik pakte mijn zwarte slipje en drukte het tegen de wond tot het bloeden was gestelpt.

Ik handelde nu snel. Liep terug naar de badkamer. Deed de reep huid in een glazen buisje. Sloot het af, plakte er een etiketje op. Deed het gebruikte verdovingsdoekje, het scalpel en de rest in het mapje en het mapje in mijn tas. Waste mijn handen. Waste mijn gezicht en spoelde mijn mond.

Kloppend hart, bevende vingers toen ik me met moeite weer aankleedde. Eindelijk, rok, bh, blouse en laarzen weer aan. Ik kamde met mijn hand door mijn dikke bruine haar, veegde de losse haren van de vloer en spoelde ze door het toilet. Nog een laatste blik in de spiegel. Ik zag mijn eigen gezicht en voelde me een volslagen vreemde, alsof ik uit mijn eigen huid was gestapt. Het had mijn zus kunnen zijn die hier stond. Of mijn vader.

Niet degene die eruitzag als mijn moeder. De zogenaamd onschuldige.

Ik reikte achter me, deed het licht in de badkamer uit.

In mijn eentje stond ik in het donker. En ik was niet bang meer, omdat de duisternis nu mijn vriend was. Ik had me bij haar aangesloten. Zij had me verteld wat zij van me verlangde en ik had erop vertrouwd dat zij me zou dekken.

Neil zou morgenochtend wakker worden met pijn in zijn hoofd van een te grote hoeveelheid alcohol, een aangenaam beurs gevoel in andere delen van zijn lichaam, en een doffe pijn in zijn schouder.

Voordat hij onder de douche ging, zou hij ongetwijfeld proberen in de spiegel zijn rug te bekijken. Dan zou hij een rode streep op zijn linkerschouderblad zien, een streep met rafelige randjes. Hij zou zich afvragen hoe dat kwam. Zou hij zich ergens aan hebben gestoten? Maar de wond zag er meer uit als een brede kras, dus moest hij ergens aan zijn blijven haken, de gesp van een riem, een ander scherp voorwerp.

Hij zou zijn schouders erover ophalen en onder de douche gaan. De wond zou in het begin een beetje prikken, maar dat was alles. Het zou genezen, al zou er een wit littekentje achterblijven waar hij nooit een verklaring voor zou hebben.

Want wie zou er ooit op het idee komen dat de vrouw die hij in de bar had opgepikt een reepje huid van zijn schouder had verwijderd toen hij sliep? En dat zij dat reepje huid bewaarde in een glazen buisje, als onderdeel van een bijzondere verzameling waarvan ze zelf niet wist waarom ze die had aangelegd.

Mijn adoptievader had zich intensief beziggehouden met mijn genetische onvermogen om pijn te voelen.

Misschien had hij zich meer zorgen moeten maken over mijn genetische aandrang om anderen pijn te doen.

Ik ging naar huis, onderwierp mezelf aan een nauwkeurig onderzoek om er zeker van te zijn dat ik geen letsel had opgelopen, kroop in bed en sliep zonder te dromen.

Ik werd verfrist maar erg vroeg wakker vanwege een telefoontje uit de gevangenis.

Directeur McKinnon sprak ferm en zakelijk: 'Adeline, het is weer mis. Shana heeft zich vannacht met een zelfgemaakt mes nogal ernstig toegetakeld. Ze ligt in de ziekenboeg en haar conditie is momenteel stabiel, maar... ze is er slecht aan toe.'

Ik knikte, want als het om mijn zus ging, kreeg ik nooit goed nieuws. Ik hing op, stapte uit bed en maakte me gereed om weer naar de gevangenis te gaan.

HOOFDSTUK 6

Alex had alles geregeld. Phil, Neil en D.D.'s fysiotherapeut zouden naar de eerste plaats delict komen, waar D.D. van de trap was gevallen.

Om zeven uur zat D.D. met Jack in de keuken. Ze voerde hem cornflakes terwijl ze hun dagelijkse wedstrijd deden wie de gekste gezichten kon trekken. Zoals altijd won Jack, al vond D.D. dat het niet veel had gescheeld.

Om acht uur bracht Alex Jack naar de gastouderopvang bij een buurvrouw een eindje verderop in hun straat. D.D. probeerde te doen alsof ze niet zenuwachtig was. Het plan van Alex om het schietincident van zes weken geleden te reconstrueren met haar letsel als uitgangspunt was op zich heel logisch. Forensische schadedeskundigen deden dat elke dag. Ze bestudeerden verkreukelde auto A en verkreukelde auto B en wisten een verbluffend nauwkeurige reconstructie van het ongeluk te maken en vast te stellen wie de schuldige partij was. Als je dat met auto's kon doen, waarom dan niet met het menselijk lichaam?

Om halfnegen kwam Alex weer thuis. Nu begon de ware uitdaging. Het aantrekken van schone kleren, met alle beperkingen van D.D.'s linkerarm en de ondraaglijke pijn die nog altijd naar haar nek en schouder uitstraalde.

Ze keek in de spiegel naar haar linkerarm, die ze angstvallig tegen haar lichaam geklemd hield, en zei: 'Melvin.'

Prompt vloog er een pijnscheut door haar schouder. Men had haar uitgelegd dat deze pijn werd veroorzaakt door de verrekte spieren en de ontstoken zenuwen, en dat het maanden zou duren voordat die genezen waren.

Wat had de psychiater gezegd? Je moet met Melvin praten. Hem duidelijk maken wie de baas is.

'Oké, Melvin,' zei ze tegen haar spiegelbeeld. 'Vandaag is een belangrijke dag. Ik ga eindelijk weer eens aan het werk. Ik moet proberen me te herinneren wat jij niet wilt dat ik me herinner.'

In de spiegel was haar schouder... gewoon een schouder.

'Godsamme, wat een stom gedoe.' Ze keek nijdig naar haar spiegelbeeld. 'Oké. Ik ga deze kleren uittrekken. En dan ga ik onder de douche, zodat ik me weer een beetje mens zal voelen. En dan ga ik nauwsluitende yogakleren aantrekken, want dat is me opgedragen.'

Het was haar fysiotherapeut, Russ Ilg, die had gezegd dat ze het best een zwarte yogabroek en een strak zwart T-shirt kon aantrekken. Hij zou namelijk krijt meenemen en ze moest er niet raar van opkijken als zij het schoolbord werd.

'Ik wil van jou geen woord horen, Melvin,' ging ze ferm door. 'Zo gaan we het doen en niet anders. Ga jij maar een blokje om of zo. Want het leven gaat door en ik ben het spuugzat om de hele dag thuis te zitten, in de kleren van mijn man te lopen en te stinken als een dier in de dierentuin. Zes weken duurt dit nu al. Ik moet iets doen. Ik kan niet niks doen. Als jij mij bent, weet jij dat, Melvin. Dan moet je dat kunnen begrijpen.'

Alex verscheen in de spiegel toen hij achter haar de kamer binnenkwam. 'Werkt het?'

'Kutkutkut.'

'Laat ik dat opvatten als "misschien".'

'Kut.'

'Zullen we?' Hij liep de slaapkamer in en wees naar haar blouse, of liever gezegd naar een van zijn eigen overhemden die ze over haar linkerarm had dichtgeknoopt.

'Ja, goed.'

Hij begon bij het bovenste knoopje en maakte ze een voor

een open. Er was een tijd geweest in D.D.'s leven dat ze had staan beven van verlangen als deze man haar voor een grote spiegel langzaam van haar kleding ontdeed. Nu voelde ze zich bijna verdoofd.

Ze voelde zich gebroken, zwak en nutteloos. Wat erger was dan verdoofd. Verdoofd stond daar nog net een treetje boven.

Alex nam het overhemd van haar schouder. Daarna maakte hij het haakje van haar beha los en liet het schouderbandje voorzichtig over haar gewonde linkerarm glijden. Een aanraking was voldoende om haar te doen sissen van pijn omdat de ontstoken zenuwen meteen gillend protesteerden.

De blauwe ogen van haar man keken haar in de spiegel aan en boden haar een zwijgende verontschuldiging toen hij de bh voorzichtig wegnam. De rest was iets makkelijker. Trainingsbroek, sokken, slipje, de finish was in zicht.

Alex draaide de kraan van de douche open en bood haar zijn arm toen ze in het bad stapte. Toen trok hij snel zijn eigen kleren uit en stapte bij haar in het smalle bad. Twee maanden geleden was zoiets onweerstaanbaar sexy geweest, nu was het een pijnlijke parodie van wat drie seconden een verliefd stel konden aandoen.

Ze hield haar hoofd onder de waterstraal, maar had hulp van Alex nodig om haar haar te wassen. Hij liet de kraan open toen hij haar weer uit het bad hielp, een groot badlaken om haar heen sloeg zodat ze het niet koud zou krijgen en haar zo op de badmat liet staan, als een peuter die geduldig wacht op verdere hulp, terwijl hij zich snel waste en toen weer bij haar op de badmat kwam staan.

Hij droogde eerst haar af, wat erg ruiterlijk van hem was, omdat hij zelf nat was en het dus koud moest hebben. Ze zou dankbaar moeten zijn. Ze zou blij moeten zijn dat ze zo'n zorgzame, begrijpende man had. Ze wist hoezeer ze bofte dat hij haar met alles hielp.

Maar ze was bitter, boos en gefrustreerd. En het ergste was

dat hij dat wist. En toch verzorgde hij haar, zwijgend en geduldig, ook al straalde de ondankbaarheid van haar af in golven van machteloze woede.

'Jij zou voor mij hetzelfde doen,' zei hij uiteindelijk, al was het maar om de spanning weg te nemen.

'Dat denk ik niet. Ik zou heel slecht zijn in mantelzorg.'

'Welnee. Ik heb gezien hoe je met Jack omgaat. Je mag tegenover de rest van de wereld stoer doen, D.D., maar tegenover mij hoeft dat niet.'

'De psychiater zegt dat mijn Zelf onder de voet is gelopen door op macht beluste Managers die de baas spelen.'

'Wat vind je daar zelf van?'

'Ik vind dat die stomme Melvin de kolere kan krijgen,' fluisterde ze, maar ze klonk niet zoals anders. Ze klonk alsof haar tranen erg hoog zaten.

'Alles komt in orde.' Hij drukte een kus op haar kruin.

'Niet liegen. Je eigen regel. Ik mag tegen mezelf liegen, maar niet tegen jou. Dat geldt omgekeerd ook. Ik was erbij toen de dokter zei dat ik mijn arm misschien nooit meer voor honderd procent zal kunnen gebruiken. En ik heb de jaarlijkse fitnesstest vaak genoeg gedaan om te weten wat dat betekent. Als je zakt voor de test, mag je geen veldwerk meer doen. Stel je dat even voor. Ik. Geen veldwerk.'

'Het komt best in orde.'

'Lieg niet!'

'Ik lieg niet. Ik ken je, D.D. Je zult er iets op vinden. Alles komt in orde. Weet je hoe ik dat weet?'

'Nou?'

'Omdat je ziekteverlof hebt, maar vandaag toch gaat proberen een moordenaar op te sporen. Vooruit. Genoeg getreuzeld. Nu je zo pissig bent, kunnen we daar mooi van profiteren om een T-shirt over die mooie schouder van je te trekken. Hoe heet je pijn ook alweer?'

'Melvin.'

'Oké, Melvin, ik ben Alex. Aangenaam kennis te maken. En lazer nou maar op.'

Phil en Neil waren er al. D.D. ging schoorvoetend naar binnen, alsof ze verwachtte tegen schimmen aan te lopen en geronnen bloed te ruiken, maar de benedenverdieping baadde in aangenaam daglicht dat door de vele ramen naar binnen viel en het huis rook naar lysol. Blijkbaar had de huiseigenaar eindelijk toestemming gekregen het te laten schoonmaken. En hij had daarvoor vast een schoonmaakbedrijf gehuurd dat in dit soort klusjes gespecialiseerd was. Ze was benieuwd welk wonder de schoonmakers in de slaapkamer hadden verricht.

'Is de doodsoorzaak al bekend?' vroeg ze aan haar teamgenoten.

'Goedemorgen, D.D. Leuk je te zien. Hoe gaat het met je?' vroeg Phil droog.

'Uitstekend. Ik zou halters van vijftig kilo kunnen tillen. Als ik in staat was mijn linkerarm te bewegen. Dag Neil.' Onhandig omhelsde ze het jongste lid van hun team. Alex gaf beide mannen een hand. Neil, een magere jongen met rood haar die eruitzag als zestien maar drieëndertig was, had nu definitief zijn plek in hun team veroverd. Hij had zelfs hun vorige onderzoek geleid, al vonden Phil en D.D. dat zij daarvoor best de eer mochten opeisen. Zij hadden Neil immers zo goed opgeleid.

Neil was ambulanceverpleegkundige geweest voordat hij bij de politie kwam en was daarom hun schakel met de forensische dienst en de aangewezen persoon om haar vraag te beantwoorden.

'Chloroform,' zei hij.

D.D. keek hem verbaasd aan. Ze stonden bij het kookeiland. Christine Ryans huis was nog niet ontruimd, maar ze vonden het niet netjes om op de bank van de vermoorde vrouw te gaan zitten. Vandaar dat ze met hun vieren in de keuken stonden.

‘Zijn de slachtoffers gestorven aan een overdosis chloroform?’ vroeg Alex. ‘Is dat mogelijk?’

‘Geen overdosis. Hij heeft hen bedwelmd met chloroform. Eerlijk gezegd had Ben dat aan het lijk kunnen ruiken, maar hij zei dat hij te veel was afgeleid door de afgestroopte huid.’

‘Blijft de geur dan op het lijk achter?’ D.D. wist niet zeker of ze dat fascinerend of weerzinwekkend vond.

‘Ja. Rond de mond en in de sinusholten. Een van de eerste dingen die je doet bij een autopsie is aan het lichaam ruiken. Op die manier kun je allerlei gifstoffen ontdekken. Ben hoopt dat jullie het hem niet kwalijk nemen.’ Ben Whitley was het hoofd van het pathologisch laboratorium en Neils voormalige minnaar. Ze hadden een zware tijd gehad toen er een einde was gekomen aan hun relatie, maar het scheen nu met beiden iets beter te gaan.

‘De moordenaar bedwelmt de vrouw,’ zei Alex. Hij kneep nadenkend zijn ogen halfdicht. ‘En dan?’

‘Compressieve asfyxie.’

‘Compressieve asfyxie?’ herhaalde D.D. verbijsterd. ‘Is dat niet de reden waarom artsen ouders afraden pasgeboren baby’s bij zich in bed te nemen? Omdat de baby kan stikken als een van de volwassenen zich in zijn slaap omdraait en op de baby komt te liggen?’

‘Inderdaad. Er is sprake van compressieve asfyxie als er zo hard of zo langdurig druk wordt uitgeoefend op de borstkas dat ademen onmogelijk wordt.’

‘Als de dader in staat is met zijn gewicht een vrouw te verpletteren,’ zei Alex, ‘moet hij een forse kerel zijn.’

‘Niet per se. Je kunt iemand ook laten stikken door op de juiste manier op de juiste plek druk uit te oefenen. Bijvoorbeeld door met je knie langdurig op het middenrif van het slachtoffer te drukken.’

‘Nu ik weet dat het slachtoffer bedwelmd was,’ zei D.D., ‘ben ik er niet van overtuigd dat de dader een forse vent is. Grote mannen voelen zich over het algemeen oppermachtig. De gebruikte methode – een vrouw besluipen, met chloroform bedwelmen, haar laten stikken en pas als ze dood is aan de zeer geritualiseerde operatie beginnen – lijkt mij eerder iets voor een man die elk risico van een confrontatie met zijn slachtoffer wil vermijden. Een man die juist weinig zelfvertrouwen heeft, misschien een zwakke man met een klein postuur die bang is voor vrouwen en die zijn fantasieën daarom uitleeft op dode vrouwen. Is het mogelijk dat de slachtoffers niet meer bij bewustzijn zijn gekomen? Dat ze niet hebben geweten wat er met hen werd gedaan?'

'Dat is mogelijk.' Neil haalde zijn schouders op. 'Ben heeft de doodsoorzaak vastgesteld naar aanleiding van de petechiën, rode stipjes in de ogen en op de huid. Normaal gesproken zou hij, om meer over de verstikkingsmethode van de moordenaar te weten te komen, eventuele kneuzingen op de borst en buik hebben onderzocht. In dit geval kon dat niet, omdat de huid van die lichaamsdelen was afgestroopt.'

'Met andere woorden, de moordenaar heeft zijn slachtoffer gevild om sporen te verduisteren.'

Phil vertrok zijn gezicht en schudde zijn hoofd. 'Volgens mij schrijven we die vent veel te ingewikkelde dingen toe. Hij hoefde alleen maar een poosje op zijn slachtoffer te gaan zitten. Dat klinkt niet als een verfijnde techniek. Dat klinkt als de methode van iemand die zijn slachtoffer snel en moeiteloos wil vermoorden.'

Alex mengde zich in het gesprek. 'Hij dringt het huis binnen. Sluipt naar boven. Bedwelmt de slapende vrouw met chloroform, zodat ze geen weerstand kan bieden. Dan zet hij zijn knie op haar middenrif waardoor ze niet meer kan ademen. Je hebt gelijk. Het is een... praktische werkwijze. Een snelle manier om iemand te vermoorden. En daarna kan hij alles op zijn gemak doen, zich desgewenst urenlang met zijn slachtoffer bezighouden. Interessant.'

'Waarom juist compressieve asfyxie?' vroeg D.D. 'Het is een ongebruikelijke methode, vooral in het geval van een volwassen slachtoffer. Waarom heeft hij geen kussen op haar gezicht gedrukt?'

Phil en Neil hadden geen antwoord op deze vraag, maar Alex wel.

'Hij is schrijlings op de vrouw gaan zitten, weet je nog? We hebben afdrukken van zijn scheenbenen aan weerskanten van de dijbenen van het slachtoffer. Dat is niet alleen de positie waarin hij hen heeft verminkt; het is ook de positie waarin hij hen heeft vermoord.'

'Een dominerende positie,' zei D.D. en ze vroeg aan Neil: 'Geen sporen van verkrachting?'

Hij schudde zijn hoofd. 'Ben zei van niet. Post mortem verminking, maar geen seksueel geweld.'

'Weten we al iets over het mes?' vroeg Alex.

'Nee, maar als je ziet hoeveel messen Ben heeft verzameld voor een vergelijkend onderzoek. Daar gaat nog wel wat tijd in zitten.'

'Ik heb zitten denken over jagers,' zei D.D. 'In het autopsierapport over Christine Ryan staat dat de repen huid vakkundig zijn losgesneden. De enige mensen van wie ik weet dat ze veel ervaring hebben met villen, zijn jagers. Dus heb ik gisteravond wat YouTube-filmpjes bekeken over hoe je dieren moet villen, je weet wel, konijnen, eekhoorns, reeën, elanden.'

Alex keek haar bevreemd aan. Alsof hij nu pas besefte dat zijn vrouw midden in de nacht was opgestaan. Ze vroeg zich af wat hij erger vond: dat hij niet had gemerkt dat ze niet in bed lag of dat hij zich nu voorstelde hoe ze op haar blote voeten door hun donkere huis was gelopen om naar amateuristische filmpjes te gaan kijken van mensen die dieren vilden. De filmpjes hadden haar trouwens danig van streek gemaakt, wat ze niet had verwacht, omdat ze in het kader van haar werk al zo vaak verminkte lijken had gezien.

Nadat ze naar de filmpjes had gekeken, was ze niet meteen weer naar bed gegaan. In plaats daarvan was ze in Jacks kamer gaan zitten en had ze in het zachte licht van het nachtlampje een poosje naar haar slapende zoon gekeken.

'Ik heb nooit gejaagd,' vervolgde ze, 'ik weet er niets van, maar toen ik een stuk of tien van die *how to*-filmpjes had gezien... Ervaren jagers maken eigenlijk weinig gebruik van messen. Ze maken een paar sneden rond de anus en snijden de kop van het dier, en meestal stropen ze dan met hun blote handen de huid van het dier af. Dat is vermoedelijk de beste methode als je de huid heel wilt houden. En de huid is als één geheel het meest waard.'

Phil staarde haar verbijsterd aan. 'Je hebt wát gedaan?'

'Ik heb gegoogeld op villen en wat filmpjes bekeken. Waarom kijk je zo raar? We moeten uitzoeken hoe die vent denkt. Weet jij een betere manier?'

'Je bent met ziekteverlof.'

'Vanwege mijn gewonde arm, niet omdat mijn hersens niet meer werken. Zeg eens eerlijk. Hebben jullie de afgelopen weken jachtvergunningen opgevraagd en de namen door de databanken gehaald, ja of nee?'

Phil kreeg een kleur en wipte van zijn ene voet op zijn andere. 'Misschien.'

'Zie je wel. Want als je aan villen denkt, dan denk je aan jagers. Maar ik denk nu eigenlijk dat deze man geen jager is. Jagers hebben een heel andere techniek. En heel andere messen. Een jager heeft graag een groot, stevig mes met een lemmet van minstens vijf centimeter breed. Het moet sterk en duurzaam zijn, bijvoorbeeld het bekende Ka-Bar-mes waarmee je zowel een hert kunt villen als een vis kunt schoonmaken en een kuil kunt graven. Ik zie niet hoe je met zo'n mes de huid van een vrouw in smalle reepjes kunt verwijderen, laat staan door de straten van Boston kunt lopen zonder aandacht te trekken.'

'Er zijn ook inklapbare jachtmessen,' bracht Phil ertegen in.

'En ik heb vrienden die meerdere messen bij zich dragen. Een Ka-Bar is heel nuttig, maar mijn vrienden nemen ook kleinere, lichtgewicht messen mee als ze op jacht gaan.'

'Maar villen zij hun prooi in lange, smalle repen?'

'Nee,' gaf hij met tegenzin toe. 'Nooit. Alleen als de huid eenmaal gelooid is, wordt die soms in repen gesneden, bijvoorbeeld om er een koord van te maken. God mag weten hoeveel mensen survivalmethoden uit het pionierstijdvak aan het bestuderen zijn, met die trend van paranoïde preppers van tegenwoordig.'

'Onze moordenaar is geen prepper,' zei D.D. met grote stelligheid.

Alex was dat met haar eens. 'Nee, dit gaat over domineren, over macht. Deze dader is niet iemand die oefent op villen.'

'Nee, hij hoeft echt niet meer te oefenen,' zei Neil laconiek. 'De chloroform, de unieke verstikkingstechniek, de methodische verwijdering van de huid... Hij weet wat hij doet. Hij is een beroeps.'

Er werd aangebeld. En dat er iemand aanbelde bij een huis waar een moord was gepleegd, was zo vreemd dat ze er allemaal van schrokken.

'Dat zal Russ zijn, mijn fysiotherapeut,' zei D.D.

Alex liep naar de deur.

'Weet je zeker dat je dit wilt doen?' vroeg Phil zodra Alex buiten gehoorsafstand was.

'Ja. Waarom niet?'

Phil en Neil wisselden een blik. D.D. wist wat die blik betekende en keek meteen boos.

'Jullie hoeven mij niet de hand boven het hoofd te houden,' zei ze kribbig. 'We gaan het... het gebeurde naspelen. Als we tot de conclusie komen dat ik een ongeleid projectiel ben omdat ik zonder reden heb geschoten, dan gaan jullie dat aan het OGD rapporteren. Ik wil geen medelijden. Ik wil de waarheid.'

'We staan achter je,' zei Neil. 'Wat er ook gebeurt. Politie is familie, dat weet je.'

'Doe me een lol, ik ken jouw familie.'

Dat ontlokte hun een glimlach. Neils familie bestond uit Ierse dronkenlappen. Hij grapte vaak dat hij niet het zwarte schaap van de familie was omdat hij homofiel was, maar omdat hij de enige was die niet constant dronken was.

Alex kwam terug met een gespierde jongeman in zwarte sportkleding. D.D. stelde iedereen aan elkaar voor. 'Rechercheurs Phil en Neil van het Boston PD. Russ Ilg, mijn beul, pardon, mijn fysiotherapeut.'

De mannen gaven elkaar een hand. D.D. hield haar armen tegen haar lichaam gedrukt zodat niemand zou zien dat haar handen trilden van de zenuwen. Zij had hier liever een arts bij gehad, maar artsen hadden een te vol dagrooster om op korte termijn naar een plaats delict te kunnen komen. Vandaar dat Russ de zaak waarnam. Bovendien, had hij gezegd, stelde de arts alleen de diagnose. Repareren en heropbouwen was de taak van de fysiotherapeut, die dan ook zowel de huidige als eventuele oudere blessures het best kende.

Als leider van het onderzoek ging Phil hun voor naar de trap. D.D. keek naar de kogelgaten in de gipswand aan de rechterkant van de trap. Drie gaten, verspreid over de wand. Als ze ergens op had gericht, had ze niet erg goed gericht.

Phil schraapte zijn keel. 'D.D. lag bewusteloos onder aan de trap. Het letsel dat ze heeft opgelopen, lijkt erop te wijzen dat ze waarschijnlijk helemaal bovenaan stond toen ze viel.'

Russ knikte. Hij keek niet naar D.D., maar naar de treden van de smalle, steile trap en daar was D.D. blij om. Opeens voelde ze zich helemaal niet meer zo'n held. Ze had vlinders in haar maag en voelde zweetdruppeltjes op haar voorhoofd.

Het regent, het regent...

Ze kneep haar ogen dicht, alsof ze daarmee het onheilspellende gevoel kon verjagen. Het irriteerde haar dat ze zo nerveus was. Ze was hier om zich te herinneren wat er was gebeurd. Ze móést zich herinneren wat er was gebeurd.

Ze deed haar ogen weer open en keek naar de kogelgaten. Haar kogels, haar wapen, haar schade. Zij was hier verantwoordelijk voor en dat zou ze altijd blijven.

Alsof hij haar gedachten kon lezen, zei Russ: 'Wat me het eerst opvalt, is dat de trap aan de rechterkant geen leuning heeft. Dat is volgens mij in strijd met de regels, maar je ziet het vaak in opgeknapte oude huizen met smalle trappen.'

Iedereen knikte.

'Dit feit maakt duidelijk dat D.D. achterover van de trap is gevallen. Dat ze met haar rug naar het trapgat stond.'

Hij maakte een uitnodigend gebaar. Gehoorzaam liepen de anderen achter hem aan de trap op.

'Wat doe je als je valt?' vroeg Russ. Het leek een retorische vraag, dus gaf niemand er antwoord op. 'Je steekt een hand uit om je val te breken. D.D., had je je dienstwapen in je rechterhand?'

Ze knikte.

'Uit de drie schoten kunnen we afleiden dat je het wapen tijdens je val nog steeds in je rechterhand had. Dus moest je met je linkerhand je val breken. Dat verklaart het letsel aan je linkerschouder.' Russ was nu boven en wenkte iedereen naar de overloop. Daarna liep hij weer een paar treden naar beneden, greep met zijn linkerhand de trapleuning, draaide zijn lichaam en bleef aan de leuning hangen.

D.D. zag het meteen. Hoe de draai van zijn lichaam de spieren van zijn nek, schouder en linkerarm forceerde. Ze kromp onwillekeurig ineen, wendde haar blik van hem af en drukte haar gewonde arm nog dichter tegen zich aan.

'D.D. begint te vallen,' legde Russ uit. 'Instinctief steekt ze haar linkerarm uit in een poging het te voorkomen. Ze weet de leuning te grijpen, maar daardoor wordt haar arm hard naar achteren getrokken. Dit veroorzaakt een avulsie aan haar opperarmbeen. De pezen die de spieren met het bot verbinden, scheuren een deel van het bot af. Gelijktijdig knikt haar hoofd vanwege de abrupt onderbroken beweging hard naar rechts. Het letsel aan haar plexus brachialis is daarvan het gevolg.

Vanwege de plotselinge, ondraaglijke pijn in haar nek en schouder laat ze de leuning los. Haar val is vertraagd, maar niettemin onstuitbaar. Ze glijdt over de treden tot ze beneden is. Vandaar de blauwe plekken op haar rug en de lichte hersenschudding.'

Russ keek naar D.D. 'Ben ik iets vergeten?'

D.D. schudde haar hoofd. Hij keek haar vriendelijk aan, zelfs meelevend. Het hielp niet. Ze wilde hier niet meer zijn. In dit huis, op deze overloop, met al die schimmen in haar hoofd.

'Waarom stond je met je rug naar de trap?' vroeg Alex.

D.D. keek om zich heen. Het was een goede vraag. Phil, Neil, Alex en zij stonden boven aan de trap en ze stonden allemaal met hun gezicht naar het trapgat. Instinctief, uit aangeboren voorzichtigheid.

'Ik keek achterom,' fluisterde ze.

Ze staarden naar haar.

Ze draaide zich om en keek door de gang naar de openstaande deur van de slaapkamer. De overweldigende stank van bloed. De lange, donkere vingers van de nacht. Zij in haar eentje in de duisternis. Ze had niet willen zien. Ze had willen voelen. En toen...

'Ik hoorde iets.'

'Iets?' vroeg Phil korzelig. 'Of iemand?'

'Ik weet het niet. Ik draaide me om. En toen viel ik.'

'Nee.'

'Wat?' Ze draaide zich om naar Russ, die nog op de trap stond. Nu er vier politiemensen naar hem keken, kreeg hij opeens een kleur.

'Ik bedoel, dat is niet waarschijnlijk.'

'Waarom niet?'

'Avulsie is een zeer zeldzame blessure. Het komt alleen voor als er een enorme hoeveelheid kracht op een ledemaat wordt uitgeoefend, zoveel dat de pees bij het aanhechtingspunt een deel van het bot afscheurt. Botten zijn erg sterk,' ging Russ door, alsof dit hun allemaal duidelijk moest zijn. 'Een pees scheurt daar geen stuk van af als er normale druk wordt uitgeoefend. We hebben het over uitzonderlijk veel kracht. Dat wil zeggen dat D.D. met een enorme vaart van de trap moet zijn gevallen. Bijvoorbeeld omdat ze naar de trap rende en niet kon stoppen, of omdat ze sprong. Maar ze stond met haar rug naar het trapgat...'

'O, god,' fluisterde D.D. 'Ik ben niet gevallen.'

'Nee.' Alex sloeg beschermend zijn arm om haar middel. 'Je bent geduwd.'

HOOFDSTUK 7

'Papa zei altijd dat bloed gelijkstaat aan liefde. Dan lachte hij. En drukte iets harder op het scheermes. Hij zag het bloed graag langzaam opwellen. "Haast je niet," fluisterde hij dan. "Neem de tijd. Geniet ervan."'

Shana sprak met een dikke tong. Ze keek niet meer naar mij, maar staarde naar de spierwitte muur. De ziekenboeg van de gevangenis. Even kaal als de cellen, maar hier had het aan de vloer geschroefde stalen bed pols- en enkelriemen.

Ze hadden haar om zes uur bij het ochtendappel in haar cel gevonden, had directeur McKinnon me verteld. Ze lag in de foetushouding op haar bed, wat volgens de gevangenbewaarder van haar afdeling op zich ongebruikelijk was. Toen ze niet reageerde op de bevelen, had men een speciaal team laten komen, dat gewapend met oproerschilden haar cel was binnengegaan. Er was daardoor vrij veel tijd verloren gegaan, maar dat was Shana's eigen schuld. Ze had tot nu toe twee bewakers en één gedetineerde vermoord. Men nam met mensen zoals zij geen enkel risico.

Met andere woorden, de bewakers hadden zich meer zorgen gemaakt om hun eigen veiligheid dan om die van Shana, terwijl al die tijd het bloed van mijn zus uit de wonden aan haar dijen in het matras was gelopen.

Nog vijf minuten, had de directeur gezegd, en ze zou doodgebloed zijn. Het was me niet duidelijk of McKinnon blij of teleurgesteld was dat het speciale team er nog net op tijd bij was geweest. Als het om mijn zus ging, was niets ooit eenvoudig.

Shana had van een reistandenborstel een mes gemaakt. Heel klein, heel scherp. Niet geschikt om anderen te verwonden, maar wel om in de nacht een groot aantal sneetjes aan te brengen aan de binnenkant van haar dijbenen. Ik wou dat ik kon zeggen dat ik verbaasd was, maar dit was al haar vierde zelfmoordpoging. Ze deed het altijd door zichzelf snijwonden toe te brengen, net zoals ze bij haar aanvallen op anderen altijd een zelfgemaakt mes had gebruikt. Ik heb haar een keer gevraagd of ze echt dood wilde. Ze haalde haar schouders op. Ze zei dat het minder een kwestie was van dood willen dan van ergens in willen snijden. En aangezien ze in eenzame opsluiting leefde, waren de mogelijkheden beperkt.

Shana keek lodderig. Ze was verdoofd, gehecht, en werd nu druppelsgewijs geïnjecteerd met gedoneerd bloed en andere vloeistoffen. Straks zou ze teruggaan naar haar cel, waar ze drieëntwintig uur per dag opgesloten zat als een gekooid dier, maar nu had ik haar even voor mezelf. En door de invloed van de medicijnen en het bloedverlies was mijn zus spraakzaam en had ze het zowaar over onze familie. Aan mij de taak kalmpjes naast haar te staan en in gedachten aantekeningen te maken.

'Sneed Harry jou?' vroeg ik. Ik sprak op vlakke toon toen ik naar onze biologische vader vroeg.

'Bloed is liefde, liefde is bloed,' zei ze zangerig. 'Papa hield van mij.'

'Is dat wat hierachter zit?' Ik wees naar haar verbonden benen. 'Eigenliefde?'

Mijn zus giechelde alsof ze dronken was. 'Wil je weten of ik ben klaargekomen?'

'Is dat zo?'

'Je kunt het voelen. Hoe de huid openbarst, als overrijp fruit. Hoe het bloed eruit komt. Het is geweldig. Maar dat weet jij ook wel.'

'Ben je vergeten dat ik geen pijn voel?'

'Maar het is geen pijn, zusje. Integendeel.'

'Volgens onze vader tenminste.'

'Je bent jaloers. Je kunt je hem niet herinneren.'

'Jij was vier. Volgens mij kun jij je hem ook niet herinneren.'

'Jawel. Ik wel en jij niet en daarom haat je mij. Omdat papa het meest van mij hield.'

Mijn zus slaakte een zucht. Haar glazige ogen staarden in het niets. Ze zag waarschijnlijk het kleine huis waar we woonden. Ik kon me dat huis niet herinneren, zoals zij, ik kende het alleen van de foto's uit het politiedossier. De slaapkamer van mijn ouders, met als enig meubilair een smerig matras op de eikenhouten vloer. De stapels vuile kleren, het besmeurde beddengoed, verpakkingen van etenswaren in een kring eromheen. En een autostoeltje dat in de hoek stond en 's avonds in de kast werd gezet. Het autostoeltje waar ik, volgens de rapporten van de rechercheurs, dag en nacht in zat.

Terwijl Shana met onze ouders op het met bloedvlekken besmeurde matras sliep.

'Ik hield van je,' zei Shana nu dromerig. 'Je was zo schattig. Ik mocht je van mama wel eens op schoot hebben. Dan lachte je naar me en zwaaide je met je vuistjes. Ik heb een sneetje in je pols gemaakt, heel voorzichtig, om je te laten zien hoeveel ik van je hield. Mama begon te krijsen, maar jij bleef naar me lachen. Ik wist dat je het begreep.' Klagend ging ze door. 'Waarom ben je bij me weggegaan, Adeline? Eerst papa, toen jij. Daarna ging alles kapot.'

Toen onze stiefmoeder ontdekte dat Shana met een schaar in mijn armen sneed, werd mijn zesjarige zusje naar een zwaar bewaakte psychiatrische inrichting gestuurd, waar ze antipsychotica kreeg toegediend en het grootste deel van de tijd vastgebonden op een bed lag. De behandeling werkte zo goed dat ze pas na vijf jaar een poging deed een andere patiënt te vermoorden. Gezien dat overweldigende succes bepaalde men op haar veertiende verjaardag dat ze geestelijk stabiel was en stuurden ze haar naar een nietsvermoedend pleeggezin. Naar mijn deskundige mening was het niet een kwestie van óf maar wannéér ze iemand zou vermoorden.

'Waar denk je aan,' vroeg ik haar nu, 'als je aan papa denkt?'

'Liefde.'

'Wat hoor je?'

'Gekrijs.'

'Wat ruik je?'

'Bloed.'

'Wat voel je?'

'Pijn.'

'En dat is liefde?'

'Ja.'

'Dus toen wij nog klein waren en jij in mij sneed, wilde je me laten zien hoeveel je van me hield?'

'Nee. Ik wilde dat je zou vóélen hoeveel ik van je hield.'

'Door in me te snijden.'

'Ja.'

'Wat zou je doen als je op dit moment een mes had?'

'Bloed is liefde,' zei ze zangerig. 'Ik weet dat je het weet, Adeline. Ik weet dat zelfs jij het diep in je hart begrijpt.'

Ze glimlachte, zo sluw dat ik inwendig huiverde. Alsof ze wist wat ik zes uur geleden had gedaan, een monster dat werd gedreven door haar aard, ook al werd ze door haar opvoeding gewaarschuwd zich niet zo te gedragen.

'Stel dat ik zei dat voedsel liefde is.' Ik bleef rustig praten, moest mijn hoofd koel houden. 'Dat je mensen niet moet snijden maar brood moet aanbieden.'

Shana fronste en bracht haar vingers naar haar slaap. Ze keek verward, alsof ze opeens de weg kwijt was. 'Papa heeft nooit voedsel aangeboden.'

'En mama?'

'Mama?'

'Bood mama voedsel aan?'

'Mama is niet liefde,' zei ze. Haar stem klonk nu een beetje broos.

'Mama is niet liefde.' We hadden dit onderwerp vaker aangestipt zonder ooit vooruitgang te boeken. Ik besloot deze unieke gelegenheid uit te buiten. 'Waarom niet? Waarom kan mama geen liefde zijn?'

Shana klemde koppig haar lippen op elkaar en weigerde antwoord te geven.

'Harry hield van haar, trouwde met haar. Zij hield van hem, deed het huishouden voor hem, kreeg kinderen met hem.'

'Hij hield niet van haar.'

'Hij hield van jou?'

'Ja. Bloed is liefde. Hij hield van míj. Niet van haar.'

Ik boog me voorover en zei rustig: 'Hij deed haar pijn. Elke dag, volgens de rapporten van de rechercheurs. Als pijn liefde is, hield onze vader heel veel van onze moeder.'

Shana zei grommend: 'Doe niet zo achterlijk! Iemand slaan is geen liefde. Bloed is liefde. Dat weet je best. Snijden doe je zorgvuldig, teder. Laagje voor laagje, heel voorzichtig. Je mijdt de darmslagader, de dijslagader, de ader in de knieholte. Je opent alleen de grote huidader van het dijbeen en verder niets...' Ze wees naar haar verbonden benen. 'Bloed is liefde. Maar je moet zorgvuldig te werk gaan. Dat weet je, Adeline. Dat weet je.'

Ik keek haar in de ogen. 'Het was niet jouw schuld, Shana. Wat onze vader deed, wat er in dat huis gebeurde, dat was niet jouw schuld.'

'Jij was een baby. Een zwakke, nutteloze baby. Dat zei mama tegen hem zodat hij je met rust zou laten. Maar ik heb je laten zien dat ik van je hield. Ik heb in je polsen gesneden zodat je je niet eenzaam zou voelen, en als dank heeft mama mij bont en blauw geslagen.'

'Zij? Of papa?'

'Zij. Mama is niet liefde. En jij bent nog steeds zwak en nutteloos.'

Ik gooide het over een andere boeg. 'Shana, wie verbond jouw wonden? Als bloed liefde is en papa elke nacht in je sneed, wie verzorgde jou dan 's ochtends?'

Mijn zus wendde haar ogen af.

'Iemand zorgde voor jou. Iemand moest jou elke ochtend oplappen. Ze konden niet met je naar het ziekenhuis gaan. Daar zou men te veel vragen stellen. Dus moest iemand thuis elke ochtend je wonden schoonmaken en verbinden, de schade repareren. Wie deed dat, Shana? Wie verzorgde jou?'

Shana's schouders schokten en haar kaakspieren trokken strak. Ze staarde weer naar de muur.

'Dat deed mama. Zij verzorgde je wonden. 's Nachts werd je door papa toegetakeld, 's ochtends lapte mama je weer op. En dat heb je haar nooit vergeven. Daarom staat mama niet gelijk aan liefde. Papa deed je pijn. Maar zij stelde je teleur. En dat was erger. Wat zij deed, deed veel meer pijn.'

Opeens keek Shana me weer aan. Haar bruine ogen hadden een griezelige glans. 'Jij bent haar. Ik ben papa, maar jij bent mama.'

'Denk jij dat ik probeer jou op te lappen? Zijn mijn bezoeken voor jou als de ochtend? Tot ik weer wegga en je achterlaat, overgeleverd aan de nacht?'

'Papa is liefde. Mama is niet liefde. Mama is erger.'

'Jij bent Shana. Ik ben Adeline. Onze ouders zijn dood. Wat zij hebben gedaan, is niet onze schuld. Maar wij moeten hen loslaten.'

Shana glimlachte naar me. 'Papa is dood,' zei ze, maar ze klonk nu weer sluw, bijna verheugd. 'Ik weet dat, Adeline. Ik was erbij. En jij?'

'Je weet dat ik me er niets van herinner.'

'Maar je was erbij.'

'Een baby in een autostoeltje. Dat telt niet.'

'Het geluid van de politiesirenes...' Ze probeerde me op te hitsen.

‘Harry Day raakte in paniek toen hij besefte dat de politie hem op het spoor was,’ zei ik effen. ‘Hij wilde niet levend gepakt worden, dus sneed hij zijn polsen door.’

‘Nee.’

‘Ik heb de rapporten gelezen, Shana. Ik weet wat hij heeft gedaan.’

‘Bloed is liefde, Adeline. Ik weet dat je het begrijpt, omdat je erbij was.’

Ik fronste en wachtte af. Ik had geen idee wat Shana bedoelde. Ik was toen nog maar een baby. Alles wat ik wist, had ik uit de politierapporten.

‘Shana.’

‘Ze gaf hem de aspirine. Om zijn bloed te verdunnen.’ Mijn zus sprak weer zangerig, bijna als een kind. ‘Toen vulde ze het bad. Warm water. Dat verwijdt de bloedvaten. Hij kleedde zich uit. Ze zei dat hij in het bad moest gaan zitten. Toen hief hij zijn polsen op. “Je moet het doen,” zei hij tegen haar. “Ik kan het niet,” fluisterde ze. “Als je ooit van me hebt gehouden,” zei hij. Hij gaf haar zijn favoriete scheermes, een ouderwets model met een ivoren handvat. Hij had me verteld dat hij het van zijn eigen vader cadeau had gekregen. Beng, beng, beng op de voordeur. Politie! Opendoen! Beng, beng, beng. Mama sneed in zijn polsen. Twee sneden per arm. In de lengte, niet in de breedte, want een breedtewond kan worden gehecht. Een lengtesnee is fataal. Papa glimlachte naar haar. “Ik wist dat je het goed zou doen.” Ze liet het scheermes in het water vallen. Hij zonk in de rode zee. “Ik zal altijd van je houden,” fluisterde mama en ze zakte in elkaar toen de politie ons huis binnendrong. Bloed is liefde,’ zong Shana. ‘En onze ouders zijn er nog. Ik ben papa en jij bent mama en mama is niet liefde, Adeline. Mama is erger.’

‘Je moet rusten,’ zei ik tegen mijn zus.

Ze glimlachte naar mij.

‘Bloed kruipt waar het niet gaan kan, Adeline. Bloed wint het uiteindelijk altijd, zusje.’

Toen greep ze mijn hand. Heel even was ik bang dat ze nóg een mes had meegesmokkeld en me zou toetakelen, maar ze hield mijn hand alleen maar vast. De pijnstillers deden hun werk. Ze zakte terug op het kussen. Ze zuchtte. Haar oogleden zakten dicht. Mijn moordzuchtige zus viel in slaap terwijl ze mijn hand vasthield.

Na een poosje maakte ik voorzichtig haar vingers los. Ik hief mijn hand op en bekeek de vage, witte littekens die al zo lang als ik me kon herinneren over de lichtblauwe adertjes aan de binnenkant van mijn polsen liepen. Iets wat mijn zus veertig jaar geleden had gedaan.

Ik kon mijn adoptievader bijna horen vragen: 'Pijn is...?'

Je dingen herinneren, dacht ik.

Familie.

En dat verklaart waarom zelfs een pijndeskundige, zoals ik, zich afwendde en de kamer verliet.

HOOFDSTUK 8

Eenmaal thuis belde D.D. allereerst het hoofd van het forensisch laboratorium, Ben Whitley. Alex was meteen doorgereden naar zijn werk, dus zat D.D. in haar eentje op de bank, nog in de zwarte yogakleding die voor de analyse van haar val vereist was geweest.

'Ik heb een vraag,' zei ze plompverloren toen Ben opnam.

'D.D.!' Bens stem dreunde in haar oor. De patholoog was niet de meest extroverte persoon ter wereld, maar in de jaren dat hij een relatie had gehad met Neil, hadden hij en D.D. elkaar goed leren kennen en nadat de mannen uit elkaar waren gegaan, waren ze goede vrienden gebleven. 'Ik heb het gehoord, van de avulsie. Echt iets voor jou om op zo'n creatieve manier gewond te raken.'

'Ik doe mijn best.'

'Linkerarm?'

'Ja.'

'IJs? Fysio? Rust?'

'Ja, ja, allemaal.'

'En je verveelt je te pletter.'

'Dat zou je kunnen zeggen.'

'En daarom bel je mij. Je wilt iets weten over de gevilde dames.'

'Niet precies.'

Stilte. D.D. kon Ben bijna hóren denken.

'Niet over beide dames,' legde ze uit. 'Ik neem tenminste aan dat je nog niet aan de tweede bent toegekomen.'

'Ze staat voor vanmiddag op het programma.'

'Vandaar. Ik heb een vraag over het eerste slachtoffer, Christine Ryan. Ik weet zeker dat je je met haar lijk intensief hebt beziggehouden, en omdat jij zo'n slimme forensisch patholoog bent, een van de besten die we ooit hebben gehad...'

'Met vleien kom je ver.'

'En je de gevilde huid nauwkeurig moet hebben bekeken...'

'Heel nauwkeurig.'

'Heb je vast een theorie over het mes dat de moordenaar heeft gebruikt.'

'Uiteraard. Het gaat om een mes dat heel dun en volkomen gaaf is, zonder karteltjes of andere beschadiging aan het lemmet. De grote vraag is echter of het een gewoon mes is of een scheermes.'

'Een scheermes?' Daar had ze niet aan gedacht. Maar... 'Is een scheermes niet moeilijk hanteerbaar bij zo'n... langdurig proces? Op zich is het natuurlijk erg geschikt om zulke dunne reepjes te snijden, maar het zijn er zo véél, en om het maar even bot uit te drukken: zou een scheermes niet snel te glibberig worden?'

'Het kan een scheermes met een handvat zijn. Denk aan het klassieke model van vroeger. Maar het kan ook een stanleymes zijn. En vandaag bedacht ik dat het ook een scalpel kan zijn. In elk geval is het hoogstwaarschijnlijk geen gewoon mes. Ik heb de afgelopen weken tientallen gewone messen uitgeprobeerd en bij geen ervan kreeg ik het juiste resultaat. Bij een gewoon mes is het snijvlak altijd dikker dan bij een scheermes, waardoor het aan de huid trekt, met als gevolg dat de randen van de uitgesneden reepjes gaan rimpelen. Bij het slachtoffer zijn het heel gave, kaarsrechte reepjes. Dat wil tevens zeggen dat de dader er ervaring mee heeft. Ik heb zelf een paar keer moeten oefenen om het zo netjes voor elkaar te krijgen. Bij de eerste pogingen werd ik weliswaar gehinderd door het feit dat ik, zoals gezegd, gewone messen gebruikte, maar nu ik ben overgegaan op chirurgische instrumenten, weet ik zijn manier van snijden te benaderen.'

'Oké.' D.D. liet dit even bezinken. Ze was zelf nog niet op het idee gekomen dat het moordwapen een scalpel kon zijn. In dat geval moest de moordenaar iemand zijn die op zijn minst een basisopleiding op medisch gebied had genoten. Maar volgens haar recente brainstorm sloot een scalpel niet uit dat... 'Ik ga ervan uit,' zei ze, 'dat een forensisch patholoog van jouw kaliber...'

'Genoeg gevleid, D.D. Ik heb het druk.'

'Ik neem aan dat je hebt geprobeerd de huidreepjes aan elkaar te passen. Als een puzzel.'

'Geprobeerd is hier het sleutelwoord.'

'Het is je niet gelukt.' Ze ging steeds geanimeerder praten en haar hart ging steeds sneller kloppen. Want nu kwam het: de briljante ingeving die ze midden in de nacht had gekregen: 'Omdat bleek dat je niet alle puzzelstukjes hebt. Er ontbreken een paar reepjes huid. Die heeft de moordenaar meegenomen.'

'Bingo! Eerste prijs voor de knappe, blonde rechercheur. Mevrouw, komt het door die gouden lokken dat u zo slim bent?'

'Uiteraard. Hoeveel huid ontbreekt er? Hebben we het over een beetje of veel?'

'Ik denk dat er zes of zeven reepjes ontbreken. In elk geval zoveel dat het bij een levend slachtoffer zou zijn opgevallen.'

Dat was precies wat ze had gedacht. Het villen was voor deze moordenaar meer dan een fetisj, meer dan een manier om dat wat hij het meest begeerde in zijn bezit te krijgen: een persoonlijk aandenken aan zijn daad.

Ze vergat bijna dat ze Ben aan de telefoon had. 'Laatste vraag,' zei ze nu. 'Heeft hij de huid van het slachtoffer geprepareerd? Met andere woorden, hebben de onderzoeken interessante chemicaliën aan het licht gebracht? Zoals alcohol of zelfs formaldehyde?'

'Je vraagt je af of de moordenaar zijn trofeeën hoopt te kunnen conserveren door zijn slachtoffer eerst te reinigen met een of ander prepareermiddel.'

'Ja.'

'Het antwoord op je vraag is ja en nee. De resterende huid op het bovenlichaam van Christine Ryan bevatte sporen van antibacteriële zeep. Haar armen en onderbenen niet. Als het slachtoffer gewend was in bad te gaan voordat ze naar bed ging, hadden we op haar hele lichaam sporen van de antibacteriële zeep moeten vinden. Aangezien dat niet het geval is, kunnen we er denk ik wel van uitgaan dat de moordenaar haar bovenlichaam heeft gereinigd voordat hij is begonnen haar te villen.'

D.D. fronste. 'Zoals chirurgen doen? De huid ontsmetten voor een operatie?'

'Als voorbereiding op een operatie wordt de plek waar de incisie moet komen gekleurd met een ontsmettingsmiddel, dat meestal alcohol bevat. Bij het slachtoffer was de huid gereinigd, maar niet bewerkt met een gekleurd ontsmettingsmiddel.'

'Met andere woorden, de moordenaar heeft de moeite genomen om zijn werkterrein te reinigen, maar heeft het niet ontsmet.'

'Precies. En het antwoord op je vorige vraag is nee. Ik heb geen sporen gevonden van formaldehyde.'

'Oké.'

'Dat wil trouwens niet zeggen dat de moordenaar zijn souvenirs dan niet kan bewaren.' Ook Ben liep nu warm voor het onderwerp. 'Met een klein beetje kennis van zaken kun je reepjes huid conserveren in een glazen pot met een formaldehydeoplossing. Je kunt ze ook drogen met behulp van zout. En er zijn nog wel meer mogelijkheden.'

'Getver.'

'Je vroeg het zelf.'

'Beroepsdeformatie. Laat me jouw bevindingen even recapituleren: de moordenaar bedwelmt het slachtoffer met chloroform en doodt haar dan door middel van compressieve asfyxie. Hij ontkleedt haar en wast een deel van haar lichaam met antibacteriële zeep. Daarna begint hij met waar hij eigenlijk voor is gekomen: het villen. Hij verwijdert de huid van het bovenlichaam en de bovenbenen in lange, smalle repen. Hij gebruikt daarvoor een scalpel of een scheermes. Als hij klaar is, neemt hij een deel van de huidreepjes mee, als morbide aandenken. Klinkt dit min of meer correct?'

'Een betere samenvatting had ik niet kunnen geven.'

D.D. ging door: 'De dader moet dus ervaring hebben met operaties en/of het voorbereiden van patiënten voor operaties, en voelt zich op zijn gemak bij lijken. Aangezien hij post mortem het langst bezig is met zijn slachtoffer, zou ik zelfs zeggen dat hij zich bij lijken nog het meest op zijn gemak voelt.'

'Een Jeffery Dahmer?' opperde de patholoog. 'De necrofiel met de neurotische aandrang om lichaamsdelen van zijn slachtoffers te bewaren? Zei die niet dat hij op zoek was naar de volmaakte minnares – een vrouw die hem nooit zou verlaten?'

'Alleen zijn er bij onze twee slachtoffers geen sporen van seksueel misbruik gevonden.'

'Voor zover ik heb kunnen vaststellen.'

D.D. knikte en herinnerde zich toen dat hij dat niet kon zien. 'Bedankt, Ben. Ik ben hier erg mee geholpen.'

'Weet je nu wie de moordenaar is?'

'Nog niet, maar ik heb een idee van zijn mogelijke beroep.'

'Ga je onderzoek doen in ziekenhuizen en/of medische faculteiten?'

'Ik ga Neil onderzoek laten doen in ziekenhuizen en/of medische faculteiten. Ik ga zelf mijn licht opsteken bij uitvaartcentra.'

Het zou natuurlijk verstandig zijn te wachten tot Alex thuiskwam. Hij zou haar helpen zich om te kleden. Hij zou haar helpen in haar auto te stappen. Maar D.D. was niet in een verstandige bui. Ze was in een opstandige bui. Ze haatte haar arm, haar schouder en Melvin. Ze was een sterke vrouw. Een onafhankelijke vrouw. En een rechercheur met een missie.

Ze was heel goed in staat zich om te kleden, Melvin of geen Melvin.

Al was Melvin het daar uiteraard niet mee eens.

Het begon al toen ze probeerde het yoga-T-shirt uit te trekken. Ze wist het shirt, dat gelukkig een wijde hals had, over haar gezonde rechterschouder omhoog te werken, maar maakte toen een verkeerde beweging met haar linkerarm. En toen ze het shirt eenmaal over haar hoofd had gekregen, moest ze het nog over haar linkerarm laten afglijden. Daarna was de strakke yogabroek aan de beurt. Er was geen enkele reden waarom ze haar geblesseerde schouderspieren zou moeten gebruiken om de broek van zich af te stropen, maar toen ze het eindelijk voor elkaar had, had ze het gevoel dat haar linkerarm in brand stond en zweette ze als een rund.

Hoe meer ze haar best deed haar geblesseerde arm niet te bewegen, hoe meer alles wat ze deed aan haar nek, schouder en bovenarm leek te trekken. Zich verbijtend tegen de pijn haalde ze een donkergrijze broek uit haar kast en stak haar voeten in de pijpen. Stukje bij beetje, omdat ze er maar één hand voor kon gebruiken, hees ze hem op, maar toen zat ze met de tailleknoop. Zelfs na vier pogingen slaagde ze er niet in die dicht te maken.

Een lange blouse, dacht ze vertwijfeld. Of een jasje. Als ze een blouse aantrok die tot over haar taille reikte, zou niemand er iets van zien.

Het was zo'n voor de hand liggende oplossing, dat ze op de rand van het bed ging zitten huilen.

Ze kon dit niet uitstaan. Ze kon het niet uitstaan dat ze zich zo nutteloos, machteloos en gefrustreerd voelde. Ze nam het haar lichaam kwalijk dat het niet genas. Ze nam het haar schouder kwalijk dat hij zoveel pijn deed, en ze nam het die stomme pees kwalijk dat hij een stuk van haar eigen bot had afgescheurd. Stel dat het nooit meer goed kwam? Het was een zeldzame blessure; niemand had een nauwkeurige prognose. Zou ze over een paar maanden weer in staat zijn zich zelfstandig aan te kleden? Haar pistool te gebruiken? Haar zoontje op te tillen?

Of zou ze dan nog steeds thuis zitten, in de kleren van haar man, en weemoedig aan haar hoogtijdagen denken terwijl ze zich afvroeg wat ze allemaal miste? Ze wilde niet op non-actief gezet worden. Daarvoor was ze nog veel te jong, veel te toegewijd. Ze was een rechercheur in hart en nieren. Ze wilde geen ander werk. Ze hield van dit werk.

Zelfs nu ze vanwege haar werk zoveel pijn leed. Zelfs nu ze vanwege haar werk was veranderd in een schim van wie ze was geweest.

Ze liet zich achterover op het bed vallen. Gekleed in een broek, een beha en verder niets staarde ze naar het plafond. Toen deed ze haar ogen dicht en probeerde te zien wat ze die avond moest hebben gezien vlak voordat ze van de trap was geduwd.

Melvin. Waar ben je? Kom hier, Melvin, ik ben er klaar voor, ik wil het weten. Kom op, werk mee. Geef me mijn herinneringen terug.

Dat was toch wat dokter Glen had gezegd? Als ze met haar pijn sprak, als ze Melvin verzocht haar te helpen haar herinneringen terug te krijgen, zouden de zwakke Bannelingen de strijd opgeven. Maar zij moest bereid zijn de consequenties te aanvaarden.

Melvin gaf geen sjoege. Of liever gezegd: hij bleef haar treiteren met die rotpijn.

'Ik ben er klaar voor,' herhaalde ze fel in de stille slaapkamer. 'Ik kan het aan, Melvin. Vooruit, achterbakse lafaard! Ik wil het weten. Vertel het. Kom op!'

Niets.

'Was het de moordenaar? Was hij teruggekomen om na te genieten en werd hij onaangenaam verrast toen bleek dat ik in dat huis was?'

Maar daders kwamen over het algemeen niet dichterbij dan de grenzen van de plaats delict. Het was een te groot risico om onder het afscheidingslint door te duiken en het terrein te betreden dat door de politie ontoegankelijk was verklaard. Voordat je het wist, werd je in hechtenis genomen en ondervraagd. Misschien zou een doortrapte psychopaat, een moordenaar die dacht dat hij slimmer was dan de rest, zoiets nog wel spannend vinden. Maar hún moordenaar? Een man die eenzame vrouwen in hun slaap overmeesterde? Die hen met chloroform bedwelmde zodat ze op een eenvoudige, pijnloze manier zouden sterven?

Heel even zag D.D. de man bijna voor zich. Klein postuur. Gebrek aan zelfvertrouwen. Slecht in de omgang met anderen. Verlegen tegenover mensen die gezaghebbend optraden, in het bijzonder als dat vrouwen waren. Had nooit een langdurige relatie met een vrouw gehad. Woonde waarschijnlijk nog thuis. Maar niet een zoon die voortdurend werd gekleineerd en een hoop onderdrukte razernij meedroeg, want zo'n man zou zijn woede op een levend, vastgebonden slachtoffer botvieren. Hún moordenaar was zowel in- als uitwendig een stille figuur. Stil maar obsessief. Hij voelde zich gedwongen deze dingen te doen, maar probeerde het met zo weinig mogelijk ophef te doen. Met een slachtoffer dat nergens weet van had.

Een insluiper die zijn slachtoffer bedwelmde, doodde en vilde.

Om dat laatste ging het hem. Het villen. Het oogsten. Het verzamelen.

Hij was een verzamelaar.

Toen D.D. zover was gekomen, wist ze instinctief dat ze het bij het juiste eind had. De man die ze zochten, was een verzamelaar. De moorden waren geen uitbarstingen van geweld of razernij, maar uitingen van obsessief gedrag. De moordenaar ging gebukt onder een dwangneurose. Hij kon niet anders.

Of zíj kon niet anders.

Een seksueel sadistische geweldpleger was vrijwel altijd een man. Maar een verzamelaar... Het feit dat er geen sprake was van seksueel geweld. Het gebruik van chloroform om het slachtoffer weerloos te maken. Zelfs de compressieve asfyxie. Wat had Neil gezegd? Daarvoor hoefde je geen forse kerel te zijn; het was een kwestie van lang genoeg op de juiste plek drukken.

Dit betekende dat ze niet op zoek waren naar een kleine, verlegen man, maar naar een vrouw. Buren zouden het niet verdacht vinden als een vrouw 's avonds bij een andere vrouw op bezoek ging. Een vrouw die 's avonds laat bij de plaats delict werd aangetroffen, kon makkelijk zeggen dat ze een vriendin van het slachtoffer was.

Zou dat het zijn? Was in het huis van Christine Ryan, toen D.D. daar in het donker rondliep, niet een man maar een vrouw uit de schaduw naar voren gekomen...?

'Melvin. Zeg iets. Praat met me.'

Maar Melvin zweeg in alle talen.

D.D. had er genoeg van. Ze kwam overeind. Liep driftig de kamer door. Greep, voordat ze zich kon bedenken, een lange, roomwitte trui en trok die aan, met opeengeklemde kaken tegen de explosie van pijn.

'Wil je klagen, Melvin?' siste ze. 'Wil je mokken? Oké. Dan zal ik je een reden geven om te mokken. Kom mee, we gaan aan het werk.'

Brigadier D.D. Warren van de recherche van Boston zwoegde de trap af, de deur uit en haar auto in. Klaar om haar pijn met de rest van de wereld te delen.

HOOFDSTUK 9

Directeur Kim McKinnon was een knappe verschijning met haar hoge jukbeenderen, zijdezachte zwarte huid en glanzende bruine ogen. Een vrouw die op haar zeventigste nog net zo mooi zou zijn als op haar veertigste. Ze was bovendien intelligent, daadkrachtig en streng, en dat was ook nodig als je aan het hoofd stond van het Massachusetts Correctional Institute, de oudste vrouwengevangenis die in de Verenigde Staten nog in gebruik was. Zeker nu in deze gevangenis, die oorspronkelijk bedoeld was voor vierenzestig gedetineerden, een recordaantal van tweehonderdvijftig personen zat.

De afschuiftheorie van schuld en boete, had de directeur me uitgelegd toen ik haar had gevraagd hoe dat kwam. Op de meeste politiebureaus zaten de arrestantencellen tegenwoordig zo vol dat de mannelijke en vrouwelijke arrestanten niet van elkaar gescheiden konden worden gehouden. De sheriffs losten dat op door de vrouwelijke arrestanten door te schuiven naar het Massachusetts Correctional Institute, waar directeur McKinnon met het probleem werd opgescheept.

De pers veroordeelde haar ongenadig om het feit dat de gedetineerden opgepropt zaten in te kleine cellen met drie stapelbedden, maar de overheid maakte geen geld vrij voor de bouw van een extra vleugel.

Afgezien van deze problemen had McKinnon een geweldige baan.

Directeur Beyoncé, zoals ze door de gedetineerden werd genoemd, zat nu achter haar staalgrijze bureau met haar handen gevouwen op het bureaublad en keek me rustig aan.

'Ze gaat hard achteruit,' zei ze plompverloren. 'Eerlijk gezegd heb ik het incident van vanochtend al dagen zien aankomen.'

'En dus heb je Shana's cel nog vaker en nog grondiger laten doorzoeken, en je personeel opdracht gegeven er nog beter op te letten dat ze geen enkel voorwerp te pakken kon krijgen waarvan ze een mes zou kunnen maken?' vroeg ik koeltjes.

Ze keek licht verwijtend. 'Kom, kom, Adeline. Je bent hier niet nieuw. Je weet dat we tegenover een gedetineerde als jouw zus vaak machteloos staan. Ook al dragen wíj het uniform, zíj is degene die bepaalt wat er gaat gebeuren.'

Helaas was dat waar. Mijn zus was de schrik van elke gevangenis: een intelligente, asociale, als gevaarlijk bestempelde vrouw die niets te verliezen had. Drieëntwintig uur per dag zat ze in haar eentje in haar cel. Met uitzondering van mijn maandelijkse bezoeken beweerde ze geen behoefte te hebben aan bezoekers. Ze maakte geen gebruik van haar recht op telefoongesprekken en deelname aan educatieve cursussen. Ze gaf zelfs niets om de extraatjes die ze in de kantine kon kopen van opgespaard zakgeld. Maar keer op keer gedroeg ze zich als een nukkige kleuter en keer op keer werden haar voor straf voorrechten onthouden, zoals je een kleuter zijn speelgoed afpakt.

Niet dat het haar iets kon schelen. Shana was boos en depressief en medicijnen hielpen niet. Ik kan het weten, want ik ben degene die haar medicijnen voorschrijft. Tot driemaal toe heb ik haar recepten gewijzigd, maar het maakt allemaal niets uit.

Shana's zelfmoordpoging was niet alleen een smet op de reputatie van directeur McKinnon, maar ook op die van mij.

'Neemt ze haar medicijnen in?' vroeg ik, al vroeg ik daarmee naar de bekende weg.

'We zien erop toe dat ze dat doet en we doorzoeken haar cel dagelijks om er zeker van te zijn dat ze geen pillen uitspuugt en verstopt. We hebben nog nooit iets gevonden, maar dat betekent misschien alleen dat ze slimmer is dan wij. Adeline, je weet dat Shana nu minstens een week in de ziekenboeg moet blijven, en je weet hoe het daar is.'

Ik knikte. Alsof het nog niet erg genoeg was dat de gevangenis vol zat met psychotische figuren, was de ziekenboeg het epicentrum van de waanzin. 's Nachts ijsbeerden zwaar gestoorde vrouwen daar in de cellen terwijl ze hun hersenspinsels luidkeels deelden met de rest van de wereld.

Als mijn zus nog geen zelfmoordplannen had gehad, zou ze die na een week in de ziekenboeg beslist hebben gekregen.

'Binnenkort is het de jaardag van haar eerste moord,' zei ik. 'Ik hoorde van Maria dat een journalist toestemming probeert te krijgen voor een interview met Shana.'

McKinnon trok een la open en haalde er een bundeltje brieven uit. 'Dat klopt. Ene Charles Sgarzi. Hij heeft een halfjaar geleden voor het eerst contact met ons opgenomen. We hebben hem toen laten weten dat hij zijn verzoek rechtstreeks tot Shana moest richten. Ze heeft de eerste paar brieven gelezen, maar niet beantwoord. Hij houdt echter stug vol.'

Ze gaf me de stapel brieven. Ze lagen op volgorde van datum. De afgelopen drie maanden had de journalist elke week een brief gestuurd. De enveloppen waren allemaal geopend, maar gezien de veiligheidsregels van de gevangenis was dat logisch.

'Zijn deze brieven allemaal van hem?'

'Ja.'

'Voor welke krant werkt hij?'

'Geen krant. Een blog. Digitale verslaggeving. De papieren krant schijnt zijn langste tijd gehad te hebben. Binnenkort wordt de Pulitzer Prize alleen nog uitgereikt voor online journalistiek. Het probleem is alleen dat je een digitale krant niet in de kattenbak kunt leggen.'

'Heeft Shana alle brieven gelezen?'

'Nee, alleen een paar in het begin. De rest heeft ze geweigerd.'

'Heb jij ze gelezen?'

‘Ons beveiligingsteam werd nieuwsgierig. Je weet dat je zus bij ons niet erg populair is.’

Ik wist wat ze daarmee bedoelde. Veel vrouwen bleven ook achter de tralies sociaal actief. Als je een mooie, jonge vrouw was, had je het goed, maar Shana was midden veertig, gehard door een leven in inrichtingen en gevangenissen, en niet aantrekkelijk. Mannen dachten vast dat ze lesbisch was. Gezien het seksuele karakter van haar moorden dacht ik van niet, maar ik had haar er nooit naar gevraagd.

McKinnon ging door: ‘Toen er elke week een brief voor haar kwam, vroegen we ons af of er méér achter stak dan verzoeken om een interview.’

Ik knikte. Mijn zus was een voormalig drugsgebruiker, dus was het logisch dat de staf zich zorgen maakte.

‘Maar als de brieven gecodeerd zijn of als ze verborgen berichten bevatten,’ McKinnon spreidde haar handen, ‘dan is dat bijzonder slim gedaan. Ik denk dat die journalist gewoon door je zus geobsedeerd is. Zeker nu ik zijn achtergrond heb nagetrokken. Hij is namelijk een neef van Donnie Johnson.’

Geschrokken keek ik op van de brieven. Donnie Johnson was twaalf toen Shana hem met haar blote handen wurgde en vervolgens zijn gezicht en bovenlichaam met een mes bewerkte. Ondanks het feit dat ze toen zelf pas veertien was, had ze vanwege ‘het gruwelijke karakter’ van de misdaad als volwassene terecht moeten staan. Tijdens de rechtszaak had ze gezegd dat Donnie had geprobeerd haar te verkrachten. Dat ze zich alleen maar had verdedigd. Maar ze had een van zijn oren afgesneden, zijn gezicht vreselijk toegetakeld en lange repen huid van zijn armen gesneden...

Berouw, had ze ijskoud gezegd. Een klassiek geval van verminking als berouw voor haar misdaad.

De aanklager had erop gewezen dat Donnie een bleek, mager jongetje was geweest, zo’n jongetje dat bij trefbal op school altijd als laatste wordt gekozen. Het idee dat dit frêle kind zou hebben geprobeerd het veel grotere, slimmere, wereldwijze meisje uit het naburige pleeggezin te verkrachten...

De jury had maar twee dagen nodig gehad om mijn zus te veroordelen, ondanks het feit dat haar advocaat had weten te voorkomen dat gegevens over eerdere wandaden werden aangevoerd, waaronder een incident waarbij ook een mes en een jongen betrokken waren geweest toen Shana pas elf was en in een inrichting zat.

Mijn zus was door de media gebrandmerkt als een monster en aangezien ze sinds haar opsluiting nog drie mensen had vermoord, onder wie twee gevangenbewaarders, denk ik dat de publieke opinie er niet ver naast zat.

Ze had het zelf gezegd: zij was papa. Een geboren killer.

En ik was mama. En mama was erger.

Mijn gedachten dwaalden af naar glazen potjes met reepjes huid, veilig opgeborgen in een schoenendoos onder de vloer van mijn kleedkamer. Wat zou Shana ervan zeggen als ze wist dat mijn leven helemaal niet zo saai en onschuldig was als zij dacht? Dat zij, papa en ik wel degelijk iets gemeen hadden?

Ik zette deze gedachte snel van me af en keek weer naar de brieven.

'Wat wil hij?' vroeg ik.

'Haar een paar vragen stellen.'

Ik wapperde met de brieven. 'En heeft hij dat gedaan?'

'Nee. Hij stuurt alleen elke keer informatie over hoe ze contact met hem kan opnemen.'

'Maar hij heeft niet gezegd dat hij een neef is van de jongen die ze heeft vermoord. Daar ben je zelf achter gekomen.'

'Ja.'

'Dan is zijn verzoek bij voorbaat verdacht.'

'Ik ben inderdaad achterdochtig.'

'Denk je dat Shana het weet?'

Ze bekeek me belangstellend.

'Waarom denk je dat Shana zou weten dat die journalist en

Donnie Johnson familie van elkaar zijn?'

Ik haalde mijn schouders op. 'Je zei zelf dat Shana de rest van de brieven niet wilde lezen. Waarom wilde ze dat niet? Als het alleen maar een journalist is die contact met haar zoekt. Jij kent Shana net zo goed als ik. Ze is een intelligente vrouw die zich niet alleen stierlijk verveelt, maar mensen ook weet te manipuleren. Ik zou denken dat ze een verzoek om een vraaggesprek... intrigerend zou vinden.'

'Hebben jullie het ooit over Donnie gehad?' vroeg ze.

'We hebben het onderwerp een paar keer aangestipt.' Maar niet zo vaak als andere onderwerpen, in het bijzonder onze ouders.

'Ik neem aan dat ze geen antwoord heeft gegeven op je vragen?'

'Dat is nooit haar stijl geweest.'

'Ze praat niet over hem. Nooit. In al die jaren dat ze hier zit en ondanks alle therapeuten, psychologen en sociaal werkers die zich ermee hebben beziggehouden... Shana praat niet over hem. Ik weet alles over de jongen die ze heeft doodgestoken toen ze elf was. Ik weet ook alles over de slet, zoals zij haar noemde, die ze kort nadat ze op haar zestiende hier was gekomen, heeft doodgestoken. Maar ik weet niets over Donnie Johnson. Ze praat nooit over hem.'

Ik dacht erover na. Shana kon erg expliciet zijn over geweldpleging. Fantasieën over wie ze wilde vermoorden, wie ze wilde opensnijden. Voor haar was niets te schokkend, te beeldend of te gruwelijk om in woorden uit te drukken. Maar als je haar woorden nuchter bekeek, als je haar praatjes objectief ontleedde, zag je dat ze het deed om het praten. Dat ze je overspoelde met de stoere taal die men van een meervoudig moordenares verwachtte om andere onderwerpen weg te drukken en je geen kans te geven je eigen gedachtelijn te volgen.

Als ik Shana zou vragen waarom ze Donnie Johnson had vermoord, zou ze haar schouders ophalen en zeggen: 'Daarom.'

Shana zag zichzelf als een superroofdier en superroofdieren boden nooit hun excuses aan. Superroofdieren vonden niet dat ze dat aan hun slachtoffer verschuldigd waren.

Maar ik kon haar wel vragen waaróm ze niet over Donnie Johnson wilde praten. En waarom ze niet op het verzoek van die journalist had gereageerd. Nog interessanter zou zijn haar te vragen waarom ze mij niets over die brieven had verteld.

Wat had ze, na dertig jaar, nog te verbergen?

'Mag ik deze brieven meenemen?' vroeg ik aan directeur McKinnon.

'Dat mag. Ga je die journalist bellen?'

'Misschien.'

'En er met Shana over praten?'

'Is het goed als ik morgen terugkom?'

'Gezien de omstandigheden lijkt me dat een goed idee.'

Ik pakte het stapeltje brieven, al denkend aan morgen, maar toen ik opstond, voelde ik, meer dan ik het zag, dat McKinnon aarzelde.

'Was er verder nog iets?' vroeg ik.

'Misschien nog één ding. Heb je vandaag de krant gezien?'

Ik schudde mijn hoofd. Vanwege mijn eigen activiteiten van gisteravond en het telefoontje uit de gevangenis in de vroege ochtend had ik geen gelegenheid gehad een krant in te kijken.

McKinnon schoof de *Boston Globe* over haar bureau naar me toe en wees naar een artikel rechtsonder, onder de vouw. De kop maakte meteen duidelijk dat er een vrouw was vermoord, maar pas toen ik mijn blik over het bericht liet gaan en bij de alinea kwam met de details van de moord... reepjes huid, vakkundig verwijderd...

Ik deed mijn ogen dicht. Er ging een huivering door me heen. Maar ze konden onmogelijk... ik had niet... ik zette het snel van me af. Dit was noch de plek noch het tijdstip om hierover na te denken.

'Als mijn geheugen me niet bedriegt,' zei McKinnon.

'Je geheugen bedriegt je niet,' zei ik.

'Als ík de overeenkomsten zie tussen deze moord, het werk van je zus en de misdrijven van jullie vader, zullen anderen die ook zien.'

'Ja.'

'Dat betekent dat het er voor jou en je zus niet makkelijker op zal worden.'

'Nee,' zei ik. Ik bleef naar het bureau staren om haar niet in de ogen te hoeven kijken. 'Het zal er niet makkelijker op worden.'

HOOFDSTUK 10

Uitvaartcentrum Coakley & Ashton was al zeventig jaar een begrip in Boston. D.D. was twee keer eerder in het statige, geheel wit geschilderde, koloniale gebouw geweest. Een keer voor de begrafenis van een vriendin en een keer voor die van een collega. Van beide keren was vooral de allesoverheersende geur van verse bloemen en balsem haar bijgebleven. Als rechercheur moordzaken kon ze het misschien beter niet toegeven, maar rouwcentra werkten op haar zenuwen.

Wellicht kwam het omdat ze de dood zo goed kende, dat die haar in een keurige omgeving als deze vreemd voorkwam. Het leek een beetje op wat je overkomt als je een vroegere minnaar tegenkomt die er helemaal niet meer uitziet zoals jij je hem herinnert.

Ze had de begrafenisondernemer, Daniel Coakley, van tevoren gebeld om te zeggen dat ze zou komen. Hij was een man op leeftijd met brede schouders en een dikke bos spierwit haar, die in zijn onberispelijke, donkergrijze maatkostuum een rust uitstraalde waarmee hij de familieleden van de overledenen hoopte te troosten en vertrouwen in te boezemen.

Ze schudden elkaar de hand en liepen door de gelambriseerde hal en een gang met donkerrode vaste vloerbedekking naar zijn kantoor. In tegenstelling tot de donkere, klassieke stijl van de rest van het gebouw was Coakleys kantoor opvallend licht en modern. Grote ramen met uitzicht op een gazon, witte boekenplanken, en een in natuurlijke tinten gebeitst bureau met daarop een kleine laptop.

D.D. dacht net hier iets ruimer te kunnen ademhalen toen ze op de vensterbank een van de alomtegenwoordige bloemstukken zag.

'Gladiolen,' zei ze. 'Ligt het aan mij of zitten die in vrijwel alle rouwboeketten?'

'De gladiool staat symbool voor herinnering,' antwoordde Coakley. 'Daarom worden ze zo vaak gekozen voor begrafenissen. Ze symboliseren ook een sterk karakter, eergevoel en trouw, wat net zo relevant kan zijn.'

D.D. knikte en schraapte haar keel. Ze had geen idee hoe ze moest beginnen. Coakley glimlachte haar bemoedigend toe. Hij was natuurlijk gewend aan mensen die zich slecht op hun gemak voelden en pijnlijke vragen moesten stellen, maar daar was D.D. niet echt mee geholpen.

Ze besloot hem eerst om wat algemene informatie te vragen. Hij vertelde dat Coakley & Ashton al drie generaties een familiebedrijf was en dat hij bevoegd balsemer was. Om als balsemer te mogen werken moest je een opleiding volgen en een jaar stage lopen. Goed om te weten.

Coakley & Ashton had drie fulltime en vijf parttime medewerkers voor de administratie en de voorbereidingen van de begrafenissen. Als het nodig was, fungeerden deze mensen ook als slippendragers. Dat laatste vond D.D. belangwekkend.

'En wat voor soort mensen zijn uw medewerkers?' vroeg ze belangstellend. 'Waarom hebben ze bij u gesolliciteerd?'

Coakley glimlachte ietwat spottend. 'U bedoelt: waarom willen ze in hemelsnaam in een rouwcentrum werken.'

D.D. liet zich niet kennen. 'Ja.'

'De parttimers zijn gepensioneerden. Mensen die zich in een fase van hun leven bevinden waarin ze steeds vaker te maken krijgen met begrafenissen. Ik geloof dat het hun goed doet als ze anderen kunnen helpen het proces goed te doorstaan. Het zijn voornamelijk oudere mannen en de familieleden van de overledenen voelen zich over het algemeen gesteund door hun aanwezigheid.'

'En de andere medewerkers?'

'Mijn secretaresse werkt hier al meer dan dertig jaar. Ze heeft ooit gezegd dat ze een beetje raar stond te kijken toen bleek dat het om een baan in een uitvaartcentrum ging, maar secretaressewerk is uiteindelijk overal hetzelfde. Het is dat we hier met lijken te maken hebben, maar verder is dit een doodgewoon bedrijf. We hebben bedrijfsauto's, we hebben een kantoor.' Hij wees om zich heen. 'We hebben een administratie, we betalen belasting. Het is een business en mijn medewerkers werken hier graag omdat ze een goede baan hebben, fatsoenlijk worden behandeld en het gevoel hebben nuttig werk te doen.'

D.D. knikte, al was ze het niet helemaal met hem eens. Coakley kon wel zeggen dat het een gewoon bedrijf was, maar dit was een bedrijf waar men zich dagelijks met de dood bezighield en dat kon je van de meeste bedrijven niet zeggen. Niet veel mensen konden zo'n baan aan.

'Vertelt u me alstublieft hoe het proces in z'n werk gaat,' zei ze. 'U krijgt een telefoontje. Er is iemand overleden. Wat doet u?'

'Allereerst wordt de overledene hierheen gebracht.'

'Hoe?'

'Dat kan op verschillende manieren. Wij zijn bevoegd overledenen op te halen bij de plaatselijke ziekenhuizen. Maar er zijn ook bedrijven die zijn gespecialiseerd in mortuariumdiensten, die het vervoer verzorgen, vooral over lange afstanden. Stel dat iemand in Boston ter aarde moet worden besteld, maar in Florida is overleden. Het transporteren van het stoffelijk overschot over dergelijke afstanden laten wij aan die bedrijven over.'

D.D. maakte een aantekening. Bedrijven gespecialiseerd in mortuariumdiensten. Nog meer mensen die het blijkbaar niet vervelend vonden om urenlang met een lijk opgescheept te zitten. Mensen die misschien juist om die reden bij zo'n bedrijf waren gaan werken. 'En dan?'

'Ik voer een gesprek met de nabestaanden en vraag naar hun wensen voor de uitvaart. Open kist, gesloten kist, crematie. Hun keuze heeft uiteraard invloed op de volgende stap: het balsemen.'

'Ja, hoe gaat dat?' D.D. leunde onwillekeurig naar voren, een en al oor, een en al morbide nieuwsgierigheid.

Daniel Coakley glimlachte, maar vluchtiger dan daarstraks. Hij kreeg deze vraag vast vaker, op cocktailparty's, van mensen die het proces net zo fascinerend en net zo griezelig vonden als D.D.

'Bij balsemen komt het er in wezen op neer dat het bloed wordt vervangen door een conserverende vloeistof. We maken een aantal kleine incisies in de belangrijkste slagaderen en pompen dan formaldehyde in de aderen, waardoor het bloed naar buiten wordt geperst. De leemte wordt dus meteen gevuld met de conserverende vloeistof.'

'Legt u het lijk af voordat u met het balsemen begint?' vroeg D.D.

'Nee. Bij het balsemen komen afvalstoffen vrij. Daarom doe ik dat altijd eerst. Daarna was ik het lichaam.'

'Hebt u voorkeur voor bepaalde hygiënische producten? Voor bepaalde merken?' Ze dacht aan de plaatsen delict. Aan de brandschone slaapkamers.

Coakley haalde zijn schouders op. 'Ik gebruik antibacteriële zeep. Die schaadt de huid van de overledene niet en je kunt er zonder handschoenen mee werken.'

D.D. maakte snel een aantekening. Antibacteriële zeep. Daarvan had de patholoog sporen gevonden op het lichaam van het eerste slachtoffer. 'En daarna?' vroeg ze. 'Ik neem aan dat de werkruimte na elke balseming gereinigd moet worden?'

'Het balsemen vindt plaats op een roestvrijstalen tafel van het soort dat pathologen in autopsiezalen gebruiken. Zo'n tafel heeft een afvoergoot. Na het balsemen wordt de tafel schoongespoten met een hogedrukspuit en gedesinfecteerd met bleekwater. Het is dus niet zoveel werk, wat ons op drukke dagen goed uitkomt.'

D.D. tuitte nadenkend haar lippen. Midden in de nacht had ze zich vastgebeten in het idee dat de moordenaar zich het prettigst voelde bij vrouwen die dood waren. En toen ze verder was gaan nadenken over dode vrouwen, had ze aan uitvaartcentra gedacht. In het bijzonder aan balsemers, mensen met de benodigde knowhow die hadden geleerd met een scalpel om te gaan. En het feit dat de moordenaar de slaapkamer zo schoon had achtergelaten, had haar op het idee gebracht na te gaan of begrafenisondernemers speciale producten gebruikten om de sporen van het bloed en de lichaamsvloeistoffen te verwijderen.

'Mag ik u iets vragen?' vroeg Coakley.

'Natuurlijk.'

'Bent u hier vanwege de Rose Killer?'

'De wat?'

'De Rose Killer. Ik citeer de *Boston Herald*, iets wat een rechercheur waarschijnlijk nooit zal doen.'

D.D. deed haar ogen dicht. Verdorie. Bij de eerste moord waren ze erin geslaagd deze details voor de pers geheim te houden, maar ze was er al bang voor geweest dat het de tweede keer niet zou lukken.

'Wil ik weten wat er in de *Herald* staat?' vroeg ze terwijl ze één oog opende. 'Of liever gezegd, wat er in geuren en kleuren op de voorpagina staat?'

Coakley keek meelevend. 'In het artikel staat dat de moordenaar al twee slachtoffers heeft gemaakt. Dat hij de vrouwen in hun eigen bed vermoordt en als een verliefde minnaar een roos achterlaat op het nachtkastje.'

'En wat nog meer?'

'Afgezien van het feit dat de vrouwen levend gevild worden?'

'Niet levend!' Te laat besefte D.D. dat ze dit niet had mogen zeggen. Maar Coakley was een begrafenisondernemer en geen journalist. 'U hebt dit niet van mij gehoord, maar beide slachtoffers zijn pas gevild toen ze al dood waren. Dat is een van de redenen waarom ik u wilde spreken. Ik treed liever niet in details, maar... de meeste tijd die de moordenaar doorbrengt met zijn slachtoffer, is post mortem. De moord lijkt bijzaak te zijn. Hij – of zij – wil gewoon een lijk.'

'Necrofilie?' vroeg Coakley zachtjes.

'Er zijn geen sporen van verkrachting gevonden,' antwoordde D.D. Nu ze a had gezegd, kon ze net zo goed ook b zeggen.

'Maar u dacht automatisch aan begrafenisondernemers. Want mensen die dagelijks lijken afleggen, moeten een ongezonde liefde voor dode mensen hebben.' Coakley zei het met een uitgestreken gezicht.

D.D. was zo fatsoenlijk te blozen.

'Ik weet het,' zei ze. 'Net zoals mensen die elke dag moordzaken onderzoeken een ongezonde liefde voor gewelddaden hebben.'

'In elk geval begrijpen we elkaar.'

'Juist.'

'Weet u welke eigenschappen je moet bezitten om een goede begrafenisondernemer te zijn, brigadier Warren?'

'Nee, blijkbaar niet.'

'Medeleven. Empathie. Geduld. Het is waar dat het voorbereiden van een overledene op zijn of haar begrafenis onderdeel vormt van mijn werkzaamheden. En het is iets waarvoor niet alleen jarenlange ervaring is vereist, maar ook enig artistiek gevoel. Goede balsemers hebben hun eigen mening over het percentage formaline en over realistische make-up. Maar ons werk is niet iets abstracts. Wij hebben tot doel een gebeurtenis die voor de nabestaanden bijzonder triest en overweldigend en vaak beangstigend is, een louterende sfeer te geven. Ik krijg dagelijks te maken met mensen die erg kwetsbaar zijn. Bij sommigen uit het verdriet zich in tranen, bij anderen in boosheid. Het is mijn taak deze mensen bij de hand te nemen en voorzichtig door het begin van hun rouwproces te leiden. Daarvoor zijn medeleven, empathie en geduld vereist. Vindt u – het feit dat ik geen problemen met lijken heb even daargelaten – nu nog steeds dat ik een moordenaar kan zijn?'

D.D. kreeg opnieuw een kleur. 'Nee.'

'Dank u.'

'Maar...'

Daniel Coakley trok zijn wenkbrauwen op. De begrafenisondernemer keek voor het eerst sinds het begin van hun gesprek niet alleen verbaasd, maar ook geïrriteerd, voor zover hij daartoe in staat was. 'Ja?'

'De eigenschappen die u noemt. Die heb je als je een góéde begrafenisondernemer bent. Misschien ben ik op zoek naar een sléchte.'

Coakley fronste. 'Of,' zei hij, 'een mislukte. Ik kan niet zeggen dat het vaak gebeurt, maar ik krijg wel eens een leerling bij wie het duidelijk ontbreekt aan de... intermenselijke kwaliteiten die noodzakelijk zijn om dit werk te kunnen doen.'

'Wat doet u dan?'

'Dan wordt de stageperiode voortijdig beëindigd.'

'Hebt u over die gevallen toevallig iets zwart-op-wit staan?'

'Alstublieft, zeg. Ik kan me maar één geval herinneren en voor zover ik weet, is die jonge vrouw uiteindelijk naar de koksschool gegaan en geniet ze van haar nieuwe beroep. Gezien de aard van uw onderzoek zou u er naar mijn mening goed aan doen een wijd net uit te gooien. Dat is beter dan uitvaartcentra aflopen.'

'Wat adviseert u mij?'

'Steek uw licht op bij de opleidingsscholen voor balsemers. We hebben er hier in Boston twee. Vraag of ze bereid zijn u de namen te geven van gesjeesde studenten. Ik wil ook wel een visje uitgooien. In deze business kent iedereen elkaar. Als er mensen zijn, verdachte personen, over wie u meer wilt weten, kan ik wel wat telefoontjes plegen.'

'Dank u.'

'Wij zijn geen morbide mensen,' zei Coakley zachtjes terwijl D.D. opstond.

'Dat wilde ik ook niet suggereren.'

'Maar ons beroep kan een trekpleister zijn voor personen met een morbide inslag.'

'Ik heb dezelfde ervaring,' verzekerde D.D. hem.

Coakley schonk haar nog een glimlachje en leidde haar toen beleefd maar gedecideerd naar buiten.

HOOFDSTUK 11

Zolang mijn adoptievader leefde, hebben hij en ik maar één keer echt ruzie gehad: op de dag dat hij de brieven van mijn zus vond.

'Je bent niet goed bij je hoofd!' riep hij woedend. Hij hield het stapeltje bijna onleesbare brieven in zijn handen geklemd. 'Hier win je niks mee, maar je kunt er alles mee verliezen.'

'Ze is mijn zus.'

'Ze heeft je met een schaar bewerkt. Je mag van geluk spreken dat het jou niet is vergaan zoals haar andere slachtoffers. Ik hoop dat je haar in elk geval niet hebt teruggeschreven.'

Daar gaf ik geen antwoord op.

Vol afkeuring klemde hij zijn lippen op elkaar. Toen zuchtte hij, legde het stapeltje brieven op mijn bureau, liep naar mijn bed en ging op de roze sprei zitten. Hij was toen vijfenzestig. Een keurige, grijsharige geneticus die waarschijnlijk dacht dat hij hier te oud voor was.

'Je weet dat er twee soorten gezinnen zijn,' zei hij zonder me aan te kijken.

Ik knikte. Dit was voor geadopteerde kinderen gesneden koek. Er zijn twee soorten gezinnen: het gezin waarin je bent geboren en het gezin waarin je bent opgenomen. De meeste adoptieouders vertellen je enthousiaste verhalen over de voordelen van het adoptiegezin. Dat andere kinderen ook wel zouden willen dat ze zelf hun ouders en hun broertjes en zusjes konden kiezen... Dat jij toch maar geboft had...

Mijn adoptievader las me vroeger boeken voor die dit onderwerp als thema hadden. *Child of My Heart. One-Two-Three Family!* Ik heb altijd geweten dat ik hem onvoorwaardelijk kon geloven als hij zei dat hij niet méér van me had kunnen houden als ik zijn eigen vlees en bloed was geweest. Hij had namelijk zelf geen kinderen. Hij was niet eens getrouwd. Dr. Adolfus Glen was niet alleen een tevreden vrijgezel, maar ook een tevreden eenling geweest tot op de dag dat hij mij voor het eerst zag. Hij is nooit een vader geweest die met het hart op de tong liep, maar ik heb er geen moment aan getwijfeld dat hij van me hield. En zo klein als ik was, begreep ik wat een zeldzame integriteit en waardigheid hij bezat. Ja, hij hield van me. En voor een man als hij was dat alles.

'Je hoeft haar niet te kiezen,' zei hij op die dag. 'Shana is weliswaar in hetzelfde gezin geboren als jij, maar er is een gegronde reden waarom jullie uit elkaar zijn gehaald. Zou je deze brieven ook lezen als het je vader was die ze had geschreven?'

'Dat is niet hetzelfde.'

'Waarom niet? Ze zijn allebei moordenaars.'

'Ze was nog maar klein...'

'Maar ze is nu niet klein meer. Ze is uitgegroeid tot een psychopathische volwassene. Hoeveel mensen heeft ze al vermoord? Drie? Vier? Vijf? Heb je het haar gevraagd?'

'Misschien kan ze er niets aan doen dat ze zo is geworden en dat ze die dingen heeft gedaan.'

Hij bleef kalm. 'Als ze niet was blootgesteld aan de onverzadigbare moordzucht van jullie vader, bedoel je? Denk je dat zij is uitgegroeid tot een psychopathische volwassene omdat ze als klein kind elke avond getuige was van zijn verdorvenheid, terwijl jij veilig in een kast zat?'

'De eerste vijf jaren van een kinderleven zijn de belangrijkste,' zei ik zachtjes. Ik had net mijn drie studiejaren aan het college erop zitten. 'Ik heb maar één jaar in dat gezin gewoond. Zij vier. De belangrijkste fase van haar leven...'

'Aanleg versus opvoeding. Jij hebt alle voordelen van een liefhebbend gezin meegekregen, in tegenstelling tot je zus, die werd opgenomen in het overheidssysteem van pleeggezinnen. Daarom kun jij nu aan een van de beste medische faculteiten van ons land gaan studeren, terwijl je zus nooit verder zal komen dan de school van het leven.'

'Dat is niet erg aardig van u.'

'Draai jezelf geen rad voor ogen, Adeline. Dit heeft niets te maken met aanleg versus opvoeding. Dit gaat over de schuldgevoelens van de overlevende. Meer niet.'

'Ze is mijn zus...'

'En ze doet niets anders dan mensen aanvallen. Zelfs jou. Geef me één goede reden waarom je Shana vrijwillig als familie zou kiezen. Als je me één goede reden kunt geven, zal ik er niets meer over zeggen.'

Ik kreeg een opstandig gevoel, maar kon hem niet aankijken. 'Daarom,' zei ik.

Mijn vader hief zijn handen op. 'Behoed me voor studenten die denken dat ze de wijsheid in pacht hebben. Je hebt haar toch geen geld gestuurd, hè?'

Ook op deze vraag gaf ik geen antwoord. Nog een vaderlijke zucht.

'Ze heeft je om geld gevraagd. Uiteraard. Ze is een meester in manipuleren en jij bent een makkelijk doelwit. Zij zit opgesloten in een groot huis, jij wóónt in een groot huis.'

'Je kunt ook zeggen dat zij de grote zus is en dat ik het kleine zusje ben en dat zussen nu eenmaal zo met elkaar omgaan.'

'Wat schattig. Heeft zíj dat geschreven?'

'Ik ben niet naïef!'

'Nee? Wacht maar af hoe lang ze je nog zal schrijven als je haar geen geld meer stuurt.'

'Ze wil me zien.'

'En wat wil jij?' Hij klonk opeens minder zelfverzekerd.

'Ik? Ik ben nieuwsgierig. We weten hoe berucht mijn vader

was.' Ik begon het versje te zingen dat ik voor het eerst had gehoord toen ik in de brugklas zat: *'Harry Day houdt veel van vrouwen. En hij wil ze allemaal houden. Hij neukt ze, hij beukt ze, hij slaat ze verrot, en dan snijdt hij ze ook nog kapot. Harry Day zegt: Vuile hoer! Ik begraaf je onder de vloer.'*

Ik had mijn adoptievader nooit verteld dat ik het rijmpje kende. Want soms doet het pijn als je iets weet, maar soms doet het nog meer pijn als je dat deelt met iemand van wie je houdt zonder dat die je kan helpen.

Mijn vaders schouders zakten verslagen. Hij keek me zo liefdevol aan met zijn warme, bruine ogen. 'Ja, hij was berucht.'

'En mijn zus is hetzelfde. Ik kom uit een familie van moordenaars.'

'Ja,' gaf hij somber toe. 'Je hebt dezelfde genetische structuur als zij.'

'En aanleg is de hoofdfactor van psychologisch gedrag, hoe graag we ook zouden willen dat het anders was. Met liefde alleen kun je mensen niet veranderen.'

'Je bent te jong om zo cynisch te zijn, lieve kind.'

'Ik geloof niet dat ik een moordenaar ben.'

'Gelukkig.'

'Maar ik ben het aan mezelf verplicht uit te zoeken wat ik niet weet, te ontdekken wat ik me niet kan herinneren. Want mijn genen heb ik gekregen van mijn biologische ouders en jij hebt mij geleerd dat je van ontkennen niets leert. Je moet problemen accepteren, analyseren en oplossen. Dat zeg je zelf altijd, pap.'

'Maar ik leg ook altijd nadruk op voorzichtigheid. Er zijn veel soorten leed, verdriet en pijn, Adeline. En in elke familie, maar vooral in jouw familie...' Hij wees naar de brieven van mijn zus, '... heeft men er een handje van elkaar en anderen pijn te doen. Als je het dossier van Harry Day hebt gelezen en de foto's goed hebt bekeken, weet je dat.'

'We schrijven elkaar alleen maar kattebelletjes,' zei ik met een blik op de brieven. 'Eens in de maand ongeveer, als penvriendinnen. Dat geeft toch niet?'

'Het zal niet bij brieven blijven. Ze wil je zien. En je zult naar haar toe gaan. Juist in dit soort situaties zou ik willen dat je pijn kon voelen, Adeline, dan zou je misschien een beter instinct hebben voor zelfbehoud.'

'Maak je geen zorgen, pap. Ik weet wat ik doe. Echt.'

Ik wendde me van hem af. Discussie gesloten. Conclusie getrokken. Voornemen gesterkt.

Misschien zou ik het niet hebben gedaan. Misschien zou ik het bij brieven hebben gelaten. Maar toen stierf mijn vader. Het gezin waarin ik was opgenomen, bestond niet meer. Ik stond alleen op de wereld en ook al kon ik geen pijn voelen, de pijn van de eenzaamheid voelde ik wel degelijk.

Een halfjaar na zijn overlijden ging ik voor het eerst naar het Massachusetts Correctional Institute en kreeg ik mijn zus te zien. Zoals altijd bleek mijn adoptievader het bij het juiste eind te hebben gehad: mijn grote zus had er aanleg voor om je pijn te doen.

Maar ik vond, zoals alle jongere zusjes, neem ik aan, dat ik zelf ook bijzondere eigenschappen had.

Aangezien ik al mijn afspraken had verzet toen ik het nieuws over Shana's zelfmoordpoging had ontvangen, was ik erg verbaasd toen ik bij terugkeer naar mijn kantoor brigadier D.D. Warren voor de deur zag staan.

Heel even aarzelde ik toen ik met de sleutel al in mijn hand uit de lift kwam. Ik voelde een huivering van angst. De kleding van de rechercheur, een donkere broek en een roomwitte trui, was de kleding van een vrouw met een missie. En gezien het expliciete artikel in de krant van vandaag over de twee recentelijk in Boston gepleegde moorden en de achtergrond van mijn familie...

Maar toen zag ik hoe ze erbij stond, of liever gezegd: hoe ze tegen de gelambriseerde wand leunde met een spierwit gezicht dat een masker leek van fijntjes geëtste pijn.

'Gaat het?' vroeg ik peilend toen ik naar haar toe liep.

'Wat denkt u? Waarom denkt u dat ik hier sta?' zei ze bruusk en ze hield haar linkerarm beschermend tegen haar lichaam. Ik kreeg de indruk dat de rechercheur erg slecht had geslapen en een heel vervelende ochtend achter de rug had. En omdat aanval de beste verdediging is, had D.D. Warren besloten tot de aanval over te gaan.

Ik vroeg zo neutraal mogelijk: 'Ben ik in de war? Ik kan me niet herinneren dat we voor vandaag een afspraak hadden.'

'Ik was in de buurt en besloot bij u langs te gaan in de hoop dat u toevallig vrij zou zijn.'

'Aha. En wacht u al lang?'

'Nee, ik ben er net. Toen ik zag dat er binnen geen licht brandde, begreep ik dat u er niet was, maar toen hoorde ik de lift en stapte u eruit.'

Ik stak mijn sleutel in het slot en deed de deur open. Nog heel even aarzelde ik. Toen legde ik me bij de situatie neer. 'Kom erin,' zei ik.

'Dank u.'

'Thee, koffie, water?'

'Koffie. Als het niet lastig is.'

'En dat vraagt de vrouw die zonder afspraak komt binnenvallen.'

Dat ontlokte haar een glimlach. Ze liep met me mee naar binnen. Ik deed het licht aan, hing mijn jas op en legde mijn tas in de la.

'Is uw receptioniste er niet?'

'Ik heb haar een vrije dag gegeven.'

'Dus u werkt normaal gesproken wel op woensdag?'

'Er was een spoedgeval.'

D.D. liep een rondje door de receptie en bekeek de ingelijste diploma's terwijl ik koffiezette. Ik zette de tussendeur naar mijn kantoor open. Net als de eerste keer koos D.D. de rechte stoel. Er ontsnapte haar een zucht toen ze ging zitten, maar ze herstelde zich snel. Haar linkerhand trilde. Pijn, vermoeidheid, moeilijk te zeggen, maar de brigadier leek mij niet iemand die zich snel gewonnen gaf. Dat ze mijn diensten nodig dacht te hebben, zei echter veel over het niveau van haar pijn.

'Vanwege de verzekering moet ik dit meetellen als een officiële afspraak,' zei ik.

'Best,' zei ze, maar ze liet er meteen op volgen: 'Wat betekent dat precies?'

Ik ging achter mijn bureau zitten. 'Dat u een vol uur de tijd heeft om me te vertellen wat de ware reden is waarom u zonder afspraak naar een pijnspecialist gaat van wie u twee dagen geleden nog hebt gezegd dat ze onzin uitkraamt.'

'Ik bedoelde dat niet persoonlijk,' protesteerde D.D. zwakjes. 'Het ging om de... benadering. Dat ik mijn pijn Melvin moet noemen. Ik lijd pijn. Hoe kan een naam daar iets aan veranderen?'

'Laten we dat dan uitzoeken. Breng me op de hoogte van uw huidige situatie. Welk cijfer geeft u uw pijn op dit moment, op een schaal van één tot tien.'

'Twaalf.'

'En hoe lang voelt de pijn al als een twaalf?'

'Sinds vanochtend. Ik werd zo gefrustreerd toen ik me aan het aankleden was, dat ik mijn trui met een ruk over mijn schouder heb getrokken in plaats van hem voorzichtig aan te trekken. Sindsdien is Melvin pisnijdig.'

'Juist.' Ik maakte een aantekening. 'Hoe laat was dat?'

'Om tien uur.'

Ik keek op mijn horloge. Het was nu twee uur. 'U lijdt dus al vier uur erg veel pijn. Wat hebt u daartegen gedaan?'

D.D. keek me vragend aan.

'Pijnstillers? Ibuprofen? Iets anders?'

'Niks.'

Ik noteerde het, al vond ik dit, na ons eerste gesprek, niet verrassend.

'IJszak?' vroeg ik.

'Ik was niet thuis,' mompelde ze.

'Een ontstekingsremmende zalf misschien? Biofreeze, Icy Hot? Ik meen dat beide producten ook verkrijgbaar zijn in de vorm van gel of een pad.'

Ze kreeg een kleur en wendde haar ogen af. 'Lastig aan te brengen. En die troept stinkt. Het gaat in je kleren zitten.'

'Ja,' zei ik, 'dan kun je het inderdaad beter niet gebruiken.'

Ze bloosde weer.

'Non-farmaceutische ingrepen dan. Hebt u geprobeerd met Melvin te praten?'

'Ik heb hem stijfgevloekt. Geldt dat als praten?'

'Dat weet ik niet. Wat vindt u zelf?'

De rechercheur glimlachte wrang. 'Mijn man zou zeggen dat het voor mij geldt als praten.'

Ik legde mijn pen neer en keek mijn patiënt rustig aan. 'Laat me dit even samenvatten. U lijdt erg veel pijn. U weigert gebruik te maken van ijs, zalf, tabletten, pads en praten met Melvin. Bent u daarmee geholpen?'

D.D. hief haar hoofd op. Eindelijk vonkte er vuur in haar ogen. Ze antwoordde verhit: 'O, krijgen we nou dat psychiatrische gezeik weer? "Bent u daarmee geholpen?" Nee, natuurlijk niet, anders zou ik hier niet zitten met het gevoel dat mijn arm in brand staat en dat mijn leven niets meer waard is, en dat ik nooit meer zal kunnen werken, laat staan mijn zoon knuffelen en mijn man omhelzen. Het is klote. Zwaar klote.'

'En dus bent u hierheen gekomen. Omdat het leven klote is en omdat u er behoefte aan hebt uw leed met iemand te delen. Heb ik gelijk, rechercheur Warren? Waarom zou u proberen aan uzelf te werken als u uw ellende op anderen kunt projecteren?'

'Waag het niet in mijn hoofd te kruipen!'

'Neem me niet kwalijk, ik ben psychiater. In andermans hoofd kruipen is mijn werk. Wat wilt u doen? Boos blijven of proberen uw lichamelijke pijn te verlichten?'

D.D. staarde me aan. Hijgend. Geïrriteerd. Woedend. Maar ook verdrietig. Ik leunde naar voren en zei vriendelijker: 'Brigadier Warren, u hebt een van de pijnlijkste verwondingen die er bestaan. In uw bovenarm heeft uw eigen pees een stuk van het bot afgescheurd. En in plaats van uw arm met rust te laten tot de breuk is geheeld, wordt u gedwongen hem elke dag te bewegen, omdat, zoals de artsen u ongetwijfeld hebben uitgelegd, er anders gevaar bestaat dat uw schouder vast komt te zitten, wat kan leiden tot levenslange invaliditeit. U onderwerpt uw gescheurde bot niet alleen dagelijks aan fysiotherapie, maar worstelt ook nog eens met mouwen, autoportieren en honderden kleine bewegingen waar we normaal gesproken niet bij nadenken, maar die u nu doen gillen van de pijn. Welkom in het leven van brigadier D.D. Warren. U lijdt pijn en u hebt de pest aan pijn. Daar komt bij dat u zich hulpeloos voelt, en daardoor hopeloos, terwijl u iemand bent die niets moet hebben van dergelijke gevoelens.'

D.D. keek me zwijgend aan, met een als uit steen gehouwen gezicht.

'U vertrouwt psychiaters niet,' ging ik rustig door. 'U bent het er met uzelf nog niet over eens of u mij mag of niet. En toch, ondanks alle farmaceutische hulpmiddelen die tot uw beschikking staan om uw pijn te verlichten, hebt u ervoor gekozen hierheen te komen. Dat wil toch wel iets zeggen.'

Een klein, instemmend knikje.

'Oké, laten we daarop voortborduren. Hebt u vandaag uw oefeningen al gedaan?'

'Nog niet.'

'Ik neem aan dat u in deze fase van het genezingsproces alleen slingeroefeningen kunt doen.'

'U weet veel over letsel en fysiotherapie.'

'Dat klopt. En ik wil u graag aan het werk zien. Vijftien slingerbewegingen. Begint u maar.'

D.D. verbleekte. Haar kin trilde, maar ze ving dat snel op door haar kaken op elkaar te klemmen. 'Nee... dank u.'

'Alstublieft.'

'Mijn pijn zit al op twaalf. Als u me dwingt oefeningen te doen, is het met me gedaan. Dan kan ik niet zelfstandig naar huis rijden. Nog afgezien van het feit dat ik uw mooie tapijt waarschijnlijk helemaal zal onderkotsen.'

'Ik begrijp het. Fysiotherapie doet pijn. Je lijdt al pijn voordat je eraan begint en je hebt nog meer pijn als je klaar bent met de oefeningen.'

'En dat zegt de vrouw die niet weet hoe pijn voelt.'

'Dat klopt. Als ik mijn arm zou breken, zou ik rustig slingeroefeningen kunnen doen. Ik zou zelfs een handstand kunnen maken. Ik zou de rest van mijn botten, gewrichten en spieren vernielen, maar ik zou een geweldige indruk maken.'

De rechercheur zweeg.

'Pijn is goed,' zei ik rustig. 'Het is de beste techniek waar uw lichaam over beschikt om te voorkomen dat het beschadigd raakt. Dat wilt u op dit moment niet horen. U bent boos op uw pijn. U vloekt ertegen of probeert hem te negeren. In reactie daarop gaat uw pijn steeds harder grommen, omdat het noodzakelijk is dat u aandacht aan hem besteedt. Het is de taak van uw pijn u te helpen niet nog meer letsel op te lopen. In plaats van Melvin te vervloeken als hij van zich laat horen, moet u hem bedanken voor alle moeite die hij voor u doet. Leg hem uit dat u begrip hebt voor wat hij voor u wil doen, maar dat hij er op zijn beurt begrip voor moet hebben dat u de komende tien, vijftien of twintig minuten uw arm en schouder moet bewegen. Ondanks het feit dat uw gewonde arm daardoor op korte termijn heel erg pijn doet, is dat op lange termijn juist goed. Praat met hem. Maar vloek niet op hem.'

'Daar hebben we dat psychologische gelul weer.'

'Oké, luister. Tien jaar geleden is er een studie gemaakt van topsporters en hun pijndrempels. De atleten die eraan deelnamen, waren mensen die voortdurend op een bijna onmenselijk hoog niveau sportten en een daarbij passend trainingsprogramma volgden. Bij de start van de studie gingen de onderzoekers ervan uit dat dergelijke atleten waarschijnlijk een hogere pijndrempel hadden dan gewone mensen en dat hun lichaam daarom in staat was om zulke geweldige resultaten te boeken. Tot verbazing van de onderzoekers bleek het tegenovergestelde waar te zijn. De meeste atleten gaven zelfs blijk van een beduidend hoger bewustzijn van hun pijn en van een actiever centraal zenuwstelsel dan de mensen in de controlegroep. De atleten zeiden dat juist het feit dat ze zich zo scherp bewust waren van pijn, hen hielp om op zo'n hoog niveau te sporten. Succes bereik je niet door het al dan niet bewust negeren van lichamelijke beperkingen of letsel, maar door beperkingen te onderkennen en met je lichaam samen te werken om die op te vangen. Bij topsporters is het geen kwestie van "waar een wil is, is een weg", maar van samenwerking tussen geest en lichaam. Die stelt hun in staat hun conditie te beoordelen, bij te stellen en te verbeteren om in topvorm te blijven. Klinkt dat logisch?'

'Ja,' zei D.D. met tegenzin.

'Dat is waar ik voor pleit: dat je je pijn niet moet negeren. Je moet hem erkennen, accepteren, en met je eigen lichaam samenwerken om weer in topvorm te komen. Je pijn een naam geven is een eenvoudig hulpmiddel om je te helpen de pijn te herkennen en je erop te concentreren. Als het raar voelt om je pijn Melvin te noemen, hoef je dat niet te doen. Je kunt hem ook gewoon Pijn noemen, of helemaal geen naam geven. Maar geef toe waar je pijndrempel ligt. Denk na over hoe je letsel voelt. En werk dan samen met je eigen lichaam om te doen wat je moet doen. En dat zijn op dit moment vijftien slingerbewegingen.' Ik wees naar de open ruimte voor mijn bureau. 'Begint u maar.'

D.D. klemde haar lippen weer opeen. Heel even dacht ik dat ze alsnog zou weigeren. Ze had daarnet niet overdreven. Ik had vaker patiënten gezien die aan het eind van hun fysiotherapie-oefeningen moesten braken. Het ging er niet alleen om dat je probeerde een gebroken arm te dwingen in beweging te komen, maar ook alle bijbehorende zenuwen... Een avulsiebreuk is een van de pijnlijkste verwondingen die er bestaan, had men mij verteld.

Brigadier Warren schoof naar de rand van haar stoel. Ze boog zich voorover en liet haar linkerarm hangen. Als de slurf van een olifant, noemden fysiotherapeuten dat. Zelfs deze eenvoudige beweging deed haar al kermen van de pijn. Ze ademde in, en uit, en ik zag zweet uitbreken op haar bovenlip.

'Gaat het?' vroeg ik.

'Leedvermaak?' snauwde ze. 'U kunt zelf geen pijn voelen, maar geniet van de ellende van anderen?'

'Rechercheur Warren, hoeveel pijn voelt u nu op een schaal van één tot tien.'

'Veertien!'

'Vloek!'

'Wat?'

'U hoorde me wel. Vloeken is uw primaire strategie om met problemen om te gaan. Doe dat dan. Vloek tegen me. Scheld me uit. Noem me een teef, een kenau, een beul. Ik heb makkelijk praten. Ik weet zelfs niet hoe het voelt als je in je vinger prikt. U, daarentegen, lijdt ondraaglijke pijn. Woede, D.D. Vloek maar, scheld me uit. Wees gerust, er is niets wat ik niet eerder heb gehoord.'

Ze deed het. Ze vloekte, raasde en tierde, ze schreeuwde en krijste. Ik liet haar een paar minuten begaan, liet haar haar razernij opbouwen tot een crescendo, en zag dat ze langzaam maar zeker met haar gewonde arm begon te slingeren, kleine stukjes heen en weer, als de slinger van een klok. Zweet drupte van haar voorhoofd. Tussen het vloeken door moest ze steeds zwaar hijgend even op adem komen, terwijl haar gewonde bot hevig protesteerde.

'Stop,' zei ik.

'Wat?' Ze keek niet eens naar me op. Ze hield haar blik gericht op het tapijt, met glazige ogen van de pijn die haar inspanningen haar bezorgden.

'Hoe erg is de pijn nu op een schaal van één tot tien.'

'Waar hebt u het over? U laat me godverdomme slingerbewegingen doen. Die klotepijn zit op vijftien. Of achttien. Of twintig. Wat wilt u nou eigenlijk van me?'

'Helpt het vloeken?'

'Wat?' Nu keek ze op. Haar lijkbleke gezicht stond volkomen verbijsterd.

Ik ging kalm door: 'De afgelopen twee minuten hebt u uw pijn naar buiten gebracht en uw woede een uitlaatklep gegeven. Voelt u zich nu beter? Heeft deze strategie gewerkt?'

'Natuurlijk niet! Dit is fysiotherapie en u weet net zo goed als ik dat fysiotherapie gelijkstaat aan martelen.'

'Stop.'

Haar mond ging open en weer dicht. Ze keek me woedend aan.

'Beweeg uw arm nu in de tegengestelde richting. Dat is toch de oefening? Beweeg hem in de tegengestelde richting, en ditmaal gaat u niet schreeuwen, maar samen met mij ademhalen. We tellen tot zeven terwijl we inademen, houden onze adem drie tellen in onze longen, en ademen dan uit. Begint u maar.'

Ze vloekte. Ik hief mijn hand op.

'Brigadier Warren, u bent uit eigen beweging hierheen gekomen. En we hebben nog veertig minuten over.'

Ze bleef me opstandig aankijken terwijl het zweet van haar voorhoofd drupte. Toen, langzaam maar zeker, ademde ze in en uit zoals ik haar had opgedragen.

'En nu,' zei ik ferm, 'herhaalt u wat ik zeg: "Dankjewel, Melvin."'

'Krijg de kolere, Melvin.'

'Dankjewel, Melvin,' herhaalde ik. 'Ik weet dat het pijn doet. Ik weet dat het jouw taak is mij te vertellen hoeveel pijn dit doet. Ik hoor je, Melvin, en ik ben blij dat je probeert me te helpen mijn schouder te beschermen.'

D.D. mompelde binnensmonds een paar dingen die niet onder bedankjes vielen. Toen siste ze: 'Oké, Melvin. Eh... bedankt dat je me laat voelen hoe klote dit is. Maar de dokter zegt dat ik deze oefening moet doen, anders komt mijn hele schouder vast te zitten. Dus eh... ook al vinden we allebei dat dit echt heel erg klote is, je moet me helpen. We moeten dit samen doen, oké? Ik moet dit doen, Melvin. Ik wil mijn arm terug. Dat wil jij toch ook?'

Ik liet D.D. tot dertig tellen. Daarna liet ik haar weer van richting veranderen en nogmaals tot dertig tellen. We herhaalden de oefening een paar keer. Ik bleef rustig praten, vertelde haar hoe ze moest ademen, kauwde haar zinnen voor om Melvin te bedanken. Ze herhaalde ze hijgend. Ik eindigde met: 'Dankjewel, Melvin. Dank je voor je hulp. Dank je dat je op mijn lichaam past. Nu zijn we klaar en mogen we uitrusten. Goed gedaan.'

Ik stopte met praten. D.D. kwam langzaam overeind tot ze weer rechtop zat. Ze keek onzeker.

'Zijn we klaar met slingeren?'

'Ja. Hoe is de pijn nu, op een schaal van één tot tien?'

Ze staarde me aan. Knipperde een paar keer met haar ogen. 'Het doet pijn.'

Ik zei niets.

'Ik bedoel, het is niet zo dat de pijn opeens weg is. Mijn schouder klopt, mijn arm doet pijn. Mijn vingers zijn zo gezwollen dat ik ze amper kan buigen.'

Ik zei niets.

'Acht,' zei ze uiteindelijk.

'Is dat normaal aan het eind van uw oefeningen?'

'Nee. Normaal gesproken lig ik dan als een zielig hoopje mens op de grond.' Ze fronste en bracht de vingers van haar rechterhand naar haar voorhoofd. 'Ik begrijp er niets van,' zei ze.

Ik haalde mijn schouders op. 'U brengt uw pijn naar buiten. U zet uw pijn om in woede, wat in uw ogen de beste emotie is. Met die woede valt u de pijn aan. Daardoor gaat uw hart sneller kloppen, kunt u minder diep ademhalen en stijgt uw bloeddruk, waardoor, ironisch genoeg, uw pijn alleen maar erger wordt. Ik probeer het tegenovergestelde te bereiken door u te leren de pijn naar binnen te keren. Als u zich concentreert op een gelijkmatige ademhaling, het verlagen van uw hartslag en uw bloeddruk, wordt de druk op uw zenuwstelsel verlicht en krijgt u als vanzelf een hogere pijndrempel. Dat is de reden waarom barende vrouwen en mensen die aan yoga doen al eeuwenlang les krijgen in ademhalingstechnieken.'

D.D. sloeg haar ogen ten hemel. 'Ik heb een natuurlijke bevalling gehad,' zei ze nukkig. 'Ik weet alles over de ademhalingstechnieken. Maar een bevalling duurt een paar uur. Dit...'

'Bovendien,' ging ik rustig door, 'probeer ik, door u een gesprek te laten voeren met uw pijn, u zover te krijgen dat u geen gevecht meer levert met uw eigen lichaam. Zodra u erkent wat u voelt, zult u het accepteren, en dat zal leiden tot vooruitgang. Waar het op neerkomt, zoals u nu zelf hebt ervaren, is dat u zich beter voelt als u met Melvin praat, en dat u daarentegen meer pijn hebt als u tegen hem vloekt.'

'Maar ik mág Melvin niet.'

'Betekent dat dat u hem ook niet kunt respecteren? Dat u geen begrip kunt tonen voor zijn taak?'

'Ik wil dat hij weggaat.'

'Waarom?'

'Omdat hij zwak is. Ik kan zwakte niet uitstaan.'

Ik vouwde mijn handen. 'Dan mag u mij vast erg graag. Ik voel geen pijn, dus kan ik geen zwakheden hebben.'

'Dat is niet hetzelfde,' zei ze meteen.

Ik wachtte.

'Ik bedoel, dat u geen pijn kunt voelen, wil niet zeggen dat u sterk bent. Misschien is dat op zichzelf zwakte. U hoeft niets te overwinnen. U hebt geen basis voor empathie.'

Ik wachtte.

D.D. blies gefrustreerd haar adem uit. 'Verdomme. U wilt dat ik zeg dat Melvin juist goed voor me is. Pijn is nuttig, je wordt er sterk van, enzovoort. En u maakt daarvoor gebruik van omgekeerde psychologie. Psychologen denken dat ze zich alles kunnen veroorloven.'

'Ik beschouw mijzelf niet alleen als pijnloos, maar ook als harteloos,' zei ik met een uitgestreken gezicht. 'Maar even serieus: heeft Melvin waarde?'

De rechercheur tuitte haar lippen. 'Hij probeert me te beschermen tegen verder letsel. Dat is me nu wel duidelijk.'

'Kunt u daar respect voor opbrengen?'

'Ja.'

'Kunt u hem minder uitschelden en hem misschien zelfs af en toe laten merken dat u prijs stelt op wat hij doet?'

'Ik weet het niet. Misschien als hij me af en toe een bloemetje stuurt...'

'Beter nog, hij zal zachtjes in uw oor fluisteren in plaats van in uw schouder te wroeten.'

'Mijn arm doet nog steeds pijn.'

'Het bot is nog steeds kapot.'

'Maar ik voel me niet meer zo...' D.D. zocht naar het juiste woord. '... agressief. Ik heb niet meer het gevoel dat ik gek zal worden.'

'U hebt de touwtjes weer iets steviger in handen.'

'Ja. Zo zou je het kunnen zeggen.'

'Als pleitbezorger van het innerlijke-familiesysteem zou ik zeggen dat dat komt omdat u het deel van uzelf waar u een hekel aan had, de Banneling, hebt erkend, waardoor uw ware Zelf weer centraal staat en de leiding heeft.'

D.D. keek me koeltjes aan. 'Ik ben bereid toe te geven dat diep ademhalen nuttig is en dat praten met Melvin misschien niet zo'n slecht idee is. Erkennen, accepteren, vooruitgang boeken. Oké. Als dat werkt voor topsporters, waarom dan niet voor mij?'

Ik glimlachte en maakte mijn ineengestrengelde handen van elkaar los. 'U mag best een beetje lief voor uzelf zijn. Ik neem aan dat een vrouw met een gezin en een baan als de uwe vaak het gevoel krijgt dat iedereen aan haar loopt te trekken. Het is verstandig om te erkennen wat je eigen behoeften zijn. Bijvoorbeeld door zelf een ijszak op je pijnlijke schouder te leggen in plaats van te wachten tot iemand je een bloemetje brengt.'

Eindelijk lachte ze. Ze stond op. Op hetzelfde moment ging haar mobiele telefoon. Ze keek naar het nummer en zei: 'Neem me niet kwalijk, ik moet dit gesprek aannemen.'

Ze wees vragend naar de receptie. Ik knikte instemmend. Ze begon al te praten voordat ze mijn kantoor uit was. Ik legde wat mappen recht en hield me zogenaamd bezig met wat paperassen, maar in feite speelde ik gewoon voor luistervink. Dat ik geen pijn kan voelen, wil niet zeggen dat ik niet nieuwsgierig ben.

'Uit de databank van VICAP? Echt?' In de receptie sprak de rechercheur geanimeerd in haar telefoon. 'Meerdere slachtoffers, huid die post mortem is verwijderd... In zijn eigen kast? Jezus, wat een sadist. Wacht, wat zei je? Hij leeft niet meer? Hoe bedoel je?'

Ik voelde de eerste huivering. Mijn blik ging naar mijn bureaublad, waarop de krant van vandaag nog op me lag te wachten. Twee moorden, meldde de kop over de hele breedte van de voorpagina. Twee vrouwen, gevild in hun eigen bed. 'Ik heb nog nooit zoiets gezien,' had een anonieme rechercheur gezegd. Maar ik wel. Op oude politiefoto's van een plaats delict waar een bloedbad was aangericht door iemand die er nog beter in was. Iemand die nog slechter was.

Iemand met twee dochters die beiden zijn ziekelijke behoefte aan menselijke huiddelen hadden geërfd.

Als een slaapwandelaar liep ik naar de tussendeur. Ik kon het niet helpen. Ik bleef op de drempel staan, keek rechercheur D.D. Warren in haar half toegeknepen blauwe ogen en fluisterde, een fractie van een seconde eerder dan zij, de naam van de enige persoon die een geharde rechercheur zo van haar à propos kon brengen: 'Harry Day.'

HOOFDSTUK 12

D.D. beëindigde het gesprek en liet het mobieltje in haar zak glijden terwijl ze naar haar pijntherapeut bleef kijken.

'Waar kent u die naam van?' vroeg ze, nu al achterdochtig.

'Hij was mijn biologische vader.'

'Harry Day? De seriemoordenaar?'

'Ik was nog maar een baby toen hij stierf. Ik heb hem nooit gekend, maar ben door de jaren heen veel over hem te weten gekomen. Ik heb gezien wat er vandaag in de krant staat, brigadier Warren, over de moord van afgelopen maandagnacht. En het heeft me uiteraard aan het denken gezet.'

D.D. keek haar onderzoekend aan. Adeline stond in de deuropening tussen de twee vertrekken, koel en beheerst. Lichtbruine lange broek, donkerrode kasjmieren coltrui, halflang bruin haar dat ze vandaag los droeg en zo rigoureus had geborsteld dat het even mooi glansde als haar dure leren schoenen. Op haar veertigste zag deze fitte, geslaagde vrouw, die zich doctor in de psychiatrie mocht noemen, er eerder uit als een fotomodel dan als de dochter van een beruchte seriemoordenaar.

'We moeten praten,' zei D.D.

De arts keek op haar horloge. 'U hebt nog tien minuten over.'

'Niet in mijn tijd. In uw tijd.'

Adeline haalde haar schouders op. 'Afgezien van zijn naam kan ik u erg weinig over Harry Day vertellen.'

'Kom, kom. U bent deskundig op uw terrein en ik op het mijne. Zullen we?' Ze wees naar het kantoor.

Adeline draaide zich om. D.D. volgde haar, terwijl ze snel nadacht en haar verwachtingen probeerde bij te stellen. Vanwege de ritualistische kenmerken van de twee moorden had ze wel verwacht dat het VICAP iets zou opleveren, maar dat deze nieuwe moorden gekoppeld zouden worden aan een reeks misdaden die veertig jaar geleden waren gepleegd, door iemand die allang dood was, maakte alles eerder ingewikkelder dan eenvoudiger. Misschien was de huidige moordenaar een copycat. Seriemoordenaars hadden tegenwoordig grotere fanclubs dan filmsterren. Gezien de hoeveelheid websites en chatrooms waar met psychopathische moordenaars werd gedweept, hield ze niets voor onmogelijk.

Maar dat haar nieuwe therapeut, een pijnspecialist die ze vandaag pas voor de tweede keer sprak, niet alleen ongevraagd met de naam van de moordenaar op de proppen was gekomen, maar ook de dochter van die moordenaar bleek te zijn... Dat kon ze geen toeval meer noemen. Dat was ronduit griezelig.

D.D. ging ditmaal niet op de rechte stoel zitten, maar bleef tegenover Adeline staan.

'Vertel me over uw vader,' zei ze.

'Dr. Adolfus Glen,' begon Adeline.

D.D. hief haar hand op. 'Ja, oké, ik snap het. Voor u is uw adoptievader uw echte vader. Hij heeft u opgevoed, hield van u, gaf u alles wat een dochter nodig heeft, en heeft ervoor gezorgd dat u niet in de psychologische mallemolen terecht bent gekomen.'

'Nu u daarover begint...'

'Vertel me over Harry Day.'

De gesloten uitdrukking op het gezicht van de psychiater werd iets milder. Met een zucht schoof ze naar achteren op haar stoel, nog steeds niet gelukkig met de situatie, maar bereid zich erin te schikken. 'Ik weet alleen wat ik heb gelezen. Ik was nog maar een baby toen er aan Harry's gewelddaden een eind werd gemaakt. Voor zover ik heb kunnen nagaan, wist een van zijn slachtoffers, een jonge serveerster, aan hem te ontsnappen. Ze is naar het politiebureau gerend. Tegen de tijd dat de politie bij Harry's huis aankwam om hem te arresteren, was hij al dood. Hij werd gevonden met snijwonden aan beide polsen. Mijn moeder stortte volledig in en werd opgenomen in een psychiatrisch ziekenhuis. De kinderbescherming ontfermde zich over mijn oudere zus en mij. De politie heeft er zes weken over gedaan om het huis systematisch te doorzoeken. Er lagen twee lijken onder de vloer van de woonkamer en zes onder de vloer van Harry's werkplaats achter het huis. Harry was timmerman van beroep. Hij hield van gereedschap.'

'Hij martelde zijn slachtoffers,' zei D.D. effen. Dit wist ze van Phil. 'Bij sommigen duurde het weken voordat ze dood waren.'

'Maar dat is niet de reden waarom zijn naam in verband wordt gebracht met deze twee recente moorden.'

'Nee, dat is niet de reden.'

'De moordenaar die u zoekt, heeft zijn slachtoffers gevild. In de *Boston Globe* stonden geen verdere details, maar gezien uw belangstelling voor Harry, neem ik aan dat hij hun huid in lange, smalle repen heeft verwijderd. En dat op de plaats delict niet alle reepjes zijn teruggevonden. Dat betekent dat de moordenaar een deel ervan heeft meegenomen. Als aandenken. En vanwege wat er bekend is over Harry Day, vraagt u zich af of de huidige moordenaar die reepjes huid bewaart in glazen potjes, in dezelfde formaldehydeoplossing die Harry speciaal voor dat doel had geperfectioneerd.'

D.D. ging nu toch maar zitten. Ze spreidde haar handen en kromp ineen toen haar gewonde arm daar meteen tegen protesteerde. 'Het is zo'n waanzinnig toeval. Twee moordenaars, een van veertig jaar geleden, een van nu, die allebei de huid van hun slachtoffer in reepjes wegsnijden en meenemen. Hoeveel vrouwen denkt u dat Harry heeft vermoord?'

'Men zegt acht.'

'De acht die in het huis zijn gevonden. Hoe noemde de pers het indertijd? *House of Horrors*?'

Adeline haalde haar schouders op. Ze bleef onaangedaan kijken. D.D. kende die blik. Zo keken mensen die zich wilden distantiëren van onaangename waarheden over familieleden die ze dachten te kennen. En zo keken slachtoffers die een verhaal ophingen over iets wat zogenaamd iemand anders was overkomen.

'Harry's trofeeënverzameling,' zei ze. 'Er is mij verteld dat de politie drieëndertig potjes met geconserveerde mensenhuid heeft gevonden. Onder de vloer van de kast in de slaapkamer.'

Heel even trilde er een spiertje in het gezicht van de psychiater.

'Twaalf daarvan waren gewone weckpotten,' zei D.D. 'Maar Harry werd steeds vindingrijker. Niet alleen perfectioneerde hij de formaldehydeoplossing, maar hij zocht ook mooie glazen flesjes, zoals parfumflesjes, voor de reepjes huid. En hij plakte etiketjes op die flesjes. Niet met namen, maar met dingen die voor hem een bijzondere betekenis moesten hebben. De haarkleur, de locatie, een kledingstuk. Hij bedacht een unieke, mensonterende index voor de huidmonsters in zijn verzameling.'

Weer trilde dat spiertje.

'Hebben de onderzoekers alle slachtoffers kunnen identificeren?' vroeg Adeline. 'Ik... Ik heb een paar jaar geleden iets gelezen over een team van onderzoekers dat zich bezighoudt met cold cases. Ze hadden het idee opgevat om het... geconserveerde weefsel... te vergelijken met gegevens van vermiste personen. Ze hoopten voor dat doel DNA-monsters te krijgen van familieleden van vrouwen die eind jaren zestig spoorloos waren verdwenen.'

Daar wist D.D. niets van, maar het klonk aannemelijk. 'Dat weet ik niet,' antwoordde ze naar waarheid. 'Maar dat kan verklaren waarom er zoveel details over veertig jaar oude misdrijven in de databank van VICAP zitten.'

'Die onderzoekers zouden ook naar onopgeloste verkrachtingszaken kijken. Is het niet zo dat seksueel gestoorden vrouwen in het begin alleen stalken? En dat hun ziekelijke fantasieën na verloop van tijd een ander karakter krijgen? De stalker wordt verkrachter en de verkrachter wordt moordenaar. Dat betekent dat Harry waarschijnlijk meer dan acht slachtoffers heeft gemaakt.'

'De acht waren de vrouwen die hij bij zich wilde houden,' zei D.D. Zodat hij nog meer tijd met hen kon doorbrengen, voegde ze er bijna aan toe, maar ze hield zich in. Seriemoordenaars leerden van ieder slachtoffer iets en in dat stadium van zijn moordzuchtige carrière moest Harry Day al een behendige moordenaar zijn geweest, die een heel arsenaal aan gereedschap, een werkplaats en een flexibel dagschema tot zijn beschikking had. Als die serveerster er niet in was geslaagd te ontsnappen...

Adeline zei zachtjes: 'Ieder geadopteerd kind gaat op een gegeven moment dromen over de ware identiteit van zijn biologische ouders. *Mijn echte vader en moeder zijn een koning en een koningin, maar ze moesten mij meteen na mijn geboorte afstaan om me te beschermen tegen een boze heks die de macht over hun koninkrijk wilde overnemen.* Dat soort dingen. Mijn adoptievader was geneticus. Een brave man, maar een wetenschapper in hart en nieren. Toen ik hem naar de waarheid over mijn ouders vroeg, heeft hij daar geen doekjes om gewonden. Daarna heb ik tien jaar lang vreselijke angstdromen gehad, waarin ik zag hoe mijn huid openbarstte en er een monster uit mijn lichaam naar buiten kroop.'

'Heeft uw vader u als baby geadopteerd?'

'Nee. Hij heeft mij geadopteerd toen ik drie was en aan HSAN bleek te lijden. Hij was een van de genetici die onderzoek deden naar mijn geval. Gezien de enorme risico's waaraan ik vanwege mijn aandoening was blootgesteld, vond hij dat een onervaren pleeggezin niet in mijn specifieke behoeften zou kunnen voorzien. Hij wist het voor elkaar te krijgen dat hij mij zelf mocht adopteren.'

'Daar hebt u mee geboft.'

'Ja.'

'En uw oudere zus? U zei dat u één zus hebt?'

'Zij heeft geen zeldzame genetische aandoening,' zei Adeline eenvoudig. Blijkbaar was daarmee, in haar wereld, alles gezegd.

'En uw biologische moeder?'

'Zij is een halfjaar na Harry gestorven. Ze heeft gedurende die zes maanden geen woord gezegd. Ze leed aan een zware zenuwinzinking en was niet meer aanspreekbaar.'

'Denkt u dat ze wist wat haar man deed?' vroeg D.D. 'Harry had twee vrouwen in het huis begraven. Hij had de vloerplanken losgeschroefd, de lijken in de kruipruimte eronder gelegd en ze overgoten met ongebluste kalk. Dat moet ze op zijn minst geroken hebben.'

Adeline schudde haar hoofd. Ze staarde naar het glanzende blad van haar keurig opgeruimde bureau. 'Ik zou het niet weten. Mijn adoptievader had over mijn biologische ouders alles verzameld wat er maar te vinden was. Bloed kruipt waar het niet gaan kan, zei hij. Hij wilde dat ik op alles voorbereid zou zijn. Ik heb de door hem verzamelde gegevens nauwkeurig bestudeerd. Over Harry Day is veel informatie beschikbaar. De buren beschreven hem als een sympathieke, intelligente man, een behendige klusjesman. Niet dat mijn ouders erg sociaal waren, maar als je Harry tegenkwam, keek hij je niet met de nek aan en je kreeg geen kippenvel als je hem zag. Een van hun buren, een bejaarde weduwe, vertelde wat een aardige man hij was, omdat hij de moeite had genomen bij haar thuis een raam te repareren en een piepende deur te oliën. En hij had er niet eens iets voor willen hebben. Een stukje van haar zelfgebakken appeltaart was voldoende. Zulke verhalen krijg je achteraf altijd te horen: de kille moordenaar met het goede hart. Maar ik geloof het niet.'

'Hoe bedoelt u? Denkt u dat die buurvrouw het heeft verzonnen?'

'Nee.' Adeline hief haar hoofd op en keek D.D. aan. 'Ik bedoel dat Harry zichzelf had verzonnen. Dat is dergelijke roofdieren eigen. Ze maken gebruik van camouflage. Het zou mij niet verbazen als er op het moment dat hij dat raam aan het repareren was, een meisje vastgeketend op zijn werkbank lag. Dat was de reden waarom hij de buurvrouw hielp. Als de politie vragen mocht stellen, zouden ze van iedereen hetzelfde te horen krijgen: Harry Day, aardige man, heeft laatst nog voor die oude dame een raam gerepareerd...'

D.D. knikte. Ze kende het fenomeen 'en hij leek zo'n aardige man', en was het eens met Adelines oordeel. Psychopaten waren geen aardige mensen, maar wisten die rol goed te spelen als het nodig was.

'U hebt mijn vraag over uw moeder nog niet beantwoord.'

'Die kan ik niet beantwoorden.'

'Kunt u dat niet of wilt u dat niet?'

'Dat kan ik niet. Zelfs mijn gelauwerde adoptievader is er niet in geslaagd informatie over haar te vinden. Ze was als een geest. Geen familie, geen verleden. Ze was vanuit het Middenwesten naar Boston gekomen; althans, dat zei ze zelf. Op haar trouwakte staat dat haar meisjesnaam Davis was en dat is zo'n veelvoorkomende naam dat het weinig zin heeft dat na te pluizen. Ze heeft geen antwoord gegeven op de vragen van de politie en haar buren kenden haar amper. Anne Day leefde als een schim. En toen werd ze een geest.'

D.D. huiverde onwillekeurig. 'Misschien bewijst dat juist dat ze wist wat haar man deed, en was dat de oorzaak van haar zenuwinzinking: het schuldgevoel van de overlevende.'

Adeline haalde haar schouders op. 'Dat is niet relevant. U weet net zo goed als ik dat Harry een psychopaat was en dat psychopaten altijd de baas spelen. Al had Anne het geweten, dan nog had ze niets kunnen doen. Harry was degene die de dienst uitmaakte.'

'Uw vader,' zei D.D. nogmaals, voor de goede orde.

Adeline gaf geen krimp. 'Vanwege mijn zeldzame genetische aandoening ken ik de potentiële valkuilen van DNA beter dan wie ook.'

D.D. vond dit intrigerend. Ze leunde naar voren. 'Leed Harry ook aan deze aandoening? Is het mogelijk dat hij ook geen pijn voelde?'

'Nee. Aangeboren ongevoeligheid voor pijn wordt veroorzaakt door een dubbelrecessief gen. Dat wil zeggen dat beide ouders drager moeten zijn van de genetische afwijking. In de Verenigde Staten zijn minder dan vijftig gevallen bekend en de helft van de kinderen met deze aandoening is vóór hun derde levensjaar aan een zonnesteek gestorven. Iemand als ik, die ermee volwassen is geworden en vier normale ledematen heeft, is de uitzondering op de regel.'

'Kunt u me dit uitleggen?'

'Eén aspect van de genmutatie is dat we geen hitte voelen. Daarom transpireren we ook niet. Vooral voor baby's en peuters is dit heel gevaarlijk. Op een warme zomerdag kan hun lichaamswarmte een kritiek niveau bereiken zonder dat ze aangeven dat er iets mis is. Tegen de tijd dat de ouders zich met hun apathische baby naar het ziekenhuis haasten, is het te laat.'

D.D. vroeg nieuwsgierig: 'Wat doet u 's zomers dan?'

'Ik zet de airconditioning aan en let erop dat ik voldoende drink. En ik neem meerdere keren per dag mijn temperatuur op. Ik kan niet vertrouwen op wat ik voel, dus moet ik mijn conditie voortdurend controleren om er zeker van te zijn dat met mijn lichaam alles in orde is.'

'Melvin is goed voor je,' mompelde D.D.

'Melvin is goed voor je. Ik heb nog nooit op het strand gelegen of in de zon gelopen. Als ik onder de douche ga, controleer ik eerst de temperatuur van het water. En wat sport en fitness betreft... Hardlopen, zwemmen, tennissen of volleyballen is voor iemand als ik ronduit gevaarlijk. Ik kan zonder het te merken mijn knie ontwrichten of mijn enkel breken. Mijn gezondheid is iets waar ik van minuut tot minuut over moet waken.'

D.D. knikte. Ze vond dat de psychiater haar leven, dat haar zoveel beperkingen oplegde en haar vermoedelijk tot een sociaal isolement veroordeelde, erg nuchter beschreef. Het was voor een kind al erg om als laatste gekozen te worden voor trefbal, maar Adeline had niet eens mogen meedoen aan de gymnastiekles. Ze had nooit op een zonnige dag hand in hand kunnen wandelen met een jongen op wie ze verliefd was. Nooit eens lekker kunnen hardlopen, zomaar, omdat ze er zin in had. Nooit van punt A naar punt B mogen springen, zomaar, om te zien of ze het zou halen.

Deze serieuze volwassene was ongetwijfeld een serieus kind geweest, dat constant op haar hoede had moeten zijn. Dat al heel jong had beseft dat ze vanwege haar zeldzame aandoening anders was, een buitenstaander die alleen kon toekijken.

Omdat Melvin niet alleen goed voor je was, maar omdat Melvin de norm was: pijn was de grote gelijkmaker die mensen tot elkaar bracht.

'En uw zus?' vroeg D.D.

'Die heeft deze aandoening niet.'

'Dus heeft uw adoptievader haar niet in huis genomen.'

'Nee.'

'Wat zal ze daar de pest over in hebben gehad.'

'Ik was drie, zij was zes, te jong om het te begrijpen, laat staan er "de pest" over in te krijgen.'

'Wat is er van haar geworden?'

'De kinderbescherming heeft zich over haar ontfermd. Ze heeft in diverse pleeggezinnen gewoond.'

'Hebt u contact met haar?'

'Ja.'

'Heeft ze een naam?'

'Ja.'

'Maar die wilt u mij niet geven?' D.D.'s speurdersinstinct roerde zich.

De psychiater aarzelde. 'Toen ik een jaar of veertien was, ging ik mijn adoptievader vragen stellen over mijn biologische vader. Toen bleek dat mijn adoptievader buiten mijn medeweten een privédetective in de arm had genomen om onderzoek te doen naar mijn biologische familie. Ik denk dat die privédetective een gepensioneerde politieman was, want het grootste deel van zijn informatie over mijn vader bestond uit fotokopieën van de politierapporten. Misschien had een oud-collega hem die gegeven. Het onderzoek naar mijn moeder was moeilijker, zoals ik al zei, en haar dossier is dun. Mijn zus...'

Dr. Glen zweeg even.

'Mijn zus was toen zeventien en stond daarom nog onder voogdijschap van de staat, maar haar dossier was toen al dikker dan dat van mijn vader en haar daden waren nog legendarischer.'

D.D. leunde weer naar voren, oren gespitst.

'Het veelzeggendste rapport, dat ik pas heb gelezen nadat mijn adoptievader was overleden, is van de sociaal werkster die mij en mijn zus op die bewuste dag uit het huis van mijn ouders heeft gehaald. Zij heeft mijn zus meteen in het ziekenhuis laten opnemen. Volgens haar rapport waren haar rug, haar armen en de binnenkant van haar dijbenen bedekt met tientallen snijwondjes. Een deel daarvan was oud, de meeste waren nieuw. Haar lichaam was bedekt met lange, parallelle lijntjes opgedroogd bloed.'

'Hij sneed haar,' vulde D.D. aan. 'U denkt dat Harry Day uw zus sneed.'

Adeline keek haar aan. 'Ze kon moeilijk zelf in haar rug hebben gesneden.'

'Nam hij reepjes huid weg?'

'Dat staat er niet bij. Maar dat hoefde hij ook niet te doen. Harry verzamelde trofeeën van zijn slachtoffers als aandenken na hun dood. Mijn zus was geen ontvoerd meisje van wie hij zich uiteindelijk moest ontdoen. Ze was zijn dochter. Het proefdier dat altijd tot zijn beschikking stond. Opvulling tussen twee slachtoffers in.'

D.D. bekeek Adeline nauwlettend. De psychiater keek voor zich uit en haar gezicht stond beheerst, maar haar kaak leek iets strakker te staan dan voorheen. Ze hield zich goed, maar het kostte haar moeite.

D.D. stelde de vraag die hier logischerwijs op volgde: 'En u?'

'Volgens het dossier van het ziekenhuis waar ik ben onderzocht, had ik geen enkel schrammetje.'

'Harry mishandelde uw zus wel, maar u niet.'

'Harry Day is één week voor mijn eerste verjaardag gestorven. Ik ben benieuwd of de situatie acht dagen later nog hetzelfde zou zijn geweest.'

'U denkt dat u gered bent door uw leeftijd. U was een baby. Maar zodra u één jaar zou zijn geworden...'

Adeline haalde haar schouders op. 'We zullen het nooit weten.'

'Kan uw aandoening er iets mee te maken hebben?' vroeg D.D. zich hardop af. 'Misschien heeft hij u wel gesneden, maar vond hij er niets aan omdat u geen kik gaf.'

Adeline keek verrast. 'Daar heb ik eerlijk gezegd nooit aan gedacht.'

'Echt niet? En het is nog wel zo voor de hand liggend.'

'Het is mogelijk, maar niet waarschijnlijk. Hij wist toen nog niets over mijn aandoening. Die werd pas ontdekt toen ik drie was. En dat kwam door mijn zus. Zij was in me aan het snijden.'

D.D. zette grote ogen op. 'Uw zus? Maar die was zelf pas zes.'

'Het was het enige dat ze kende. Aangeleerd gedrag dat haar avond aan avond in het hoofd was gestampt: bloed is liefde. En op haar manier houdt mijn zus van me.'

'Ik denk niet dat ik ooit zal meegaan naar uw familiereünies.'

'Ze heeft me met een schaar gesneden. Toen ik niet begon te huilen, sneed ze dieper. Dit lijkt mij het bewijs dat mijn vader het niet wist. Ik heb het gevoel dat hij instinctief óók dieper zou hebben gesneden, en littekens van dergelijke wonden heb ik niet.'

'Ah.'

'De grote vraag is dus: word je slecht geboren of word je slecht gemaakt?'

'Aanleg of opvoeding.'

'Precies. Wat vindt u?'

D.D. schudde haar hoofd. 'Dat je niet hoeft te kiezen; ik heb voorbeelden meegemaakt van beide gevallen.'

'Ik ook. Een goed mens kan worden verleid tot slechte daden en een slecht mens kan worden ingetoomd door goedheid.'

'En wat wilt u hiermee zeggen?'

'Voor mijn zus heeft het niets uitgemaakt; zij is verpest door aanleg én opvoeding.'

'De dochter van een seriemoordenaar,' zei D.D. peinzend. 'Na een aantal jaren te zijn onderworpen aan rituele mishandelingen komt ze in het pleeggezinnencircuit.' En toen ging haar eindelijk een licht op. Ze sloot haar ogen, want ze kon nauwelijks geloven dat ze dit niet eerder had begrepen. Het enige wat ze ter verdediging kon aanvoeren, was dat het dertig jaar geleden was gebeurd, toen ze zelf nog maar een tiener was en geen obsessieve rechercheur. Aan de andere kant... zo'n roemruchte zaak...

'Shana Day,' zei ze. 'Uw zus is Shana Day. De jongste moordenares van Massachusetts, die ondanks haar jeugdige leeftijd van veertien jaar als volwassene werd terechtgesteld. En die sindsdien in het MCI een aantal gevangenbewaarders en medegevangenen heeft vermoord. Die Shana Day.' En nu ging haar nóg een licht op: 'Ze had hem verminkt. Toch? Het is lang geleden dat ik aan die zaak heb gedacht, maar als ik me niet vergis, had ze die jongen eerst gewurgd en hem toen met een mes bewerkt. Ze heeft hem één oor afgesneden en... reepjes huid...' D.D. staarde Adeline aan, overdonderd door de implicaties. 'Waar is uw zus?'

'Ze zit nog steeds in het MCI, waar ze tot haar dood zal blijven.'

'Dan moet ik onmiddellijk met haar gaan praten.'

'Het is te proberen. Ze ligt momenteel in de ziekenboeg van de gevangenis om te herstellen van haar meest recente zelfmoordpoging.'

'Hoe is ze eraan toe?'

'Redelijk.' Adeline zweeg even en ging toen door. 'Volgende week is het dertig jaar geleden dat ze Donnie Johnson heeft vermoord. Er is me verteld dat dit heeft geleid tot ongewenste aandacht voor haar. Er is in elk geval één journalist die contact heeft opgenomen met de gevangenis omdat hij haar wilde interviewen.'

'Praat ze over die zaak?'

'Nooit.'

'Vrienden, kennissen?' Honderd gedachten gingen door D.D.'s hoofd. Shana zat dan wel achter de tralies, maar het verbijsterde D.D. elke keer opnieuw hoeveel moordenaars er waren die vanuit de gevangenis een actief sociaal leven leidden. Ze werden verliefd, trouwden. Wat lette Shana om een aspirerend moordenaar ertoe te verleiden het levenswerk van haar vader, of van haarzelf, voort te zetten?

Maar Adeline schudde haar hoofd. 'Mijn zus lijdt aan een ernstige vorm van antisociale persoonlijkheidsstoornis. Begrijp me niet verkeerd; ze is erg gewiekst en angstaanjagend intelligent. Maar ze is een heel ander type dan haar vader. Een alleenstaande weduwe zou Shana nooit binnenlaten om een raam te repareren. En Shana heeft zelf geen behoefte aan vrienden of kennissen.'

D.D. flapte eruit: 'Dus uw vader is een seriemoordenaar, uw zus is een moordenares, nee, wacht, ze heeft meer dan drie slachtoffers gemaakt, dus is ze in zekere zin ook een seriemoordenaar, en u lijdt aan een zeldzame genetische aandoening waardoor u geen pijn voelt. Dat is me nogal een genenpoel.'

'Elke grafiek heeft uitschieters.'

'Uitschieters? Uw familie pást niet eens in een grafiek.'

Adeline haalde haar schouders op. D.D. ging op iets anders over.

'Is uw zus jaloers op u?'

'Dat moet u háár vragen.'

'Hebt u contact met haar?'

'Ik ga eens in de maand bij haar op bezoek. Ze zal u wijsmaken dat ik het doe omdat ik me schuldig voel. En ze zal u wijsmaken dat zij me op bezoek laat komen omdat ze zich verveelt. Brigadier Warren, u schijnt te denken dat de Rose Killer direct verband houdt met mijn familie, dat hij er misschien zelfs door is geïnspireerd. Als psychiater met ervaring in de behandeling van mensen met een afwijkende persoonlijkheid, ben ik daar allesbehalve zeker van.'

D.D. keek haar sceptisch aan.

'Als je een heleboel kromgetrokken stukjes hout met elkaar vergelijkt,' vervolgde Adeline, 'vind je er altijd een paar die op elkaar lijken. Die dezelfde kromming, dezelfde afwijking hebben. Hetzelfde geldt voor mensen met een abnormale inslag. Velen delen dezelfde obsessies, rituelen en fantasieën. Heeft deze moordenaar over Harry Day gelezen of is hij bij Shana op bezoek geweest? Of is het voldoende dat hij hun primaire geloof deelt?'

'En dat is?'

'Bloed is liefde. Mijn zus sneed me niet om me pijn te doen, maar om me te laten zien dat ze van me hield. En misschien rept Shana om dezelfde reden met geen woord over wat ze de twaalfjarige Donnie Johnson die avond heeft aangedaan: ze haatte de jongen niet. Ze hield te veel van hem en mist hem nog steeds.'

D.D. trok één wenkbrauw op. 'Uw zus zou een twaalfjarige jongen hebben vermoord om te laten zien hoeveel ze van hem hield?'

'Ik weet het niet. Ik weet alleen dat er die avond iets is gebeurd. Iets wat zo ingrijpend was, of misschien zo persoonlijk, dat zelfs een rasechte psychopaat als mijn zus er niet over kan praten.'

HOOFDSTUK 13

Wie ben ik? Iemand die voor een beveiligingsbedrijf werkt.

Hoe zie ik eruit? Onopvallend. Lichtbruine broek, blauw overhemd, honkbalpetje met de klep diep over mijn ogen getrokken.

Belangrijkste motivatie? Gewoon mijn werk doen.

Doel van de missie? Rechercheurs op het verkeerde been zetten, verwarring scheppen.

Nettowinst? Iedereen houdt van de schurk.

De onopvallende medewerker van het beveiligingsbedrijf reed regelrecht naar het doelwit.

Geen auto's op de oprit. Geen teken van leven in de woning. De medewerker van het beveiligingsbedrijf parkeerde in de straat, pakte een zwarte computertas van de passagiersstoel en trok de klep van het donkerblauwe honkbalpetje nog wat verder naar voren.

De kakikleurige broek was te wijd. Het verschoten blauwe overhemd ook. Tweedehands, vandaar dat ze niet goed pasten. Maar goedkope kleren kon je weggooien. En ruime kleren verdoezelden je postuur, wat van pas kon komen als men nieuwsgierige buren om een signalement zou vragen.

Diep ademhalen. In. Uit. Handen knepen in het stuur en lieten het toen los. Het was zover. Niet meer nadenken, maar doen. Het onderzoek was gedaan, de plannen waren uitgestippeld, de besluiten waren genomen. Nu ging het gebeuren.

Die eerste keer, tegenover het huis van het doelwit. Het besef dat na weken, maanden van voorbereiding de grote dag was aangebroken. Het pakketje, zorgvuldig halverwege het tuinpad geplaatst, zodat ze naar buiten moest komen om het op te rapen. Aanbellen. Snel achter de plastic ficus in de portiek gaan staan. Het doelwit had opengedaan. Het doelwit had gezucht toen ze het pakketje zag liggen, vijf meter van de deur. Het doelwit was naar buiten gekomen om haar beloning te halen. Hoe eenvoudig was het geweest om naar binnen te glippen en in de halkast te wachten tot 's avonds het licht in het huis eindelijk uitging...

Wie ben ik? Niets. Niemand. Of misschien ben ik net als jij. De buitenstaander die naar binnen kijkt.

Wat is mijn motivatie? Financiële zekerheid. Persoonlijk succes. Roep van de natuur. Of misschien wil ik, net als jij, meetellen. Eindelijk het gevoel hebben erbij te horen.

De onopvallende werknemer van het beveiligingsbedrijf stapte uit het busje en liep naar het huis.

Voorovergebogen, rekenend op de camouflagefactor van de te ruime kleding, maakte de onopvallende werknemer van het beveiligingsbedrijf met een lockpick de twee sloten open. Waardoor het alarmsysteem aansloeg en een sirene begon te loeien.

Niet haasten. Ontspannen blijven. Want de sirene maakte de aanwezigheid van een werknemer van een beveiligingsbedrijf juist aannemelijk. Alles verliep precies volgens plan.

Naar binnen. De trap op. Naar de slaapkamer.

Dertig seconden. Goed tellen. Want al dachten de nieuwsgierige buren dat de aangewezen persoon al ter plekke was, telefonistes van de alarmcentrale zouden de politie en de bewoners van het huis bellen. Tijd was belangrijk.

De onopvallende werknemer van het beveiligingsbedrijf bekeek het bed. Op het nachtkastje rechts ervan een glas water met een lichte afdruk van roze lippenstift aan de rand. Bij nadere inspectie bleken er op het kussen een paar blonde haren te liggen. Ja, dit was beslist haar kant van het bed. Sliep ze goed? Of herinnerde ze zich nog steeds die avond, toen ze in de donkere gang had gestaan, helemaal alleen en zo kwetsbaar...

Het regent, het regent, neuriede de onopvallende werknemer van het beveiligingsbedrijf. *De pannen worden nat...*

De aanval op de rechercheur had niet in het script gestaan. Maar ze had iets gehoord, was uit de slaapkamer gekomen, met haar wapen in haar hand. Het was een beginnersfout geweest om terug te keren naar de plaats delict, dat wist de onopvallende werknemer van het beveiligingsbedrijf nu. Toegeven aan de verleiding om alles nog een keer te bekijken, controleren of alles echt precies volgens plan was gegaan? Van buitenaf had het rijtjeshuis er donker, verlaten en veilig uitgezien.

Opeens had de rechercheur in de gang gestaan. Er moest een keuze worden gemaakt. Vechten of vluchten. Erg moeilijk was het niet geweest. Het was zoals de anderen hadden voorspeld: na je eerste moord gaat het steeds makkelijker.

Improvisatie. Het was erg goed gelukt. En nu stond de onopvallende werknemer van het beveiligingsbedrijf hier weer te improviseren. En de seconden te tellen: *achttien, negentien, twintig...*

Tijd was een strenge baas. Je moest je aan het plan houden.

Open de computertas, neem het eerste voorwerp eruit. De fles champagne. Vervolgens de met bont gevoerde handboeien. Daarna de rode roos, die op haar hoofdkussen kwam te liggen.

Tot slot het kaartje. Vanochtend gekocht. Dat maakte het helemaal áf.

Een stap naar achteren. Om het resultaat te bekijken.

Doel van de missie? Intimideren, angst aanjagen, irriteren. Want misschien wil ik jou eigenlijk niet zijn. Ik wil beter zijn dan jij.

Nettowinst? Adrenalinekick.

Eenendertig, tweeëndertig, drieëndertig...

De telefoon op het nachtkastje begon te rinkelen. Dat zou de alarmcentrale zijn, die wilde weten of het de bewoner zelf was die per ongeluk het alarm in werking had gesteld en die het op magische wijze kon afzetten door het geheime wachtwoord uit te spreken.

De onopvallende werknemer van het beveiligingsbedrijf draaide zich om, liep rustig de trap af en het huis uit naar het wachtende busje. Daar voerde de onopvallende werknemer van het beveiligingsbedrijf in het volle zicht van de buren een gesprek via zijn mobiele telefoon. De onopvallende werknemer van het beveiligingsbedrijf deed zijn werk. Hoofd gebogen, blik op de grond, rug naar de nieuwsgierige buurvrouwen, die nu uit de ramen keken.

Het alarm bleef loeien.

Ook toen de onopvallende werknemer van het beveiligingsbedrijf weer in het busje stapte. En wegreed.

Met achterlating van de bewijzen van genegenheid voor brigadier D.D. Warren van het Boston PD. Inclusief een attent kaartje, waarop stond: '*Spoedig herstel!*'

HOOFDSTUK 14

Alex liep te ijsberen.

D.D.'s team zat in de woonkamer. De technische recherche had de voordeur bekeken, was met vingerafdrukpoeder in de weer geweest en had de voorwerpen die de moordenaar als bewijs van zijn genegenheid had achtergelaten in speciaal daarvoor bestemde zakjes meegenomen. Andere agenten waren met de buren gaan praten, die hadden verteld dat iemand in een busje van een particulier beveiligingsbedrijf was gekomen toen het alarm was afgegaan. Of misschien had dat busje er al gestaan voordat het alarm was afgegaan. Hoe dan ook, het alarm van Alex en D.D. was afgegaan en iemand van het beveiligingsbedrijf was meteen een kijkje komen nemen. Man, vrouw, jong, oud, zwart, blank, niemand kon het met zekerheid zeggen. Maar er wás iemand gekomen. Heel snel. En dat was toch juist goed?

Alex liep te ijsberen.

Hij was degene die het kaartje had gevonden. Hij was na zijn werk thuisgekomen en de oprit opgereden met Jack in het autostoeltje. Toen hij het portier had geopend, had hij het alarm gehoord. Op hetzelfde moment had iemand van het beveiligingsbedrijf hem gebeld op zijn mobiel.

Van buitenaf had alles in orde geleken, dus was Alex naar binnen gegaan. Het alarm ging wel vaker af. En omdat de voordeur en de ramen allemaal nog intact waren en er op de benedenverdieping niets aan de hand leek te zijn...

Hij was heel ontspannen gebleven, had hij D.D. verbeten verteld. Met Jack op zijn linkerarm en zijn mobieltje met de alarmcentrale tegen zijn rechteroor geklemd was hij naar boven gegaan, om ook daar voor alle zekerheid een kijkje te nemen...

Het beveiligingsbedrijf had onmiddellijk contact opgenomen met het Boston PD, terwijl Alex met de driejarige Jack op zijn arm rechtsomkeert had gemaakt en naar zijn ouders was gereden.

Vanavond bleef Jack bij hen logeren.

De technische recherche zou de bevindingen uit het huis van Alex en D.D. analyseren.

En Alex ijsbeerde.

Met zijn handen op zijn rug. Nog in zijn uniform van de academie: een kakikleurige broek en een donkerblauw overhemd met het geborduurde logo van de Massachusetts State Police op de borst. Aan de stand van zijn schouders kon je zien hoe gespannen hij was. Zijn gezicht daarentegen bleef uitdrukkingsloos, ondoorgrondelijk. Zo goed als D.D. was in het uiten van haar razernij, zo goed was Alex in het beheersen van de zijne. Alex liet nooit iets van zijn gevoelens merken.

Nu pas besefte D.D. hoe moeilijk hij het de afgelopen zes weken had gehad. Zij was degene die tandenknarsend liep te foeteren hoe hulpeloos ze was, maar hoe was dit eigenlijk voor Alex? Op een dag was zijn vrouw naar haar werk gegaan. Sindsdien was ze niet meer in staat zichzelf aan te kleden, op hun kind te passen of iets nuttigs te doen.

Hij moest aanzien hoeveel pijn ze leed. Hij moest haar helpen met dingen die haar vaak nog meer pijn bezorgden. Hij moest voor onbepaalde tijd zowel de zorg voor hun kind als het huishouden op zich nemen.

Toch was er niet één keer een klacht over zijn lippen gekomen en was hij niet één keer uitgevallen dat ze een beetje flink moest zijn.

Hij was er voor haar. Ook nu vroeg hij niet verwijtend wat ze zich nu weer op de hals had gehaald en hoe ze zo dom had kunnen zijn de gevaren van haar werk naar hun huis te lokken. Hij dacht na, analyseerde de situatie, maakte plannen.

Alex had geen medelijden met zichzelf of met haar, maar zocht naar een manier waarop hij de schoft die hun huis had onteerd te pakken kon krijgen.

'Zo,' zei Phil. Hij zat op de bank met een blocnote op zijn knieën. Zijn grijze colbertje was gekreukt en zijn donkerrode das zat scheef. Van hen allemaal trok hij zich de inbraak het meest aan. Nu D.D. was uitgeschakeld, was hij de leider van het team. Niet alleen was er een tweede slachtoffer gevallen, maar nu was ook gebleken dat de moordenaar heel dicht bij hen wist te komen zonder dat zij ook maar een stap dichter bij hém waren gekomen.

'Zo,' echode D.D. Ze hadden voor haar een keukenstoel in de woonkamer gezet. Ze zat kaarsrecht, met haar linkerarm tegen haar lichaam gedrukt en een ijszak op haar schouder. Na de geïmproviseerde fysiotherapiesessie bij dokter Glen was dat het minste wat ze kon doen. Bovendien wilde ze tegenover zichzelf en eigenlijk ook wel tegenover haar pijnspecialist bewijzen dat ze geen controlfreak was. Dat ze best andere pijnbeheersingstechnieken kon proberen. Ja. Dat kon ze best.

'Van de buren zijn we niet veel wijzer geworden,' zei Phil. 'Alleen dat er íémand jullie huis is binnengegaan.'

Op het tweezitsbankje tegenover Phil haalde Neil zijn schouders op. 'Daarmee vertellen ze ons niets nieuws. De moordenaar is die andere twee woningen ook binnengegaan zonder dat iemand hem verdacht vond. Hij weet zich blijkbaar erg goed aan zijn omgeving aan te passen.'

'Toch vertelt dit ons iets over zijn techniek,' zei Phil. 'Vandaag had hij zich verkleed als iemand die voor een particulier beveiligingsbedrijf werkt. We zullen nagaan of de twee vermoorde vrouwen ook een alarmsysteem hadden en of dat in de nacht van de moord is afgegaan. We zullen de buren van de twee slachtoffers vragen naar voertuigen van nutsbedrijven. Een bestelbusje van de ongediertebestrijding bijvoorbeeld, of van een loodgietersbedrijf. Een auto die niemand verdacht vond, tot we ernaar vroegen...'

'Wie ís die kerel?' vroeg Alex abrupt. Hij stopte midden in hun bescheiden woonkamer en keek hen een voor een aan.

'Een man die niemand opvalt,' zei Neil. 'Of een vrouw die niemand opvalt. Statistisch gezien zou het een man moeten zijn, want de meeste moorden worden door mannen gepleegd, maar omdat de slachtoffers niet zijn verkracht en we geen bruikbare ooggetuigen hebben, kunnen we niet uitsluiten dat de dader een vrouw is. Met andere woorden: we zijn op zoek naar een doodnormale en vooral onopvallende persoon.'

'Nee,' antwoordde Alex prompt. 'Deze persoon is een moordenaar. Daardoor maakt hij of zij deel uit van een bijzonder klein percentage van de wereldbevolking. En een seriemoordenaar die géén sadistische verkrachter is, maakt deel uit van een nog kleiner deel van dat kleine percentage. Dus vraag ik nogmaals: wie ís deze schoft? Wij krijgen helemaal geen grip op hem, terwijl hij, of zij, óns juist heel goed weet te bespelen.'

D.D. wist wat hij bedoelde. 'Ik heb vandaag mijn licht opgestoken in een uitvaartcentrum,' zei ze. 'Ik dacht min of meer hetzelfde: dat we op zoek zijn naar iemand die macabere moorden pleegt, maar die het veel minder om het moorden lijkt te gaan dan om het post mortem verminken van het slachtoffer. Dat bracht me op de vraag of we moeten denken aan iemand die zich meer op zijn gemak voelt bij dode mensen dan bij levende, en dat deed me denken aan mensen die in uitvaartcentra werken.'

'Het Norman Bates-syndroom,' zei Neil.

'Ja. Maar tijdens mijn gesprek met de balsemer benadrukte die juist dat je veel empathie moet bezitten om een uitvaartcentrum met succes te kunnen beheren. En onze moordenaar zou ik niet beschrijven als iemand met veel empathie.'

Neil zuchtte. 'Net als jij heb ik me de hele dag beziggehouden met necrofilie.'

'En dat voor een man die altijd in het mortuarium zit,' zei D.D.

Neil fronste. Hij was duidelijk niet in de stemming voor dergelijke opmerkingen. 'Aan de ene kant lijkt onze moordenaar zich het prettigst te voelen als zijn slachtoffer eenmaal dood is. Aan de andere kant is ook dát nog niet helemaal wat hij wil. Seks komt er niet aan te pas. Hij is dus geen necrofiel, wat, nogmaals, niet wil zeggen dat de dader geen vrouw kan zijn. Ik heb zes dossiers over vrouwelijke necrofielen bestudeerd om er zeker van te zijn dat mijn onderzoek weerzinwekkend genoeg was.'

'En er zijn ook vrouwelijke balsemers,' zei D.D. 'Voor het geval jullie dat niet wisten.'

'En daarmee zijn we terug bij wat Alex zei,' ging Neil door. 'Na twee slachtoffers hebben we nog steeds geen idee wie en wat er achter deze misdaden zit. Als het de moordenaar niet om pijniging, seks of bestraffing gaat, waar gaat het hem dan wel om?'

'Ik denk dat ik die vraag kan beantwoorden,' zei D.D. 'Gezien het ontbreken van pijniging en bestraffing is de moordenaar naar alle waarschijnlijkheid geen bloeddorstig persoon. Ik vermoed zelfs dat hij niets geeft om het moorden op zich. Ik denk dat hij of zij wordt gedreven door een dwangneurose. Door een diepgeworteld verlangen iets toe te voegen aan een unieke en heel persoonlijke, geheime verzameling.'

'Wat voor verzameling?' vroeg Phil.

'Van reepjes mensenhuid.'

Er viel een stilte. Neil trok een vies gezicht. 'Een Ed Gein?' vroeg hij.

Nu trokken ze allemaal een vies gezicht. Ed Gein was een beruchte seriemoordenaar die ooit van mensenhuid een lampenkap had gemaakt.

'Toen ik vandaag probeerde me een voorstelling te maken

van de dader,' zei D.D., 'zag ik hem als een eenzame man met een klein postuur en beperkte sociale vaardigheden. Aangezien hij zijn slachtoffers in hun slaap verrast, verdooft en meteen vermoordt, denk ik dat lucht geven aan misplaatste woede of het bevredigen van bizarre seksuele verlangens niet het primaire doel van de moordenaar is. Waar het hem om gaat, zijn de reepjes huid, die hij heel secuur wegsnijdt. Theoretisch gesproken komt het er dus op neer dat we op zoek zijn naar een sociaal beperkte, moordzuchtige zonderling met een fetisj voor het verzamelen van mensenhuid. Mee eens?'

Iedereen knikte.

Ze ging door: 'Maar dan is er een probleem. Twee problemen eigenlijk. Het eerste: mijn schouder. Alias Melvin.' Ze gaf haar team een korte uitleg over de pijntherapie. 'Het tweede probleem is de mise-en-scène hier in onze slaapkamer. Eerst probleem nummer één. Als ik er voor het gemak van uitga dat onze dader een man is, dan vraag ik: waar haalt een asociale mensenhuidverzamelaar het lef vandaan om terug te keren naar het huis waar hij zijn eerste moord heeft gepleegd? Om onder het afscheidingslint door te kruipen, waarmee hij een enorm risico neemt de aandacht op zichzelf te vestigen, als hij al niet ter plekke gearresteerd zou worden, en om dan ook nog eens een rechercheur van de trap te duwen op een manier die ik me nu niet kan herinneren maar die me in de toekomst vast nog wel duidelijk zal worden? Dat is nogal wat voor iemand die alleen slapende vrouwen aanvalt.'

Alex tuitte zijn lippen. Phil en Neil knikten bedachtzaam.

'Hetzelfde geldt voor de mise-en-scène boven. Opeens forceert deze asociale mislukkeling de voordeur van het huis van een rechercheur? Op klaarlichte dag? Hij regelt speciale kleding en een voertuig om de indruk te wekken dat hij voor een beveiligingsbedrijf werkt, gaat doodgemoedereerd naar binnen en laat een visitekaartje achter op mijn bed? Ik bedoel, hiervoor moet je iemand zijn die gewend is mensen te manipuleren en speltactieken te verzinnen...' Voorzichtig bewoog D.D. haar nu erg koude schouder. 'Het lijkt mij dat de persoon die geniet van dergelijke toneelstukjes en die ons vierkant uitlacht, en de kleine man die zich al gelukkig prijst als hij erin slaagt een slapende vrouw te overmeesteren, niet een en dezelfde persoon zijn. En dus vraag ik me af, mede omdat de slachtoffers niet zijn verkracht en de insluiper zijn signalement zo goed weet te verdoezelen, of degene die wij zoeken niet een vrouw is, een vrouwelijke verzamelaar van mensenhuid.' Ze dacht daarbij onwillekeurig aan Shana Day.

'Als het een vrouw is die andere vrouwen aanvalt, zou er sprake zijn van gelijke krachten,' zei Phil. 'Niet een sociaal beperkte man met een klein postuur en weinig zelfvertrouwen, maar een vrouw die tot alles bereid is om haar dwangneurose te bevredigen. Zo iemand zal er geen moeite mee hebben ook de vrouwelijke rechercheur die zich met het onderzoek bezighoudt aan te vallen. Vooral als genoemde rechercheur dreigt tussen haar en haar hartenwens te komen, namelijk het uitbreiden van haar verzameling.'

'Alleen stond er op het kaartje "*Spoedig herstel!*",' zei Alex. 'Als D.D.'s aanwezigheid een bedreiging is voor de moordenaar, waarom wenst die haar dan beterschap?'

'De moordenaar kan nog altijd een man zijn,' zei Neil. 'Laten we dat vooral niet vergeten.'

'Er brandde geen licht in huis,' zei Phil abrupt. Toen hij een kleur kreeg, begreep D.D. wat hij bedoelde. Het huis waar ze van de trap was gevallen. Het huis waar de eerste vrouw was vermoord. Phil was een van de rechercheurs die haar die avond hadden gevonden. Hij lichtte zijn woorden een beetje onbeholpen toe. 'Toen we aankwamen. Alles was stil en er brandde geen licht. We dachten dat er niemand was. We wisten niet dat jij er was.'

Hij keek D.D. aan. 'Misschien wist de moordenaar ook niet dat jij er was en dacht hij dat de kust veilig was. Maar dat was niet zo.'

'De moordenaar werd door mij verrast,' zei ze zachtjes.

'En heeft jou toen van de trap geduwd,' zei Alex. 'Misschien dacht hij zelfs dat je was doodgevallen. Alleen stond er de volgende dag niets in de krant over een rechercheur die op een plaats delict was omgekomen.'

D.D. keek hem fronsend aan. 'Er stond ook niets in de krant over een rechercheur die gewond was geraakt. Toch? Het feit dat ik gewond ben geraakt en dat "spoedig herstel" dus op zijn plaats is...'

Ze zwegen allemaal toen de betekenis hiervan tot hen doordrong.

D.D. zei het hardop. 'De moordenaar heeft me gevonden. Hij houdt ons in de gaten. Anders kon hij niet weten dat ik geblesseerd ben.'

'Nee,' zei Alex, opeens kordaat.

'Nee?'

'Je bent al zes weken geblesseerd. In al die weken heb je niets gehoord. Tot vandaag. Wat is er de afgelopen vierentwintig uur veranderd? Waar ben je geweest?'

Opeens wist ze het. 'De tweede moord. De nieuwe plaats delict.'

'Waar jij een kijkje bent gaan nemen,' zei hij veelbetekenend.

'Waar ik een kijkje ben gaan nemen,' herhaalde ze.

'De moordenaar was daar,' vulde Phil aan. 'Hij blijft de boel in de gaten houden. Hij wil zien wat er gebeurt. Nog een aantekening voor het dossier.' Hij keek naar Neil. 'De moordenaar is een bespieder. Dat kan voor ons heel gunstig zijn.'

Neil knikte en maakte een aantekening. 'Maar als het hem om zijn verzameling gaat, waarom keert hij dan terug naar de plaats delict? Is dat niet iets wat vooral seksueel sadistische moordenaars eigen is, om de opwinding van de verkrachting nogmaals te beleven?'

'Het kan toch wel om de opwinding gaan,' zei D.D. 'Alleen betreft de opwinding van deze persoon het verzamelen van de huidmonsters. Het gaat hem om de tijd die hij post mortem met het slachtoffer doorbrengt, niet om de moord op zich. Verder gelden dezelfde regels. De dader wil zich alles herinneren, alles in gedachten opnieuw beleven. Dát is wat zijn verzameling zo waardevol maakt: de herinneringen die elk van de huidmonsters opwekt.'

Alex keek haar strak aan. 'Jij maakt er nu deel van uit. Van de fantasieën, de behoeften, de dwangneurose van de dader. Misschien heb je hem of haar de eerste keer inderdaad verrast. En misschien heeft hij daar impulsief op gereageerd door je van de trap te duwen. Maar je kwam terug. Je ging naar de tweede plaats delict, terwijl je officieel niet eens werkt. Je blijft jagen... en dat heeft iets in werking gezet. Het is iets persoonlijks geworden. Jij, D.D., hebt hiervan iets persoonlijks gemaakt.'

Het ontging haar niet, de zweem van blaam, vaag maar voldoende. Eerst was ze vanwege haar werk geblesseerd. Nu had ze vanwege haar speurdersinstinct haar gezin in gevaar gebracht.

'Weten we zeker dat de inbreker en de moordenaar een en dezelfde persoon zijn?' vroeg ze zachtjes, al wist ze dat ze naar de bekende weg vroeg.

Phil bevestigde wat ze al had vermoed. 'De champagne is van hetzelfde merk en daarover heeft niets in de krant gestaan. We beschouwden dat als een kleine overwinning. Dat we erin geslaagd waren dit uit het nieuws te houden.'

'De moordenaar is in ons huis geweest.' D.D. keek Alex aan. 'Een griezel met een obsessie voor het verzamelen van mensenhuid en voor sparren met geblesseerde rechercheurs.'

Ze wilde niet bitter klinken, maar ze kon het niet helpen. Ze wilde ook niet bang klinken, maar faalde jammerlijk.

'Oké, wat voor soort persoon geniet van het verwijderen van reepjes mensenhuid?' vroeg Neil.

D.D. slaakte een diepe zucht. 'Daarover heb ik ook een paar ideeën.'

Ze keken haar vragend aan.

'Laat me jullie voorstellen aan Harry en Shana Day.'

Ze begon met Harry. Stap voor stap legde ze uit hoe hij veertig jaar geleden dood en verderf had gezaaid. Ze vertelde over de vrouwen die hij had ontvoerd, gemarteld en uiteindelijk vermoord. Over zijn obsessie voor het verwijderen van lichaamsdelen, in het bijzonder reepjes huid die hij bewaarde in potjes die hij onder de vloer van zijn klerenkast verborg.

Alex en Neil bleven er nogal lauw onder. Tot D.D. de laatste twee feiten onthulde. Dat Harry Days oudste dochter, Shana, óók een roemruchte moordenares was, die momenteel in het Massachusetts Correctional Institute zat. En nog iets: dat zijn andere dochter niemand anders was dan dr. Adeline Glen, D.D.'s nieuwe pijntherapeut.

'Wat?!' riep Alex uit. 'Dat kan geen toeval zijn. Stel dat het deze arts is die bij ons heeft ingebroken? Ze weet alles over jouw blessure en ze kent de details van beide moorden, omdat je die met haar hebt besproken. En als dochter van een seriemoordenaar heeft ze goede redenen om geobsedeerd te zijn door een rechercheur van moordzaken. Misschien heeft zij je van de trap gegooid, opdat je haar patiënte zou worden.'

D.D. keek geïrriteerd. 'Doe alsjeblieft niet zo paranoïde. Om te beginnen heb ik vanmiddag een uur bij dokter Glen gezeten.'

'Wanneer precies?'

'Van één tot twee.'

'De inbraak was rond halfvier. Ze kan het dus gedaan hebben.'

'Wil je alsjeblieft niet zo overdrijven? Ik ben alleen bij haar in therapie omdat Horgan haar had aanbevolen. Als ik aan mijn val alleen maar een lichte blessure of een ander soort letsel had overgehouden, zou ik haar helemaal niet nodig hebben gehad. Een gestoorde psychiater die mij in het huis waar een moord is gepleegd van de trap zou hebben geduwd om me als patiënt te krijgen... dat is wel erg vergezocht.'

'Maar dat Horgan haar heeft aanbevolen,' zei Alex volhardend, 'betekent dat het Boston PD haar kent en al vaker gebruik heeft gemaakt van haar diensten. Dan is het heel aannemelijk dat een recentelijk geblesseerde rechercheur naar haar toe zou worden gestuurd.'

D.D. keek hem nijdig aan.

'Is ze psychiater of psycholoog?' vroeg Phil.

'Psychiater.'

'Dus is ze ook arts. Ze heeft medicijnen gestuurd, stages gelopen, et cetera.' Hij hoefde er niet bij te zeggen dat ze dus met een scalpel kon omgaan.

D.D. wilde er iets tegen inbrengen. Ze mocht haar nieuwe therapeut graag. Adeline Glen was intelligent, sterk, uitdagend. Ze was ook... boeiend. Ze deed zich wel zo kalm en beheerst voor, maar ze had iets eenzaams, al leek ze zich in haar isolement te hebben geschikt. D.D. had gedacht dat het heerlijk zou zijn als je geen pijn kon voelen, zeker nu. Maar na haar gesprek van vandaag met dr. Glen en de blik die haar was gegund in de wereld van deze vrouw, dacht ze daar anders over. Adeline Glen zou altijd apart van iedereen staan. Ze kon haar medemensen bestuderen, maar nooit zijn zoals zij.

En dat wist ze.

'Kunnen we even een stapje terugdoen?' vroeg Neil. Hij woelde door zijn dikke, rode haar. 'De dader kan een man of een vrouw zijn. Een balsemer, die gewend is aan lijken, een jager, die bekend is met villen, zelfs een psychiater, die ook arts is. Het is allemaal mogelijk. Maar wat ik niet heb begrepen, is dat je zei dat deze moorden iets te maken kunnen hebben met een man die al veertig jaar dood is. Of liever gezegd: met zijn nog levende dochters.'

Phil knikte. 'Ja, dat kan ik ook niet volgen.'

'Ik zeg niet dát ze iets met elkaar te maken hebben,' legde D.D. uit. 'Ik zeg alleen dat we bepaalde vragen moeten stellen.

Kijk, het VICAP is opgericht om overeenkomsten in de modus operandi van moordenaars op te sporen en volgens het VICAP past Harry Day in het profiel van de huidige moordenaar. Aangezien Day al veertig jaar dood is, is duidelijk dat hij onze huidige moordenaar niet persoonlijk assisteert. Maar we leven in een wereld waarin informatie niet alleen voor het opscheppen ligt, maar waar ook honderden, zo niet duizenden websites bestaan die de daden van seriemoordenaars verheerlijken. Dat brengt ons op de vraag of onze asociale moordenaar een fan van Harry Day is. Of hij zich in hem heeft verdiept, alles over hem heeft gelezen, ook over de potjes met geconserveerde mensenhuid, en of zijn abnormale psychopatenbrein toen heeft gedacht: dat wil ik ook!'

'Hij zag in Harry Day een zielsverwant,' zei Alex ten overvloede.

'We zien dit vaker,' zei D.D. Ze dacht aan het argument van dr. Glen: als je genoeg kromme takjes verzamelt, vind je er altijd wel een paar die dezelfde kromming hebben.

'Heeft Harry Day een eigen website?' vroeg Neil.

'Dat weet ik niet. Ik heb geen tijd gehad om dat op te zoeken. Maar er is nog iets. Als de moordenaar alles heeft gelezen wat er over Harry Day beschikbaar is, moet hij de naam van zijn dochter zijn tegengekomen, Shana Day. Hij kan aan Harry niets meer vragen over zijn techniek. Shana daarentegen...'

'Misschien heeft hij geprobeerd contact met haar op te nemen in de gevangenis,' zei Phil. Hij maakte een aantekening.

'Alweer iets wat we moeten navragen.'

'Hoe zit het met jouw pijntherapeut?' vroeg Alex, uiterst geconcentreerd. 'Hebben fans van haar vader met háár contact opgenomen?'

'Zij zegt van niet. Haar achternaam is trouwens niet Day, maar Glen. De moordenaar heeft dus iets dieper moeten graven om erachter te komen dat ze familie zijn. Maar als de drijfveer van de moordenaar het puur persoonlijke aspect van het conserveren van mensenhuid is, dan heeft hij geen reden om contact te zoeken met Adeline. Shana daarentegen zou een goede bron van informatie zijn, aangezien zij, zoals bekend, haar eerste slachtoffer gedeeltelijk heeft gevild. Voor zover dr. Glen weet, ontvangt haar zus geen bezoek en beantwoordt ze geen brieven. Maar ik weet niet hoe zeker ze daarvan is. En of haar zus geen dingen voor haar achterhoudt.'

'We moeten Shana dus ondervragen,' zei Phil.

'Dr. Glen zei dat ze ons daarbij graag wil assisteren,' zei D.D.

'En daar wil jij zeker bij zijn?' Alex staarde haar aan. Zijn vraag was eigenlijk geen vraag.

'Als Horgan het goed vindt.'

'Waarom?'

'Daarom. Omdat het mijn werk is en ik er goed in ben. En omdat ik me niet herinner wat er die avond is gebeurd, zelfs niet of ik van de trap ben geduwd door een man of een vrouw of een geslachtloze *alien*. En omdat er twéé vrouwen zijn vermoord en ik volledig in het duister tast, terwijl de moordenaar in ons huis heeft rondgelopen en een lange neus naar ons trekt.' Ze ging steeds sneller praten, al was dat niet haar bedoeling. 'Stel dat het de volgende keer geen fles champagne is? Stel dat hij of zij de volgende keer een aandenken aan zijn of haar misdaad op onze kussens achterlaat? Reepjes mensenhuid in ons bed legt? Het zal alleen maar erger worden, Alex. Wat is de eerste regel die we leren over seriemoordenaars?'

'Dat ze steeds vaker en steeds sneller achter elkaar slachtoffers maken.'

'Precies. Steeds vaker en steeds sneller achter elkaar. En kijk nu even naar mij. Naar mijn klote-schouder. Kijk naar ons huis, waar wij, en dat weet jij net zo goed als ik, vanavond niet zullen slapen. Dit is mijn leven. Mijn gezin. Ik kan niet eens een pistool laden. Ik kan helemaal niks en het is mijn eigen schuld... Verdomme!' Haar stem werd schor. 'Verdomme!'

'We laten je huis uiteraard bewaken,' zei Phil stijf.

Ze knikte zonder op te kijken.

'En we hebben nu veel waar we mee kunnen werken.' Neil probeerde haar een hart onder de riem te steken. 'Dit zijn allemaal goede aanwijzingen. Vanwege de publiciteit zal Horgan er meer mensen op zetten. Deze moordenaar moet zo snel mogelijk worden gepakt.'

D.D. knikte weer. Ze bleef naar de vloerbedekking staren.

Alex kwam in beweging. Hij liep naar haar toe en legde zijn hand op haar rechterschouder. Dat veroorzaakte een pijnscheut in haar linkerarm, maar ze dwong zichzelf geen pijnlijk gezicht te trekken.

'Ons gezin, D.D.,' zei hij vastberaden. 'Wíj gaan dit aanpakken. Samen. Zij aan zij. Met drie gezonde armen zullen wij het opnemen tegen alle mannelijke, vrouwelijke en onzijdige misdadigers. Want dat is waar wij goed in zijn.'

'Ik kan mijn arm nog steeds niet bewegen,' fluisterde ze.

Hij gaf geen antwoord, maar kuste haar boven op haar hoofd. Ze sloot haar ogen en wenste dat dat genoeg was.

Maar het was niet genoeg.

Een moordenaar had in D.D.'s huis rondgelopen. Ze had geen behoefte aan de liefde van haar man en de bescherming van haar team.

Ze had behoefte aan wraak.

HOOFDSTUK 15

Eindelijk bereikte ik de veilige haven van de luxueuze torenflat waar ik woonde. Met mijn grote, leren tas over mijn linkerschouder liep ik door de hal naar de liften, diep in gedachten over de laatste zelfmoordpoging van mijn zus en het gesprek met rechercheur Warren over mijn misdadige familie. Twee moordenaars in één gezin. Een onaangenaam erfgoed van dood en verderf. In gedachten hoorde ik mijn adoptievader zeggen: 'Adeline, in elke familie is men in staat anderen leed te berokkenen, maar in jouw familie in het bijzonder.'

Kon ik maar even met hem praten. Ik geloof dat ik nooit volledig heb beseft wat een reddingsboei zijn nuchtere, analytische persoonlijkheid voor mij was. Toen hij stierf, raakte ik op drift. De welopgevoede, ambitieuze psychiater ging plotseling op bezoek bij haar zus in de gevangenis. De succesvolle jonge vrouw maakte er plotseling een gewoonte van op het vliegveld rond te hangen met een scalpel en een sierlijke flacon in haar tas.

De twee recente moorden. Een moordenaar die mensenhuid verwijderde. Betekende het iets? Kón het iets betekenen?

Ik stapte in de lift terwijl deze gedachten in mijn hoofd woelden. De lift begon te stijgen. Ik begon te denken aan dingen waar ik beter niet aan kon denken. De liftdeur schoof open. Ik maande mezelf niet regelrecht naar mijn kleedkamer te gaan en de losse vloerplanken eruit te tillen om te controleren of alles in orde was met mijn kostbare verzameling. In plaats daarvan kon ik beter yoga doen, of een glas wijn inschenken en een bezigheid zoeken die geschikt was voor een hoogopgeleide, succesvolle vrouw als ik.

Ik liep naar de deur van mijn appartement, brandend van verlangen te gaan doen wat ik niet mocht doen.

Een gedaante maakte zich los uit de schaduw. Opeens stond er een man voor mijn neus.

'Dr. Adeline Glen?'

Instinctief klemde ik mijn hand om het hengsel van mijn tas. Ik wist nog net een kreetje te onderdrukken.

'Wie bent u? Wie heeft u binnengelaten?'

Zijn glimlach leek meer op een grimas. 'Te oordelen naar het nieuws van vanochtend is dat het laatste waar u zich zorgen over dient te maken.'

Hij heette Charlie Sgarzi. Hij was de journalist die volgens directeur McKinnon de afgelopen drie maanden brieven had geschreven aan mijn zus. De neef van Donnie Johnson, de twaalfjarige jongen die Shana had vermoord. Maar dat zei hij er niet bij.

'Ik heb een paar vragen,' zei hij. 'Over uw zus, Shana Day, en over de moord op Donnie Johnson.'

'Dan bent u bij mij aan het verkeerde adres.'

Hij keek me zwijgend aan. Hij had een donker uiterlijk en kleine, donkere ogen en hij was niet erg lang, maar zwaargebouwd. Ik kreeg de indruk dat hij behoorlijk intimiderend kon zijn als hij dat wilde. De vraag was of hij dat wilde.

'Dat denk ik niet,' zei hij toen. 'Een psychiater die eens in de maand naar het MCI gaat om met haar zus te praten, kan mij vast heel veel over haar vertellen.'

Ik schudde mijn hoofd. 'Dat hebt u mis.'

'Maar ik mag toch zeker wel even binnenkomen?'

'Nee.'

Hij fronste en keek nu een beetje boos. En gefrustreerd, omdat dit gesprek duidelijk niet verliep zoals hij had gepland. En er was nog iets. Ik kon het niet precies definiëren, maar het was alsof zich nog een andere, dreigende, krachtige emotie in hem begon te roeren.

Hij zuchtte, haalde zijn handen uit de zakken van zijn Dick Tracy-achtige trenchcoat en spreidde ze in een smekend gebaar.

'Toe nou. Kom me een beetje tegemoet. Uw zus was de eerste veertienjarige die als volwassene werd berecht. Tegenwoordig staat het nieuws bol van verderfelijke tienermoordenaars, maar Shana... wat zij de twaalfjarige Donnie heeft aangedaan... dat was wereldschokkend. U kunt mij niet wijsmaken dat u er nooit aan denkt. U kunt mij niet wijsmaken dat het feit dat zij uw oudere zus is geen invloed heeft gehad op uw leven.'

Ik zei niets. Ik liet de hand waarmee ik het hengsel van mijn tas omklemde alleen iets zakken. Als ik mijn sleutelbos uit de tas haalde en een sleutel in zijn halsslagader of in zijn oog stak, zou dat dan worden opgevat als een daad van een vrouw die zich probeerde te verdedigen? Of zou het alleen bewijzen dat ik net zo gewelddadig was als de rest van mijn familie?

'Geeft u zoveel om uw zus?'

Ik bleef zwijgen.

'U bent niet samen met haar opgegroeid. Ú hebt geluk gehad.' Hij bewoog zijn lichaam iets naar achteren. Bij me vandaan, besefte ik, alsof hij wist wat er door mijn hoofd ging. 'Ik heb veel over u gelezen,' ging hij nonchalant door. 'Geboren in een familie van misbaksels, maar toch geslaagd. Behept met een zeldzame aandoening, maar door een rijke man geadopteerd. Petje af. Daarom alleen al moet uw zus u haten.'

Hij keek me indringend aan. Ik bleef zwijgen.

'Is het waar dat u geen pijn voelt?'

'Sla me. Dan merkt u het vanzelf.'

Daar had hij niet van terug. Ik had zijn bluf doorzien en opeens leek hij niet meer zo zelfverzekerd. Zijn schouders zakten en ik kon bijna zien hoe de radertjes in zijn hoofd draaiden om de nieuwe situatie in te schatten. Toen rechtte hij zijn rug en zag ik zijn besluitvaardigheid terugkeren. Hij moest en zou mij aan het praten krijgen. Omdat mijn zus hem herhaaldelijk had afgepoeierd? Omdat hij dacht dat hij via mij dichter bij haar kon komen? Of omdat hij werd gedreven door een andere, duistere beweegreden?

'Was u blij dat de gevangenbewaarders haar vanochtend nog net op tijd hadden gevonden?' vroeg hij, opeens bijna gemoedelijk, alsof we buren waren die samen aan een kopje koffie zaten. 'Of toch wel een beetje teleurgesteld? U kunt het mij rustig vertellen. Echt, zo'n succesvolle vrouw als u, opgezadeld met zo'n probleemgeval als Shana. Iedereen zou daar begrip voor hebben. Ik in elk geval.'

'Hoe maken uw oom en tante het?' vroeg ik kalmpjes. 'Ze hebben het vast niet makkelijk nu de dertigste gedenkdag van de moord op hun zoon nadert.'

Sgarzi's gezicht verstarde. Al zijn moeite ten spijt had ik als eerste een punt gescoord. Er gleed een trilling over zijn gezicht. Vaag, maar veelzeggend. En toen wist ik wat het was, die onderstroom van emotie die net zo tastbaar om hem heen hing als zijn te ruime regenjas: verdriet. Charlie Sgarzi was niet boos. Na dertig jaar ging hij nog steeds gebukt onder wat er die avond was gebeurd, leed hij nog steeds onder wat mijn zus had gedaan.

Mijn triomf verloor zijn glans.

'Ze zijn dood, maar bedankt voor uw belangstelling.' Hij klonk weer gewoon, bijna nonchalant.

'En de rest van de familie?'

'Dit gaat niet over hen. Dit gaat over úw familie. Ik heb nog steeds geen antwoord op mijn vraag.'

'Míjn vraag is net zo relevant. Ik kende mijn zus niet toen ze uw neef vermoordde. U kende haar. En dus heeft haar daad waarschijnlijk meer invloed gehad op úw leven dan op het mijne.'

'Donnie was een goeie jongen.'

Ik wachtte.

'Hij mocht haar graag. Heeft ze u dat verteld? Praat ze over hem als u bij haar op bezoek bent?'

Ik bleef geduldig wachten. Charlie leek op dreef te komen. En inderdaad...

Opeens barstte hij los. 'Ik heb brieven gevonden!' Emoties trokken over zijn gezicht. Woede, verdriet, ongeloof. Een heel rouwproces dat zelfs na dertig jaar nog in hem leefde, omdat rouw je dat kan aandoen. Omdat mijn zus je dat kan aandoen. 'Er lag een stapeltje brieven achter in de onderste la van het bureau van mijn oom. Weet u wat voor brieven? Liefdesbrieven. Liefdesbrieven van uw zus aan mijn neef. Twaalf was hij! Een eenzaam jongetje zonder vrienden. Opeens zei het oudere, wereldwijze buurmeisje wat een mooie fiets hij had en dat ze wel eens samen iets konden doen. Natúúrlijk is hij gegaan toen ze met hem had afgesproken achter de seringen. Ze heeft hem niet alleen vermoord. Ze heeft hem naar zijn dood gelokt.'

'Bloed is liefde,' mompelde ik, maar Sgarzi luisterde nu niet naar mij. Hij begon rusteloos te ijsberen.

'Mijn tante is zijn dood nooit te boven gekomen. Ze is aan de drank geraakt en na tien jaar lag ze zelf in het graf. Zelfs mijn moeder kon haar niet redden. Weet u waarom? Omdat de nabestaanden van het slachtoffer niets dan leugens op de mouw wordt gespeld. Dat het op den duur beter zal gaan. Dat de tijd alle wonden heelt. Blabla. Dertig jaar. Dertig jaar, goddomme! Een halfjaar geleden heeft mijn oom zijn dienstpistool gepakt en zichzelf door zijn kop geschoten. Uw zus heeft niet alleen mijn neefje vermoord. Ze heeft mijn hele familie kapotgemaakt. En nu ik een paar vragen heb, zou u op zijn minst zo beleefd kunnen zijn die te beantwoorden.'

'Waarom?'

'Waaróm?' Hij staarde me verbijsterd aan. Zijn donkere gezicht leek uit steen gehouwen.

'Het is dertig jaar geleden gebeurd,' zei ik rustig. 'Wat ik ook zou zeggen, er zal voor uw familie niets veranderen.'

'Luister. Mijn neef is dood. Mijn oom en mijn tante zijn dood. Mijn moeder is in een kluizenaar veranderd die niet eens pizza durft te bestellen omdat je maar nooit weet wat voor figuur de bezorger is. Ik wil een gesprek, oké? Ik wil een exclusief interview met een van de beruchtste moordenaressen van Massachusetts. Shana heeft mijn neef vermoord, zijn oor afgesneden, de huid van zijn armen gestroopt... Ik wil een boekcontract van zeven cijfers. Misschien staan we dan eindelijk quitte.'

Hier keek ik van op. 'Wilt u de moord op uw neef uitbuiten om rijk te worden?'

'Niet om rijk te worden. Ik heb het geld nodig voor thuiszorg voor mijn moeder. Ze heeft kanker en ze wil niet weg uit het huis dat mijn vader voor haar heeft gebouwd. Ik verdien als blogger niet genoeg om adequaat voor mijn moeder te kunnen zorgen. Maar een boekcontract... Het verhaal van een insider over wat uw zus heeft gedaan, wat ze mijn familie heeft aangedaan... Er is een goede markt voor *true crime*. Vooral als het boek is geschreven door de neef van het slachtoffer en als het een exclusief interview bevat met een zo beruchte moordenares als Shana Day. Ik heb mijn licht al opgestoken bij een aantal uitgeverijen. Er is belangstelling voor. Geef me een halfuur met uw zus, zij en ik, onder vier ogen, dan kan mijn moeder hopelijk zonder verdere zorgen sterven. Mijn neefje was een goeie jongen. Hij zou zijn tante graag willen helpen. Dus... wat kunt u hier in godsnaam op tegen hebben?'

'Meneer Sgarzi, u gaat ervan uit dat mijn zus zal doen wat ik zeg. Dat zij, nadat ze al uw verzoeken heeft genegeerd, opeens van gedachten zal veranderen omdat ik dat wil. Om het maar heel bot te zeggen: zo'n relatie heb ik niet met haar.'

Charlies houding veranderde weer. Ik zag opnieuw de man die weigerde zich van zijn voornemens af te laten brengen. Hij zat niet alleen met het opgekropte verdriet, besefte ik nu, maar hij maakte zich ook enorm veel zorgen over de gezondheid van zijn moeder.

'Dwing haar,' zei hij.

Ik staarde hem aan.

'Wat kijkt u nou? U bent niet alleen haar zus, u bent ook psychiater. Zeur dus niet en zorg ervoor dat Shana zal doen wat u zegt.'

'U bedoelt net zoals u hebt geprobeerd haar daartoe te dwingen met uw hardnekkige briefschrijverij? Wat heeft dat uiteindelijk ook alweer opgeleverd?'

'Het is belangrijk. Niet voor mij, maar voor mijn moeder. Gaat u dit voor ons regelen, ja of nee?'

'Meneer Sgarzi...'

'Vraag haar naar de Rose Killer.'

Voor de tweede keer op één dag stokte mijn ademhaling. 'Pardon?'

'U weet heel goed waar ik het over heb. De nieuwe moorden, de psychopaat die reepjes huid verwijdert. U kunt mij niet wijsmaken dat het geen herinneringen oproept aan uw vader.'

Ik zei niets, omdat ik mijn stem niet vertrouwde.

'Hoe weet zo'n moordenaar hoe dat moet?' peinsde Sgarzi spottend. 'Hoe weet hij hoe je de huid van een vrouw het best kunt wegsnijden, in zulke keurige lengterepen? En hoe weet hij hoe je die reepjes dan kunt conserveren, opdat de herinneringen eeuwig zullen blijven bestaan? Het lijkt wel alsof hij dat van een insider heeft geleerd.'

'Denkt u dat mijn zus, die al bijna dertig jaar in de gevangenis zit, iets met deze moorden te maken heeft?' vroeg ik fel.

'Ik denk dat uw zus al jaren een loopje met u neemt. U zit elke maand een uur tegenover elkaar, maar u hebt haar nooit de juiste vragen gesteld. U wacht en wacht tot uw zus uit zichzelf over de brug zal komen. Waar bent u bang voor? U kunt niet eens pijn voelen. Wat hebt u te vrezen?'

'Ik weet niet wat u...'

Hij sprak nu heel zacht. 'Trek die fluwelen handschoenen uit. Zeg tegen Shana dat het tijd is dat ze gaat meewerken. Ze weet meer dan u denkt.'

'Hoe weet u dat?'

'Omdat ik niet alleen Shana heb geschreven, maar ook andere gedetineerden, van wie er twee inmiddels weer op vrije voeten zijn. En de verhalen die zij vertellen, over Shana, over dingen die zij weet terwijl zij die onmogelijk kan weten. Ze heeft een handlanger, een partner, maar ik weet niet wie. Ze kwijnt niet weg in haar cel, zoals u schijnt te denken. Zelfs na al die jaren zet ze haar werk nog steeds voort.'

'Bewijs het.'

'Wilt u bewijs? Vraag dan wat ze met die twee gevangenbewaarders heeft gedaan. Wat ze precies heeft gedaan en hoe ze het precies heeft gedaan. Denkt u dat u geen pijn kunt voelen, dr. Glen? Ik denk dat uw zus u zal laten zien dat het tegengestelde waar is.'

Opeens liep hij weg. Met grote stappen haastte Charlie Sgarzi zich naar de lift.

Ik bleef als aan de grond genageld staan. Ik zag het neerwaartse pijltje knipperen, de liftdeuren openschuiven, de journalist in de lift stappen en uit het zicht verdwijnen.

Mijn handen trilden toen ik mijn tas over mijn arm liet glijden en mijn sleutels eruit viste.

Ik probeerde mezelf gerust te stellen. Het was maar een journalist. Een man die zomaar wat zei om een boek te kunnen schrijven, die een slaatje wilde slaan uit de tragedie die zijn familie was overkomen.

Maar ik slaagde er niet in mijzelf daarvan te overtuigen. Eerst de zelfmoordpoging van mijn zus, toen de krantenartikelen waarin mijn vaders misdaden van veertig jaar geleden werden gelinkt aan de twee recente moorden, en nu dit.

O, Shana, dacht ik, toen ik eindelijk mijn veilige flat binnenging. Wat heb je gedaan?

HOOFDSTUK 16

Het telefoontje kwam tijdens het ontbijt. Alex nam op. Ze zaten tegenover elkaar aan tafel en deden net alsof het een doodgewone ochtend was. Ja hoor, ze hadden heel goed geslapen, veilig en wel in hun eigen huis. Nee hoor, ze waren niet geschrokken van vreemde geluiden. Ze waren zelfs niet midden in de nacht opgestaan om nog een keer te controleren of de deuren op slot waren, en of het alarm was ingeschakeld, en of de Glock 10 van Alex nog op zijn nachtkastje lag.

Ze waren beroeps. Ze raakten niet overstuur van het idee dat er een moordenaar in hun slaapkamer was geweest en daar dezelfde cadeautjes had achtergelaten als bij de vrouwen die hij had gevild.

Om twee uur 's nachts had D.D. gezegd, terwijl ze met wijd open ogen naar het plafond lag te staren: 'We moeten hem een naam geven. Net zoals Melvin.'

'De insluiper die hier is geweest? Wil jij die een naam geven?'

'Ja. Omdat hij ons zo dwarszit. Of zíj. Snap je wat ik bedoel? We weten niet eens of het een man of een vrouw is en ik heb geen zin om aldoor "hij of zij of het" te moeten zeggen. Daarom moet hij of zij of het een naam krijgen. Misschien kunnen we hem of haar of het dan ook beter de baas, net zoals bij Melvin.'

Alex dacht na. 'Wat dacht je van Bob?'

'Bob? Zoals in SpongeBob? Wil jij iemand die we ervan verdenken een seriemoordenaar te zijn vernoemen naar de favoriete tekenfilmfiguur van onze zoon?'

'Ja. Bob klinkt erg vermoordbaar. Hoe kun je een Bob níét willen vermoorden?'

D.D. dacht er vijf minuten over na. 'Wat dacht je van Pat? Net zo vermoordbaar, maar onzijdig, wat gezien de aard van de zaak beter is. Bob impliceert iets wat we nog niet weten.'

'Pat. Voor Patrick of Patricia,' peinsde Alex. 'Ja, goed idee.'

'Dan houden we het op Pat. Melvin, dit is Pat. Pat, dit is Melvin. En lazer nou allebei maar op.'

Alex had haar hand gepakt. En zo waren ze zwijgend blijven liggen, klaarwakker, zij aan zij in hun schemerige slaapkamer, starend naar het plafond.

Nu was het een paar minuten voor acht. Alex nam op, luisterde en gaf de telefoon aan D.D.

'We hebben toestemming om Shana Day te ondervragen,' zei Phil zonder plichtplegingen.

'Wanneer?'

'Vandaag. Om negen uur.'

'Waar?'

'In het MCI.'

'Wie?'

'Haar zus moet erbij zijn – dat heeft Shana bedongen – plus één rechercheur.'

'Niet Neil,' zei ze meteen.

'Natuurlijk niet. Ze zou niets van hem heel laten. Ik ga zelf.'

'Als begripvolle vaderfiguur?'

'Ik zie wel.' Phil aarzelde. 'Jij zou het moeten doen,' zei hij toen. 'Denk niet dat ik dat niet weet.'

'Ik zou het moeten doen,' herhaalde D.D. 'Ze zal niet onder de indruk raken van een begripvolle vaderfiguur. Begrip is in haar wereld een teken van zwakte en ze had het altijd op mannen gemunt.'

'Ik heb het nog aan Horgan gevraagd...'

'Ik ben met ziekteverlof, dus het mag niet. Ik weet er alles van.'

'Wil je toch mee? De verhoorkamer heeft een confrontatiespiegel. Je kunt er niet bij zitten, maar je kunt wel kijken en luisteren.'

'Natuurlijk wil ik mee. Heb je haar dossier gelezen?'

'Ik zet het net op mijn scherm.'

'Doe geen moeite. Ik heb gisteravond alles over haar en Harry Day gelezen. Je hoeft maar één ding te onthouden.'

'En dat is?'

'Bloed is liefde. En als vaderfiguur zul je moeten bewijzen dat je heel veel van haar houdt.'

Alex hielp haar met douchen en aankleden. Ze had niet gedacht dat ze zo nerveus zou zijn. Haar vingers trilden en ze had bijna geen erg in de pijn in haar arm en schouder. Alleen toen ze met Alex' hulp haar linkerarm in de mouw van haar bloes stak, moest ze zich verbijten.

'Ik doe liever het omgekeerde,' zei hij toen hij de bloes dichtknoopte. 'Dit druist tegen mijn natuur in.'

Ze glimlachte, maar was er met haar gedachten niet bij.

'D.D., ze is een doodgewone moordenares. Hoeveel moordenaars heb jij door de jaren heen ondervraagd?'

'Tientallen.'

'Nou dan. En zij zit in de gevangenis, wat wil zeggen dat ze er niet eens erg goed in is.'

'Ze was veertien. Nog niet oud genoeg en zeker niet gewiekst genoeg om haar sporen uit te wissen.'

'Ze is een doodgewone moordenares,' herhaalde hij.

Ze knikte, maar ze wisten allebei dat het niet uitmaakte wat hij zei. En toen kwam Phil, die nog nerveuzer was dan zij. Alex bekeek hen hoofdschuddend.

'Twee rechercheurs,' zei hij, 'die veel intelligenter, ervarener en bekwamer zijn dan die vrouw. Vooruit, ga haar uithoren zodat we Pat kunnen grijpen.'

'Pat?' vroeg Phil.

'Lang verhaal,' antwoordde D.D.

'Perfect,' zei hij nerveus. 'Dat kan ik wel gebruiken.'

Adeline stond in de hal van de gevangenis op hen te wachten. Sober gekleed. Donkerbruine broek. Blauwe kasjmieren trui. Meer de gerespecteerde psychiater dan de liefhebbende zus, vond D.D. Zette ze zich schrap voor wat ongetwijfeld een opmerkelijk gesprek zou worden?

De psychiater kwam naar hen toe, gaf hun een hand en legde uit dat de reglementen van de gevangenis voorschreven dat ze sieraden, tassen, dassen en andere accessoires in een kluisje moesten leggen. Phil moest ook zijn pistool achterlaten. In het Massachusetts Correctional Institute mochten zelfs de gevangenbewaarders geen vuurwapen dragen, om te voorkomen dat een gedetineerde zich daar meester van zou maken.

D.D. zag dat Adeline haar SOS-armband wel omhield. Dat mocht blijkbaar omdat ze zo'n uitermate zeldzame aandoening had. Als haar iets overkwam, moesten de hulpverleners weten dat de patiënt niet in staat was pijn te voelen en dus geen goed oordeel kon geven over haar conditie. Nog afgezien van het probleem van oververhitting. Als Adeline op een warme zomerdag zou flauwvallen...

D.D. was benieuwd of mensen haar vaak vroegen waarom ze die armband droeg. En of Adeline die vraag dan gewillig en naar waarheid beantwoordde.

Toen ze hun persoonlijke eigendommen hadden opgeborgen, kwam er een oogverblindend mooie vrouw met een donkere huid en prachtig hoge jukbeenderen naar hen toe. Adeline stelde haar aan hen voor. Directeur Kim McKinnon. Ze begeleidde hen door het metaaldetectorpoortje en een lange, smalle gang naar de verhoorkamer, waar Shana al zat.

'Ze is nog niet helemaal hersteld van het incident van gisteren,' zei McKinnon terwijl ze in snel tempo door de saaie, witte gang liepen. 'Vanwege het bloedverlies wordt ze gauw moe. Ik raad u dan ook aan snel ter zake te komen, zolang ze voldoende energie heeft om antwoord te geven op uw vragen.'

'Heeft ze zich gesneden?' vroeg D.D.

De directeur knikte.

'Was het een serieuze zelfmoordpoging?'

'Zo serieus dat ze gestorven zou zijn als we een paar minuten later waren gekomen.'

'Heeft ze dit vaker gedaan?'

'Shana lijdt aan een antisociale persoonlijkheidsstoornis en is bovendien zwaar depressief. Ze haat niet alleen u, ze haat ook zichzelf, begrijpt u?'

'Leuk,' mompelde D.D. 'Hoe lang kent u haar nu?'

'Tien jaar. Sinds mijn aanstelling als directeur van deze gevangenis.'

'Vindt u dat u haar aankunt?' vroeg D.D. nieuwsgierig.

De directeur trok één elegante wenkbrauw op. 'Wie denkt Shana aan te kunnen, is dom. Shana is zo intelligent dat ze zichzelf in de weg zit, en ze verveelt zich zo dat ze voor ieder ander een gevaar is.'

'U klinkt alsof u een zekere mate van respect voor haar hebt.'

De directeur dacht daar even over na. 'Shana is op veertienjarige leeftijd opgesloten,' zei ze toen. 'Ze heeft slechts één derde van haar leven tot nu toe in vrijheid doorgebracht. Laat ik het zo zeggen: ik heb de leiding over deze gevangenis, maar Shana is hier de expert. Ik acht haar tot alles in staat en houd daar voortdurend rekening mee. Daarom is er sinds ik hier ben aangesteld geen enkele bewaker vermoord.'

De directeur zei dat laatste heel nuchter, maar het herinnerde hen er op weinig subtiele wijze aan waar Shana toe in staat was. Phil, die aan de andere kant van de directeur liep, keek nu een beetje benauwd.

Ze hadden hun bestemming bereikt. Een groot raam bood zicht op een verduisterde kamer.

Phil pulkte aan een stroopnagel aan zijn linkerduim. Adeline keek met een neutrale blik recht vooruit. Haar pokerface, dacht D.D. Wat ze er ook van mocht vinden dat ze haar eigen zus moest ondervragen over de twee recente moorden, ze hield haar gedachten, gevoelens en emoties goed verborgen.

De verhoorkamer was uitgerust met een audiosysteem. McKinnon gaf Phil een oordopje, zodat ze contact met hem konden houden als hij in de kamer zat. Dankzij het audiosysteem zouden zij en D.D. bovendien kunnen horen wat er in de kamer werd gezegd.

Phil en Adeline zouden naar binnen gaan. D.D. en de gevangenisdirecteur zouden vanachter de ruit toekijken. Shana had recht op de aanwezigheid van haar advocaat, maar had dat van de hand gewezen.

Directeur McKinnon wierp een blik op Adeline, die apart van de anderen stond, en keek toen Phil indringend aan.

'Bent u er klaar voor?' vroeg ze hem.

'Ja.'

'Als u een pauze wilt houden, kunt u de kamer gewoon verlaten. Daar bent u helemaal vrij in. Alleen zíj is verplicht te blijven zitten.'

Het peppraatje leek te helpen. Phil keek iets minder nerveus. Hij knikte.

Directeur McKinnon stak haar hand uit en draaide een lichtschakelaar om. In de kamer kwam Shana Day in zicht, gekleed in een oranje gevangenispak. Ze zat aan een kleine tafel met haar geboeide handen ineengeslagen op het tafelblad.

Ze hief langzaam haar hoofd op toen Adeline de deur opendeed en als eerste naar binnen ging.

Op het eerste gezicht was Shana niet wat D.D. zich van haar had voorgesteld. Online stonden alleen oude zwart-witfoto's van de rechtszaak van bijna dertig jaar geleden, maar omdat Adeline zo'n slanke schoonheid was en omdat Shana altijd jongens naar zich toe had weten te lokken, had D.D. gedacht dat de veertienjarige moordenares zou zijn uitgegroeid tot een aantrekkelijke brunette. Maar dat was ze in de verste verte niet.

Ze had dof lichtbruin haar dat in ongelijke pieken tot op haar schouders hing. Een vale huid, donkere ogen met gezwollen oogleden, ingevallen wangen, en een norse trek rond haar mond. Het oranje gevangenispak kon niet verbloemen dat ze erg mager was, knokig zelfs. Dertig jaar gevangenschap had erin gehakt en aan de blik in Shana's ogen was te zien dat ze zich daarvan bewust was.

Ze keek niet naar de deur toen Adeline en Phil binnenkwamen, maar hield haar blik gericht op de confrontatiespiegel, alsof ze wist dat D.D. en de directeur van de gevangenis daarachter stonden.

En toen glimlachte ze.

Het was een veelbetekenend glimlachje dat D.D. kippenvel bezorgde.

'Shana Day?' Phil liep naar de tafel. 'Mijn naam is Phil. Ik ben rechercheur bij het Boston PD.'

Ze negeerde hem.

'Uw zus is er ook, op uw verzoek. Directeur McKinnon heeft u uitgelegd dat ik een paar vragen heb over recentelijk gepleegde moorden.'

Zonder op een reactie te wachten trok Phil een van de stoelen bij de tafel vandaan en ging zitten. Adeline bleef tegen de deurpost geleund staan en sloeg haar armen over elkaar. Ze speelde een bijrol, besefte D.D. Ze deed haar best Phil de hoofdrol te laten spelen.

Shana verwaardigde zich nu naar Phil te kijken. Ze liet haar blik over hem heen gaan, bromde iets en keek toen naar haar zus.

'Mooie trui. Ik hou van die tint blauw,' zei ze. 'Kasjmier?'

'Hoe is het met je?' vroeg Adeline.

'Maakt dat iets uit?'

'Denk jij dat ik dit nog steeds alleen uit beleefdheid vraag?'

'Ik denk dat jij liever ergens anders zou zijn. Ik denk dat je zou willen dat je niet geadopteerd was; dat die geneticus je biologische vader was en dat je geen zus had.'

'Wat heb jij een medelijden met jezelf op de vroege morgen,' zei ze kalmpjes.

'*Fuck you*,' zei Shana, maar het klonk niet gepassioneerd. Het klonk somber. De depressiviteit, dacht D.D. Het was nog niet eerder tot haar doorgedrongen, maar ze besefte nu dat het nogal logisch was dat Shana neerslachtig was. De oorzaak van woede was soms afkeer van jezelf.

Adeline duwde zich af tegen de deurpost en liep rustig naar de tafel, om Phil heen, om bij de andere stoel te komen. Dit dwong Shana ertoe naar beide bezoekers te kijken en daardoor kon ze Phil niet langer negeren.

Hij bleef zwijgen en keek heel geduldig. D.D. vond dat slim van hem. Hij lokte zijn doelwit naar zich toe. Liet het initiatief aan Shana.

'Hoe lang ben jij al rechercheur?' vroeg Shana abrupt.

'Twintig jaar.'

'Waarom?'

'Het is een goede baan.'

'Hou je van geweld?'

'Nee. Ik ben een groot fan van "handen zijn om te strelen".'

Dat hij dit zo makkelijk toegaf, leek Shana van haar à propos te brengen. Ze fronste weer.

'Ken je mijn dossier? Weet je wat ik heb gedaan?'

'Ja.'

'Vind je dat ik schuldig ben?'

'Ja.'

'Dan ben je in elk geval niet dom.'

'Hou jíj van geweld?' vroeg Phil haar.

'Ja. Waarom niet?'

'Omdat je daardoor in de gevangenis komt,' zei hij.

Ze lachte kort. 'Die zit. Maar hier heb je ook veel geweld.

Handen dienen hier om mee te slaan. Of te steken. Persoonlijk heb ik graag een goed, scherp mes. Zelfgemaakt uiteraard.'

'Waarom probeer je hier dan weg te komen?'

'Wie zegt dat ik probeer hier weg te komen?'

Phil wees naar de pleister op haar hand, op de plek waar de infuusnaald had gezeten. 'Je snijdt jezelf, je bloedt bijna dood. Dat klinkt voor mij alsof je hier weg wilt.'

'Nee. Dat heb je mis. Snijden gaat niet over de toekomst. Het gaat over genieten van het hier en nu. Jij ziet eruit als een huisvader. Oud genoeg om een paar tieners te hebben. Vraag maar eens aan je dochter. Hoe lekker het voelt als een scheermes onder je huid glijdt. Net zo lekker als masturberen. Daar kan ze je vast alles over vertellen.'

Phil leunde naar voren, met zijn armen over elkaar geslagen op de tafel. 'Wie maakt je bang, Shana?' vroeg hij zachtjes. 'Wie heb je gekend, wat is er gebeurd, dat zo'n keiharde vrouw als jij zich gedwongen voelt zichzelf te verwonden?'

Dit had D.D. niet verwacht. Het leek Shana ook uit haar evenwicht te brengen.

Ze leunde ook naar voren, al kon zij zich minder makkelijk bewegen vanwege de boeien om haar polsen en het dikke verband om haar bovenbenen. 'Dat zul jij nooit begrijpen,' zei ze, net zo geduldig en net zo serieus. 'Jij kent mij niet, rechercheur Phil. Je kunt praten wat je wilt, vragen wat je wilt, maar je zult er niets mee opschieten. Jij kent mij niet en je zult mij ook nooit kennen, ongeacht hoe lang je met mij in dit kamertje blijft zitten.'

Haar blik flitste naar Adeline. 'Hetzelfde geldt voor jou. Elke maand kom je op bezoek. Waarvoor? Ik ben voor jou niets anders dan een liefdadigheidsproject. Jij beschouwt mij niet als jouw zus, niet eens als een mens. Je komt even aanwaaien, doet je maandelijkse goede daad en fladdert weer weg, naar je keurige baan en je mooie appartement. De enige reden waarom je hier vandaag zit, is dat je iets van me nodig hebt. Anders zou ik nu bezig zijn de resterende negenentwintig dagen af te tellen. Dat is het enige wat ik hier kan doen, weet je. Dagen tellen. Hoe vaak doe jij dat?'

'Hou op,' zei Adeline kalm.

'Waarmee?'

'Met zeuren om medelijden. Dit is iets tussen jou en mij. Zusterlijke afkeer kunnen we over negenentwintig dagen bespreken. Deze rechercheur zit hier niet om ons te horen kibbelen. Dit is geen privébezoek, Shana. Dit is werk.'

Shana grijnsde. 'Jullie willen iets van me. Daar gaat het om. Júllie willen iets van míj.'

'Oké,' zei Phil ferm om het gesprek weer in juiste banen te leiden, terwijl hij met zijn rechterhand weer aan zijn linkerduim begon te pulken. 'Laten we dan praten. Je hebt hier zelf in toegestemd, terwijl je dat niet verplicht was.'

'Bedoel je dat ik kan gaan als ik dat wil?'

'Jazeker. Als je wilt, mag je gaan. Je hebt het vast druk en ik heb zelf ook massa's werk liggen.'

Shana bekeek hem achterdochtig. 'Dat lieg je.'

'Ze hebben je toch wel verteld wat je rechten zijn, Shana? Is het je duidelijk dat je niet verplicht bent mijn vragen te beantwoorden? En dat wij jouw advocaat moeten laten komen als jij dat wilt?'

Nu snoof ze minachtend. 'Mijn advocaat? Wat zou die kunnen doen? En wat denk jij eigenlijk te kunnen doen? Ik heb al levenslang. Ze kunnen me niet nog méér straffen.'

'Is dat de reden waarom je jezelf verwondt?'

'Doe niet zo achterlijk.'

Dat vatte D.D. op als ja.

Phil leunde weer naar voren. Nu met zijn handen gevouwen. Hij bleef geduldig kijken. Een man die alle tijd van de wereld had en nog niets had gehoord wat indruk op hem maakte.

'Weet je wat ik zie als ik naar jou kijk?' vroeg hij.

'Je toekomstige tweede echtgenote?'

'Een intelligente vrouw die lang geleden een fout heeft gemaakt. Helaas kan de klok niet worden teruggedraaid. Na dertig jaar weet niemand dat beter dan jij. Je kunt gedane zaken niet ongedaan maken. Je kunt het Donnie Johnson kwalijk nemen dat hij dood is gegaan, je kunt een hekel hebben aan jouw overweldigende behoefte om je medemensen in stukjes te snijden, maar gedane zaken nemen geen keer. Wat gebeurd is, is gebeurd. Jij bent inmiddels dertig jaar ouder en wijzer, maar je komt hier nooit meer uit. Je snijdt niet in jezelf om aan het geweld in de gevangenis te ontsnappen, Shana, maar omdat je hier doodgaat van verveling.'

Ze glimlachte sluw. 'En daarom wil jij mij vermaken, rechercheur Phil?'

'Nog twintig minuten.'

'Waarom nog maar twintig minuten?'

'Omdat je gewond bent, Shana. Je hebt rust nodig. Die wil ik je niet afnemen.'

Shana knipperde met haar ogen, verbaasd door zijn vriendelijke gedrag. Phil gunde haar geen tijd om bij haar positieven te komen.

'Vertel me over je vader.'

'Wat?'

'Vertel me over je vader. Ik heb begrepen dat jullie elkaar erg na stonden.'

'Vergeet het maar.' Ze keek opeens stuurs en leunde naar achteren. 'Ik vertel jou niks.'

'Waarom niet?'

'Ik weet wat hierachter zit. Dit is voor háár.' Ze wees naar Adeline. De plastic tie-wraps maakten een schurend geluid. 'Papa, papa, papa, vertel me over papa. Zij wil altijd over hem praten. Omdat ze zich hem niet herinnert. Omdat ze nog maar een baby was.'

'Ik herinner me hem inderdaad niet,' zei Adeline rustig. Ze keek daarbij naar Phil. 'Ik was inderdaad nog maar een baby.

Het weinige wat ik weet, weet ik omdat Shana me heeft verteld wat zíj zich van hem herinnert.'

Shana leunde achterover op haar stoel. Ze genoot hiervan.

Phil negeerde haar en richtte zijn aandacht nu op Adeline. Hij had zo aan de stroopnagel zitten trekken dat die begon te bloeden, maar hij leek er geen erg in te hebben. 'Maar u hebt wel geprobeerd om meer over uw vader te weten te komen?' vroeg hij aan Adeline.

'Ja.'

'Had hij vrienden? Kennissen?'

Adeline tuitte haar lippen alsof ze daarover moest nadenken. 'Dat kan ik voor u opzoeken. Ik heb de oude politiedossiers.'

'Wat?' Shana leunde weer naar voren.

'De politiedossiers,' zei Adeline. Ze keek niet naar haar zus, maar naar Phil. 'Over Harry. Die heb ik allemaal. Ik kan ze voor u kopiëren; dan hebt u de informatie waarschijnlijk sneller dan wanneer u ze via de officiële kanalen moet aanvragen.'

'Dat zou heel fijn zijn.'

'Hé!' zei Shana.

'Hebt u verder nog informatie nodig?' vroeg Adeline. Ze bleef naar hem kijken. Opeens zei ze: 'Lieve hemel, wat is er met u gebeurd?'

Ze stak haar hand uit naar Phils bloedende duim.

'O, dat is alleen maar een stroopnagel. Niets om je...'

Phil bleef halverwege zijn zin steken omdat Adeline haar wijsvinger op de ingescheurde nagelriem zette en er hard op drukte. Gefascineerd staarde hij naar haar bleke vinger. Na een paar seconden nam ze die weer weg van het bloedende wondje. Ze keek naar het topje van haar gemanicuurde vinger...

'O jee,' zei ze zachtjes. 'Nu heb ik bloed aan mijn vinger.'

Ze boorde haar blik in de ogen van haar zus. Hief de met bloed besmeurde vinger op en bracht hem langzaam naar haar lippen...

De reactie was explosief.

'Nee! Nee, nee, nee. Dat is van mij!'

Shana sprong overeind. Haar stoel kiepte achterover. Haar boeien schuurden rond haar polsen.

'Niet waar,' zei Adeline, zacht, snel. Van de beheerste psychiater was geen spoor meer te bekennen. In haar plaats zat hier een wilde vrouw met donker haar en donkere ogen die erop uit leek te zijn haar zus te jennen. 'Ik heb het verdiend. Ik heb hem geholpen. Dit is voor mij.'

'Teef!'

'Jij hebt er niks voor gedaan. Je zit hier alleen, met die grimas, alsof je alwetend bent. Volgens mij kun jij je papa ook niet herinneren. Jij was ook nog maar een kleuter. Waarom denk je dat ik zoveel vragen stel? Omdat ik weet dat je liegt en alles verzint. Je kunt wel zeggen dat je je herinnert wie Harry was, maar ik heb de dossiers. Ik ken de waarheid, Shana. Ik heb altijd geweten wat de waarheid is.'

'Honderddrieënvijftig!' zei Shana abrupt. Adeline hield haar wijsvinger nog steeds opgeheven. Shana staarde nog steeds naar het bloed.

Phil schoof zijn stoel een stukje achteruit en legde zijn handen plat op het tafelblad, klaar om te vluchten of te vechten, voorlopig nog zonder te weten wat hij moest kiezen.

'Honderddrieënvijftig wat?' vroeg Adeline fel.

'Zoek dat zelf maar uit. Je bent toch zo slim?'

'Dit gaat niet over mij. Dit gaat over jou, Shana. Het gaat erover hoe jij eindelijk eens kunt laten zien wat je waard bent. Dertig jaar zit je hier al te niksen. Wat rechercheur Phil zei, is waar. Je bent intelligent. Je bent bekwaam. Je zou iets van je leven kunnen maken, ook achter de tralies. Je zou kunnen helpen een moord op te lossen en daarmee iets goeds doen voor de mensheid. Misschien zou ik je dan niet meer zien als een liefdadigheidsproject. Misschien zou ik je dan beschouwen als mijn zus.'

'Ík ken papa,' beet Shana haar toe. 'Jij niet!'

‘Bewijs het!’

De twee zussen keken elkaar woedend aan. Phil slikte.

‘Wil je dat ik me nuttig maak?’ vroeg Shana opeens lijzig.

‘Volgens mij zou dat je best bevallen.’

‘Goed.’ Shana glimlachte. ‘Morgenochtend ga ik me nuttig maken. Heel nuttig. Zo nuttig dat jij me uit deze gevangenis haalt en mee naar huis neemt.’

‘Vergeet het maar.’

‘Jij zult mij hier vandaan halen. Zelfs rechercheur Phil zal zeggen dat je het moet doen.’ Shana wees met haar geboeide handen naar hem. ‘En omdat ik dan je zus ben en niet je project, mag ik bij jou thuis logeren, Adeline. Ik mag zelfs in jouw bed slapen. Achtenveertig uur.’ Ze knikte. ‘Dat is wat het je gaat kosten als je wilt dat ik me nuttig maak. Achtenveertig uur mag ik jouw kleren dragen, van jouw badkamer gebruikmaken, in jouw luxueuze appartement wonen. Dat is de prijs voor mijn medewerking.’

‘Nee.’

Shana fluisterde: ‘Honderddrieënvijftig.’

‘Shana...’ begon Phil.

‘Sssst,’ siste ze zachtjes. ‘Dit gaat niet over jou, rechercheur Phil. Wees stil. Dit gaat over mij en mijn zus. Daar gaat het al jaren om. Wij hebben iets met elkaar af te rekenen.’

‘Wat is honderddrieënvijftig?’ vroeg Adeline.

Shana glimlachte weer, maar de glimlach bevatte geen enkele emotie en kon niet op tegen de kille, berekenende blik in haar harde bruine ogen.

Het was allemaal komedie geweest. Langzaam drong dit tot D.D. door. Haar agressieve gedrag. Haar pogingen hen te choqueren met levendige beschrijvingen van haar zelfmutilatie. Zelfs haar stuntelige geflirt met Phil. Dat waren geen oprechte emoties geweest, maar maskers die Shana opzette en afnam zoals andere mensen van kleding wisselden.

Dit was de echte Shana Day. Een kille moordenares, die nu

bijna teder naar het bloed op de vingertop van haar zus keek.

'Honderddrieënvijftig,' fluisterde Shana. 'Dat is mijn bewijs. Ik herinner me papa heel goed. Ik hou van hem. Ik heb altijd van hem gehouden. Ga naar huis, zusje. Lees je dossiers. Praat met je politievriendjes. En doe dan je deuren op slot. Want dat je geen pijn kunt voelen, wil niet zeggen dat het geen pijn zal doen als hij je komt halen.'

HOOFDSTUK 17

Ik verliet de verhoorkamer, uiterlijk onbewogen, maar in werkelijkheid danig van streek. Mijn adoptievader had gelijk gekregen: door het contact met mijn zus te herstellen was ik weer in het House of Horrors terechtgekomen waaraan ik jaren geleden ternauwernood was ontsnapt.

Ik liet mijn met bloed besmeurde wijsvinger zakken. Phil en directeur McKinnon stonden samen te praten, maar ik zag dat D.D. naar mij keek.

'Kom,' zei ze. Ze wees naar mijn hand. 'Laten we een toilet zoeken waar u uw handen kunt wassen.'

Ze liep al weg, dus zat er niets anders op dan achter haar aan te gaan. Vanuit medisch oogpunt leek D.D. zich vanochtend iets beter te voelen, al wist ik niet of dat kwam door de doelmatige toepassing van door haar geaccepteerde pijnbeheersingstechnieken of door de kick die ze kreeg omdat ze weer aan een zaak kon werken.

Het gesprek met mijn zus had mij gevloerd, maar D.D. liep te stuiteren.

'Wat hebt u haar schitterend gemanipuleerd,' zei ze. 'Eerst speelde u de klinische psychiater en toen ging u in de aanval. Die kleinerende opmerkingen over haar herinneringen, de manier waarop u haar dat allemaal afnam. Twee zussen die elkaar in de haren zaten. En toen de genadeslag met Phils bloed aan uw vinger. Geniaal!'

Ik zei niets en verborg mijn vinger in mijn vuist. Tijdens de maandelijkse gesprekken met mijn zus was haar obsessie met geweld nooit het probleem geweest; het probleem was dat haar hunkering zo tot mijn verbeelding sprak. Monsters, familieleden, tot ik mijn vinger écht naar mijn lippen had willen brengen om een likje van dat bloed te nemen...

Er was een sekseneutraal toilet met een ruit in de deur die elke kans op privacy wegnam, zowel voor de gedetineerden als voor de bezoekers. Ik kende deze gevangenis langer dan vandaag, dus waste ik alleen mijn handen, zonder anderszins gebruik te maken van de faciliteiten.

D.D. bleef op de gang staan wachten.

'Denkt u dat ze iets weet?' vroeg ze toen ik weer naar buiten kwam. 'Over een mogelijk verband tussen de veertig jaar oude misdrijven van uw vader en de recente moorden?'

Ik aarzelde. 'Kent u een journalist genaamd Charlie Sgarzi?'

Ze schudde haar hoofd. We liepen terug naar Phil en directeur McKinnon.

'Hij is een neef van Donnie Johnson, de jongen die door Shana is vermoord,' legde ik uit. 'Hij heeft Shana de afgelopen drie maanden een aantal brieven gestuurd. Hij wil haar een interview afnemen voor een boek dat hij aan het schrijven is over de moord op zijn neef. Hij vindt dat Shana hem een interview verschuldigd is vanwege alles wat ze zijn familie heeft aangedaan.'

'En?'

'Omdat Shana zijn brieven nooit heeft beantwoord, stond hij gisteravond opeens bij mij voor de deur om zijn zaak persoonlijk te bepleiten. Hij zegt dat hij andere gedetineerden heeft geïnterviewd die samen met Shana in de gevangenis hebben gezeten. Hij beweert dat zij zeiden dat Shana dingen weet die ze onmogelijk kan weten. Alsof ze nog steeds contact heeft met de buitenwereld en vanachter de tralies dingen kan regelen.'

'Zoals een maffiabaas?' vroeg D.D. fronsend.

'Zoiets. Het probleem is alleen dat Shana helemaal geen contact heeft met haar medegevangenen. Ze schrijft ook met niemand en ontvangt geen bezoek, behalve mij. Ik kom eens in de maand een uur op bezoek. Verder zit ze drieëntwintig uur per dag in haar eentje in haar cel. Om contacten met mensen buiten de gevangenis te onderhouden moet je een ingewikkeld sociaal netwerk opbouwen en ik kan me niet voorstellen dat ze daartoe in staat is, laat staan er de middelen toe heeft. En toch...' Ik maakte mijn zin niet af.

'En toch?'

'Ze weet inderdaad dingen die ze onmogelijk kan weten. Kleinigheden. Ze wist bijvoorbeeld dat ik een blouse in een bepaalde kleur had gekocht. Het zijn kleinigheden die me zorgen baren, maar die niet belangrijk zijn. Dingen waar een verklaring voor te vinden is. Misschien had ik haar over die blouse verteld en was ik dat vergeten. Alleen gebeurt dit de laatste tijd steeds vaker. Het is nu al een paar maanden zo dat ze elke keer dat ik bij haar op bezoek kom iets over mij weet waarvan ik niet begrijp hoe ze het kan weten.'

'Denkt u dat ze u bespiedt? Of liever gezegd: dat ze u laat bespieden?'

'Ik weet niet wat ik ervan moet denken.'

'Honderddrieënvijftig,' zei D.D. als aansporing.

Ik schudde mijn hoofd. 'Ik heb geen idee wat dat betekent.'

'Het is geen getal dat u een lichtje doet opgaan over Harry Day?'

'Nee. Ik zou in de dossiers moeten opzoeken of het überhaupt iets met hem te maken heeft.'

'Als u dat wilt doen, heel graag. Phil zei dat niet zomaar, weet u; om oude dossiers uit het archief te krijgen moet je onnoemelijk veel geduld hebben en stapels formulieren invullen. Als het meezit, krijg je ze zes weken na aanvraag. We zouden er dus zeker mee geholpen zijn als u deze informatie alvast kon opzoeken.'

'Ik zal ernaar kijken zodra ik thuis ben.'

'Geweldig. Intussen kunnen we even met directeur McKinnon praten. Als er iemand is die weet hoe uw zus contact kan krijgen met de buitenwereld, is zij het.'

Directeur McKinnon wond er geen doekjes om: 'Contact met iemand buiten de gevangenis? De meeste gedetineerden hier hebben zelfs séks, terwijl lichamelijk contact officieel verboden is. Verbaal contact is de minste van onze zorgen.'

Ze legde uit dat gevangenen ingenieuze manieren hadden om contact met elkaar te onderhouden. Shana bijvoorbeeld zat weliswaar in een isoleercel, maar kreeg regelmatig boeken uit de rijdende bibliotheek, kon spullen bestellen uit de gevangeniswinkel en kreeg driemaal per dag een maaltijd. Elk van deze dingen bood haar een gelegenheid berichtjes te sturen of te ontvangen, of dat nu een met de hand geschreven briefje, een haastig gefluisterde boodschap of een zorgvuldig ontworpen code was.

'Helaas,' zei McKinnon, 'krijgen sommige gedetineerden daarbij zelfs hulp van de gevangenbewaarders, in ruil voor geld, drugs of seks. Nu is Shana niemands favoriet, dat zal u duidelijk zijn, maar misschien is een andere gevangene met wie ze contact heeft dat wél. Er zijn hier mensen die alleen al om de verveling te doorbreken bereid zijn hulp te verlenen bij dergelijke transacties. Waar het op neerkomt, is dat de staf per kwartaal een uur of twee de tijd heeft om de reglementen te herzien en de procedures aan te scherpen, terwijl de gedetineerden driehonderdvijfenzestig dagen per jaar, vierentwintig uur per etmaal de tijd hebben om manieren te verzinnen om de reglementen te ondermijnen. Er zitten hier vrouwen die zo intelligent en zo bekwaam zijn dat ze een miljoenenbedrijf hadden kunnen beheren als ze hun talenten hadden gebruikt om goed te doen in plaats van misdrijven te plegen.'

'Is er een gevangene met wie Shana het goed kan vinden? Heeft ze hier een maatje?'

Directeur McKinnon fronste. 'Niet voor zover ik weet. Dat is nu juist het vreemdste aan deze hele puzzel. De meeste gevangenen sluiten vriendschappen, zelfs zo'n geharde vrouw als Shana, want er zijn altijd jongere, minder sterke gevangenen die naar mensen als zij opkijken. En of ze nu van zichzelf zeggen dat ze hetero of lesbisch zijn, wie tot levenslang is veroordeeld, krijgt uiteindelijk altijd een partner. Behalve Shana. Voor zover ik weet, heeft zij nooit een vriendinnetje gehad.'

'Nee, daar heeft ze het tegen mij ook nooit over gehad,' zei ik.

'Wij kunnen dat ook zien aan de spullen die ze in de winkel bestelt. Een van de eerste tekenen van een ontluikende vriendschap is dat de personen in kwestie cadeautjes voor elkaar kopen, net zoals dat in de buitenwereld gebeurt. Een flesje shampoo. Een geurige lotion. Maar Shana koopt heel weinig en wat ze koopt, is voor eigen gebruik. Ze krijgt ook nooit cadeautjes. Sterker nog...' directeur McKinnon aarzelde en keek naar mij.

Ik knikte instemmend.

'Shana's sociale isolement baart me zorgen,' ging de directeur door. 'In tegenstelling tot wat u misschien denkt, hebben wij er niets aan als een gedetineerde zich ongelukkig voelt. Depressiviteit leidt tot woede en dat vergroot de kans op agressief gedrag. Ik heb dit met dr. Glen besproken. Zij weet hoeveel zorgen ik me de afgelopen maanden over Shana's geestelijke gesteldheid maak. Het gaat niet goed met haar. Ik was dan ook niet verbaasd over de zelfmoordpoging van gisteren.'

'Een ogenblikje,' zei D.D. 'U zegt dat Shana's gedrag de laatste tijd is veranderd? Sinds wanneer precies?'

'Het is een maand of drie, vier geleden begonnen. Ik dacht dat het iets te maken had met de naderende jaardag van haar eerste moord, maar of dat inderdaad zo is? Shana heeft recht op geestelijke bijstand, maar tot nu toe heeft ze die afgewezen.'

'Wie gaat er over haar psychische gezondheid?' vroeg Phil.

Ik hief mijn hand op. 'Ik. Ik ben niet alleen praktiserend psychiater, maar een van de weinige mensen met wie ze bereid is te praten. Alhoewel het niet helemaal... koosjer is om een familielid als patiënt te hebben, staat daartegenover dat Shana en ik geen normale familieband hebben. We zijn niet eens samen opgegroeid.'

'Maar ze noemt u "uw kleine zusje",' zei D.D.

'Alleen als ze me wil treiteren.'

'Wat normaal zusterlijk gedrag is.'

'Of het gedrag van een patiënt die zich verzet tegen veranderingen.' Ik keek D.D. geamuseerd aan. 'U moest eens weten wat mijn patiënten soms zeggen of doen om zich tegen mijn hulp te verzetten.'

Ze grijnsde onbeschaamd naar me. Toen keek ze weer naar McKinnon. 'Zegt het getal honderddrieënvijftig u iets?'

McKinnon schudde haar hoofd.

'Is het mogelijk dat Shana contact heeft met de zogenaamde Rose Killer? Of dat de moordenaar in contact staat met haar?'

'Alles is mogelijk. Al zou ik dan graag willen weten hoe ze dat doen. Het idee dat een actieve moordenaar contact heeft met een veroordeelde moordenares die achter de tralies zit, zal me slapeloze nachten bezorgen.'

'Mag ik even?' Drie paar ogen keken naar mij. 'Misschien moeten we ons niet bezighouden met het hoe, maar met het waarom. Dat is veel belangrijker. Shana heeft een gruwelijke moord gepleegd, maar dat was bijna dertig jaar geleden. De zaak is allang niet meer in het nieuws, waardoor Shana al die jaren van onaangename belangstelling verschoond is gebleven. Misschien komt daar volgende week verandering in vanwege de dertigste jaardag van de moord op Donnie Johnson, maar tot nu toe...'

'Ze heeft geen penvrienden of fans,' ging McKinnon door. 'Wat ongebruikelijk is. Meestal geldt dat hoe beruchter de moordenaar, hoe groter de hoeveelheid post. En/of,' ging ze laconiek door, 'hoe groter het aantal huwelijksaanzoeken. Vergeleken bij andere beruchte moordenaars leidt Shana een erg saai leven.'

‘En als het om Harry Day gaat?’ vroeg D.D. en ze keek daarbij naar mij. ‘Stel dat iemand een bewonderaar van uw vader is en meer informatie over hem wil.’

‘Informatie over Hárry,’ verbeterde ik haar hardnekkig.

‘Zijn technieken bijvoorbeeld,’ ging D.D. onverstoorbaar door. ‘Daar kan hij ú niet naar vragen. U bent een gerespecteerd psychiater.’

‘Ik krijg brieven,’ liet ik me ontvallen.

‘Wat?’ Phil keek me aan.

‘Ik krijg brieven,’ herhaalde ik langzaam. ‘Niet vaak, maar af en toe. Harry’s gewelddaden dateren van lang geleden, maar zoals u weet zijn er mensen die seriemoordenaars fascinerend vinden en voor wie het niets uitmaakt hoe lang geleden ze hun daden pleegden. Denk aan de blijvende aantrekkingskracht van Bonnie en Clyde. Omdat ik vanwege mijn zeldzame genetische aandoening het onderwerp ben van een aantal wetenschappelijke artikelen en omdat in die artikelen soms ook wordt vermeld dat ik de dochter van Harry Day ben... krijg ik brieven. Drie of vier per jaar. Deels van mensen die vragen hebben: wat voor iemand hij was en hoe het is om een kind van hem te zijn. Vaker zijn het verzoeken om een aandenken. Men wil weten of ik in het bezit ben van persoonlijke eigendommen van Harry en of ik bereid ben die te verkopen.’

‘Meent u dat?’ vroeg D.D. Afschuw en interesse wisselden elkaar af op haar gezicht. Dat effect had Harry Day op de meeste mensen. Eén deel doodsangst, twee delen ziekelijke nieuwsgierigheid.

‘Er is een niet onaanzienlijke markt voor aandenkens van seriemoordenaars,’ vertelde ik haar. ‘Er zijn websites waar brieven van Charles Manson en schilderijen van John Allen Muhammad worden verhandeld. Ik heb het opgezocht toen ik voor het eerst zo’n verzoek had gekregen. Hoe beruchter de moordenaar, hoe meer zijn bezittingen waard zijn – Manson, Bundy, Dahmer. Harry Day is minder bekend. In een lijst van artikelen waarvan de waarde varieert van tien tot tienduizend dollar, zul je een ondertekende brief van hem dichter bij de tiendollargrens vinden.'

'De brieven die u hebt ontvangen, hebt u die bewaard?' vroeg Phil.

'Nee, ik heb ze versnipperd. Ik vond ze mijn tijd noch aandacht waard.'

'Waren er meerdere brieven bij van dezelfde afzender?' vroeg D.D.

'Niet voor zover ik me kan herinneren.'

Ze wendde zich tot Phil. 'Stel dat de dader eerst Adeline heeft geschreven. Toen hij van haar geen antwoord kreeg, heeft hij Shana Day opgespoord en met háár contact opgenomen. Zij heeft toch ook brieven ontvangen?' vroeg D.D. aan McKinnon.

'Ja. Ze heeft een aantal brieven ontvangen, maar niet veel.'

'Gedurende het afgelopen jaar?'

'Dat zou ik moeten nakijken.'

'Het is dus mogelijk dat ze een brief heeft ontvangen. En dat ze heeft besloten die te beantwoorden. Toen besefte ze dat als ze na al die jaren een brief beantwoordde en opeens een penvriend kreeg, u daar onmiddellijk bovenop zou zitten.'

'Dat is waar.' Directeur McKinnon knikte.

'Dus heeft ze het offline gedaan, om zo te zeggen. Ze heeft contact gelegd via een ander communicatiekanaal. Misschien met de hulp van een andere gevangene of een gevangenbewaarder. Of haar advocaat.' D.D. keek vragend naar mij en McKinnon.

'Shana heeft een pro-Deoadvocaat,' zei ik. 'Ze kan hem niet uitstaan en ik kan me niet eens herinneren wanneer ze hem voor het laatst heeft gesproken.'

'Twee jaar geleden,' zei McKinnon. 'En toen heeft ze hem in zijn neus gebeten. Voor straf hebben we toen haar radio weggehaald. Het was het waard, zei ze.'

D.D. knikte. 'Heel goed. Eindelijk een paar aanknopingspunten. We hebben een moordenaar die zich identificeert met Harry Day en mogelijk contact heeft met Days moordzuchtige dochter.'

'De dochter die heeft voorspeld dat wij haar morgenochtend uit de gevangenis halen,' voegde Phil er bedachtzaam aan toe. 'Dat is haar beloning, neem ik aan.'

'Maar dat kan ze dus wel vergeten,' zei D.D.

'Inderdaad,' zei McKinnon ferm. 'Mijn gevangene, mijn gevangenis. Einde discussie.'

Ik keek naar beide vrouwen en wenste dat ik daar net zo zeker van was. Ik zei zachtjes: 'Honderddrieënvijftig.'

'Weet u wat het betekent?' vroeg Phil onmiddellijk.

'Nee. Maar mijn zus kennende denk ik dat we dat zeer binnenkort zullen betreuren.'

HOOFDSTUK 18

Wie ben ik? Iemand die om anderen geeft.

Hoe zie ik eruit? Heel gewoon, gewoon mezelf.

Belangrijkste motivatie? Hulp bieden aan iemand die in nood verkeert.

Doel van de missie? Het moet gebeuren.

Nettowinst? ~~Ze zal er niets van voelen~~.

Nettowinst? ~~Ze zal er niets van voelen~~.

Nettowinst? ~~Ze zal er niets van voelen~~.

Niet meer nadenken. Het is tijd.

Dit zou lastig zijn.

Voor de hoge spiegel haalde ik diep adem om nog een keer te oefenen: smalle, glazen flacon in de strakke mouw. Laten afglijden naar mijn handpalm. In één soepele beweging ontkurken en uitgieten. Flacon in linkerzak laten glijden.

Te traag. Belachelijk traag. Ze zou met haar rug naar me toe moeten staan en haar aandacht zou minstens een volle minuut afgeleid moeten zijn.

Daar kon ik niet op rekenen. Niet met dit doelwit. Zij was de moeilijkste tot nu toe. Een vrouw die niemand vertrouwde en iedereen verdacht vond. Het leven had haar al een keer een knauw gegeven. Ze zou het geen kans geven dat nogmaals te doen.

Nee, voor deze nieuwe onderneming was perfectie vereist. Oprechte glimlach, normaal oogcontact, de juiste woorden. En dan, als de gelegenheid zich voordeed... snel en soepel. Flacon in handpalm in minder dan een oogwenk. Inhoud in haar glas in een fractie van een seconde.

Dan het moeilijkste: zitten en wachten. De natuurlijke adrenalinekick tot bedaren brengen, de ademhaling beheersen, een oprechte glimlach laten zien, normaal oogcontact houden, de juiste woorden zeggen, terwijl de inhoud van de flacon langzaam maar zeker zijn werk doet.

Oefen. Glimlach. Oogcontact. De juiste woorden.

In de mouw, in de handpalm, kurk eraf, schenken, wegstoppen.

Te traag, te traag, te traag.

Oefen. Oefen. Oefen.

Wie ben ik? Een meester in pijn.

Hoe zie ik eruit? Zoals iedereen die je ooit hebt ontmoet.

Doel van de missie? Ik kan dit!

Nettowinst? Uiteindelijk sterft iedereen.

Flacon in handpalm, kurk eraf, schenken, wegstoppen.

Glimlach, oogcontact, de juiste woorden.

Opnieuw. Opnieuw. Opnieuw.

Want bij één verkeerde beweging zou ze het weten. Ze heeft zoveel jaar het ergste verwacht dat ze het zal herkennen als het komt. Alles moet soepel, beheerst, perfect verlopen. Tot en met het einde.

Geen rommel, geen drukte. Zoals een moord gepleegd dient te worden.

Belangrijkste motivatie: Een pijnloze dood.

Nettowinst? De gave die blijft geven.

Wie ben ik? ~~De erfgenaam van Harry Day.~~

Wie ben ik? ~~De erfgenaam van Shana Day.~~

Wie ben ik?

HOOFDSTUK 19

Charlie Sgarzi was geboren en getogen in Southie, een arbeiderswijk in het zuidoosten van Boston, en dat was te zien aan de achterdochtige blik in zijn ogen en aan zijn onverzettelijke kin. Hij had sindsdien zijn gehavende knokkels ingeruild voor de gave handen van een man die alleen nog met een toetsenbord op de vuist ging, en het stoere leren jack voor de trenchcoat die journalisten eigen leek te zijn, maar hij had nog steeds het ondoorgrondelijke gezicht van de straatjongen, nu een cynische journalist die je niets kon wijsmaken. Of misschien was hij al zo cynisch sinds de dag waarop zijn neefje was vermoord.

Ze benaderden hem toen hij uit zijn flat kwam. Hij keek op, zag hen door de gang aankomen terwijl hij de deur afsloot en kreunde.

'Ik had u veel eerder verwacht,' zei hij.

'O ja?' vroeg Phil.

Als het aan Phil had gelegen, was D.D. in de auto blijven zitten. Sterker nog, als het aan hem had gelegen, had hij haar naar huis gebracht. Ze hadden een enerverende ochtend achter de rug. Ze moest haar schouder rust gunnen en zich concentreren op haar herstel.

Nou, dat kon hij wel vergeten. Ze barstte van de energie. Voor het eerst in weken voelde ze zich weer goed. Ze waren iets op het spoor. Ze róók het. Shana Day had de sleutel van het vraagstuk wie de moordenaar was en Charlie Sgarzi was een puzzelstukje in het vraagstuk wie Shana Day was. Dan ging D.D. écht niet thuis zitten.

'Dr. Glen heeft u zeker gebeld?' vroeg Sgarzi. Zijn hand lag nog op de deurkruk. 'Om te zeggen dat ik haar lastigval? Dat is niet zo. Ik wil alleen wat mij en mijn familie toekomt.'

Dit wordt leuk, dacht D.D. Het scheelde weinig of ze huppelde naar hem toe.

'Dus u hebt dr. Glen niet bedreigd?' vroeg ze.

Phil zei: 'Laten we even naar binnen gaan, meneer Sgarzi. Dat is minder openbaar.'

Sgarzi slaakte een diepe zucht, deed de deur open en liet hen binnen.

Een kleine eenkamerflat, zag D.D. Duidelijk van een vrijgezel. Dat zag je aan de verhouding van de enorme televisie tot het meubilair. Wel netjes. Sgarzi mocht dan vrij laag op de economische ladder staan, hij was geen sloddervos. Het aanrecht was schoon en er slingerden nergens vuile onderbroeken.

Een gloednieuwe Mac-laptop stond op een klaptafeltje voor de versleten bruine bank. Zijn kantoor. Waar hij de nieuwe grenzen van digitale verslaggeving kon overschrijden en met één oog de wedstrijden van zijn favoriete honkbalteam kon volgen.

'Bent u al bij Shana Day geweest?' vroeg hij autoritair. Hij was midden in de kamer blijven staan.

'Trek uw jas uit en ga even zitten,' stelde Phil voor.

Sgarzi haalde zijn schouders op. 'Prima. Ik heb niets te verbergen. Wilt u iets drinken? Water? Bier? Laten we een boom opzetten over de misdaad, nu u hier toch bent. Mijn oom zat ook bij de politie. Wist u dat? Tot hij de loop van zijn dienstpistool in zijn mond stak. Staat dat ook in het dossier van Shana Day? Nóg een moord, na al die jaren.'

Sgarzi deed zijn jas uit. Toen liep hij, zijn woord getrouw, naar de keuken, draaide de kraan open en vulde twee glazen met water. Hij gaf die zonder verdere plichtplegingen aan Phil en D.D. en keek hen afwachtend aan.

Zonder zijn jas was hij een stuk kleiner, zoals Superman zonder zijn cape. Hij was niet lang, misschien één meter vijfenzeventig, maar had een fiere houding. Alsof hij bedacht was op tegenslagen en zich had voorgenomen geen krimp te geven. Was hij altijd zo geweest? vroeg D.D. zich af. Of werd je zo als je bijna je hele familie had verloren?

'Hoe oud was u toen uw neef stierf?' vroeg ze.

Hij keek haar aan. 'Toen mijn neef werd vermoord, bedoelt u. Veertien. Ik was veertien.'

'Net zo oud als Shana Day.'

'Wilt u weten of ik haar kende? Natuurlijk kende ik haar. Donnie en ik woonden vlak bij elkaar. Dat is normaal in Southie. Neefjes en nichtjes groeien samen op. En ze komen voor elkaar op.'

Sgarzi sprak met opzet monotoon, maar D.D. ving evengoed sporen op van emotie. Nostalgie. Spijt. Heimwee naar de tijd dat hij zich geborgen had gevoeld. Zijn familie, zijn wijk, zijn wereld.

'Ging u met Shana om?' vroeg Phil rustig.

'Nee. Met haar omgaan was vragen om problemen. En daarmee bedoel ik geen kattenkwaad waarmee je onder je leeftijdgenoten respect afdwong. Shana was eng. Als een valse hond. De meeste kinderen waren zo verstandig bij haar uit de buurt te blijven.'

'Behalve Donnie.'

Sgarzi haalde zijn schouders op. 'Donnie was... anders. Een boekenwurm, hield van natuurkunde, wiskunde. Als hij was blijven leven, zou hij waarschijnlijk een tweede Bill Gates zijn geworden en dan zou mijn moeder nu een heel comfortabel leventje leiden. Maar hij was een twaalfjarige nerd in een arbeiderswijk. Hij werd gepest. Als ik het hoorde of zag, kwam ik hem uiteraard te hulp. Hij was per slot van rekening mijn neef. Maar hij was een buitenbeentje. Shana was ook een buitenbeentje, maar zij was pienter en doortrapt. Toen al.' Sgarzi schudde zijn hoofd. 'Mijn neef had geen schijn van kans.'

‘Hebt u de rechtszaak gevolgd?’ vroeg Phil.

‘Nee, dat mocht niet van mijn ouders. Wat ik erover wist, ving ik op van mensen die erover praatten. Er was toen nog geen kabeltelevisie, er waren geen nieuwszenders die dag en nacht het laatste nieuws op het scherm brachten. De pers volgde de zaak natuurlijk wel, vooral toen de officier van justitie aankondigde dat Shana als volwassene zou worden berecht, maar haar advocaat was een slampamper. De rechtszaak was vrij snel voorbij en daarna ging het leven weer door. Behalve voor mijn oom en tante.’

‘En u?’ vroeg D.D. nieuwsgierig. ‘Waarom schrijft u na dertig jaar nog steeds brieven aan de vrouw die uw neef heeft vermoord? Wilt u de zaak opnieuw in de belangstelling brengen?’

‘Nog steeds?’ vroeg Sgarzi verbaasd. ‘Wie zegt dat ik “nog steeds” schrijf? Ik heb haar drie maanden geleden voor het eerst van mijn leven geschreven. Donnie was een goeie jongen, maar dat was ik ook. Ik was niet van plan mijn hele leven “de neef van die vermoorde jongen” te blijven. Ik ben wel goed, maar niet gek. Ik ben uit Southie vertrokken, heb aan het NYU communicatiewetenschappen gestudeerd en ben als journalist gaan werken.’

‘Maar nu bent u teruggekomen,’ zei Phil.

‘Ja. Om voor mijn moeder te zorgen,’ zei Sgarzi scherp. ‘Heeft dr. Glen dat er niet bij verteld? Mijn moeder heeft een ongeneeslijke vorm van kanker. Ze heeft thuiszorg nodig, iemand die haar beter kan verzorgen dan ik. Dat kost geld. Als u weet hoe lucratief het vandaag de dag is om blogger te zijn, zult u begrijpen dat ik niet zoveel geld heb. Dus heb ik iets bedacht. Aan digitale verslaggeving verdien je niet veel, maar true crime-boeken... Daar heb je het algauw over een voorschot van zes of zeven cijfers. Ik kan zo’n boek schrijven. Als ik voldoende materiaal kan bemachtigen. Als ik een exclusief interview kan krijgen met een beruchte moordenares. Is dat zoveel gevraagd? Misschien vindt Shana het na dertig jaar zelfs wel prettig dat haar een kans wordt geboden iets goed te maken. Al denk ik eerlijk gezegd van niet, gezien het feit dat ze mijn brieven niet eens beantwoordt.'

'En omdat zij niet reageert, hebt u het bij haar zus geprobeerd.'

'Ja. Dat doe je als goed journalist. Als je bij de ene bron bot vangt, probeer je het bij een andere. Net zolang tot je er eentje vindt die bereid is mee te werken. Ik heb zo'n bron nodig. Mijn moeder heeft zo'n bron nodig.'

'Wanneer is bij uw moeder de diagnose gesteld?' vroeg D.D.

'Een halfjaar geleden.'

'En wanneer hebt u uw eerste brief naar Shana gestuurd?'

'Ongeveer drie maanden geleden.'

'En wanneer heeft de Rose Killer zijn eerste slachtoffer gemaakt? Een week of zes, zeven geleden?'

Sgarzi verstijfde. Onbewust balde hij zijn handen tot vuisten. Zijn ogen vernauwden zich. 'Wat wilt u daarmee zeggen?'

'U beweert een boek te willen schrijven over een dertig jaar oude zaak die erg weinig mensen zich herinneren, op uw familie na, en opeens worden er moorden gepleegd die naadloos aansluiten op het onderwerp van uw boek. Dat is erg interessant, als je het mij vraagt. Je zou zelfs kunnen zeggen dat dit erg goed in uw straatje past.'

'Wacht eens even...'

'Waar was u zondagavond?' vroeg Phil.

'Lazer op, man!'

'U hebt ons in uw woning uitgenodigd,' zei D.D. bedaard. 'U zei dat u over misdaden wilde praten.'

'Ik ben journalist! Ik ben op zoek naar de waarheid. Dat zou u ook moeten doen. Tenzij u het niet erg vindt dat vrouwen in hun eigen bed worden vermoord.'

'Hoe weet u dat?'

'Hou op, zeg, deze feiten zijn bekend. Wat u zou moeten beseffen, zonder dat ík u dat moet uitleggen, is dat Shana Day nog net zo sluw is als dertig jaar geleden.'

'Hoe weet u dat? Ze heeft uw brieven toch niet beantwoord?'

'Nee. Maar zoals ik al zei, in mijn vak is het zaak steeds nieuwe bronnen aan te boren. Ik heb een paar voormalige medegevangenen van haar opgespoord.'

'Shana zit in eenzame opsluiting.'

'Maar de cellen liggen aan een gang. Dacht u dat die vrouwen niet met elkaar praten? Dat ze elkaar niet zien als ze naar de dokter moeten of als ze bezoek krijgen? Je hebt in de gevangenis mogelijkheden te over voor contact met anderen, zelfs als je in eenzame opsluiting zit. En het is niet zo dat ze iets beters te doen hebben.'

'Wie zijn die ex-gevangenen met wie u hebt gesproken?' vroeg D.D.

'Dat maakt niet uit. Ze zullen met ú toch niet praten. Ze zijn niet echt dol op de politie. Een knappe vent als ik daarentegen...'

'Wat hebben ze u verteld?' vroeg Phil.

'Shana heeft een maatje.'

'Wie?'

'Een fan. Van vroeger. Misschien iemand uit Southie, of uit het pleeggezinnencircuit. Iemand die al die jaren contact met haar heeft gehouden en die klusjes voor haar opknapt.'

'Wat voor klusjes?'

'Om te beginnen bespiedt hij haar zus.'

'Dr. Adeline Glen?'

'Ja. Shana is geobsedeerd door Adeline. Haar werk, haar appartement, haar auto. Adeline heeft alles wat Shana had willen hebben. Dat houdt haar constant bezig.'

'Hoe weten Shana's voormalige medegevangenen dit?'

Sgarzi haalde zijn schouders op. 'Misschien heeft ze iets gezegd of laten doorschemeren. En... Shana weet veel. Onder andere over haar medegevangenen. Haar maatje kan goed speuren, want als iemand mot krijgt met Shana, komt ze met heel specifieke dreigementen. In de trant van: als je dat stomme liedje nog één keer zingt, zal ik je laten zien hoe het die dronken hoer van een moeder van je zal vergaan als ze morgen jouw zesjarige zoontje naar de Billy Bearcrèche brengt. Dat soort dingen. Heel specifiek. Zo specifiek dat iedereen haar gehoorzaamt. En zo is het nog steeds. Iedereen is bang voor haar. Echt. Vraag maar na. Shana's reputatie reikt tot ver buiten de gevangenis. Ze laat haar zus en de staf van de gevangenis in de waan dat ze een gedeprimeerde, eenzame zielenpiet is, maar geloof me, dat is toneel. Ze belazert de boel. Overdag een zielige gevangene, 's nachts een geniale moordenares.'

D.D. staarde Sgarzi aan. Ze wist niet wat ze moest zeggen. Ze wist niet eens wat ze moest denken.

'Honderddrieënvijftig,' zei Phil.

'Wat?'

'Honderddrieënvijftig. Als u Shana Day zo goed kent, moet u weten waar dat getal voor staat.'

Sgarzi fronste. 'Ik heb geen idee.'

'Hebt u onderzoek gedaan naar haar vader, Harry Day?'

'Natuurlijk.'

'Wat betekende dat getal voor hem?'

'U bedoelt zoals een geluksgetal?'

'Was het dat?'

'Ik weet het niet. Ik ben nergens iets over een geluksgetal tegengekomen.'

'Een adres?' vroeg D.D. 'Een adres van hem of van zijn slachtoffers?'

Sgarzi schudde zijn hoofd. Hij keek net zo verward als zij zich voelden.

'Van Shana dan?' drong D.D. aan. 'Wat was het adres van uw neef en van Shana's pleeggezin?'

'Ze woonden geen van beiden op nummer honderddrieënvijftig.' Sgarzi keek hen scherp aan. 'Wat betekent het? Is het een aanwijzing van de Rose Killer? Een code die jullie moeten kraken? Ik wil jullie best helpen die op te lossen. Tegen betaling. *Quid pro quo*.'

'Vergeet het maar,' zei D.D. 'Zonder resultaten geen geld. Tot nu toe hebt u ons niets nieuws verteld.'

'Ik heb u over Shana's maatje verteld.'

'Haar maatje? U bedoelt haar denkbeeldige vriendje? Met wie ze praat maar die niemand ooit heeft gezien? U kunt net zo goed zeggen dat we op zoek moeten gaan naar Casper, het vriendelijke spookje.'

'Ze heeft ogen en oren buiten de gevangenis.'

'Dat wisten we al.'

'Ze laat haar zus bespieden.'

'Dat wisten we ook al.'

'O ja?'

'Dr. Glen is niet zo dom als ze eruitziet. Of eigenlijk ziet ze er best pienter uit. Ze is een psychiater die precies weet waar ze vandaan komt. Wij willen iets wat de moeite waard is. Waarom denkt u dat er een verband bestaat tussen Shana en de Rose Killer?'

'Om te beginnen vanwege het verwijderen van de huid. Niet alleen omdat Harry Day erom bekendstond reepjes huid te bewaren als aandenken, maar omdat ik weet wat Shana mijn neef heeft aangedaan. Mijn twaalfjarige neefje. Ik ben daarachter gekomen toen ik stiekem naar de studeerkamer van mijn oom ging om naar de foto's te kijken.' Sgarzi stopte. Ondanks zijn bravoure, ondanks het feit dat er dertig jaren waren verstreken schoot hij vol. 'Toen ik de details over de recente moorden in de krant las, zag ik in gedachten meteen weer die foto's. Van Donnies arm, van zijn buik. Ik weet wat de Rose Killer met zijn slachtoffers doet. Omdat ik dat al eens eerder heb gezien. Op de foto's van het lijk van mijn neef. Heb ik het mis? Kunt u mij in de ogen kijken en zeggen dat ik het mis heb?'

Dat konden D.D. en Phil niet. Nu waren zíj degenen die hun ogen neersloegen. Ze hadden de afgelopen vierentwintig uur zelf ook de foto's bekeken van wat Shana dertig jaar geleden had gedaan, en ze wisten dat Charlie Sgarzi gelijk had. De overeenkomsten tussen wat Shana met haar slachtoffer had gedaan, wat haar vader met zijn slachtoffers had gedaan en wat de Rose Killer nu met zijn slachtoffers deed...

'Shana Day heeft die twee vrouwen niet vermoord,' zei Sgarzi. 'En Harry Day uiteraard ook niet. Maar als het verwijderen van de huid het kenmerk van deze moorden is en het visitekaartje van zowel de vader als de dochter...'

Sgarzi zweeg. D.D. wist wat er ging komen.

'Dan is er nog maar één lid van dat gezin over...'

HOOFDSTUK 20

Om te beginnen moest ik zien dat ik van de formaldehydeoplossing afkwam.

Na het gesprek met Shana had ik mijn receptioniste gebeld om te zeggen dat ze mijn afspraken voor de rest van de week moest afzeggen. Pessimistisch? Beducht voor een ramp? Mijn adoptievader had gelijk gekregen; dat ik geen pijn kon voelen, wilde nog niet zeggen dat mijn familie me niet kon kwetsen.

Mijn zus wist iets. Het verzoek om het vraaggesprek, de vragen van de rechercheurs van het Boston PD, niets van dat alles was voor haar als een verrassing gekomen. Dat was de belangrijkste indruk die ik aan deze ochtend had overgehouden. De rechercheurs mochten zichzelf een schouderklopje geven en mij feliciteren met het feit dat het me was gelukt het raadselachtige 'honderddrieënvijftig' aan Shana te ontfutselen, maar ik kende mijn zus. Voor haar was dit een spel, en dat ze er vrijwillig aan deelnam, wilde zeggen dat zij de regels had verzonnen. Wij hadden nu al een achterstand.

Ik had de waarheid gesproken toen ik had gezegd dat ik niet wist wat honderddrieënvijftig betekende. Maar Shana wist dat wel en als zij zei dat wij haar morgenochtend uit de gevangenis zouden halen, en dat ze dan gedurende achtenveertig uur in mijn appartement zou mogen wonen, in mijn bed zou mogen slapen en mijn kleren zou mogen dragen, dan geloofde ik dat onmiddellijk. De voorspelling was te specifiek om als onzin te worden afgedaan.

En dat joeg me doodsangsten aan.

Formaldehyde. Ik had een aanzienlijke verzameling flacons gevuld met dit conserveermiddel en reepjes huid. Die moest ik allemaal laten verdwijnen. Onmiddellijk.

Verbaast het je dat ik mijn verzameling onder de vloerplanken van mijn kleedkamer bewaar? Ik kan je als psychiater vertellen dat zelfs de slimste mensen gedreven kunnen worden door krachten die sterker zijn dan logica. Dwangneurose. Obsessie. Verslaving.

Ik liep mijn kleedkamer in. Het kersenhouten ladekastje aan de linkerkant leek te zijn ingebouwd, maar kon in werkelijkheid naar voren worden getrokken. Ik wurmde me erachter en haalde de vrijgekomen vloerplanken weg. Elk ervan had veelzeggende krasjes langs de randen. Ik had deze bergplaats zelf gemaakt in het eerste weekend dat ik mijn nieuwe, luxueuze appartement in deze wolkenkrabber had betrokken. Mijn eerste doe-het-zelfklus als huiseigenaar. Zegt dat jou iets?

In het gat stond een schoenendoos. Een doodgewone schoenendoos. Verschoten blauwgrijs met een zwart deksel. De merknaam was inmiddels onleesbaar geworden. Een schoenendoos waarin je foto's of andere dierbare aandenkens verwacht. Ik omvatte hem met beide handen, tilde hem uit het gat, drukte hem tegen mijn borst en wurmde me weer achter het kastje vandaan.

In mijn badkamer nu. Modern ingericht met wit marmer, donkerbruine kastjes, grijze tegels. Ik zette de doos op het marmeren wastafelblad, naast de tweede wastafel, die bedoeld was voor mijn echtgenoot of partner, voor mijn grote liefde, als die ooit mocht komen. Zolang als ik hier woon, was er in die wastafel nog nooit ook maar één druppel water gevallen.

Ik nam het deksel van de schoenendoos. Vanbinnen was hij bekleed met gecapitonneerde zijde, wat je niet verwachtte als je de buitenkant zag. Flacons. Een heleboel slanke flacons, ongeveer zo groot als reageerbuisjes, elk met een rubberen stop.

Geen weckpotten voor deze dochter van Harry. Er had een opwaartse mutatie in onze genen plaatsgevonden.

Ik besefte nu pas dat ik de flacons nooit had geteld. En ik was geneigd ze ook nu als één geheel te beschouwen. De verzameling. Ik zag ze niet als aparte delen daarvan die ik gedurende de afgelopen tien jaar had verzameld. De psychiater die niet wilde weten wat ze niet wilde weten.

Ik sloot mijn ogen. Deed net alsof ik mijn eigen patiënt was. Hoeveel flacons bevatte de doos naar mijn schatting? Zoals je een alcoholiste vroeg hoeveel glaasjes ze dacht gisteravond te hebben gedronken.

Ik hield het op twaalf. Wat al heel veel was. Een dozijn, naar boven bijgesteld, omdat ik eigenlijk acht had willen zeggen. Net zoals de alcoholiste die eigenlijk wel weet dat ze een probleem heeft, wilde ik zeggen dat ik drie glaasjes had gedronken, terwijl het er in werkelijkheid waarschijnlijk minstens vijf waren geweest... Gedwongen eerlijkheid. Als ik niet in de ontkenningsfase zit, héb ik geen probleem.

Ik deed mijn ogen weer open. Telde de flacons.

Eenentwintig.

Ik werd helemaal duizelig en greep me aan de gladde rand van het marmer vast om niet te vallen.

Eenentwintig.

Nee. Hoe? Dat bestaat niet. Dat kon helemaal niet...

Ik telde ze opnieuw. En nog een keer.

Ik werd bevangen door een eigenaardig gevoel. Alsof mijn ziel uit mijn lichaam wegvloeide nu de afgrijselijke waarheid aan me was geopenbaard. Hij zakte vanuit mijn hoofd door mijn lichaam via mijn voetzolen naar de badkamertegels en verdween in het afvoerputje van de douche. Nee, geen ziel, maar een... een geest die terugkeerde naar de onderwereld waar hij vandaan was gekomen.

Het kon niet...

Ik nam een van de flacons uit de doos. 'Computerman' stond

erop. Meteen flitste een foto van de kast van mijn vader door mijn hoofd. Uit het politiedossier. 'Bloemetjesbloes' stond op de weckpot op die veertig jaar oude foto. Eén detail, het enige wat ze hadden om de inhoud van dat potje en de jonge vrouw die in die huid had geleefd bij elkaar te zoeken.

Ik beefde over mijn hele lichaam. Ik wilde gaan zitten, maar verzette me daartegen. Ik kon beter blijven staan en mezelf dwingen mijn eigen schuldgevoelens onder ogen te zien.

'Maar zonder pijn,' hoorde ik mezelf fluisteren. 'De lidocaïne. Ze wisten niet eens wat er gebeurde...'

Want op het ontkennen volgt het beredeneren. Ik ben niet echt een monster, zoals mijn vader. Hij slachtte jonge vrouwen af, hield hen gevangen en martelde hen dagenlang. Ik heb alleen bij mijn slapende bedgenoten een reepje huid verwijderd. Ze hebben het niet gevoeld, er niets van gemerkt, zich niet eens bewogen. Een onschuldig aandenken aan de ene nacht die we samen hebben doorgebracht. Ik denk dat sommigen van hen zelfs zouden hebben ingestemd met deze voorwaarde: een nacht hartstochtelijke seks, zonder banden, zonder verplichtingen, in ruil voor een sliertje opperhuid, dat binnen een paar dagen weer zal aangroeien...

Ik tilde de flacon met 'Computerman' op. Staarde naar mezelf in de badkamerspiegel. Kijk eens wat een knappe, succesvolle vrouw van middelbare leeftijd. Maar wat heeft ze daar in haar hand?

Opeens moest ik denken aan het bloed van rechercheur Phil op mijn vinger. Hoe het had gevoeld. Hoe het had geroken. Hoe graag ik eraan had willen likken.

Mijn knieën knikten. Ik liet me op de koude tegelvloer zakken. Vanwege mijn zeldzame genetische aandoening weet ik uit ervaring dat opvoeding nooit voldoende is. Ieder mens is een gijzelaar van zijn eigen aanleg. En dit was mijn aanleg. Deze glazen flacon, die ik nu tegen mijn borst drukte.

Gevuld met formaldehyde en mensenhuid.

Mijn zus mocht hier niets van weten. Niemand mocht hier iets van weten. Niemand. Ik had gefaald, ik was zwak geweest, ik had toegegeven aan een genetische obsessie. Maar ik kon die obsessie overwinnen. Ja, dat kon ik best. Waarom niet? Maar dan moest ik eerst deze vreemde, angstaanjagende week overleven terwijl de geest van mijn vader opnieuw door de straten van Boston zwierf en jonge vrouwen stierven en mijn krankzinnige zus dingen wist die ze niet kon weten.

Eerste punt op de agenda: het bewijsmateriaal verdonkeremanen. De schoenendoos, de flacons, de formaldehydeoplossing, de reepjes huid. Alles moest weg.

Maar hoe? Formaldehyde is een kleurloos gas dat, opgelost in water, hoofdzakelijk wordt gebruikt om weefselmonsters te conserveren. In sterk geconcentreerde vorm is het giftig. Het kan schadelijk zijn voor de luchtwegen en de huid en het schijnt bepaalde vormen van kanker te kunnen veroorzaken. Vandaar dat formaldehydeoplossing wordt beschouwd als een gevaarlijke stof en men officiële richtlijnen dient te volgen als men zich ervan wil ontdoen.

Maar ik kon het risico niet nemen dat ergens werd vastgelegd dat ik me van giftige afvalstoffen wilde ontdoen.

Ik kon alles natuurlijk gewoon door de wastafel of het toilet wegspoelen en hopen dat de relatief kleine hoeveelheid formaldehyde in het water van de stadsriolering geheel zou oplossen. Maar ik was er niet zeker van of dit vanuit forensisch oogpunt gezien absoluut veilig was. Om te beginnen zou de scherpe geur ervan in mijn badkamer kunnen blijven hangen. Het was een heel specifieke geur die niemand zou verwarren met toiletreiniger. Stel dat de plannen van mijn zus ertoe zouden leiden dat de politie mijn appartement wilde uitkammen. Zouden ze dan sporen van het formaldehyde vinden? Bijvoorbeeld in de rand rond mijn wastafel of in de buizen van de riolering? Ik had geen idee; zulke dingen leerde je niet tijdens je medicijnenstudie.

Ik moest het formaldehyde uit mijn flat weghalen. Me er elders van ontdoen. En niet alleen van de vloeistof, maar ook van de huidmonsters, de flacons en de schoenendoos.

Een winkelcentrum. Een groot, openbaar gebouw waar ik winkels en toiletruimten kon binnengaan zonder verdacht te zijn. Ik kon me op een aantal verschillende plekken van de spullen ontdoen. En als ik daarna ook nog even naar de supermarkt ging, was ik gewoon een vrouw die was gaan winkelen.

Dit kon lukken. Zolang ik me kalm en onopvallend gedroeg en niet vergat dat er overal bewakingscamera's waren. Als er íéts was wat ik de afgelopen jaren van mijn zus had geleerd, dan was het dat het beste bedrog verpakt is in laagjes waarheid. Waarom zou ik níét naar een winkelcentrum gaan waar een filiaal van Ann Taylor zat? Waarom zou ik níét naar de supermarkt gaan om brood en melk te kopen?

Het plan begon vorm te krijgen. Ik haalde diep adem en ging aan het werk.

Latexhandschoenen. Een grote glazen pot voor alle formaldehyde. Een jampot? Nee, dat zou raar staan. Als iemand een vrouw een openbare toiletruimte zag binnengaan met een grote jampot gevuld met een vreemde vloeistof, zeker in Boston, zo kort na de aanslag tijdens de marathon... Nee, geen goed idee.

Een roestvrijstalen thermosfles. Ik had er vijf. Ik liep naar de keuken en koos de fles die ik het minst mooi vond, eentje van metallic blauw met een zwarte dop. Ik nam hem mee naar de badkamer en zette hem rechts van mij op het marmeren wastafelblad. Links van mij legde ik een boterhamzakje met zipsluiting.

Huidmonster in het zakje, een paar eetlepels vloeistof in de thermosfles. Het ging best snel. Tien jaar had ik erover gedaan om dit allemaal te verzamelen en in tien minuten was alles verdwenen.

Ik drukte de strip van het zakje dicht en draaide de dop op de thermosfles. Ze pasten samen makkelijk in mijn schoudertas.

Nu zat ik nog met het probleem van de eenentwintig lege flacons.

Ik kon ze afwassen. Ik kon ze in de vaatwasser zetten en later meenemen naar mijn praktijk. Niemand zou vreemd opkijken van glazen flacons in een spreekkamer van een psychiater. Maar zouden er geen sporen van het formaldehyde in de rubberen stoppen achterblijven? En dan had ik het nog niet eens over mijn vingerafdrukken...

Een grote diepvrieszak ditmaal. Nee, twee. Ik deed alle flacons in de dubbele zak. Toen haalde ik een roestvrijstalen vleeshamer uit de keuken en sloeg daarmee op de inhoud van de diepvrieszakken tot de flacons waren veranderd in glasgruis dat ik tijdens mijn uitje naar het winkelcentrum eveneens door een toilet kon wegspoelen.

Ik deed de diepvrieszakken in mijn schoudertas, samen met een zak vol rubberen doppen. Die kon ik in een willekeurige vuilcontainer gooien. De schoenendoos was geen probleem. Ik haalde de bekleding eruit. De zijden stof legde ik opgevouwen in mijn kast. Het schuimrubber gooide ik in de vuilnisbak. De doos scheurde ik aan stukken om naar de papierbak te brengen.

Als men er vragen over mocht stellen, zou ik mijn antwoorden klaar hebben. 'Ja, agent, ik herken die doos. Die heeft lange tijd in mijn kast gestaan. Toen ik laatst heb opgeruimd, heb ik hem weggegooid.' Geen probleem.

Toen ik klaar was, trok ik de latexhandschoenen uit en deed ze bij de rest van de spullen in mijn tas. Ik zou de handschoenen uiteindelijk ook weggooien, maar op een andere plek. Een spoor van schuldige broodkruimels, verstrooid door heel Boston.

Toen waste ik mijn handen. En nog een keer, en nog een keer, en nog een keer. Ik zag mijn vingers trillen en zei tegen mezelf dat alles in orde was, dat ik juist had gehandeld, dat ik niet zo iemand hoefde te zijn; dat ik niet zo iemand zou zijn.

Je kon veranderen. Zelfs de diepst gewortelde dwangneuroses konden worden bedwongen als je daar voldoende tijd en energie in stak.

Ik liep mijn slaapkamer in, ging op de rand van het bed zitten en begon te huilen.

Omdat mijn verzameling er niet meer was en ik niet wist of ik ooit nog iets zou vinden om de leegte mee op te vullen en me door de slapeloze nachten heen te helpen.

Ik was alleen.

Een baby in een autostoeltje, opgesloten in een donkere kast, waar de wereld was geslonken tot een dun streepje angstaanjagend licht...

Niets te zien, maar genoeg te horen.

Weinig begrijpend, maar alles absorberend, dingen die als enge kaboutertjes in mijn achterhoofd bleven steken.

Niet de baby, Harry. Alsjeblieft niet.

Opeens... Ik sprong overeind. Rende naar mijn kantoor. Stootte een boek van mijn bureau, trok de la van de dossierkast open, zoekend, zoekend, zoekend.

Daar had ik hem. De map met de informatie die mijn adoptievader had verzameld over Harry Day. Gejaagd bladerde ik erin: foto's, aantekeningen van rechercheurs. Tot ik vond wat ik zocht. Een rapport van het forensisch laboratorium.

Honderddrieënvijftig.

Precies zoals mijn zus had voorspeld, of zich had herinnerd, of had geweten.

Mijn vaders verzameling. Honderddrieënvijftig geconserveerde reepjes mensenhuid, in bijna drie dozijn weckpotten.

Ik pakte de telefoon en belde rechercheur Warren.

HOOFDSTUK 21

'Dus jij denkt dat Shana Day, die al dertig jaar in de gevangenis zit, iets te maken heeft met de Rose Killer? Sterker nog, dat Shana hem opdrachten geeft?'

'Ja.'

'Ondanks het feit dat ze in eenzame opsluiting zit, geen fanclub of penvrienden heeft, en er onder haar medegevangenen niemand is die haar mag?'

'Ja.'

'Oké.' Alex ging tegenover D.D. aan de keukentafel zitten. D.D. had een ijszak op haar schouder. 'Zelfs voor een nederige docent misdaadanalyse als ik is dit een beetje verwarrend.'

D.D. was net terug van het bezoek aan Shana in de gevangenis en het gesprek met Charlie Sgarzi. Alex had vandaag ook niet stilgezeten. Op de voordeur prijkten gloednieuwe, ultramoderne sloten, de ramen waren extra beveiligd en een stevige lat blokkeerde de schuifpui. Bovendien waren aan het bestaande alarmsysteem camera's met bewegingssensors toegevoegd waarvan ze de beelden konden zien op hun mobiele telefoons. D.D. had een beetje het gevoel dat ze meedeed aan een realityshow, maar aangezien ze Jack straks weer zouden ophalen...

'Goed gedaan,' had ze gezegd.

Alex had tevreden geknikt.

Dit was dus hun nieuwe realiteit. Ze moesten leven als gevangenen, of als deelnemers aan een televisieshow, tot de moordenaar die hun huis was binnengedrongen om een wenskaart voor haar achter te laten, gepakt was.

‘Ik snap best waarom je het verwarrend vindt,’ zei D.D. nu. ‘Jij bent iemand die bewijzen wil en die hebben we nog niet. Althans, geen tastbare bewijzen.’

‘Dat klopt,’ zei Alex.

‘Het mooiste tastbare bewijs zou natuurlijk een briefje van Shana Day aan de moordenaar zijn, aan de persoon die de bijnaam de Rose Killer heeft gekregen. Volgens McKinnon hoef je echter niet per se iets op schrift te zetten als je vanuit een gevangenis contact wilt onderhouden met mensen daarbuiten. Het is heel goed mogelijk dat Shana daarvoor trucjes heeft bedacht, waarbij ze gebruikmaakt van alledaagse dingen: bibliotheekboeken, een paar sokken voor haar raam, de hoeveelheid kruimels die ze op haar bord laat liggen. Het kan van alles zijn. Zulke trucjes worden door veel gedetineerden toegepast. Aangezien Shana erg intelligent is, hebben we geen reden om aan te nemen dat ze níét in staat is verder te reiken dan de deur van haar cel.’

‘Dat klinkt logisch,’ gaf Alex toe. ‘Maar... wie? Jij zei dat die journalist het idee heeft dat het iemand is die ze kent uit de tijd voordat ze in de gevangenis terecht is gekomen. Dan zou het om een unieke vriendschap gaan die al meer dan dertig jaar voortduurt.’

D.D. haalde haar gezonde schouder op. ‘Voor zover we weten heeft Shana ín de gevangenis geen nieuwe vriendschappen gesloten. Dan is het niet zo vreemd om ervan uit te gaan dat haar handlanger iemand is van toen.’

Alex keek sceptisch. ‘En die persoon zou voor haar spioneren?’

‘We hebben nu al van meerdere mensen gehoord dat Shana dingen weet die ze eigenlijk niet zou kunnen weten.’

‘Shana krijgt dus informatie toegespeeld en daarmee krijgt ze macht. En haar denkbeeldige vriendje? Wat krijgt die?’

D.D. tuitte haar lippen. ‘Kippenvel? De slappe lach? Weet ik veel. Ik ben normaal. Mensen die bevriend willen zijn met moordenaars, zijn dat duidelijk niet.’

Alex schudde zijn hoofd. 'Hoe is het met Melvin?' Hij wees naar de schouder met de ijszak.

'Die blijft stuurs en chagrijnig. Het kan zijn dat ik vandaag iets te veel van hem heb gevergd.'

Alex keek meteen ongerust.

'Maar het is zo interessant om psychologische spelletjes te spelen met een van de beruchtste moordenaressen van Massachusetts, dat ik daardoor nauwelijks op de pijn let.'

Haar man zuchtte. Misschien vond hij het soms jammer dat zijn vrouw geen banketbakker was of een bibliothecaresse die voor de buurtkinderen naschoolse activiteiten organiseerde. Maar hij zei: 'Vooruit dan maar. Als Melvin niet al te chagrijnig is en jij niet al te moe bent... wil ik iets zeggen over jouw theorie.'

'Ja?'

'Waarom nu?'

'Hoe bedoel je?'

'Waarom nu?' herhaalde Alex. 'Als Shana en haar mysterieuze partner inderdaad al ruim dertig jaar een relatie hebben, waarom is de eerste moord dan zeven weken geleden pas gepleegd? De meeste moordenaars worden door een trigger tot hun daad aangezet. Waarom heeft de relatie tussen Shana en haar partner pas na dertig jaar een nieuw niveau bereikt?'

'Vanwege de dertigste jaardag van de moord op Donnie Johnson?' gokte D.D.

'Denk je? Waarom dan niet op de tiende jaardag van die moord? Of de twintigste of de vijfentwintigste? Waarom is dertig zo'n magisch getal?'

'Geen idee.'

'En waarom jij?'

'Waarom ik?'

'Ja. De Rose Killer, de leerling van Shana Day, die na dertig jaar studie bij de grootmeester eindelijk alle kneepjes van het vak onder de knie heeft, kiest jou, brigadier D.D. Warren van de recherche van het Boston PD, als doelwit. Hij duwt je van de trap. Hij dringt ons huis binnen om geschenken achter te laten. Dat is opzet, D.D. Jij kunt mij niet vertellen dat dit geen opzet is.'

'Dat zeg ik ook niet.'

'Waarom jij?' vroeg hij nogmaals. 'Toen Donnie Johnson werd vermoord, was je nog niet eens bij de politie. Je hebt geen enkele band met de moordenaar of met Shana Day. Waarom betrekt hij juist jou hierbij? Waarom betrekt hij een rechercheur bij zijn daden?'

D.D. fronste. 'Als je me het hemd van het lijf gaat vragen, zal daar afhaalchinees tegenover moeten staan.'

'Afgesproken.'

'Oké, daar gaat ie. Om te beginnen is het onderzoek nog in volle gang. We weten dat onze theorie meer onbeantwoorde dan beantwoorde vragen heeft. Daarom is Phil begonnen de reclasseringsambtenaren van alle vrijgelaten medegevangenen van Shana Day te bellen. Wie weet. Misschien is een van hen toevallig drie maanden geleden vrijgekomen en heeft zij, na alle interessante dingen die ze van Shana heeft gehoord, besloten angst en verderf te zaaien door vrouwen te vermoorden en te villen. Misschien ken ik haar zelfs. Dat zou best kunnen. Ik vrees dat de lijst van ex-gedetineerden die ondervraagd moeten worden vrij lang is.'

Alex had stil en bedachtzaam geluisterd. Nu zei hij: 'Daarmee zijn we terug bij de mogelijkheid dat de Rose Killer een vrouw is. Wat ook wel logisch lijkt omdat Shana Day door de jaren heen hoofdzakelijk contact heeft gehad met vróúwelijke misdadigers. Als Shana de sleutelfiguur is en als zij iemand onder haar hoede heeft genomen, lijkt het erg aannemelijk dat we op zoek zijn naar een vrouwelijke ex-gevangene.'

'Daar komt nog bij dat de slachtoffers niet zijn verkracht, en dat ze zijn gedood door middel van compressieve asfyxie. We zijn op zoek naar een Patricia, niet naar een Patrick,' zei D.D. 'En waarom ík een doelwit ben? Die vraag leidt ons terug naar onze oorspronkelijke theorie: ik ben naar het huis gegaan waar de eerste moord is gepleegd, heb daar de moordenaar verrast, ben door hem of haar van de trap geduwd, maar kom evengoed steeds weer opduiken. Als onze moordenaar een supermisdadiger is, ben ik een superagent. We zijn aan elkaar gewaagd.'

Alex keek haar alleen maar aan.

Ze negeerde zijn blik. 'Dat van het triggermoment klopt. Er moet een reden zijn waarom deze moorden juist nu worden gepleegd. En die reden kan de vrijlating zijn van een gevangene die Shana Day kent.'

'Een tijdlijn,' zei Alex. 'Ik wil een tijdlijn, een motief en bewijsmateriaal. En ik wil dat mijn vrouw niets overkomt. Niet per se in deze volgorde.'

'En ik wil General Tso's kip. Zo niet voor mij, dan voor Melvin.'

'Voor die ellendige Melvin,' zei hij.

Ze glimlachte en zei zachtjes: 'Ik hou van je.'

Hij zei het niet terug. In plaats daarvan kuste hij haar innig.

Toen pakte hij zijn autosleutels om chinees te gaan halen.

Vijf minuten later ging de telefoon. D.D. was verbaasd toen ze zag dat het Adeline was.

'Ik heb een vraag voor u,' zei ze meteen.

'Over uw schouder?'

'Nee, over uw zus.'

Even bleef het stil. Toen vroeg Adeline behoedzaam: 'Ja?'

'We gaan momenteel uit van de veronderstelling dat uw zus een partner heeft buiten de gevangenis, en dat die partner nu vrouwen vermoordt op een manier die sterk doet denken aan die van uw vader, Harry Day.'

'Dat is één theorie.'

'Waarom nu? Uw zus zit al dertig jaar achter de tralies, maar de eerste moord is zeven weken geleden pas gepleegd. Wat is er opeens veranderd?'

'Misschien heeft Shana een nieuwe partner,' zei Adeline traag, maar het klonk alsof ze dat zelf niet geloofde. 'Of misschien... heeft de moordlust van de Rose Killer lange tijd op een laag pitje gesudderd en heeft hij uiteindelijk Shana om raad gevraagd en is hij door haar reactie tot daden overgegaan.'

'Maar waar kennen de Rose Killer en Shana elkaar van? En hoe verloopt het contact tussen hen? U bent de enige die bij haar op bezoek gaat, en de enige post die ze heeft gekregen, zijn de brieven van Charlie Sgarzi, die ze niet heeft beantwoord. Daarom heeft hij u opgespoord.'

'Dat is waar.'

D.D. wachtte af of Adeline zou reageren op de opmerking dat zij Shana's enige bezoekster was: de vrouw die abnormale genen met haar deelde; de psychiater die eveneens arts was.

Toen Adeline niets zei, ging D.D. door, beheerst, als een rechercheur die om informatie vroeg, zonder iets van haar verdenkingen prijs te geven.

'McKinnon zegt dat Shana's gemoedstoestand een paar maanden geleden een verandering heeft ondergaan. Ze zou depressiever zijn geworden. Weet u wat daarvoor de reden kan zijn?'

'Nee, maar Shana is niet iemand die over haar gevoelens praat. Mijn zus lijdt aan chronische depressiviteit. Ze heeft goede en slechte dagen.'

'Maar kan, juist omdat ze aan depressiviteit lijdt, een bepaalde gebeurtenis de aanleiding zijn voor de neerwaartse spiraal?'

'Dat kan.'

'Maar u weet niet om welke gebeurtenis het gaat?'

'Nee. Ze leidt een erg... begrensd leven. Alhoewel...' Adeline ging iets levendiger door: 'De dertigste jaardag van de moord op Donnie Johnson, Charlie Sgarzi die aandringt op een interview... Misschien heeft de combinatie van deze dingen een emotionele reactie in haar losgemaakt. Anders dan u vermoedelijk denkt, zijn haar gevoelens aangaande Donnie erg gecompliceerd. Ze praat nooit over hem. Dat is een teken dat die gebeurtenis haar nog steeds dwarszit. Als ze een gewetenloos monster was, zou ze erover praten, over Donnie en over wat er die dag is gebeurd. Maar dat doet ze niet.'

'Oké.' Er ging van alles door D.D.'s hoofd. Alex had daarnet een goed punt aangestipt. De tijdlijn was belangrijk. Voor moordenaars moest er een triggermoment zijn, er moest een vonk overspringen. Welke vonk was er de oorzaak van dat de Rose Killer zeven weken geleden op de wereld was losgelaten?

'Wat weet u over zogenaamde partnermoorden?' vroeg D.D. nu, omdat haar gesprekspartner psychiater was. Ze ging door: 'Ze zijn vrij zeldzaam. Er zijn slechts een paar gevallen bekend van moordenaarskoppels, echtparen en andere combinaties met een "romantische inslag". Er zijn ook twee neven geweest die samen moorden pleegden. In elk geval is bij dergelijke koppels een van de partners altijd de alfa en is de andere ondergeschikt.'

'Denkt u dat Shana en de Rose Killer zo'n koppel zijn?' vroeg Adeline scherp. 'Dat zij de bevelen geeft en dat hij die uitvoert?'

'Of dat zíj die uitvoert,' zei D.D. en ze wachtte weer.

'Wie? Shana?' vroeg Adeline verward. 'Die zit in de gevangenis.'

'Nee, de Rose Killer. Stel dat hij een zíj is?'

'Dat komt bijzonder weinig voor,' zei Adeline. 'Seriemoordenaars zijn over het algemeen mannen, omdat een man sneller dan een vrouw geneigd is zijn woede op de buitenwereld te projecteren. De weinige vrouwen die seriemoorden hebben gepleegd, behoren vrijwel allemaal tot de categorie zwarte weduwen; hun beweegreden is niet seks of geweld, maar geld; zij maken veelal gebruik van een huurmoordenaar of vergiftigen hun slachtoffer. De Rose Killer daarentegen doodt zijn slachtoffers zelf en vilt ze dan ook nog.'

'En dat klinkt meer als iets voor uw zus?'

Stilte. Toen: 'Eerlijk gezegd...'

'De slachtoffers zijn niet verkracht,' zei D.D. Een risico. Deze bijzonderheid had niet in de kranten gestaan; ze maakte zich hiermee schuldig aan het doorgeven van vertrouwelijke informatie aan iemand die geen lid was van het rechercheteam. Maar D.D. was aan het vissen en had iets nodig wat ze als aas kon gebruiken.

'O,' zei Adeline. Ze ging bedachtzaam door: 'Als de Rose Killer een vrouw is, heeft ze misschien bij Shana in de gevangenis gezeten. Daar kunnen ze met elkaar in contact zijn gekomen. Dat zou verklaren hoe Shana vriendschap met iemand kon sluiten zonder ooit bezoek te ontvangen of te corresponderen. Alhoewel...'

D.D. wachtte. Adeline zuchtte.

'Ik kan het me zo moeilijk voorstellen,' zei de psychiater uiteindelijk. 'Niet alleen omdat mijn zus erg eenzelvig is, maar vooral omdat McKinnon het zou hebben geweten als Shana met iemand bevriend was geraakt of misschien zelfs op iemand verliefd was geworden. Laat u niet in de luren leggen door McKinnons integere houding van vanochtend. Ze is niet van gisteren. Ze weet precies wat er in al die cellen gebeurt. Als mijn zus een relatie met iemand had, nu of in het verleden, dan zou McKinnon ons dat hebben verteld.'

'Tenzij ze daar juist geen ruchtbaarheid aan wil geven,' flapte D.D. eruit.

'Waarom zou ze dat niet willen?'

'Stel dat het niet om een medegevangene ging, maar om een bewaker of bewaakster? Dat zou niet best zijn, in het bijzonder voor directeur McKinnon. Ze gaat er prat op dat Shana niemand van haar personeel heeft vermoord sinds zij als directeur is aangesteld. Als bekend zou worden dat dat komt omdat de beruchtste moordenares van Massachusetts een verhouding heeft met een van de bewakers...'

Adeline slaakte een diepe zucht. 'Ik weet het niet. Met Shana is alles mogelijk.'

'Laten we er even van uitgaan dat ze met iemand een verhouding heeft. Of dat nu een man, een vrouw, een bewaker of een gevangene is. Hoe ziet u Shana in zo'n verhouding?'

'Shana zou de alfa zijn,' antwoordde Adeline prompt. 'Empathie is haar vreemd en ze is niet in staat tot het creëren van een band. Dat wil zeggen dat haar partner hard zou moeten werken om aan haar wensen te voldoen. Als Shana niet voortdurend op haar wenken werd bediend, zou ze botweg een einde maken aan de relatie.'

'Geldt dat ook voor úw relatie met haar?' vroeg D.D. nieuwsgierig.

'Wat ons betreft, is het initiatief van háár uitgegaan. Zij heeft mij geschreven.'

'Wanneer?'

'Lang geleden.'

'Dus... voor bepaalde relaties heeft ze wél belangstelling?'

'Dit is het enige voorbeeld in dertig jaar...'

'Maar ze mag u. Dat is duidelijk te merken. Stel dat u opeens niet meer op bezoek kwam en geen contact meer met haar zou hebben, zou ze uw afwezigheid dan accepteren en rustig in haar cel blijven zitten?'

Even bleef het stil. 'Nee,' zei Adeline toen. 'Ze zou beslist iets doen. Ze zou waarschijnlijk de hele gevangenis op stelten zetten tot ik terugkwam.'

'Ze zet u naar haar hand. Zij mag u wél in de steek laten, maar u haar niet.'

'Dat klopt. Het is een kwestie van macht. Zij vindt zichzelf, als oudste van ons tweeën, de alfa. Ik mag niet zonder toestemming van haar uit die relatie stappen. Dat zou ze opvatten als een grove belediging.'

'Hebt u drie maanden geleden soms gedreigd met de bezoeken te stoppen?'

'Nee. Ik bedreig mijn zus niet, brigadier. Daarmee zou ik me tot haar niveau verlagen. We kibbelen vaak, maar ik probeer onze relatie niet te verzieken met zinloze machtsspelletjes.'

D.D. knikte. 'Shana moet in een relatie dus de alfa zijn. Met andere woorden, als ze een relatie heeft met iemand buiten de gevangenis, is zij degene die de dienst uitmaakt. Maar hoe? Ze leeft in eenzame opsluiting. Hoe houdt ze de ander in het gareel, hoe kan ze zich ervan verzekeren dat de ander haar bevelen opvolgt?'

Weer een stilte. 'Ze heeft iets wat de ander wil hebben. Iets waarmee ze hem of haar in haar macht heeft. Het dreigement de relatie bekend te maken. Of dreigementen in het algemeen. Mijn zus kan erg angstaanjagend zijn. Het is mogelijk dat haar partner, de Rose Killer, volledig bij haar onder de plak zit. Dat die braaf doet wat ze heeft beloofd omdat Shana haar zowel angst aanjaagt als in haar ban heeft.'

'Uw zus is Charles Manson,' zei D.D.

'De hemel sta ons bij.' Adeline zuchtte. 'Nee, Shana is niet charismatisch. Integendeel. Al sluit dat niet uit – want liefde is niet per se logisch – dat er op deze wereld niet iemand rondloopt die haar verafgoodt. En één persoon is voldoende.'

D.D. knikte terwijl ze dit verwerkte.

'Ik ben trouwens iets te weten gekomen,' zei Adeline, 'over dat getal. Honderddrieënvijftig. Ik heb Harry Days dossier doorgenomen. In het verslag van het forensisch laboratorium staat dat er in zijn verzameling weckpotten in totaal honderddrieënvijftig reepjes mensenhuid zaten.'

D.D. zette grote ogen op. 'Zou dat het verband zijn? Dat Harry Day indertijd honderddrieënvijftig reepjes huid had verzameld en dat dit daarom het lievelingsgetal van uw zuster is geworden? Hoe denkt u dat ze erachter is gekomen? Kan ze het hebben opgezocht of hebben gehoord van een van de journalisten die indertijd over uw vader hebben geschreven?'

'Ik heb het nagekeken. Er is niet al te veel over Harry gepubliceerd. En in geen van de artikelen heb ik dergelijke details gevonden. Ik heb zelfs zijn naam gegoogeld in combinatie met dit getal. Dat heeft geen enkele hit opgeleverd.'

'Kan uw zus de rapporten van de politie in handen hebben gekregen? Kopieën ervan?'

'Dat lijkt me sterk, maar we kunnen in de gevangenisbibliotheek navragen in welke onderwerpen Shana zich zoal verdiept.'

D.D. tuitte haar lippen. Het werd steeds ingewikkelder. 'Goed beschouwd,' zei ze langzaam, 'heeft Shana een getal genoemd waarvan is gebleken dat het iets te maken heeft met haar vader. Maar dat is alles. Zij weet hoeveel reepjes huid hij in zijn verzameling had. En nu weten wij dat ook. Dat wil nog niet zeggen dat wij ons daar al te veel zorgen over hoeven te maken.'

Stilte. Een lange stilte. Zo lang dat D.D. een onheilspellend gevoel kreeg en Melvin weer begon op te spelen.

'De Rose Killer,' begon Adeline toen, en opeens wilde D.D. dat ze zou stoppen, 'heeft bij beide slachtoffers heel veel reepjes huid verwijderd. Weet de forensisch patholoog toevallig hoeveel?'

D.D. sloot haar ogen en zweeg.

'Het is natuurlijk maar een gok, maar als het om hetzelfde aantal gaat...'

'Dan heeft uw zus ons de schakel gegeven tussen haar en de Rose Killer. Het bewijs dat ze hier inderdaad bij betrokken is.'

'Ik neem aan dat u de patholoog meteen gaat bellen.'

'Uiteraard.'

'Rechercheur Warren, Shana heeft voor alles wat ze doet een reden. De vraag is niet wat haar partner aan deze relatie overhoudt. De vraag is wat Shána aan deze relatie overhoudt. En ik kan u nu al vertellen, brigadier, dat het antwoord op deze vraag niet eenvoudig zal zijn. Het zou voor ons allemaal een stuk makkelijker zijn als mijn zus alleen maar een krankzinnige moordenares was. Maar dat is ze niet. Ze is slim, gewiekst, en gecompliceerd. Bovendien is ze al dertig jaar van haar leven kwijtgeraakt achter de tralies. Als dit een truc van haar is om uit de gevangenis te komen, om een kort verlof te krijgen in ruil voor haar medewerking, zoals ze vanochtend heeft gezegd...'

'Ja?'

'Dan gaat ze niet meer terug. Zo goed ken ik haar wel. In haar ogen heeft ze één fout gemaakt toen ze nog jong was...'

'U bedoelt omdat ze een ander kind heeft vermoord?'

'Nee, ik bedoel omdat ze een ander kind heeft vermoord en is gepakt. In de gevangenis is Shana's leven voorbij. Buiten de gevangenis... Wat hier ook gaande is, waar Shana ook op uit is, wij kunnen het haar niet geven. Zij zal winnen en wij zullen verliezen.'

'Is dat uw mening als psychiater of als haar kleine zusje?'

'Hebt u broers of zussen?'

'Nee, ik ben enig kind.'

'Dat was ik jarenlang ook. Dus spreek ik als psychiater. Gaat u de patholoog bellen?'

'Ja. Maar we gaan geen voortijdige conclusies trekken. En we laten ons hierdoor niet van de wijs brengen.'

D.D. kon zich Adelines vermoeide glimlach goed voor de geest halen. 'Laat me weten of het u lukt, brigadier. Intussen ga ik winkelen. De winkeltherapie heeft al bij menige vrouw een drukkende last weggenomen.'

De psychiater hing op. D.D. belde het forensisch laboratorium. Ze moest tien minuten wachten voordat Ben aan de lijn kwam. Het toeval wilde dat hij die middag de reepjes huid van het eerste slachtoffer had geanalyseerd. Hij had er honderddrieënvijftig geteld.

'Ik denk dat het er honderdzestig waren,' zei hij opgewekt, 'en dat hij er zeven heeft meegenomen als souvenir. Dat kan ik niet met bewijzen staven, maar honderdzestig is een mooi rond getal en dat een deel van de huid ontbreekt, wisten we al.'

D.D. bedankte hem voor de informatie, hing op en staarde somber voor zich uit. Het maakte niet uit, dacht ze, of de Rose Killer in totaal honderdzestig reepjes huid had verwijderd, of honderdvijfenvijftig, of honderdeenenzestig. Waar het om ging, was het aantal dat hij had achtergelaten om door de rechercheurs te worden gevonden en geteld.

Honderddrieënvijftig.

Een numeriek eerbetoon aan Harry Day. Zoals zijn dochter Shana had voorspeld.

'Ik laat me hierdoor niet van de wijs brengen,' zei ze. En toen: 'Verdomme.'

HOOFDSTUK 22

Wat voelde je toen je midden in de nacht je ogen opendeed en een moordenaar in je slaapkamer zag staan? Wat voelde je die eerste seconde, terwijl je uilachtig met je ogen knipperde, omdat dit gewoon niet waar kon zijn, het silhouet van een man aan het voeteneinde van je bed. Dat... kón gewoon niet.

Begon je te gillen? Of werd je keel van angst al dichtgeknepen voordat zijn handen dat even later zouden doen? Ongeloof. Een aangeboren onvermogen zoiets te verwerken. Dit gebeurt niet. Niet met mij. Niet hier. Ik ben niet zo, ik leid niet zo'n soort leven. Ik heb zo'n dood niet verdiend.

En toen de glans van een scherp geslepen mes in het schemerdonker...

Mijn gedachten versplinterden. Ze stuiterden alle kanten op terwijl ik door het te fel verlichte winkelcentrum liep, omgeven door een zee van mensen, elk oogcontact vermijdend, met mijn tas tegen me aan geklemd.

Ann Taylor. Plichtmatig paste ik een roomwitte bloes en een camelkleurige broek. Ik wierp een blik op het naamkaartje van het opgewekte verkoopstertje. Keek naar haar bleke, ringloze linkerhand en vroeg me af of ze alleenstaand was, een zelfverzekerde jonge vrouw met een eigen flat. Ze had net zulk bruin haar als ik, en een vlotte glimlach.

Ik vroeg me af of zij het type was waar de Rose Killer op viel. Ik had er niet aan gedacht naar de haarkleur te vragen, naar het uiterlijk. Ted Bundy had een voorkeur gehad voor blondjes.

Hoe zat dat met het mogelijke maatje van mijn zus?

Ik liep de winkel uit, naar de toiletten, waar gelukkig niemand was. Het laatste hokje van de rij. Ik haalde de metallic blauwe thermosfles uit mijn tas. Goot de kleurloze formaldehydeoplossing in het toilet. Trok door.

Terug naar de wastafels, waar ik de thermosfles overdreven grondig omspoelde. Er kwam een vrouw binnen met drie grote boodschappentassen en twee kleine kinderen. Ze glimlachte vermoeid naar me en verdween met het grut in het gehandicaptentoilet.

Voor de show vulde ik de thermosfles met water. Deed hem weer in mijn tas, waar hij zich nestelde naast de dubbele plastic zak met het glasgruis. Of naast het zakje met de reepjes mensenhuid.

Ik verliet het winkelcentrum en reed naar Target, waarvoor ik in elk geval een boodschappenlijstje had.

Zes uur. De zon was onder, de temperatuur daalde. Ik haastte me naar binnen, samen met alle andere mensen die net uit hun werk kwamen en snel nog wat boodschapjes wilden doen voordat ze op huis aan gingen.

Bij Target was het druk op het toilet. Ik wachtte in de rij tot er een hokje vrijkwam en voelde me alsof iedereen op me lette. Eindelijk was het mijn beurt. Ik stond voor de wc-pot in mijn tas te graaien toen ik besefte dat de wachtende vrouwen zouden zien dat mijn voeten de verkeerde kan op wezen; in deze houding kon ik onmogelijk op het toilet zitten.

Ik draaide me snel om en nam de tas op mijn schoot. Ik wachtte tot er iemand doortrok, zodat niemand het geritsel van het plastic zakje zou horen. Toen stond ik weer op. Ik liet de helft van de inhoud van het zakje in het toilet glijden. De gezwollen reepjes vlees vormden een klont die op het water bleef drijven en veel weg had van een dode goudvis, voordat hij naar de bodem van de wc-pot zakte.

Ik ging bijna over mijn nek. Een eigenaardige gewaarwording, want dat was niks voor mij. Ik bedacht hoe vreemd het was dat ik van het verzamelen van mensenhuid 's nachts beter kon slapen, terwijl ik van het dumpen van dezelfde mensenhuid misselijk werd.

Nóg een indicatie van genetische mutatie? Mijn adoptievader had het mis gehad. Hij had mij bestudeerd om het ontbreken van pijn, maar hij had mij moeten onderzoeken op neigingen tot geweldpleging.

Ik trok door. De wc-pot stroomde leeg en werd weer gevuld.

Op het water dreven drie reepjes huid.

Ik begon bijna te gillen en beet op mijn onderlip om mezelf in bedwang te houden.

Met trillende handen trok ik nogmaals door. Macht en overmacht. Er was hier niets wat ik niet aankon.

De tweede keer lukte het. De pot werd geleegd en weer gevuld, en ditmaal dreef er geen menselijk weefsel meer in.

Ik draaide me om, trok een neutraal gezicht, deed de deur open en liep naar de wastafels.

Geen van de wachtende vrouwen keurde mij ook maar een blik waardig. Althans, ik dacht van niet.

Ik waste mijn handen. Tweemaal. Waarom? Daarom.

Niet voor het eerst vroeg ik me af hoe mijn vader het had gedaan.

Was hij zo'n keiharde kerel geweest dat hij niets had gevoeld als hij zijn slachtoffer koos, en vooral als hij erna alles opruimde? Of voelde hij juist alleen iets als hij deze dingen deed? Het waren de rusteloze energie en de bijbehorende adrenalinekick die hem steeds opnieuw tot zijn daden hadden aangezet. En niet te vergeten zijn behoefte om anderen te zien lijden. Een seksuele printplaat waarop de bedrading foutief was aangebracht, waardoor hij zich niet voedde aan genot maar aan pijn. Tot hij zich uiteindelijk het fijnst voelde als hij de gruwelijkste dingen deed.

Ik denk dat als mijn vader nog had geleefd, hij zou hebben gezegd dat hij het doodgewoon niet kon helpen. Dat hij zo was geboren. Dat het zijn aard was. Een aard die zijn oudste dochter van hem had geërfd, al was een deel ervan blijkbaar voor mij gereserveerd.

Maar ik wilde niet de dochter van Harry Day zijn. Ik wilde niet de zus van Shana Day zijn.

Weer vroeg ik me af hoe mijn moeder was geweest. Een schim, die niet eens op papier was blijven bestaan, maar die evengoed degene was die mijn vader uiteindelijk van het leven had beroofd.

Papa is liefde. Mama is erger.

Zoals ik met D.D. Warren had besproken, kon er in een relatie maar één alfa zijn. In ons gezin had mijn vader de dienst uitgemaakt, dat was duidelijk. Als mijn moeder hem aspirine had gegeven voordat ze zijn polsen had doorgesneden, had ze dat gedaan omdat hij dat had gezegd. Hij had haar daartoe het bevel gegeven en zij had dat opgevolgd.

En dat was wat Shana mijn moeder verweet. Ze had aangevoeld wat een onderdanig type ze was, een vrouw van het soort dat Shana niet kon uitstaan. Shana vond dat zijzelf net zo was als onze vader, de alfa, de jager, die zijn eigen regels maakte. Ik heb me vaak afgevraagd of ze jaloers was op zijn besluit om te sterven in plaats van opgesloten te worden.

Als Shana en ik dertig jaar geleden, toen de politie haar kwam arresteren, samen in één huis hadden gewoond, als echte zusjes, zou zij dan net zoals onze vader in het bad zijn gaan liggen en mij zwijgend een scheermes hebben gegeven?

En ik?

Misschien zou ik het scheermes hebben aangepakt. Misschien zou ik me voorover hebben gebogen om voorzichtig een reepje huid weg te snijden. En misschien zou ik er dan vandoor zijn gegaan.

Mijn zus had het mis. Ik was niet onze moeder, net zo min als ik onze vader was. In zekere zin was ik beiden. Een onderdanig sloofje dat mensen verminkte en daar later spijt van kreeg. Soms was ik 's nachts heel zwak, maar vaker was ik 's nachts juist heel sterk.

Iedereen kan zowel goed als slecht zijn. Heldhaftig en kwaadaardig. Sterk en zwak.

Ik huiverde weer, want ik zag voor mijn geestesoog dingen die ik niet wilde zien en slaagde er niet in het hardnekkige onheilsgevoel van me af te zetten. Mijn zus had gesproken. Ze had ons een getal gegeven dat een schakel vormde tussen onze dode vader en een nieuwe, slimme moordenaar.

Mijn zus wilde mij, zelfs na al die jaren, nog steeds laten bloeden.

Vanaf Target ging ik naar de supermarkt. En ook daar ging ik naar het toilet. De laatste reepjes huid verdwenen in de wc-pot. Ditmaal lukte het meteen de eerste keer. Misschien stond hier meer druk op het water.

Ik verfrommelde het plastic zakje tot een balletje en duwde dat onder de gebruikte papieren handdoeken in de prullenbak, samen met het zakje rubberen dopjes.

Weer handen wassen. Mijn huid werd droog en ruw van deze frequente wasbeurten. Niet dat ik daar iets van voelde. Maar ik zag dat de huid op mijn knokkels rood en ruw was geworden. Ik nam me voor ze vanavond in te smeren met Aquaphor. Ik moest mijn handen straks ook door een vergrootglas bekijken om te zien of er nergens glassplinters in mijn huid waren gedrongen. Stel dat ik me in mijn haast had verwond en dat de wond al ontstoken raakte. Ik zou daar niets van voelen.

En wat zou ik voelen als ik midden in de nacht wakker werd en een moordenaar in mijn slaapkamer zag staan? Hij zou me geen pijn kunnen doen. Hij zou me verrassen. Hij zou schrik, woede en zelfs schaamte opwekken. Maar hij zou me geen pijn kunnen doen.

Niemand kon mij pijn doen.

En ik dacht, een beetje oververhit, dat mijn vader dat moest hebben geweten. Ik denk dat hij me wél heeft gesneden toen ik een baby was. Waarom zou mijn moeder hem anders hebben gesmeekt? Ik denk dat hij op een avond mijn mollige armpje heeft vastgepakt en er een scheermes in heeft gezet.

En ik had geen kik gegeven. Ik was rustig blijven liggen terwijl bloed opwelde uit mijn gestrekte armpje, en had hem aangekeken met mijn kalme ogen. Bijna alsof ik hem uitdaagde ermee door te gaan.

Ik denk dat hij daar erg nerveus van is geworden. Ik denk dat ik het alfamannetje de stuipen op het lijf heb gejaagd. Dat hij daarom het autostoeltje met mij erin heeft opgetild en in de kast gezet. Zodat ik hem niet meer kon aankijken met mijn alwetende blik.

Ik was niet mijn moeder. Ik was niet mijn vader. Ik was niet mijn zus.

Ik was het geweten van ons gezin.

Geen wonder dat ze me steeds in de kast opsloten.

Helemaal in mijn eentje.

Acht uur. Het werd steeds kouder. Ondanks mijn wollen jas bibberde ik toen ik met twee volle boodschappentassen naar mijn auto liep. Ik wilde naar huis, maar zat nog met de versplinterde flacons. Waar kon je gebroken glas weggooien zonder dat het opviel?

Een ingeving. Recycling. Natuurlijk. De glasbak.

Ik zette de tassen in mijn auto en liep terug naar de supermarkt. De recyclebakken stonden binnen, in de hal. Op één ervan stond GLAS. Ik keek om me heen en wachtte tot er niet al te veel mensen in de buurt waren.

Toen haalde ik snel de dubbele plastic zak uit mijn tas, maakte hem open en schudde het glas in de bak. Een, twee, drie, klaar.

Het zat erop. Ik liep terug naar de automatische deuren. Op het laatste moment keek ik op en zag de bewakingscamera's, pal boven mijn hoofd. Ze waren gericht op de recyclebakken.

Doorlopen, beval ik mijn spieren, die opeens verstijfden. Gewoon doorlopen.

Weer de bitterkoude avond in. Ik liep bijna op een drafje naar mijn auto, stapte in, schakelde, reed het parkeerterrein af. Twee, drie, vier straten verderop kreeg ik mijn ademhaling weer onder controle. Ik dwong mezelf na te denken.

Supermarkten hadden bewakingscamera's om zich te beschermen tegen winkeldieven. Ik had niets gestolen, dus had ik niets te vrezen. Ik had glas in de glasbak gegooid, dus had ik niets onwettigs gedaan.

Ga naar huis, beval ik mezelf. Het was een lange, vermoeiende dag geweest: het gesprek met mijn zus, het raadsel van de honderddrieënvijftig, en de angstaanjagende vooruitzichten die nu dreigden.

Maar we hadden de tijd aan onze kant. De Rose Killer had twee dagen geleden toegeslagen. Er zaten zes weken tussen de eerste en de tweede moord, dus had je kans dat de politie een paar weken de tijd had voordat de volgende moord zou worden gepleegd. Dat gaf ons ruimschoots de tijd om uit te zoeken hoe we Shana en haar gewiekste spelletjes het beste konden aanpakken.

Dat gaf mij ruimschoots de tijd om weer helder te gaan denken.

Negen uur. Eindelijk thuis. Ik zette de boodschappentassen op de grond. Liep naar mijn slaapkamer. Deed de lamp op het nachtkastje aan. Trok al mijn kleren uit.

Liep naar mijn kleedkamer, ging in een hoekje op de grond zitten, in het donker, met mijn armen om mijn knieën geklemd, starend naar de lichtstreep onder de deur.

En liet de naamloze angst over me heen spoelen als de golven van de branding.

Hoe zou jij je voelen? Wat zou je doen? Als je midden in de nacht wakker werd en een moordenaar in je slaapkamer zag staan?

'Papa,' fluisterde ik.

In de slaapkamer ging mijn telefoon.

HOOFDSTUK 23

Charlie Sgarzi was kapot. De stoere kaak, de koppige kin, de stevige schouders, er was niets meer van over. Hij zat als een uitgeholde versie van zichzelf in het huis van zijn moeder op de bank en keek D.D. en Phil met roodomrande ogen aan.

'Ja, maar,' zei hij met een brok in zijn keel, 'als er werd aangebeld, deed ze nooit open voordat ze door het spionnetje had gekeken wie het was. Ze liet nooit iemand binnen die ze niet kende. Zelfs niet op klaarlichte dag. U weet toch wanneer mijn neef is vermoord?'

D.D. knikte. Ze herinnerde zich dat Sgarzi had gezegd dat zijn moeder bijna een kluizenaar was geworden.

En toch was de Rose Killer volgens de schatting van de forensisch patholoog tussen twee en vier uur die middag de woning van Janet Sgarzi binnengegaan. Hij had Charlies bejaarde, zieke, nog maar vijfenveertig kilo wegende moeder bedwelmd, naar de slaapkamer achter in het huis gedragen en daar de rest van zijn plannen uitgevoerd.

Charlie had haar kort na zevenen gevonden, toen hij daar kwam voor het avondeten. Omdat Phil hem de vorige keer zijn visitekaartje had gegeven, had hij hem gebeld. Phil had Alex gevraagd mee te gaan om te assisteren bij het onderzoek van de plaats delict, en D.D. uitgenodigd in de hoedanigheid van 'onafhankelijke adviseur'.

Ze waren op weg geweest naar Alex' ouders om Jack op te halen. In plaats daarvan hadden ze rechtsomkeert gemaakt. Alex' ouders hadden veel begrip getoond. D.D. had hen gebeld terwijl ze zich in allerijl naar de nieuwe plaats delict van de Rose Killer haastten: een klein, keurig onderhouden huis in South Boston, waar het rook naar oude herinneringen en vers bloed.

'Het is mogelijk dat de moordenaar zich uitgeeft voor iemand van een bewakingsbedrijf, of iemand van de dienst voor ongediertebestrijding of iets dergelijks,' zei Phil. 'Zou uw moeder voor zo iemand de deur opendoen?'

'Waarom heeft dat niet in de krant gestaan?' vroeg Sgarzi woedend.

'Omdat we geen getuigen hebben gevonden die deze theorie ondersteunen,' zei Phil rustig. 'Het is voorlopig alleen nog maar iets wat wij vermoeden, gezien het feit dat de moordenaar de woning van zijn slachtoffer elke keer met zoveel gemak weet binnen te dringen. U zegt dat uw moeder erg voorzichtig was.'

'Dat was ze ook.'

'Is het mogelijk dat ze net een dutje deed?'

'Ja, ze doet vaak dutjes. Ze heeft niet lang meer te leven. Ze heeft meer slechte dan goede dagen en de artsen kunnen niets meer voor haar doen. Ik bedoel, kónden niets meer voor haar doen. O, god, ik... sorry, ik moet even...'

In de kleine zitkamer was weinig gelegenheid voor privacy. Sgarzi liep naar de open haard en staarde naar de schoorsteenmantel.

Het huis deed D.D. denken aan Sgarzi's eigen flat. Klein, maar netjes. Stofvrije meubels, schone vloerbedekking. Ze was benieuwd of Janet nog steeds zelf het huishouden had gedaan of dat Sgarzi het voor haar deed. Dat laatste leek haar waarschijnlijker, gezien de snel verslechterende gezondheidstoestand van de oude vrouw. Zoals gewoonlijk had hij zijn moeder vanavond iets te eten gebracht. Soep uit een van haar favoriete buurtrestaurants, had hij gezegd, omdat ze vast voedsel bijna niet meer kon doorslikken.

D.D. kon zich nauwelijks voorstellen hoe hij zich moest hebben gevoeld toen hij naar binnen was gegaan, zijn moeder had geroepen en geen antwoord had gekregen. Hoe hij, dodelijk ongerust, naar de slaapkamer was gelopen en daar had ontdekt dat zijn grootste angst niets was vergeleken bij wat hij daar had aangetroffen.

Ze zag dat Sgarzi zijn handen steeds tot vuisten balde en weer opende. Ze hoopte dat hij niet tegen de schoorsteenmantel zou gaan stompen, of zijn vuist dwars door de oude, vergeelde gipsmuur zou stoten. Het kostte hem zichtbaar veel moeite zijn zelfbeheersing te bewaren. Er ging een huivering door hem heen, maar toen draaide hij zich om en staarde hen gekweld aan.

'Dit is het werk van Shana Day,' zei hij. Hij priemde met zijn wijsvinger in de lucht.

'Charlie...' begon Phil.

'Niks "Charlie". Ik weet wat ze aan het doen is en zij weet dat ik het weet. Ik dacht dat het een kwestie zou zijn van ouwe koeien uit de sloot halen toen ik vragen over haar begon te stellen. Maar het eerste wat ik te weten kwam, was dat ze buiten de gevangenis ogen en oren heeft. En die heeft ze nu geactiveerd. Ze heeft een marionet die moorden voor haar pleegt, terwijl zij vanuit haar cel aan de touwtjes trekt. Het perfecte alibi. Shana kan mijn moeder niet hebben vermoord omdat ze in de gevangenis zit. Maar ze heeft het toch gedaan. Ze heeft mijn moeder afgeslacht als wraak op mij, en het ergste is dat ze zich een breuk lacht omdat ze weet dat jullie haar niets kunnen maken. Dit is wat ze gedurende dertig jaar gevangenschap heeft geleerd: hoe ze haar misdaden kan perfectioneren.'

'Zou uw moeder hebben opengedaan voor een bezorger?' vroeg Phil nogmaals.

'Dat weet ik niet. Ik denk het wel.'

'Heeft ze een alarmsysteem?' vroeg D.D.

'Ja.'

'Met camera's?'

'Nee. Alleen beveiligde ramen en deuren.'

'Welk bedrijf?'

Sgarzi gaf haar de naam; Phil noteerde het.

'Heeft uw moeder iets gezegd over een onbekende persoon die buiten rondhing? Of over nieuwe buren?'

'Nee.'

'Had ze het gevoel dat ze werd bespied?' vroeg Phil.

'Mijn moeder kwam haar huis niet uit en hield de gordijnen dicht. Hoe had iemand haar kunnen bespieden?'

Daar had hij gelijk in, dacht D.D. 'Kwam er een verpleegkundige of had ze een andere vorm van thuiszorg?'

'Er kwam twee keer in de week iemand van de thuiszorg. Mevrouw Eliot. Mijn moeder had veel meer hulp nodig, maar daar hadden we geen geld voor.'

'Mevrouw Eliot. Wat kunt u ons over haar vertellen?'

'Een vrouw van middelbare leeftijd. Erg aardig. Mijn moeder mocht haar graag.'

'Kwam zij altijd of ook wel eens iemand anders?'

'Meestal kwam zij. Maar als ze verhinderd was, stuurden ze iemand anders. Maar dan belden ze altijd ruim van tevoren. Trouwens, mevrouw Eliot kwam alleen op dinsdag en vrijdag, dus mijn moeder had vandaag niemand verwacht. Hebben de buren niets gezien?' vroeg Sgarzi nu zelf. 'Ik bedoel, die vent moet voor de deur hebben gestaan, op klaarlichte dag...'

'We zijn bezig navraag te doen bij de buren,' verzekerde Phil hem. Hij sprak heel kalm.

'En dat heeft niets opgeleverd,' zei Sgarzi bitter. 'Als uw agenten iets hadden gehoord, hadden we het al geweten. Verdomme!'

Hij draaide zich weer om naar de haard.

'U zei dat u vanavond iets te eten had meegebracht voor uw moeder,' zei D.D. 'Wat at ze tussen de middag?'

'Tussen de middag nam ze een energiedrankje. Ensure of iets dergelijks.'

D.D. staarde naar zijn rug. 'En nam ze daarna nog een tussendoortje? Er staan namelijk twee borden en twee glazen in de gootsteen.'

'Wat?'

Sgarzi draaide zich weer om. Voordat ze hem konden tegenhouden, holde hij naar de keuken.

'Niets aanraken!' bulderde Phil.

De arm van de journalist bleef in de lucht hangen voordat hij een van de glazen uit de roestvrijstalen gootsteen kon pakken.

'Bewijsmateriaal,' zei D.D. ter verduidelijking.

Sgarzi trok zijn arm terug. 'Ze heeft bezoek gehad,' zei hij. Zijn stem klonk vreemd, verward.

'Hoe bedoelt u?'

'Ma at al weken bijna niets. Neveneffecten van de medicijnen, of van de pijn, ik weet het niet. Ik breng haar elke avond eten. 's Ochtends eet ze een muizenhapje en tussen de middag neemt ze een of twee van die energiedrankjes. Maar twee borden en twee glazen. En dit is haar goede servies. Dat gebruikt ze alleen voor speciale gelegenheden. Als er visite komt.'

'Charlie,' zei D.D. zachtjes, 'is het mogelijk dat je moeder wist wie er vanmiddag zou komen? En dat ze daarom heeft opengedaan?'

'Ik weet het niet,' zei Sgarzi. Hij klonk aarzelend. Zijn zekerheid van daarstraks was nu ver te zoeken.

'Als ze visite had, wat zou ze dan gepresenteerd hebben?' vroeg Phil.

'Fig Newtons. Thee met een koekje.' Sgarzi deed een kast open en haalde er een geel, in cellofaan verpakt doosje uit. Het zag eruit alsof het zeer recentelijk was geopend en er ontbraken twee koekjes.

'Jezus,' zei Charlie.

'We willen graag een lijst van uw moeders vrienden en kennissen,' zei Phil.

'Overbodig. Mijn moeder was ongeneeslijk ziek. De mensen die haar kenden, kwamen hier niet voor een koekje; die kwamen haar eten brengen. Degene die hier vandaag is geweest, was een vreemde. Iemand die je nog niet erg goed kent en voor wie je dus je beste beentje voorzet.' Sgarzi keek fronsend naar het doosje met koekjes, alsof dat hem iets kon vertellen. 'Een kennis van een kennis bijvoorbeeld,' mompelde hij. 'Iemand die zei dat hij mij kende, of iemand van vroeger die was teruggekeerd naar zijn oude wijk. Iemand die Donnie had gekend,' zei hij, alsof hem opeens een licht opging. 'Iemand die beweerde iets over Donnie te weten.' Hij keek hen aan. 'Voor zo iemand zou ze opendoen. Zo iemand zou ze binnenlaten. Zo iemand zou ze thee en koekjes aanbieden op haar mooie servies. Voor iemand die Donnie had gekend, zou ze dat doen. Het is Shana Day die mijn moeder heeft vermoord. En jullie zijn achterlijke stommelingen dat jullie dat niet hebben weten te verhinderen.'

D.D. reageerde daar niet op. Het ontbreken van bewijsmateriaal voor deze theorie, de rechtsgang, het onderzoek – allemaal onderwerpen die Charlie Sgarzi nu niet interesseerden. Wat hij wilde, was iets wat ze hem niet konden geven: hij wilde zijn moeder terug.

Phil leidde hem terug naar de zitkamer en gaf de technische recherche opdracht de voorwerpen in de gootsteen en de rest van de keuken op vingerafdrukken te onderzoeken. Phil had Sgarzi net overgehaald toch maar een lijst te maken van zijn moeders vriendinnen, kennissen en buren toen Alex de kamer binnenkwam.

Er lag een uitdrukking op zijn gezicht die D.D. nog nooit eerder had gezien; zijn gebruikelijke ernst, maar die ging nu gepaard met diepe ongerustheid. Hij wenkte haar.

Geen waarschuwend woord. Geen commentaar, geen bemoediging.

Daardoor begreep D.D. nog voordat ze de kamer binnenging dat het heel erg moest zijn.

De kleine slaapkamer aan de achterkant van het in koloniale stijl gebouwde huis was waarschijnlijk oorspronkelijk bedoeld als studeerkamer. Charlie moest hem als slaapkamer hebben ingericht toen zijn moeder zo verzwakt was dat ze de trap niet meer op kon.

De ruimte werd grotendeels in beslag genomen door een ziekenhuisbed met een onrusthek. Het stond tegen de achterwand en blokkeerde een tuindeur. Naast het bed stond een oud nachtkastje met daarop een kan water, een groot aantal oranje medicijnflesjes, een fles champagne en een rode roos.

D.D. bleef een ogenblik naar die twee voorwerpen staan kijken. Dat ze al wist wat ze verder nog te zien zou krijgen, maakte het er niet makkelijker op.

'Geen met bont gevoerde handboeien,' mompelde ze.

'Nee,' zei Alex, die naast haar stond en haar het zicht op het bed voorlopig nog ontnam. Ze stonden heel dicht bij elkaar in de smalle ruimte naast het bed. Als zij een stap naar voren wilde doen, moest hij eerst een stap achteruit doen en omgekeerd. 'Er zijn ditmaal een paar verschillen,' zei Alex. 'Zowel wat het slachtoffer als wat de werkwijze betreft. Alhoewel de verschillen in de werkwijze te maken kunnen hebben met het slachtoffer.'

'Begin bij het begin.'

'Het slachtoffer is Janet Sgarzi, 68, alleenstaand, kankerpatiënt, ongeneeslijk ziek. Dat ze alleenstaand was, komt overeen met het slachtofferprofiel. Maar door haar leeftijd en gezondheidstoestand staat ze duidelijk apart van de anderen. De dader, die voorheen relatief jonge alleenstaande vrouwen als slachtoffer koos, heeft nu een zieke bejaarde vrouw vermoord.'

'En op klaarlichte dag,' vulde D.D. aan. 'Wat extra risico's meebracht.'

'Ja. Pat wordt brutaler. Daar staat tegenover dat van deze vrouw bekend was dat ze uitermate voorzichtig was en 's avonds voor niemand zou hebben opengedaan. En ze was dan wel alleenstaand, maar vanwege haar precaire gezondheidstoestand bleef haar zoon hier vaak overnachten. Daardoor zou een nachtelijke aanval erg riskant zijn geweest.'

'De Rose Killer heeft haar bespioneerd. Dat moet wel als hij met al deze dingen rekening heeft gehouden.'

'Dat vermoedden wij ook al,' zei Alex. 'Pat bereidt zich goed voor. Daarom krijgen we geen vat op hem/haar, zelfs niet na vier insluipingen.'

'Vier?'

'Drie moorden, plus de inbraak bij ons thuis. Die was ook overdag.'

D.D.'s gezicht lichtte op. 'Dat was een oefening! Een oefening, goddorie. Hij speelt met ons en hij oefent op ons. Hij had zijn volgende slachtoffer al gekozen, Janet Sgarzi, die overdag benaderd moest worden, en hij heeft aan zijn techniek gewerkt door bij ons in te breken. Verdomme!'

Alex legde zijn hand op haar rechterschouder. Niet om haar te sussen, maar om haar tot stilte te manen.

'D.D.,' zei hij met een zekere autoriteit.

Ze zweeg.

'Laten we doorgaan met onze analyse,' zei hij formeel.

'Goed.'

'Pat anticipeert. Hij of zij moest in dit geval het slachtoffer overdag benaderen. Gezien de leeftijd en gezondheidstoestand van het slachtoffer maakte Pat zich waarschijnlijk geen zorgen over hoe hij haar kon overmeesteren, ook niet als ze wakker en volledig bij bewustzijn was. Voor alle zekerheid heeft hij echter een kleurloos, geurloos, smaakloos verdovend middel meegenomen; Ben heeft in de vuilnisbak een flacon gevonden met sporen van rohypnol. Naar alle waarschijnlijkheid heeft de moordenaar Janet Sgarzi eerst bedwelmd.'

'Er staat serviesgoed in de gootsteen,' vertelde D.D. hem. 'Alsof Janet haar gast had onthaald op thee met een koekje. Fig Newtons.'

Alex fronste.

'De kans is groot dat Janet Sgarzi helemaal niets heeft gevoeld,' zei hij zachtjes. 'Vergeleken met wat de kanker haar lichaam aandeed, zou je misschien zelfs kunnen zeggen dat dit... beter was. In elk geval een minder pijnlijke manier om te sterven. Niettemin...'

Hij deed een stap achteruit, zodat D.D. het grote, metalen ziekenhuisbed te zien kreeg. Ondanks alles stokte haar adem.

Post mortem, zei ze in stilte. Post mortem, post mortem, post mortem, post mortem. Maar, zoals Alex al had gezegd, dat hielp niet.

Net zoals bij de eerste twee slachtoffers had de Rose Killer de huid van Janet Sgarzi's bovenlichaam en dijbenen verwijderd. Maar in tegenstelling tot de eerste twee slachtoffers, die jonge, relatief gezonde vrouwen waren geweest, was Janet vanwege haar ziekte volledig weggeteerd. Ze was vel over been geweest. Met andere woorden, toen de moordenaar haar huid had weggesneden...

D.D. sloeg haar hand voor haar mond. Ze kon het niet helpen. Wat ze hier zag, zou ze nooit meer vergeten.

'Er zijn sporen van aarzeling,' zei Alex.

'Wat?'

'Aan de buitenkant van haar dijbeen en langs haar ribben. De rand van de huid is daar niet volkomen recht, maar een beetje gekarteld. Bij het derde slachtoffer zou de moordenaar minder innerlijke weerstand moeten ervaren. Hij of zij zou steeds handiger en behendiger moeten worden. Toch had de dader hier moeite mee.'

'Haar leeftijd?' gokte D.D. 'Was het moeilijker om een oude vrouw te villen?'

'Geen met bont gevoerde handboeien,' zei Alex. 'En dat is juist het opvallendste seksuele voorwerp dat op de andere plaatsen delict is achtergelaten. Als we denken aan een vrouwelijke moordenaar die jonge vrouwen aanviel om reepjes gave huid te verzamelen...'

'Dan past een oude vrouw daar niet bij. Zij is niet het type van de Rose Killer. Weten we wel zeker dat dit zijn werk is en niet dat van een na-aper?'

'Ja,' zei Alex.

'Maar de sporen van aarzeling, het ontbreken van de boeien...'

'Janet Sgarzi is zijn derde slachtoffer,' zei Alex. 'Honderddrieënvijftig, D.D. Daar ben ik mee bezig geweest. Met het tellen van reepjes mensenhuid. Ik hoop van harte dat ik het nooit meer hoef te doen, maar het heeft het magische getal opgeleverd: honderddrieënvijftig reepjes huid.'

D.D. gaf geen antwoord. Ze kon niet slikken, laat staan praten. Geen wonder dat Alex er zo... triest had uitgezien. Van alle misdaadscènes die hij in zijn leven had moeten onderzoeken...

'Sorry,' zei ze uiteindelijk.

'Janet Sgarzi is het slachtoffer van de Rose Killer,' zei Alex beheerst. 'Maar hij zou haar zelf niet als slachtoffer hebben gekozen. Dat betekent dat ze om een andere reden het doelwit is geworden.'

'Charlie Sgarzi denkt dat Shana Day het heeft gedaan,' ging D.D. door. 'Dat zij de Rose Killer opdracht heeft gegeven zijn moeder te vermoorden omdat hij onderzoek naar haar doet. Of om hem af te schrikken, maar dat is dan niet gelukt, want nu wil hij wraak.'

'Of omdat ze iets wist,' zei Alex.

'Hoe bedoel je?'

'Shana Day zit al dertig jaar in eenzame opsluiting, toch?'

'Ja.'

'En nu denk jij dat ze plotseling is verwikkeld in een gecodeerde conversatie met een seriemoordenaar die opeens in Boston is opgedoken en lijkt te wedijveren met een andere moordenaar, Harry Day, die al veertig jaar dood is.'

'Ja.'

'Maar om even terug te keren naar de hoofdvraag, waarom nu? Wat is de trigger? De dertigste jaardag van de moord op

Donnie Johnson? Dat lijkt een nogal willekeurige keuze.'

D.D. keek hem aan. 'We hebben dit besproken. En je trok de eerste keer mijn intelligentie ook al in twijfel.'

'Ik trek je intelligentie niet in twijfel. Ik bied een theorie. Janet Sgarzi was niet alleen de tante van Donnie Johnson. Ze was ook de moeder van Charlie, een journalist die een paar maanden geleden is begonnen met het stellen van nieuwe vragen over de dood van zijn neef.'

D.D. fronste. 'Bedoel je...'

'Een dertigste jaardag is subjectief. Het heropenen van een onderzoek naar een moord, daarentegen... Stel dat Shana Day inderdaad nog steeds een maatje uit die tijd heeft. En stel dat haar maatje dingen weet, of dingen heeft gedaan, waarvan hij of zij zelfs na zoveel jaar niet wil dat ze aan het licht komen.'

'De ware beweegreden van de Rose Killer is niet een reeks gruwelijke moorden te plegen die zodanig zijn geënsceneerd dat ze je herinneren aan Harry Day,' zei D.D. zachtjes. 'Ze zijn een dekmantel. Moordzaken verjaren niet. Pat heeft nog steeds alles te verliezen.'

'En Pat heeft één zwak,' vulde Alex somber aan. 'Shana Day.'

HOOFDSTUK 24

McKinnon belde 's ochtends om zes uur. Aangezien ik nog steeds niet in slaap was gevallen, had ik er geen enkele moeite mee op te nemen en de juiste dingen te zeggen toen ze me vertelde dat mijn zus me wilde spreken. Natuurlijk. Ik zou er om acht uur zijn.

Ik kroop uit het hoekje van mijn kleedkamer, waar ik de hele nacht had gezeten na het telefoontje van D.D. Warren over het laatste slachtoffer van de Rose Killer. Minutenlang stond ik onder de harde stralen van een lauwe douche. Toch voelde ik me ook daarna nog niet helemaal mens.

Wat zou ik aantrekken voor deze nieuwe schermutseling? Mijn oog viel op de hardroze blouse. Het leek een voor de hand liggende keuze. Ik had opeens het gevoel dat mijn zus en ik al die jaren samen aan het dansen waren geweest. Stapje naar voren, stapje naar achteren, wiegend van links naar rechts. Maar nu was de muziek aan het veranderen. Het tempo werd opgevoerd. Het steeg naar een onheilspellend crescendo, waarna slechts een van ons nog overeind zou staan.

Onderweg naar het MCI overwoog ik D.D. of rechercheur Phil te bellen, maar ik deed het uiteindelijk niet. Ik wist al wat ik tegen Shana zou zeggen. Ik wist wat ik moest doen. Wat mijn zus aanging, was ik de expert, dus was het aan mij om de beslissingen te nemen.

In de kille, grijze hal van de gevangenis toonde ik mijn identiteitsbewijs en legde mijn tas in een kluisje. Ik was hier de laatste tijd zo vaak geweest dat ik deze handelingen volkomen automatisch uitvoerde. Als het mijn zus was die de misdaad had gepleegd, waarom voelde het dan alsof ík al mijn tijd in deze gevangenis doorbracht?

McKinnon stond al op me te wachten. Ze begeleidde me door de veiligheidscontrole en nam me mee door een gang achter in het gebouw. Haar hakken tikten pittig.

'Geen rechercheurs vandaag?' vroeg ze.

'Wat niet is, kan nog komen. Hoe is het met Shana?'

'Hetzelfde. Die journalist, Charlie Sgarzi... In de krant staat dat zijn moeder gisteren is vermoord. Dat zij het derde slachtoffer van de Rose Killer is.'

'Ik heb het gehoord.'

'En jij denkt zeker dat Shana er iets mee te maken heeft.' Ze stopte, draaide zich naar me toe en sloeg haar armen over elkaar. In haar onberispelijke zwarte mantelpakje, met haar haar strak naar achteren gebonden, zag ze er intimiderend uit. 'Ik heb gisteravond een spoedvergadering belegd met mijn staf. Ik wilde weten of iemand had gemerkt dat Shana op welke manier dan ook contact had gehad met iemand binnen of buiten dit gebouw. Ze zeiden van niet. En volgens hen is dat ook niet mogelijk. In elk geval hebben ze er niets van gemerkt.'

Ik zei: 'Maar dit is niet iets wat ze zouden toegeven. Je hebt gisteren zelf gezegd: als een van de gevangenbewaarders haar doorgeefluik is, doet hij of zij dat omdat het de beloning waard is.'

'Geen beloning is het waard om jouw zus te helpen. Vergeet niet dat Shana twee gevangenbewaarders heeft vermoord. Binnen deze muren vat men dat heel persoonlijk op.'

'Weet je dat zeker? Die moorden dateren van lang geleden, toen de meeste leden van de huidige staf hier nog niet eens werkten. Inclusief jijzelf.'

McKinnon keek me indringend aan. 'Wat wil je daarmee zeggen, Adeline?'

'Shana heeft geen nieuwe bezoekers gehad. En volgens jou heeft ze met niemand in de buitenwereld contact gehad. Dat brengt mij op de vraag of dat soms niet nodig is, omdat haar partner niet iemand búíten dit gebouw is, maar bínnen deze muren. Een gedetineerde. Een bewaker. Een lid van de staf.'

McKinnon wachtte even voordat ze antwoord gaf. Toen zei ze afgemeten: 'Reken je mij ook tot de verdachten? Dan kan ik jou ook op die lijst zetten. Je bent geen níéuwe bezoeker, maar je komt hier vaak. Een vaste bezoekster aan wie we zo gewend zijn, dat we er soms misschien niet eens erg in hebben dat je er bent.'

'Waarom laat je Shana met mij praten?' vroeg ik. 'We hebben ons maandelijkse quotum allang verbruikt, maar elke keer als zij om een gesprek vraagt, geef jij toestemming.'

McKinnon fronste. Ze leek bezorgd. 'Ik wil weten wat er gaande is,' zei ze. 'Gisteren... ben ik ervan overtuigd geraakt dat Shana op de een of andere manier iets met deze moorden te maken heeft. Is Shana een crimineel meesterbrein dat vanuit een isolatiecel iemand opdracht geeft mensen te vermoorden, of neemt ze een loopje met ons, heeft ze een macaber spel bedacht waardoor ik nu jou verdenk en jij mij, en de politie vermoedelijk ons allebei? Ik moet uitzoeken wat erachter zit, Adeline. Als directeur van deze gevangenis, maar ook als iemand die redelijk intelligent heet te zijn en die tot voor kort van een normale nachtrust kon genieten, wil ik weten wat er gaande is. De politie zal ongetwijfeld komen om een diepgaander onderzoek in te stellen, maar alle verdenkingen even daargelaten, zet ik mijn geld op jou. Als er íémand is die Shana kan overhalen de waarheid te vertellen, ben jij het.'

We liepen weer door, niet naar de bezoekerskamer waar Shana en ik altijd zaten, maar naar de verhoorkamer waar we met rechercheur Phil hadden gezeten. Blijkbaar wilde McKinnon meeluisteren. In het kader van haar jacht op de waarheid? Of om er zeker van te zijn dat Shana niet te veel losliet?

En ik? Wat vond ik ervan? Hoe voelde ik me hierbij?

McKinnon had gelijk. We waren onszelf niet meer. We schrokken van onze eigen schaduw, beschouwden iedereen als een verdachte, waren overal bang voor.

Ik dacht aan wat Charlie Sgarzi tegen me had gezegd. Ik kon geen pijn voelen, dus wat had ik te vrezen?

Ik dacht aan de grote schoonmaak die ik gisteren had gehouden. Aan de reepjes mensenhuid die ik door een openbaar toilet had gespoeld. Aan de drie die bijna spottend op het water waren blijven drijven.

En ik besefte dat ik voor het eerst van mijn leven doodsbang was.

Net als de vorige keer zat Shana er al, met haar geboeide handen op de rand van de tafel. Ze keek op toen ik binnenkwam. Haar donkere ogen richtten zich als laserstralen op mijn blouse en ik voelde me meteen onzeker worden.

Shana zag er niet uit zoals ik had verwacht.

Haar magere gezicht was nog bleker dan gisteren. Ze had wallen onder haar ogen, alsof ze niet had geslapen, en haar schouders stonden gespannen.

Ik had gedacht een zelfvoldane Shana te zullen aantreffen, die zich verlustigde aan het feit dat ze opeens zoveel macht had dat ze maar met haar vingers hoefde te knippen om mij of een stel rechercheurs te laten opdraven. Haar voorspelling was uitgekomen en nu zat ik hier alweer, op haar bevel, wachtend op de voorwaarden die ze vandaag zou stellen.

In plaats daarvan zou ik bijna zeggen dat ze er gestrest uitzag. Ze keek naar de confrontatiespiegel.

'Wie zit daar?' vroeg ze kortaf.

Ik aarzelde. 'McKinnon.'

'Niet rechercheur Phil?'

'Wilde je met hem praten?'

'Nee. Alleen met jou.'

Ik liep naar de tafel en ging zitten.

'Ik neem aan dat je hebt gehoord dat de Rose Killer gisteren weer een vrouw heeft vermoord?'

Ze gaf geen antwoord.

'Hij heeft honderddrieënvijftig reepjes huid van haar door kanker uitgemergelde lichaam gesneden. Dat zal niet makkelijk zijn geweest. De huid van kankerpatiënten wordt door de behandelingen zo dun en transparant als uienvelletjes. Het moet heel moeilijk zijn om daar reepjes van weg te snijden zonder dat ze scheuren.'

Ze bleef zwijgen.

'Hoe doe je het?' vroeg ik.

Ze wendde haar blik van me af, klemde haar lippen op elkaar, staarde naar een punt op de muur achter me.

'Honderddrieënvijftig,' zei ik luchtig. 'Dat is het aantal reepjes huid dat papa had verzameld. Het aantal reepjes dat de Rose Killer nu achterlaat. Is dit het bewijs dat jij inderdaad informatie uitwisselt met een moordenaar? Dat je hem dingen vertelt over onze vader? Is het fijn om iemand vanaf een lange afstand te vermoorden, Shana? Of valt het tegen? Omdat jij hier zit, terwijl jouw marionet in vrijheid leeft, het mes ter hand kan nemen, het bloed kan ruiken...'

'Je kletst uit je nek,' mompelde ze.

'Ja? Ik heb een blouse aan in jouw favoriete kleur.'

Er trilde een spiertje in haar kaak. Ze keek me zo fel aan dat ik nu pas ten volle begreep hoe kwaad ze was. Maar ze zweeg.

Ik leunde achterover. Legde mijn handen op mijn schoot. Bestudeerde de vrouw die mijn zus was.

Een oranje overall vandaag. Een kleur die haar huid nog geler, nog valer maakte. Haar futloze haar zag eruit alsof het hoognodig gewassen moest worden. Of misschien slaagde ze er nooit in het naar behoren te wassen vanwege de beruchte lage waterdruk in de douches hier.

Een harde vrouw. Met een smal, pezig lichaam, net als onze vader. Ik vermoedde dat ze in haar cel aan haar conditie werkte.

Push-ups, sit-ups, lunges, de plank. Zelfs in een cel van tweeënhalve bij drieënhalve meter kun je heel wat doen om in conditie te blijven. Het was te zien aan de scherpe contouren van haar gezicht, aan haar holle wangen. Na al die jaren stond ze zichzelf nog steeds niet toe slap of dik te worden.

Na al die jaren wachtte ze nog steeds.

Ze had al die jaren op deze dag gewacht.

'Nee,' zei ik.

'Nee wat?'

'Nee is het antwoord op wat je me ook gaat vragen. Geen deals, geen onderhandelingen, geen uitwisseling van informatie. Als jij in contact staat met de Rose Killer, als jij iets weet waardoor een moordenaar gepakt kan worden, dan moet je dat zeggen. Dat is wat mensen doen. Dat is wat het betekent om een mens te zijn.'

Ze keek me weer aan, maar hield haar bruine ogen halfgesloten, waardoor die weinig prijsgaven.

'Jij bent niet helemaal hiernaartoe gekomen om alleen maar nee te zeggen,' zei ze bot. 'Nee is een telefoontje, geen bezoek. En het is niets voor jou om je tijd te verkwisten, Adeline.'

'Ik ben gekomen om je een vraag te stellen.'

'O, mag jij wél onderhandelen?'

'Nee. Ik ga je een vraag stellen. Je mag zelf weten of je er antwoord op geeft of niet. Wanneer heeft papa jou voor het eerst gesneden?'

'Dat kan ik me niet herinneren.' Ze zei het te automatisch. Ik geloofde haar nu al niet.

'Wanneer heeft hij míj voor het eerst gesneden?'

Nu keek ze smalend. 'Hij heeft jou niet gesneden. Jij was nog maar een baby.'

'Je liegt.'

Ze fronste en knipperde met haar ogen.

'Hij heeft mij gesneden. Dat weet ik heel zeker. En ik heb niet gehuild. Ik heb geen krimp gegeven. Ik keek hem alleen maar aan. Ik keek hem alleen maar aan en dat joeg hem de stuipen op het lijf. Daarom zetten ze mij altijd in de kast. Niet voor mijn eigen veiligheid. Niet omdat onze moeder op wonderbaarlijke wijze meer van mij hield, en niet omdat ik nog maar een baby was. Ik zat altijd in die kast omdat hij het niet kon hebben dat ik zo naar hem keek.'

'O ja?' zei mijn zus lijzig. 'Ben je dáár zo boos om? Omdat je in de kast werd gezet? Meid, er zijn wel ergere dingen om je kwaad over te maken.'

Ze schoof haar mouw omhoog om me haar littekens te laten zien, de littekens die mijn vader en zijzelf door de jaren heen op haar hadden achtergelaten. Dikke littekens, dunne littekens, bobbelige roze richels, platte witte lijntjes. Ik had ze vaak genoeg gezien. Dit was oud nieuws.

'Ik ben me bewust van jouw pijn, Shana,' zei ik rustig. 'Ik kan pijn niet voelen, maar ben me ervan bewust. Dat is mijn rol. Ik ben het geweten van onze familie. Dat ben ik altijd geweest. Dat is waar papa veertig jaar geleden zo van is geschrokken. Hij keek me in mijn ogen en in plaats van de angst, de pijn en het leed waaraan hij gewend was, zag hij zichzelf. Alleen zichzelf. Geen wonder dat hij me daarna in de kast opsloot. Het is niet moeilijk om je als een monster te gedragen. Het is veel moeilijker om te moeten inzien dat je een monster bént.'

'Is dat psychiaterpraat? Is dat het gezeur waarvoor je zoveel geld per uur vraagt? Echte mensen noemen dat gelul. 't Is maar dat je het weet.'

'Vaarwel, Shana.'

'Ga je nu al?' Toen ik geen antwoord gaf en de betekenis van mijn woordkeuze tot haar doordrong: 'Meen je dat? Ben je helemaal hierheen gekomen om voorgoed afscheid te nemen?'

'Ik heb van je gehouden, Shana. Echt, toen ik al die jaren geleden die eerste brief van je ontving... Het was alsof ik twintig jaar in die kast had zitten wachten tot jij de deur zou openen. Mijn zus. Mijn familie.'

Shana klemde haar lippen opeen en trommelde met haar vingertoppen op het tafelblad.

'Ik heb mezelf wijsgemaakt dat ik één gesprek per maand best aankon. Ik heb mezelf aangepraat dat ik dankzij mijn opleiding wist hoe je een relatie met een veroordeelde moordenares kon onderhouden. Maar eigenlijk wilde ik je gewoon zien. Ik wilde één uur per maand een zus hebben. Wij zijn als enigen over. Jij en ik.'

Shana's vingers trommelden nog harder.

'Maar het is nooit een echte relatie geworden. Jij lijdt aan een ernstige vorm van antisociale persoonlijkheidsstoornis. Dat houdt in dat ik voor jou niet echt besta. Net zo min als McKinnon, de bewakers en je medegevangenen. Je zult nooit van mij houden of om mij geven. Die emoties kun jij net zo min ervaren als ik pijn kan ervaren. We leven allebei met beperkingen; het is tijd dat ik dat accepteer. Vaarwel, Shana.'

Ik duwde mijn stoel achteruit en stond op.

Nu sprak mijn zus, zo zacht en laag dat het eerder klonk als een grom dan een zin. 'Wees niet zo'n achterlijke mongool.'

Ik liep naar de deur.

'Hij zei dat ik op je moest passen! Dat zei papa op die dag. Buiten kwamen gillende sirenes steeds dichterbij. Papa trok zijn kleren uit en stapte in de badkuip, met het buisje aspirientjes in zijn hand. Hij glimlachte. Hij glimlachte goddomme toen hij haar het scheermes overhandigde.

Ik was bang, Adeline. Ik was een kind van vier. Mama huilde, buiten stonden mensen te schreeuwen, maar papa glimlachte. En hij bleef glimlachen. Maar zo klein als ik was, wist ik dat het geen goede glimlach was.

"Pas op je zusje," zei hij toen hij in de badkuip stapte. "Wat er ook gebeurt, jij bent de oudste en het is jouw taak haar te beschermen. Geloof me, Shana, als je geen familie hebt, heb je niets." Toen stak hij zijn arm uit en zette mama het mes erin...

De schreeuwende mannen stootten met een stormram tegen

de deur van ons huis. Ze hadden aangeklopt en aangebeld en geroepen dat we moesten opendoen, maar papa had het te druk met doodgaan en mama had het te druk met hem dood laten gaan, en ik wist niet wat ik moest doen, Adeline. Ik was een klein, bang meisje en alle volwassenen waren gek geworden. De hele wereld was gek geworden.

Toen hoorde ik jou huilen. Jij, de baby die nooit huilde, die altijd alleen maar naar ons keek met je grote, donkere ogen. Je hebt gelijk, Adeline. Je maakte papa en mama nerveus. Maar mij niet. Nooit. Ik ben naar je toe gegaan. Heb de kast opengedaan en je opgetild en je tegen me aan gedrukt. Je stopte met huilen. Je keek me aan en lachte naar me. En toen werd de deur open geramd en drongen de schreeuwende mannen ons huis binnen. Ik fluisterde tegen jou dat je je ogen dicht moest doen. Doe je oogjes maar dicht, zei ik. Ik pas wel op je. Want je bent mijn kleine zusje, en als je geen familie hebt, dan heb je helemaal niks.

Ik wilde je geen pijn doen, die dag in het pleeggezin. Ik deed wat me was geleerd, maar toen haalden ze jou bij me vandaan en was ik helemaal alleen. Je hebt geen idee, Adeline, hoe eenzaam ik was. Maar ik vergat jou niet. Ik had goed onthouden wat ik papa had beloofd en ik heb je teruggevonden zodat ik op je kon passen en ervoor kon zorgen dat je niets zou overkomen. Ik ben jouw grote zus en ik zal ervoor zorgen dat niemand je iets doet. Ik heb het beloofd en ik houd me altijd aan mijn woord, ongeacht hoe jij over mij denkt.'

Ze was steeds zachter gaan praten. Ik was halverwege de tafel en de lokkende deur blijven staan en staarde naar haar. Op haar gezicht lag de vreemdste uitdrukking die ik ooit had gezien. Een combinatie van ernst en oprechtheid.

'Je spant samen met een moordenaar,' fluisterde ik.

'Hoe? Ik heb geen contact met de buitenwereld. Iemand hier zou me aardig genoeg moeten vinden om me te helpen. Niemand vindt mij aardig, Adeline. Dat weet je.'

'Jij weet dingen. Mijn roze blouse.'

'Ik zie dingen. Dat krijg je als je dertig jaar in eenzame opsluiting zit. Die dag zat er een roze draadje op je grijze trui. Het stak fel af bij het saaie grijs. Daaruit begreep ik dat je eerst een roze blouse aan had gehad en dat je die voor de grijze trui had verwisseld omdat je in de gevangenis niet wilde opvallen. Onuitstaanbaar vond ik dat. Dat dit gebouw zelfs jóú deprimeert.'

'Honderddrieënvijftig,' zei ik.

Mijn zus zuchtte. Haar gezicht betrok. 'Ik herinner me alles,' zei ze zachtjes. 'Misschien is dat mijn probleem. Kon ik het maar vergeten... Toen ik er oud genoeg voor was, heb ik informatie over papa opgezocht. Ik droomde van bloed. De hele tijd. Ik zag dingen, glashelder, maar ik rook en proefde ze ook. De dingen waarover ik toen al fantaseerde... Alleen waren het geen fantasieën. Het zouden... herhalingen zijn. Papa heeft mij verpest, Adeline. Niet alleen met zijn DNA, maar ook met zijn hunkeringen. Ik ben hem. Hij is in die badkuip gestorven, maar in mijn huid opnieuw tot leven gekomen. Daarom heb ik informatie over hem opgezocht. Ik ben naar de bibliotheek gegaan en heb alle artikelen gelezen die ik op microfilms kon vinden. Zijn verzameling bestond uit honderddrieënvijftig reepjes mensenhuid, in jampotjes met etiketten erop. Een indrukwekkend levenswerk, moet ik zeggen.'

'Maar de Rose Killer...'

'Is duidelijk iemand die papa erg bewondert. En dan is het logisch dat hij, net als ik, alles over hem heeft opgezocht wat er te vinden is. En als je een meester bestudeert, moet je hem dan geen eer bewijzen?'

'Jij zegt dus dat je geen persoonlijke band hebt met de Rose Killer. Dat je alleen... op dezelfde manier denkt als hij of zij?'

Shana glimlachte. 'Kun jij je dat echt zo moeilijk voorstellen?'

'Wist je dat de moordenaar gisteren weer zou toeslaan?'

'Ik zou niet gisteren hebben gekozen. Maar ik zou ook niet al te lang hebben gewacht. Als je eenmaal weet waartoe je in staat bent, wordt het steeds moeilijker om tegen de hunkering te vechten.'

'Man of vrouw, Shana. Als jij er zoveel van weet, vertel me dan of de moordenaar een man of een vrouw is.'

Ze haalde haar schouders op. 'Dat weet ik niet. Daar heb ik nog niet echt over nagedacht. De meeste moordenaars zijn mannen, dus zou ik daarvoor gaan. En niet iedere vrouw kan er zo goed in zijn als ik.'

Ik staarde haar aan. 'Misschien ben jij het toch. Misschien draait dit allemaal om jou.'

Mijn zus schudde haar hoofd. 'Nee. Het draait niet om mij. Het draait om jou. Mij hebben ze opgesloten, weggemoffeld, mij laten ze hier verrotten. Niemand herinnert zich mijn bestaan.'

'Charlie Sgarzi.'

'Arrogant ventje. Dat was hij toen al. Niemand geeft om mij, Adeline. Maar jij... De moordenaar weet wie je bent. De dochter van zijn idool, nu een mooie, volwassen vrouw, een succesvolle vrouw. En een interessante vrouw, omdat je naar verluidt geen pijn voelt. De Rose Killer heeft ook jou opgezocht. Hij is erachter gekomen hoe je heet. Hij is waarschijnlijk al in je praktijk geweest en heeft uitgezocht waar je woont. Ik durf te wedden dat hij door je slaapkamer is gelopen en zijn hand op je kussen heeft gelegd. Om binnen te komen zal hij zich hebben uitgegeven voor een ongediertebestrijder of iemand van een onderhoudsbedrijf, iets zo alledaags dat je hem zelfs nu, weken of maanden later, nog helemaal niet verdenkt. Hij kent jou, Adeline. De Rose Killer heeft je bestudeerd en bespied. Hij is door je geobsedeerd. Dat kan niet anders. Jij bent de wonderbaarlijke dochter van Harry Day die geen pijn voelt. Voor een seriemoordenaar ben je onweerstaanbaar. Hij kan je onmogelijk met rust laten.'

Ik huiverde onwillekeurig.

'Maar ik ken jou ook,' ging mijn zus kalmpjes door. 'Ik weet dat het een nadeel voor je is dat je geen pijn voelt. Het betekent dat je geen lessen in zelfverdediging kunt nemen, dat je niet eens aan conditietraining kunt doen, omdat je het risico niet kunt nemen een blessure op te lopen. Je kunt je niet aan messen wagen, geen pistool hanteren, niemand van je af slaan. Je bent kwetsbaar, Adeline. Ik weet dat en ik durf te wedden dat de moordenaar het ook weet.'

'Stop.' Ik had het met kracht willen zeggen. Dat lukte niet.

'De Rose Killer zal je te grazen nemen. Jij lokt hem. En de lokroep zal pas stoppen als jij dood bent en hij heeft bewezen dat hij de meester is omdat hij de dochter van zijn idool heeft vermoord. Hij gaat je vermoorden, Adeline. Langzaam. Hij wil zelf de proef op de som nemen over de theorie dat jij geen pijn voelt. Ik denk dat hij je levend zal villen. Omdat hij zal willen zien hoe je reageert. Hij zal je in de ogen willen kijken bij elke centimeter huid die hij wegsnijdt.'

Ik kon mijn zus niet meer aankijken. Ik staarde naar de vloer. Haar woorden maakten me bloednerveus, zoals ongetwijfeld haar bedoeling was. Ik herinnerde mezelf eraan dat ze een meester was in het manipuleren van mensen. Waarom had ze om dit gesprek gevraagd? dacht ik. Wat zit er voor háár in?

Mijn zus ging door. 'Ik zit in mijn cel, Adeline. Elke dag. Ik hoor dingen. Ik lees dingen. En dit is wat ik zie. Ik zie iemand die net zoals papa wil zijn en die mijn kleine zusje gaat vermoorden. Een man of een vrouw, dat is niet belangrijk. De Rose Killer zal bij je komen. Hij zal je vermoorden. En dan ben ik helemaal alleen.

Niet dat dat jou nog iets uitmaakt. Jij bent vandaag gekomen om afscheid te nemen. Om aan jezelf te bewijzen dat je sterker en wijzer bent dan ik. Maar ik heb jou nooit in de steek gelaten, Adeline. Ik heb je uit de kast gehaald. Ik heb me gehouden aan de belofte die ik papa heb gedaan. Ik heb je in mijn armen genomen. Ik heb je beschermd. En als ik alles nog eens zou moeten doen, zou ik niet aarzelen...'

Haar stem begaf het.

Ik keek op, net op tijd om een zweem van verdriet over haar

gezicht te zien glijden. Onvermoede emotie? Of ijzersterk toneelspel?

'Als ik een verlof van vierentwintig uur kan krijgen, zal ik de moordenaar voor je opsporen, Adeline. Ik zal instemmen met alle voorwaarden, me onderwerpen aan alle regels die jullie aan me zouden opleggen. Als ik maar de kans krijg deze moordenaar op te sporen en mijn kleine zusje te beschermen.' Mijn zus glimlachte. Daarbij ontblootte ze haar tanden op een manier waar ik kippenvel van kreeg. 'Zoals papa zei: als je geen familie hebt, heb je niets. Jij bent mijn familie, Adeline. Haal me hier vandaan, dan zal ik voor jou een moord doen. Je weet dat ik goed ben in dergelijke karweitjes.'

HOOFDSTUK 25

D.D. keek verbaasd op toen er werd aangebeld. Phil en Neil zaten op de bank met een blocnote op hun schoot. Midden in de kamer stond een groot whiteboard, volgeschreven met zwarte viltstift.

'Zal ik opendoen?' vroeg Phil.

'Nee, ik ga wel.' Ze stond voorzichtig op en nam de ijszak van haar schouder. Alex was al vroeg naar de academie vertrokken en zou vanmiddag bij zijn ouders langsgaan om Jack op te halen. Ze waren nog nooit zo lang van hun zoon gescheiden geweest en misten hem erg.

Gespannen liep D.D. naar de voordeur. Ze had Alex overgehaald zijn Glock 10, geladen en wel, bij haar achter te laten. Ze was in staat die met één hand te bedienen. Ze zou misschien niet zo zuiver schieten als ze gewend was, maar zolang ze op de torso richtte, zou ze haar aanvaller in elk geval verwonden en daarna was het een kwestie van de trekker nog een paar keer overhalen. Haar vriend en voormalig sluipschutter Bobby Dodge vond dat het eerste schot fataal moest zijn, maar D.D. was van mening dat het weinig uitmaakte, zolang zíj degene was die in leven bleef.

Ze liep naar de deur. Zonder de Glock, omdat er twee ervaren politiemannen achter haar in de woonkamer zaten. Toch kromde ze automatisch de vingers van haar rechterhand toen ze door het spionnetje keek.

Het was Adeline Glen.

Wat zullen we nou krijgen? dacht D.D. Ze maakte het nieuwe slot open.

'Sorry dat ik stoor,' zei Adeline, 'maar ik kom net bij mijn zus vandaan en had gehoopt u even te kunnen spreken.'

'Dus u bent zonder ons naar uw zus gegaan?'

Adeline keek langs D.D. de woonkamer in, waar D.D.'s teamgenoten in het volle zicht zaten. D.D. probeerde een schuldige blos te onderdrukken.

'Wij zijn de politie,' zei ze verdedigend, want dat zij en haar collega's het onderzoek zonder Adeline voortzetten was iets anders dan dat Adeline het onderzoek zonder hen voortzette.

'O, is uw schouder beter? Bent u weer aan het werk?'

D.D. gaf zich gewonnen. 'Nee. We zijn aan het brainstormen over de moord van gisteren. Ik ben officieel nog niet aan het werk, maar dat Phil en Neil hebben besloten even langs te komen heeft niets te maken met mijn ziekteverlof. De koffie is hier gewoon beter. Nietwaar, jongens?'

Phil en Neil knikten. Phil stond op, gaf Adeline een hand en stelde Neil aan haar voor. Het verbaasde D.D. niet dat de psychiater een beetje verbaasd keek toen ze het jongste lid van hun team zag, want met zijn slungelige postuur en weerbarstige rode haar leek Neil geen dag ouder dan zestien. Wat een groot voordeel was als ze verdachten ondervroegen, want die namen de rechercheur nooit serieus tot het te laat was.

De psychiater keek naar het whiteboard, dat verdeeld was in drie kolommen, één per slachtoffer. Het was niet zo dat ze verbleekte, maar je zag haar gezicht verstrakken. Beroepsmatig nam ze meteen afstand van de expliciete details op het bord.

'Zo,' zei D.D. en ze kon het niet laten even voor Bugs Bunny te spelen: '*What's up, Doc?*'

'Zei u koffie? Ik zou best een kopje lusten.'

Phil schonk het voor haar in. Toen D.D. daarstraks voor zichzelf koffie had willen inschenken, was het een knoeiboel geworden. Met één hand een pistool afvuren kon ze. Met één hand koffie inschenken ging haar minder goed af.

'Was het initiatief van u uitgegaan of van uw zus?' vroeg D.D. Ze ging op de keukenstoel zitten die Neil voor haar in de kamer had gezet en gebaarde uitnodigend naar Adeline dat ze op de bank plaats kon nemen.

'Shana heeft directeur McKinnon vanochtend in alle vroegte laten weten dat ze mij nogmaals wilde spreken. Ik dacht dat ze wilde onderhandelen. Ze bleek het nieuws over de laatste moord gehoord te hebben en was bereid verdere informatie te geven in ruil voor een kortstondig verlof.'

'Daar komt niets van in,' zei D.D. 'Hebt u haar dat gisteren niet duidelijk gemaakt?'

'Jawel, maar ze vond blijkbaar dat het geen kwaad kon om het nog een keer te vragen. Uiteindelijk nam het gesprek een nogal onverwachte wending.'

'O ja?' D.D. leunde nieuwsgierig naar voren. Net als Neil en Phil.

'Shana beweert dat ze noch met de Rose Killer noch met andere mensen contact heeft. Er is geen geheim netwerk van spionnen of trouwe fans buiten de gevangenismuren. Om zoiets op te bouwen zou ze hulp binnen de gevangenis nodig hebben, en zij heeft, naar eigen zeggen, geen vrienden. Wat wij in feite al wisten.'

D.D. fronste. Dit was niet wat ze had verwacht. 'Het is logisch dat ze het ontkent. Maar wat is haar verklaring voor de dingen die ze weet terwijl ze die helemaal niet zou kunnen weten?'

'Observatie.'

'Pardon?'

'Dertig jaar eenzame opsluiting. Ze heeft niets beters te doen dan haar omgeving observeren. Ze is geen crimineel meesterbrein. Ze is Sherlock Holmes.'

Phil schraapte geringschattend zijn keel. 'Hoe wist ze van het magische getal?' vroeg hij sceptisch.

'Als tiener heeft ze in de bibliotheek informatie over onze vader gezocht. Zij beweert dat ze uit artikelen in de plaatselijke kranten heeft afgeleid dat hij honderddrieënvijftig reepjes mensenhuid had verzameld. En ze zei dat de Rose Killer die moeite ook kan hebben genomen. Ik heb het eventjes gegoogeld, maar nog niet echt goed gezocht. Volgens Shana is alle informatie echter online te vinden, als je maar goed genoeg zoekt. Zij zegt dat als de Rose Killer probeert Harry Day te evenaren of te overtreffen, het logisch is dat hij een groots gebaar maakt door precies honderddrieënvijftig reepjes gevilde huid achter te laten als eerbetoon aan de grote meester. Shana beweert dat ze niet wíst dat hij dat deed, maar dat ze het had verwacht. Omdat zij een uniek inzicht heeft in het denkpatroon van misdadigers.'

'Dat kun je wel zeggen,' mompelde D.D.

'Ze zei dat de moordenaar ook over mij informatie moest hebben opgezocht. Omdat ik de dochter van Harry Day ben en omdat ik een unieke genetische aandoening heb. Shana zegt dat ik daardoor voor hem onweerstaanbaar ben. Dat hij het niet zou kunnen laten een bezoekje te brengen aan mijn praktijk, misschien zelfs mijn flat binnen te dringen, bijvoorbeeld vermomd als onderhoudsman...'

'Wat?' vroeg D.D. scherp.

'Ik heb de conciërge, meneer Daniels, meteen gebeld om te vragen of er de afgelopen maanden iemand in mijn flat is geweest. Hij vroeg of ik behalve de controleur van het gasbedrijf nog iemand anders bedoelde. Blijkbaar is er vier weken geleden iemand in een uniform van een gasbedrijf gekomen, die zei dat ze een melding hadden ontvangen over een gaslek op mijn etage. Hij heeft de controleur in mijn flat binnengelaten. Om veiligheidsredenen is hij zelf niet mee naar binnen gegaan, maar heeft hij in de hal gewacht. Hij zei dat de controleur niet al te lang in mijn flat was, maar kon me niet vertellen hoe lang "niet al te lang" precies was. Ik heb meteen het gasbedrijf gebeld. Daar is niets bekend over een dergelijke melding, noch dat er een controleur naar mijn flat is gestuurd.'

'Meneer Daniels heeft die controleur dus gezien,' zei Phil. 'Kan hij ons een signalement geven? Wil dit zeggen dat we in elk geval naar een man zoeken?'

Adeline aarzelde.

'O nee...' zei Phil toen hij zag hoe ze keek.

'Ik heb hem dat gevraagd, maar meneer Daniels was er niet zeker van. De controleur droeg een pet, die hij diep over zijn ogen had getrokken, en hield een klembord half voor zijn gezicht. Meneer Daniels wist niet eens zeker of hij zijn gezicht had gezien.'

'Dus het kan net zo goed een man als een vrouw zijn geweest,' zei D.D.

Adeline haalde haar schouders op. 'Meneer Daniels had de indruk dat het een man was. Ik heb hem heel voorzichtig ondervraagd, om zijn geheugen niet te beïnvloeden. Hij zei dat het geen fors persoon was, dus lengte en lichaamsbouw brengen ons niet verder. Maar hij had een nogal ruige stem. Dat gaf voor meneer Daniels de doorslag. Niet het uiterlijk, maar de klank van zijn stem.'

'Jezus,' mompelde Phil.

Adeline knikte. 'Een ruig stemgeluid associeer je met een man. Maar het kan ook een vrouw zijn die als man wil klinken.'

'U denkt dat deze persoon de Rose Killer is,' zei D.D.

Adeline keek verbaasd. 'U niet dan?'

'En met dat als uitgangspunt,' vervolgde D.D. langzaam, 'en omdat uw zus had voorspeld dat de Rose Killer dit zou doen, gelooft u nu dat uw zus haar bijna bovennatuurlijke gaven wil gebruiken om voor de verandering eens een goede daad te doen?'

'Zoiets. Ze is mijn zus en ieder mens heeft het recht gunstig te oordelen over zijn familie. Dus... ja.'

'Maar het kan net zo goed zijn dat zij hier zelf achter zit,' zei D.D. 'Uw listige zus, van wie we vermoeden dat ze samenwerkt met de Rose Killer. Het kan best zijn dat ze die persoon opdracht heeft gegeven naar uw flat te gaan. Dat ze haar marionet tot in de kleinste details heeft uitgelegd wat hij moest doen. En dat ze deze informatie pas met u heeft gedeeld toen dat haar goed uitkwam. Toen u aan haar begon te twijfelen. Het kan een list zijn om u weer aan haar kant te krijgen.'

Adeline knipperde met haar ogen, zweeg lange tijd en zei toen zachtjes: 'Dat is inderdaad ook mogelijk. Ik wil graag objectief zijn over mijn zus, maar ik denk niet dat ik daartoe in staat ben. Vandaar dat ik u wilde spreken om deze informatie met u te delen. Misschien kunt u mij vertellen wat ik moet geloven.'

'Je uitgeven voor iemand van een gasbedrijf strookt met de werkwijze van de Rose Killer,' zei Phil. 'We weten dat hij of zij zich vermomt als werknemer van een nutsbedrijf om huizen binnen te dringen. Bij D.D. had hij zich verkleed als iemand van een bewakingsbedrijf...'

Adeline keek D.D. geschrokken aan.

'De moordenaar heeft een attent kaartje voor me achtergelaten,' vertelde D.D. haar. 'Spoedig herstel.'

'Alles bij elkaar heeft D.D. gelijk,' zei Phil. 'Het is mogelijk dat uw zus dit allemaal weet omdat ze in contact staat met de moordenaar. Niet ondanks haar gebrek aan communicatie.'

'Bent u er al achter hoe ze in contact zou staan met de moordenaar?' vroeg Adeline. 'Code, briefjes, handlanger?'

D.D. schudde haar hoofd. 'Nee. Maar uw zus is gewiekst; daar hamert u zelf voortdurend op. En wij hebben het een beetje druk gehad met de nieuwe moord. Weet u wie het slachtoffer is?'

'De moeder van Charlie Sgarzi.'

'Die, tussen haakjes, helemaal niet het type van de moordenaar is. De eerste twee slachtoffers waren jonge, vrijgezelle vrouwen. Janet Sgarzi was een bejaarde weduwe met kanker die al op sterven na dood was. Seriemoordenaars gaan bijna nooit over op een ander type. Ze houden zich aan hun fantasie. Als je het type slachtoffer verandert, kun je net zo goed álles veranderen. Daarom is deze moord een uitzondering, ook al omdat hij zo snel na de tweede is gepleegd. Misschien was dit geen kwestie van diepgewortelde dwangneurose, maar van kille berekening. Janet Sgarzi moest dood. En volgens Charlie Sgarzi is dat de schuld van uw zus.'

'Shana heeft het niet op vrouwen voorzien.'

'Nee, maar ze had het wel op Charlie voorzien. Wraak op de journalist die vervelende vragen stelt en zelfs durft te beweren dat Shana vanachter de tralies misdaden blijft plegen.'

Adeline zette haar mok neer. Ze slaakte een diepe zucht. 'Bewijs het,' zei ze.

'Daar zijn we mee bezig, wáren we mee bezig, tot u ons kwam storen.'

Phil kwam tussenbeide. 'Waarom wilde uw zus u vanochtend spreken? Als het er niet om ging over haar vrijheid te onderhandelen?'

'O, ze vindt nog steeds dat wij een verlof voor haar moeten regelen en dan wil ze bij mij logeren.'

'Net wat ik dacht,' zei D.D.

'Maar niet in ruil voor haar hulp om de moordenaar op te sporen. Ze wil het om mij te beschermen. En om de moordenaar te vermoorden. Ze is goed in dergelijke karweitjes, zoals ze zelf zei.'

Even bleef het stil.

Toen vroeg Neil nerveus: 'Wat wil dat zeggen?'

'Ik heb de gevangenisdirecteur verzocht me wat meer informatie te geven over de misdrijven die mijn zus heeft gepleegd terwijl ze gevangenzat. Shana heeft drie mensen gedood. Het eerste incident vond plaats toen ze nog maar kort in de gevangenis zat en betrof een vrouwelijke medegevangene die Shana naar verluidt had aangevallen. De rechter bepaalde dat Shana uit zelfverdediging had gehandeld. Daarna gebeurde er bijna tien jaar niets bijzonders. Tot de dag waarop Shana een mannelijke gevangenbewaarder aanviel en kennelijk op nogal beestachtige wijze vermoordde. Een paar weken later vermoordde ze nóg een bewaker en werd ze voor de rest van haar leven veroordeeld tot eenzame opsluiting. McKinnon probeerde het vaag te houden toen ik haar naar de details over die misdrijven vroeg, maar het schijnt dat tegen beide gevangenbewaarders een onderzoek liep toen ze werden vermoord. Wegens "omgang" met vrouwelijke gedetineerden. Intiem contact tussen bewakers en gedetineerden is uiteraard niet toegestaan en de aantijgingen tegen de eerste bewaker waren zeer ernstig. Het ging onder andere om twee vrouwen in Shana's cellenblok. Daarop rees de vraag of deze bewaker Shana als volgend doelwit had gekozen en haar cel was binnengedrongen, en zij zich tegen hem had verzet.'

'Dus ze zou een man hebben vermoord omdat die probeerde haar te verkrachten?' zei D.D.

'Dat kan. Shana weigerde er iets over te zeggen. Maar aangezien de bewaker dood was en het onderzoek verzandde, is de zaak in de doofpot gestopt. Ongetwijfeld ook omdat zoiets de bewakers een erg slechte naam bezorgt. Maar enige weken later sloeg Shana opnieuw toe en toen werd haar lot bezegeld, ook al had de tweede bewaker net als de eerste de reputatie dat hij "zich opdrong aan de gedetineerden".'

Neil mengde zich in het gesprek. 'Wacht even. Uw zus zegt dus eigenlijk dat de slachtoffers haar hebben gedwongen? Dat is een oeroude verdedigingstactiek. Het slachtoffer de schuld geven.'

Adeline knikte. Ze bleef scherp, dacht D.D. En ze deed haar best zo objectief mogelijk te zijn.

'Maar Donnie Johnson dan?' vroeg Neil. 'Een jongen van twaalf. Een leergierig ventje. Een boekenwurm. Die kan geen dreiging voor haar zijn geweest. Op de oude politiefoto's kun je zien dat Shana een stuk groter was dan hij. En ongetwijfeld sterker.'

'Ik heb geen verklaring voor Donnie Johnson,' gaf Adeline

toe. 'En Shana weigert over hem te praten. Zelfs na dertig jaar is dat onderwerp taboe.'

'Hij is de uitzondering,' zei D.D. Ze zette haar mok neer, kwam behoedzaam overeind en liep naar het whiteboard. 'Laten we de gevallen even met elkaar vergelijken: de Rose Killer en zijn drie slachtoffers met Shana Day en haar vier slachtoffers. We weten dat de Rose Killer één uitzondering heeft: Janet Sgarzi. Shana heeft ook een uitzondering: Donnie Johnson. Dit is op zich niet opmerkelijk, maar hoe vaak komt het voor dat de uitzonderingen van twee aparte seriemoordenaars familie van elkaar zijn? Neef en tante. Je kunt mij niet wijsmaken dat dit niet met elkaar in verband staat.'

'Via Charlie Sgarzi,' zei Adeline, zij het met een frons, omdat ze niet begreep waar D.D. op aanstuurde.

D.D. keek triomfantelijk. 'En wat doet Charlie Sgarzi?'

'Die stelt vragen over de moord op zijn neef van dertig jaar geleden,' antwoordde Phil.

'En dat betekent?' ging D.D. door.

'Dat ik nog meer oude dossiers uit het archief moet zien te krijgen,' zei Neil. Hij had die van Harry Day nog niet eens gekregen. Volgens de laatste berichten waren ze misschien verloren gegaan toen het politiebureau was verhuisd. Dat was met meer zaken uit het pre-computertijdperk gebeurd.

'Uw antwoord is correct! Gaat u door voor de volgende ronde? Dit is het verband dat we zochten. De nieuwe moorden worden nu gepleegd, maar zijn aangezet door iets wat dertig jaar geleden is gebeurd. Ik durf er alles om te verwedden dat de paden van Donnie Johnson, Shana Day en de Rose Killer elkaar vroeger hebben gekruist. We moeten de namen zien te krijgen van buren, getuigen, vrienden en kennissen. Als we die lijst afwerken, vinden we de moordenaar vanzelf.'

'Of,' zei Adeline, die nu ook opstond, 'we kunnen gewoon wachten. De moordenaar zal ons gauw genoeg komen opzoeken. Volgens Shana zal hij of zij de verleiding niet kunnen weerstaan. Ik schijn moordenaars van overal aan te trekken.'

'Maakt u zich zorgen om uw veiligheid?' vroeg D.D. 'We kunnen u politiebescherming geven.'

'Kunt u met één hand een pistool bedienen?'

'Ja. Dat leren we tijdens de basistraining en daar ben ik nu heel blij om.'

'Ik kan dat niet. Vanwege mijn onvermogen pijn te voelen mag ik me niet bezighouden met gevaarlijke activiteiten, zelfs niet uit zelfbehoud, omdat het kan leiden tot kwetsuren. Ik mag niet vechten, schieten of hardlopen. U kunt mij een politieagent toewijzen, maar hoe vreemd het ook mag klinken, ik heb liever mijn zus. De politie óéfent alleen in aanvallers uitschakelen. Shana heeft die kunst geperfectioneerd.'

D.D. sloeg haar ogen ten hemel. 'Wilt u echt dat we uw zus uit de gevangenis halen? Terwijl u weet dat ze niet alleen uw favoriete kleren zal lenen, maar nog veel meer zal doen?'

Adeline stond op en liep naar de deur. 'Het feit dat mijn zus mij een voorstel doet dat buitengewoon agressief en gewelddadig is, wil niet zeggen dat het niet het overwegen waard is. U zult moeten toegeven dat dit iets is waar de Rose Killer niet op rekent.'

'Tenzij,' zei Phil nuchter, 'dit juist is waar de moordenaar al die tijd naartoe heeft gewerkt.'

HOOFDSTUK 26

Wie ben ik? Enthousiaste nieuwe huurder, vriendelijke nieuwe buur.

Hoe zie ik eruit? Netjes, geschoold, zakelijk. Ik zou misschien kunnen vragen of ik een kommetje suiker mocht lenen, maar ik zou me niet afvragen wat voor soort huid je hebt en hoe die eruit zou zien als hij in een jampotje dreef.

Belangrijkste motivatie? Gewoon leuk om kennis met je te maken.

Doel van de missie? De inzet verhogen, de spanning vergroten, de schroeven aandraaien.

Nettowinst? Aan al het goede komt een einde.

De Vriendelijke Nieuwe Buur had het niet makkelijk. De kleding was precies goed. Onlangs gekocht bij Goodwill, waar ze in een stad als Boston net zoveel designerlabels voeren als bij Saks. Keurig, zakelijk, maar ingetogen. Een vermomming, net als de andere, bedoeld om een personage neer te zetten, terwijl de details vaag blijven. *Hoe zag die persoon eruit? Netjes. Wat bedoelt u met netjes? Ik weet het niet. Gewoon, netjes.*

De kleding was precies goed. Nu nog de houding en de manier van lopen. Oefenen voor de spiegel. Ditmaal geen voorovergebogen houding, maar kaarsrecht en zelfverzekerd. Opgeheven hoofd, ontspannen ledematen. Het was moeilijker dan je dacht. Het betekende dat je de adrenalinekick moest onderdrukken, niet naar voren mocht leunen, niet mocht zwichten voor de constante dreun van nu, nu, nu, ik moet het doen, doen, doen.

Weer gold: oefening baart kunst.

De kleding was correct. De lichaamstaal acceptabel.

Maar toch. Oefenend voor de hoge spiegel, steeds opnieuw, steeds opnieuw, was de Vriendelijke Nieuwe Buur niet blij.

Het was niet meegevallen om haar te doden.

Dat was het risico geweest. De eerste twee slachtoffers waren makkelijk geweest, willekeurig gekozen in buurtcafés. Het verkennerswerk was uitgevoerd door de Onopvallende Persoon, de rol waarop het langst was geoefend en die het makkelijkst te spelen was. De Onopvallende Persoon had twee aantrekkelijke, alleenstaande vrouwen gevonden. Slachtoffers dienden met volslagen willekeur gekozen te worden; dat was belangrijk. Ze mochten niets met elkaar noch met de Onopvallende Persoon te maken hebben. Het was bij de twaalfde poging pas gelukt. Vrouwen waren gekozen en behoedzaam geschaduwd, en bleken dan een echtgenoot, een huisgenoot of twee-komma-twee kinderen te hebben. Het verkennen kostte tijd en moeite, zoals uit het voorbereidende onderzoek al was gebleken.

Moord was niet voor zwakkelingen.

Maar uiteindelijk was de moeite beloond. Twee vrouwen waren gekozen, grondig doorgelicht, en officieel tot doelwit bestempeld. De eerste fase van de missie was van start gegaan, de fase waarin de Onopvallende Persoon veranderde in de Geslaagde Moordenaar, die zelfs een bijnaam kreeg, de Rose Killer, wat een verrassend voldaan gevoel gaf.

Wie had kunnen denken dat van alle rollen die door de jaren heen waren getest en verworpen, die van moordenaar uiteindelijk het best zou passen?

Wie ben ik? Je ergste nachtmerrie.

Hoe zie ik eruit? Net zoals jij.

Belangrijkste motivatie? Herkenning, roem, succes. Opzij, Harry Day. Opzij, Shana Day. Ik ben de beste.

Alleen had de moord gisteren niet zo gevoeld.

De daad van gisteren...

Zenuwslopende herinneringen. De Vriendelijke Nieuwe Buur verloor de felbegeerde toegankelijke uitstraling en begon rusteloos te ijsberen.

Gisteren was noodzakelijk geweest. Logisch gezien klopte het helemaal. Rationeel gezien had de Rose Killer volgens plan gehandeld. Een drupje rohypnol in haar thee. Wachten tot haar oogleden zwaar werden en ze onduidelijk begon te praten.

Toen ze opzij zakte, was de Rose Killer overeind gesprongen om haar op te vangen, zelf verbaasd over de snelle reflex. En daar best trots op. Wat had ze weinig gewogen...

Ze had haar ogen weer geopend. Ze had haar moordenaar aangekeken. Nee, ze had in de zíél van haar moordenaar gekeken. Ze had haar dood zien aankomen en geaccepteerd.

En haar ogen hadden ondubbelzinnig medelijden uitgedrukt.

Toen had het verdovende middel de laatste weerstand van haar versleten lichaam overwonnen en had ze het bewustzijn verloren. Het moeilijkste was achter de rug. Naar de slaapkamer. Ontkleden, op het bed klimmen, scalpel ter hand nemen. En toen...

De Rose Killer had geaarzeld. Eindelijk alleen met het verkozen doelwit, het moeilijkste deel van de missie achter de rug, had de beruchte moordenaar het liefst de benen willen nemen. Ervandoor willen gaan zonder om te kijken. Ze was dood. Was dat niet voldoende?

Nee, dat was niet voldoende. Haar arts zou ervan uitgaan dat ze was bezweken aan haar ziekte, maar de psychiater zou daar misschien anders over denken. Men zou onderzoeken laten verrichten. Toxicologische onderzoeken waarbij de rohypnol aan het licht zou komen, wat verdenkingen zou oproepen.

Het was beter om consequent te zijn. Het derde slachtoffer. Een ouder slachtoffer, dat wel. Niet het type van de Rose Killer. Maar niettemin het derde slachtoffer. Waarmee de gruwelijke aard van de Rose Killer voor eens en voor altijd was bewezen, want wat voor monster moest je zijn om een door kanker geteisterde oude vrouw te vermoorden? Zo'n bruut was zelfs Harry Day niet geweest.

Zoals gezegd, moord was niet voor zwakkelingen.

Wie ben ik? Ik weet het niet. Ik heb het nooit geweten. Hoe kom je daarachter?

Hoe zie ik eruit? Uiterlijk normaal. Want kinderen leren snel dat normaal belangrijk is, en als je níét normaal bent, doe je je uiterste best om er toch normaal uit te zien.

Belangrijkste motivatie? Me net zo voelen als iedereen. Al kan ik me uiteraard nooit zo voelen.

Doel van de missie? Als ik niet net zo kan zijn als iedereen, zal ik béter zijn dan iedereen. Ik zal voortdurend schaven aan mijn kunnen. Ik zal jij zijn. Ik zal ik zijn. Ik zal de dood zijn. Ik zal de redding zijn. Ik zal alles zijn. En dan zal ik eindelijk alles hebben wat ik wil.

Nettowinst? Dan zal ik eindelijk vrij zijn.

De Vriendelijke Nieuwe Buur wendde zich van de spiegel af. De Vriendelijke Nieuwe Buur had lang genoeg staan dubben. Niet meer nadenken. Tijd voor daden.

De Vriendelijke Nieuwe Buur liep de kleedkamer in, knielde, tilde voorzichtig drie losse vloerplanken op. Daar stond de schoenendoos.

Deksel eraf, inhoud geopenbaard. De Vriendelijke Nieuwe Buur wist wat er nu moest gebeuren. En voelde de kracht die besluitvaardigheid meebrengt.

Doel van de missie? Nagaan uit welk hout een pijnspecialist die geen pijn kan voelen is gesneden.

Nettowinst? De hoofdprijs.

HOOFDSTUK 27

Christi Willey zag er precies zo uit als D.D. zich haar had voorgesteld en dat deprimeerde haar. Ooit had D.D. zich voorgenomen een punt achter haar carrière te zetten zodra haar baan te voorspelbaar werd. Nu zat ze hier, in het Pru Center Food Court in de binnenstad van Boston, met een reclasseringswerker en een voormalige gedetineerde die bijna een stereotype was, tot en met de donkere haarwortels van haar geblondeerde lokken, de moedeloze stand van haar schouders en de schichtige blik in haar blauwe ogen.

Naar aanleiding van Phils verzoek om gesprekken met voormalige gedetineerden die samen met Shana in de gevangenis hadden gezeten, had de reclasseringswerker, Candace Proctor, hem opgebeld toen ze nog bij D.D. thuis aan het brainstormen waren. Ze had iemand voor hem gevonden: Christi Willey, die vorig jaar op vrije voeten was gesteld na een straftijd van twintig jaar in het MCI wegens diverse misdrijven, waaronder medeplichtigheid aan moord. Christi had erin toegestemd hun vragen te beantwoorden, op één voorwaarde: dat Adeline erbij zou zijn.

Niet Shana's zus. Niet dr. Adeline Glen. Adeline.

Dat vond D.D. intrigerend. En dat vond Adeline ook. Vandaar dat ze nu met Candace Proctor en Christi Willey aan twee tegen elkaar geschoven tafeltjes in het Food Court van het winkelcentrum zaten, waar de geur van gefrituurde garnalen D.D. het water in de mond deed lopen.

Adeline hield zich wijselijk op de vlakte. Ze liet het gesprek aan Phil en D.D. over en had zelf nog geen woord gezegd.

Christi Willey vertelde dat ze in hetzelfde cellenblok had gezeten als Shana Day. Ze hadden zelfs een keer tegelijk in de isoleercellen gezeten. Na... het incident.

Christi Willey was veroordeeld wegens een aantal aan drugs gerelateerde misdaden, waaronder een gewapende overval om haar verslaving te bekostigen, mishandeling om haar verslaving te beschermen, en medeplichtigheid aan de moord die haar vriendje op een rivaal had gepleegd om hun verslaving in stand te kunnen houden... Vanwege haar nerveuze gebaren en schichtige oogopslag had D.D. de indruk dat Christi deze levensstijl niet had opgegeven. Nergens was het zo eenvoudig om aan drugs te komen als in de gevangenis. Aan de andere kant: Christi nam vrijwillig deel aan dit gesprek, en nog wel in gezelschap van haar reclasseringswerker, terwijl verplichte drugstests ongetwijfeld een van de voorwaarden van haar invrijheidstelling waren...

Misschien was ze dan toch clean. Misschien bleven je hersenen zo, ook als je al jaren geen drugs meer gebruikte.

Wie weet.

'Ja, ik heb Shana Day gekend,' vertelde de nerveuze verklikster. In haar strapless topje, waarmee ze absoluut niet op het weer was gekleed, vielen haar broodmagere armen erg op. Candace had een dubbele portie friet gehaald, misschien om haar aan het eten te krijgen, maar Christi had nog niet één patatje genomen.

Ondanks haar diepgewortelde liefde voor food courts had D.D. alleen een flesje mineraalwater genomen. Net als Phil. Adeline had zichzelf getrakteerd op een smoothie, waarbij ze had gemompeld dat ze vanochtend geen tijd had gehad om te ontbijten. Tot nu toe had Christi geen aandacht geschonken aan Adeline en daar was D.D. blij om. Strikt genomen mocht Adeline dit gesprek helemaal niet bijwonen. Maar strikt genomen mocht D.D. dat ook niet.

'Ze speelden een spel,' vertelde Christi, met haar blik op de tafel gericht. 'Het heette de Olympische Hoerenspelen. Frankie, Rich en Howard speelden het altijd als ze samen dienst hadden. Ze kozen drie meisjes, zetten ons op een rij tegenover hen en lieten hun broek zakken. Wie hen het snelst kon laten klaarkomen, kreeg een prijs. Bijvoorbeeld een flesje lotion. Of een paar extra minuten onder de douche. Dingen van niks.'

De reclasseringswerker legde haar hand op die van Christi. D.D. had nog nooit met Candace gewerkt, maar kreeg de indruk dat ze echt begaan was met de vrouwen die ze begeleidde.

'Hierbij waren dus drie bewakers betrokken?' vroeg Phil.

'In het begin,' zei Christi zachtjes. Ze keek hen niet aan. 'Maar ze hadden niet zo vaak samen dienst en Frankie wilde altijd méér. Dus deed hij het soms ook apart. Opeens stond hij in je cel. Hurken en lurken. Zo noemde hij het. Hij haalde hem tevoorschijn. Jij pijpte hem. Hij stopte hem weer weg en ging weer aan het werk. Alsof er niets was gebeurd. Alsof jij... niets was.'

'Bij hoeveel vrouwen deed hij dit?' vroeg Phil.

'Drie. Vier.'

'Hebben jullie een klacht ingediend?'

Nu keek Christi hem aan. Er stonden tranen in haar ogen, zelfs na al die jaren. 'Een klacht? Bij wie? Zij waren onze bewakers. Bij wie hadden we ons moeten beklagen?'

Phil gaf geen antwoord. Hoofdzakelijk omdat er op deze vraag geen antwoord was.

'Ga door,' zei hij.

'Howard viel nog wel mee,' vertelde Christi. 'Hij zei zelfs wel eens dankjewel en smokkelde cadeautjes of chocola naar binnen. Ik denk dat hij geen meisje had. Hij leek... eenzaam. Maar Frankie en Rich... Hoe vaker zij het deden, hoe meer ze wilden. Er waren camera's, maar ze dekten elkaar. Een van hen zette een schakelaar om of zoiets. Ik weet het niet precies. Dan begonnen de camera's te knipperen. Dat gaf de ander de gelegenheid je cel binnen te gaan. Eenmaal binnen was hij buiten het zichtveld van de camera’s, dus kon hij net zo lang blijven als hij wilde en doen wat hij wilde. Als hij genoeg had gehad, gaf hij zijn maat een teken en dan schakelde die de camera’s weer eventjes uit. Dan glipte hij je cel uit en ging hij door met zijn ronde. Ze vonden zichzelf erg slim. Ze schepten er steeds over op.’

‘Hoe lang heeft dit geduurd?’ vroeg Phil.

‘Weet ik het. Maanden. Jaren. Eindeloos.’

‘Randdden ze Shana Day ook aan?’ vroeg D.D.

Christi keek haar bevreemd aan. ‘Shana? Waarom zouden ze? Die had het oor van een kleine jongen afgesneden. Wie wil zoiets nou neuken?’

D.D. vatte dat op als ‘nee’.

‘Shana bemoeide zich nooit met ons. Daarom was het allemaal zo vreemd wat er daarna gebeurde.’

D.D., Phil en Adeline leunden naar voren.

‘Frankie had die avond geen dienst, dus dachten we dat we ons konden ontspannen. Als die klootzak er niet was, hadden we rust. Maar opeens was hij er. In burger. Hij stond te wauwelen dat hij een oplossing had gevonden. Omdat hij geen dienst had, kon hij de hele nacht blijven. Hij keek ons om beurten aan, met zo’n valse, gnuivende blik. Hij stond te wachten tot we doorhadden wat hij ging doen. Richie had dienst in de controlekamer. Hij hoefde alleen maar de schakelaar van de camera’s om te zetten. Dan kon Frankie een van de cellen binnengaan en met ons doen wat hij wilde. Alsof wij zijn seksslaven waren. De hele nacht. Boften wij even.

Hij koos mij,’ zei Christi, met haar blauwe ogen star op de schaal patat gericht. ‘Hij koos mij.’

Niemand zei iets.

‘Op een gegeven moment ben ik gaan gillen. Niet dat het hielp. Je bent een van de vele gevangenen in een celblok en het zal de bewaker in de controlekamer worst wezen wat er met je gebeurt. Ik hoorde dat de andere meisjes kabaal begonnen te maken. Ze sloegen met schoenen en boeken en bekers tegen de tralies. Bajesprotest. Maar de camera's geven alleen beelden door, geen geluid. Dus kon Frankie gewoon blijven. En met me doen wat hij wilde. En hij deed het ik weet niet hoeveel keer. Ik denk dat die smerige klootzak vooraf Viagra had geslikt. Ik kon niets tegen hem beginnen. Toen hij er eindelijk genoeg van had, kleedde hij zich aan en gaf hij mij een onnozel flesje shampoo. Van dat spul uit een hotel. Eerst heeft hij me verrot geneukt en toen gaf hij me dat. Goedkope hotelshampoo.

De volgende dag kon ik mijn bed niet uitkomen. Ik kon niet eens lopen. Richie had in het logboek gezet dat ik "uitgeput was" omdat ik de hele nacht had liggen spoken, dus kwam de bewaker van de dagdienst niet eens bij me kijken. Die lui zijn allemaal hetzelfde. Wij zijn de misdadigers, maar zíj zijn de monsters.'

D.D. had geen idee wat ze daarop moest zeggen.

'De avond daarop kwam Frankie weer. Hij liet mij met rust en koos een van de nieuwe meisjes. Ze huilde. Het arme wicht. Ze huilde, gilde, schreeuwde. Ik trok me er niks van aan. Zo gaat dat. Als hij jóú niet neukt, hou je je Oost-Indisch doof. Je hebt een nachtje vrij, halleluja, loof de Heer. Toch zijn wij geen beesten, weet u.'

Ze keek op en wreef nerveus over het tafelblad. 'Maar als je elke dag als een beest wordt behandeld...

Frankie had vrijdagavond ook geen dienst. Dat wisten we. We zaten met angst en beven te wachten. De hele afdeling. We wisten dat hij zou komen. Hij was de duivel, hij was onze straf. Om tien uur kwam hij. In een spijkerbroek en een sweatshirt van de Red Sox. En ik ben nog wel een fan van de Red Sox! Hij keek me grinnikend aan. Alsof het heel bijzonder was om door hem uitverkoren te worden. Alsof het nieuwe meisje niet nog aan alle kanten lag te bloeden door wat hij met haar had gedaan.

Hij koos mij weer. Ik was machteloos. Ik had het maar te accepteren. Maar toen...'

Christi zweeg. Ze keek hen aan. 'Shana begon tegen hem te

praten. Heel duidelijk. Ze stond bij de deur van haar cel en vroeg hem of zijn echtscheiding er al door was. En hoe het was als je wist dat een andere man met jouw vrouw naar bed ging en jouw kinderen zou opvoeden. Hoe het voelde als zelfs je eigen hond niks meer van je wilde weten. Hoe het was om zo'n loser te zijn. Dat als je het woord "loser" in het woordenboek zou opzoeken, er een foto van Frankie bij zou staan...' Christi rilde even en schudde haar hoofd. 'Zo ging ze maar door. Ze wist van alles. Dingen over Frankies privéleven. Eerst deed Frankie net alsof hij haar niet hoorde. Toen zei hij dat ze haar bek moest houden; dat ze er geen zak van wist. Maar ze bleef praten en uiteindelijk liep Frankie naar haar cel en begon hij tegen haar te schreeuwen dat ze een kutwijf was en dat ze haar bek moest houden of dat hij die anders zou dichttimmeren. Maar ze hield niet op. En toen glimlachte ze. Ze glimlachte naar hem op zo'n griezelige manier dat ik er koud van werd.

"Ga je gang," zei ze.

Ik dacht dat dit haar einde zou zijn. Dat ze haar eigen doodvonnis had getekend. Dat Frankie haar zou vermoorden. Om de manier waarop ze tegen hem praatte. Om de manier waarop ze naar hem keek, alsof hij een zielige figuur was die niet eens een stijve kon krijgen.

Frankie gaf Richie een teken dat hij de deur van haar cel moest openen. Hij ging naar binnen, laaiend van woede en moordzucht. Ik zag het wit van zijn ogen. Shana week geen centimeter. En toen glimlachte ze weer. Hij aarzelde. Je kon als het ware zien hoe er in zijn hersenen een alarmbelletje begon te rinkelen. Maar toen was het al te laat. Toen hij haar wilde grijpen, stak ze iets in zijn buik, een of ander scherp voorwerp. Ik hoor het soms nog als ik 's nachts wakker lig. Het maakte een kort, nat geluid. En toen ze het weer naar buiten trok, maakte het een zuigend geluid. Ik weet niet wat het was. Misschien een geslepen kam. Ze heeft hem tientallen keren gestoken en ik heb nog nooit iemand zo vergenoegd zien kijken als Shana terwijl ze dat deed. Frankie begon te rochelen en zakte in elkaar. Zelfs toen hij op de grond lag, bleef ze hem steken. Sjlup, sjlup, sjlup. Zo klonk het.

Nu kwam Richie eindelijk van zijn luie reet. Hij sloeg alarm en even later kwamen de stormtroepen, in volledige gevechtsuitrusting. Maar Shana wist van geen wijken. Ze stond bij het lichaam van Frankie en ontblootte haar tanden.' Christi wendde zich opeens tot Adeline. 'Denk je de situatie even in. Het is een enorme herrie. Sirenes loeien. Vrouwen gillen en schreeuwen. De gang staat vol opgefokte agenten met matrasschilden en wapenstokken. Ze schreeuwen tegen Shana dat ze haar wapen moet laten vallen en op de grond moet gaan liggen. Maar Shana geeft het niet op. Ze staat bij het lijk van Frankie als een leeuwin bij haar buit. En terwijl de agenten tegen haar schreeuwen, likt ze de druppels bloed op die van haar hand druipen. Een paar agenten moesten bijna kotsen toen ze dat zagen.

Uiteindelijk hebben ze haar overmeesterd, al bleef ze vechten. Tot het bittere einde bleef ze om zich heen slaan en naar hen schoppen, en probeerde ze hen te steken met haar wapen. Ik dacht dat ze korte metten met haar zouden maken. Ik wilde roepen dat ze moesten stoppen. Maar ik kon het niet. Ondanks wat zij voor mij had gedaan. Ik kón het niet.

Toen ze haar uiteindelijk uit haar cel sleepten, was ze bijna onherkenbaar. Haar neus was gebroken, haar ogen begonnen al helemaal op te zwellen. Maar ze keek naar me. Toen ze haar wegdroegen, keek ze me in de ogen en zei: "Het spijt me, Adeline." Dat zei ze. "Het spijt me, Adeline."

Ze heeft twee weken in de ziekenboeg gelegen. Daarna brachten ze haar naar een isoleercel, waar ik, ironisch genoeg, weer tegenover haar zat. Ik had de directie namelijk verteld over de beestachtige manier waarop Frankie mij had verkracht, maar ze waren tot de conclusie gekomen dat ik me met een bewaker had ingelaten en daarom straf had verdiend. Ik kreeg eenzame opsluiting en toen Shana daar ook naartoe werd gebracht, regelde

Richie meteen dat hij daar dienst mocht doen. Om Shana in de gaten te houden natuurlijk. Want wie weet wat zij allemaal over hém wist...

"Zelfs jij moet een keer slapen," fluisterde hij door de sleuf in de deur. Dan lachte ze en zei: "Jij ook, lul."

Ik weet niet hoe ze het deed. Op een gegeven moment werd ik 's nachts wakker van gefluister. Het klonk intens, dringend. Het was Shana, die tegen Richie fluisterde. Het klonk alsof het heel belangrijk was. Hij zei niets terug, maar liep ook niet weg. Hij stond daar maar voor de deur van haar cel, en schudde zachtjes zijn hoofd: nee, nee, nee... Opeens zweeg ze. Het was zo stil dat je een speld kon horen vallen, en geloof me, in de gevangenis is het nooit stil. Het was alsof we allemaal onze adem inhielden en onze oren spitsten. We hadden niet kunnen verstaan wat ze allemaal zei, al wilden we het natuurlijk dolgraag weten. En Shana zei nu niets meer.

Richie slaakte een heel diepe zucht. Het klonk... als de zucht van een dodelijk vermoeide man die eindelijk van zijn last werd bevrijd. Toen maakte hij de deur van Shana's cel open. Ik zag het met mijn eigen ogen. Hij maakte de deur open en ging naar binnen. Het was net alsof twee geliefden tot elkaar kwamen. Toen ze haar wapen in zijn hart stak, leek hij niet eens bang te zijn. Eerder... dankbaar. Hij zakte in elkaar en toen hij op de vloer lag, ging ze naast hem zitten en streelde ze zijn haar tot ze in de controlekamer merkten dat er een bewaker uit beeld was verdwenen en alarm sloegen. Weer loeiden de sirenes en weer kwam er een overvalteam.

Ditmaal verzette Shana zich niet. In plaats daarvan keek ze langs hen heen naar mij, hief haar wapen op en sneed haar eigen arm van de elleboog tot de pols open. Ik geloof dat ik heb gegild, maar zij gaf geen kik. Ze nam het wapen over in haar andere hand, maar de agenten overmeesterden haar voordat ze haar andere arm kon opensnijden. Anders...'

Christi zweeg. Ze haalde haar schouders op en leek daarmee

een punt achter haar verhaal te zetten. Niemand zei iets. D.D. zag dat Adeline keek alsof ze met stomheid was geslagen.

'En de derde bewaker?' vroeg Phil uiteindelijk. 'Howard?'

'Die heeft daar nooit meer gewerkt. Ik heb gehoord dat hij een paar maanden later is omgekomen. Dat hij zichzelf te pletter heeft gereden. Ik weet daar verder niks van, maar Shana vast wel. Als hij zelfmoord heeft gepleegd, durf ik er alles om te verwedden dat hij het heeft gedaan omdat het van haar moest.'

'Wie weet hiervan?' vroeg D.D.

Weer haalde ze haar schouders op. 'Geen idee. Ik ben indertijd ondervraagd. Wij allemaal. We hebben verteld wat er was gebeurd. Maar of ze hebben geluisterd? Of het hun iets kon schelen? Ziet u, gevangenen zijn geen mensen. Wij zijn beesten, die staan te blaten en te loeien. De zaak is in de doofpot gestopt. De bewakers zijn begraven, hun weduwen krijgen hun pensioen. Wij kregen nieuwe bewakers en het leven ging op de oude voet verder.'

'En de directeur?'

'Die zagen we nooit. Tot hij werd vervangen door directeur Beyoncé. Die doet tenminste alsof ze om ons geeft en komt zelfs af en toe een kijkje nemen op de afdelingen. Baas Wallace deed dat niet. Nooit.'

Directeur McKinnon, alias Beyoncé, was tien jaar geleden benoemd tot hoofd van het MCI, dus was dit allemaal gebeurd onder het bewind van haar voorganger. Dat verklaarde misschien waarom McKinnon niet op de hoogte leek te zijn van alle huiveringwekkende details.

'Heb je Shana daarna nog gesproken?' vroeg Phil.

'Ik heb haar zelfs nooit meer gezien. Mijn straftijd in de isoleercel zat erop voordat zij uit de ziekenboeg kwam.'

'Maar de bewakers...' vroeg Adeline, 'Richie, Frankie en Howard... weet je zeker dat die háár nooit hebben verkracht?'

'Heel zeker.'

'Waarom heeft zij dan besloten maatregelen te nemen, denk je?'

'Voor Adeline,' zei Christi. Ze keek de psychiater nu aan, vol nieuwsgierigheid. 'Dat bent u, nietwaar?'

Adeline knikte.

'Bent u haar zus?'

Weer knikte ze.

'Maar u hebt nooit in de gevangenis gezeten. U ziet er veel te netjes uit.'

Een flauwe glimlach.

'Ik had een broer,' zei Christi plompverloren. 'Benny. Hij was vijf jaar jonger dan ik. Toen we nog klein waren, probeerde ik hem altijd bij onze pa uit de buurt te houden als die dronken was. Of ik probeerde mijn pa af te leiden als hij Benny zag.'

'Lukte dat?' vroeg Adeline.

'Een tijdje. Maar toen Benny twaalf was, begon hij zelf te drinken en toen maakte het niet meer uit. Toen werd hij net zo'n hufterige zatlap als pa.'

'Wat jammer.'

'Ik was gek op hem. Tot hij begon te drinken. Ik was bereid voor hem te sterven. Ik bén ook een paar keer bijna voor hem gestorven. Toen Shana naar mij keek, toen ze "Adeline" fluisterde, wist ik wat ze bedoelde. Het was alsof ze "Benny" zei. Ze was u aan het redden.'

'Misschien.'

'Bent u het waard gered te worden?' vroeg Christi heel serieus. 'Of bent u net zo'n ondankbaar vod als mijn broer?'

'Ik weet het niet. We hebben een... ingewikkelde relatie, zoals dat vaak gaat met zussen.'

'Ik ben blij dat ze Frankie heeft vermoord. Het kan me niet schelen of dat fout is of niet. Hij was precies zoals mijn vader. Andere man, ander uniform, maar precies dezelfde hufter. Shana wist dat. Ze wist wat voor vlees ze in de kuip had en heeft daar slim gebruik van gemaakt.'

'Hoe wist ze al die dingen over hem?' vroeg Phil. 'De echtscheiding, de kinderen, de hond. Was dat allemaal waar?'

'Ik weet niet hoe ze dat wist, maar toen Frankie dood was, hoorden we de bewakers zeggen dat Frankies vrouw hem twee weken eerder had verlaten voor een andere bewaker. Daarom kwam hij 's nachts bij ons.'

'Weet je zeker dat jullie dit pas hebben gehoord toen Frankie dood was?' vroeg Phil nadrukkelijk.

Christi haalde haar schouders op. 'Voor zover ik me kan herinneren. Shana wist blijkbaar ook van alles over Richie. Ze wist wat er in zijn hoofd omging, stiekeme gedachten, geheimpjes. Ik denk dat ze het daarover had toen ze die avond tegen hem stond te fluisteren. Dat ze tegen hem zei dat alles waar hij bang voor was wat zichzelf betrof, waar was. Ik denk dat hij daarom dood wilde. Want als je eenmaal hebt begrepen dat je een waardeloze lul bent en dat de hele wereld dat weet, dan wil je misschien wel liever dood zijn. Hij stortte zich als het ware in haar armen en zij doodde hem op een... zachtaardige manier. Bijna teder. Als je het mij vraagt, heeft ze iets met voodoo.'

'Heb je dit ook aan Charlie Sgarzi verteld?' vroeg D.D.

'De journalist? Ja, toen hij een paar maanden geleden kwam neuzen. Hij zei dat hij een "bestseller" over Shana aan het schrijven was.' Christi sprak 'bestseller' spottend uit.

'Heb je antwoord gegeven op zijn vragen?'

'Hij heeft me mee uit eten genomen,' zei Christi, alsof daarmee alles was gezegd. 'In de Olive Garden. Zoiets sla je niet af.'

'Had hij ook vragen over de moord op zijn neef, Donnie Johnson?'

'Ja, maar daar kon ik niks over zeggen. Shana heeft het daar nooit over gehad. Ik heb haar zelfs de naam van die jongen nooit horen noemen.'

'Maar ik neem aan dat je wel wist wat ze had gedaan. Die zaak heeft indertijd nogal wat stof doen opwaaien. Andere gedetineerden hebben haar er vast wel naar gevraagd,' vroeg Phil volhardend.

Christi keek hem verbaasd aan. Toen lachte ze. 'U hebt haar zeker nooit ontmoet.'

'Jawel.'

'O ja? En hoeveel vragen hebt u overleefd? Je kunt... niet... zomaar... praten... met iemand als Shana. Ze is geschift. Niet leuk gek, zoals een warhoofd of een leeghoofd. Ze is een gek van het soort dat haar ziel aan de duivel verkoopt. Ze geeft om niemand iets; niet om mij en niet om de anderen in de gevangenis. Oké, ze heeft Frankie vermoord. Misschien om ons te redden. Maar vooral omdat ze zin had om hem te vermoorden. Ze heeft hem tientallen keren gestoken. En toen heeft ze zijn bloed opgelikt. Ik kan me niet herinneren dat Wonderwoman dat ooit deed aan het eind van een aflevering.'

'En toen noemde ze jou Adeline,' zei D.D., die dit belangwekkend vond. Dat de manier waarop Christi door Frankie was verkracht en mishandeld iets in Shana had wakker gemaakt. Ze was Frankie blijven steken, terwijl ze de andere bewaker, Rich, veel rustiger had gedood, bijna zachtzinnig, volgens Christi.

'Zij is Adeline; vraag het maar aan haar.' Christi wees naar de psychiater.

D.D. keek Adeline aan.

'Basale projectie,' zei Adeline. Ze klonk een beetje hees en was minder beheerst dan D.D. van haar gewend was. Ze schraapte haar keel. 'Shana heeft de eerste vier jaar van haar leven in een gewelddadig gezin geleefd en is daarna opgenomen in het pleegzorgcircuit waar vermoedelijk niet veel aandacht was voor haar persoonlijke veiligheid. Voor zulke mensen neemt een jonger broertje of zusje vaak de plaats in van het eigen innerlijke kind. In zijn pogingen een jonger broertje of zusje te redden probeert het oudere kind eigenlijk zichzelf te redden. Shana was erop gebrand mij te beschermen als plaatsvervangende bescherming voor haarzelf. Zo ook in de gevangenis, waar het beschermen van jongere, minder ervaren gedetineerden een manier is om te proberen een zelfbeeld te behouden.'

‘O ja?’ vroeg Christi. ‘En dat bloed likken dan? Waarom doet ze dat?’

‘Dat is iets genetisch,’ zei Adeline met een triest glimlachje.

‘Wat heeft Sgarzi je over zijn boek verteld?’ vroeg Phil.

‘Niet veel. Dat Shana zijn neef heeft vermoord en dat hij daar een boek over schrijft. Hij wil haar en mensen zoals ik interviewen om een primeur te krijgen.’

‘Wat vond hij van het verhaal over de corrupte gevangenbewaarders?’

‘Hij leek nogal geschokt. Wat ik raar vond. Wie over waargebeurde misdaden wil schrijven, moet bestand zijn tegen zulke dingen.’

‘Was dit voor het eerst dat hij er iets over hoorde?’ vroeg Phil.

‘Die indruk kreeg ik.’

‘Heeft hij je naar vrienden of fans van Shana gevraagd?’

‘Ja. Daar waren we gauw mee klaar, want ze heeft geen vrienden of fans.’

‘Heb je nog contact met haar?’ vroeg Adeline. ‘Sinds je bent vrijgelaten?’

‘Nee. Ik had nauwelijks contact met haar toen ik daar nog zat. Waarom zou ik dat nu dan wel hebben?’

‘Maar in de gevangenis is contact tussen gedetineerden wel mogelijk?’

‘Natuurlijk.’ Christi ging verzitten en wierp nerveus een blik op de reclasseringswerker.

Candace begreep de wenk. ‘Zal ik nog een paar flesjes water halen?’ vroeg ze gedienstig.

‘Graag.’

Zodra ze buiten gehoorsafstand was, leunde Christi naar voren. ‘Er worden briefjes doorgegeven. Naar andere cellen, naar andere afdelingen. Naar medegevangenen, naar bewakers. Je doet het om iets te doen te hebben. Of omdat je iets wilt hebben. Chocola, seks, drugs. Het hangt ervan af aan wie je ze stuurt.’

‘Maar Shana deed daar niet aan mee?’

'De bewakers vertrouwen haar niet. Ze had er twee vermoord. Niemand was een fan van Frankie of Richie, maar de maníér waarop ze het had gedaan...' Christi rilde. 'Ze is de Hannibal Lecter van het MCI,' mompelde ze. 'Weet u dat ze een keer in haar vinger heeft gesneden en het bloed door haar appelmoes heeft geroerd?'

D.D. en Phil schudden hun hoofd. Adeline niet.

'Als ze nou nog in drugs handelde...' ging Christi door, 'dan had ze geld om bewakers om te kopen of vriendinnen iets voor te schieten. En als ze niet zo verrekte angstaanjagend was, zou ze zelfs snelle blowjobs kunnen aanbieden. Maar Shana is... Shana. De bewakers zijn bang voor haar. De gevangenen mijden haar. Niemand is bereid voor haar briefjes door te geven. Er is zelfs niemand die haar ooit zegt: "Hé, hallo, hoe is het ermee?" Zo zit het. Het is niet anders.'

D.D. knikte. Ze keek naar Adeline, die tegenover haar zat, en zag hoe strak haar gezicht stond. Ze vroeg zich af of de psychiater ooit ten volle had beseft wat voor leven haar zus in gevangenschap leidde. Adeline wist dat Shana aan een antisociale persoonlijkheidsstoornis leed, maar begreep ze hoezeer haar zus lééd vanwege haar antisociale persoonlijkheidsstoornis?

'Zou jij zeggen dat Shana intelligent is?' vroeg Phil. D.D. keek hem nieuwsgierig aan. Ze begreep niet waar hij met deze vraag op aanstuurde.

'Ja.'

'Denk je dat zij een moordenaar zou kunnen opsporen?'

'Als ze dat zou willen.' Christi haalde haar schouders op. 'Maar ze zou hem waarschijnlijk niet ongeschonden afleveren.'

'En ze heeft nooit iets over Donnie Johnson gezegd?'

'Nee.'

'Ook niet 's nachts?' vroeg Adeline. 'Had ze nachtmerries, praatte ze in haar slaap?'

'Ze had vast nachtmerries. Die hadden we allemaal.'

'Maar zei ze dan iets?'

'Ik heb haar maar één naam horen fluisteren.'
'Welke naam?'
Christi keek de psychiater aan. Haar magere gezicht stond geconcentreerd. 'Adeline. Als uw zus droomde, droomde ze altijd over u.'

HOOFDSTUK 28

'U hoeft echt geen medelijden met haar te hebben,' zei ik. We hadden het Food Court en de overweldigende geur van de gefrituurde gerechten achter ons gelaten en daalden via de roltrap af naar de uitgang van het winkelcentrum. 'Mijn zus is niet zoals u en ik. Ze hecht zich niet aan andere mensen, kent het begrip medeleven niet en put ook geen troost uit contact met anderen. Ze is alleen, maar niet eenzaam. Ze zou zich precies hetzelfde voelen in een kamer vol mensen of in de armen van een man die van haar hield. Dat hoort nu eenmaal bij haar persoonlijkheidsstoornis.'

'Wil dat zeggen dat eenzame opsluiting voor iemand als zij eigenlijk geen straf is?' vroeg D.D.

'Ja en nee. Ze mist het gezelschap van andere mensen niet, maar wel de daarbij behorende stimuli. Shana is zelfs in haar cel niet eenzaam, maar ze verveelt zich.'

'Al is de verveling niet zo groot dat ze daardoor haar gedrag verandert,' zei Phil.

'Daarvoor zit het te diep geworteld. Het onvermogen je aan een ander te hechten is erg moeilijk te verhelpen. De meeste kans op succes heb je als de persoon in kwestie jonger is dan vijf jaar. Aangezien Shana al sinds haar tienerjaren achter de tralies zit...'

'Heeft ze echt bloed door haar appelmoes geroerd?' vroeg D.D.

'Schokeffect,' zei ik. 'Directeur McKinnon had een nieuwe

maatschappelijk werker aan Shana toegewezen. Voor iemand met zo'n beperkt sociaal leven als Shana staat dat gelijk aan een leeuw een brok vers vlees toewerpen. Shana heeft die man op de mouw gespeld dat ze een dienaar van de duivel was en dat ze bloed door appelmoes roerde omdat er dan patronen zichtbaar werden aan de hand waarvan ze de toekomst kon voorspellen. Zo voorspelde ze dat de maatschappelijk werker binnen een maand dood zou zijn. Drie weken later kreeg hij een hartaanval...'

'Wat?' D.D. stopte abrupt.

'Geen echte hartaanval,' stelde ik haar gerust. 'Een paniekaanval. Waarschijnlijk omdat hij drie uur per week in het gezelschap van mijn zus moest doorbrengen. Hij heeft prompt ontslag genomen. En toen is Shana gewoon weer op zoek gegaan naar iets anders om zich mee te amuseren.'

'Door contact op te nemen met een moordenaar?' vroeg Phil.

Ik wist niet meer wat ik moest zeggen. Ik was opeens doodmoe. Alles wat ik beroepsmatig begreep over mijn zus, versus alles wat ik op het persoonlijke vlak voor haar wilde voelen.

Dat ik geen pijn kon voelen, wilde niet zeggen dat mijn enige familielid mij niet kon kwetsen.

Ze droomde van me, fluisterde mijn naam. Mijn grote zus. We hadden slechts drie jaar in elkaars gezelschap doorgebracht; één bij onze ouders, twee in pleeggezinnen. Toch leken onze levens voor eeuwig met elkaar verbonden.

'Kennen jullie het caféspel?' vroeg ik.

Ze stopten.

We stonden voor het Prudential Center, midden op de drukke stoep, midden op de dag, midden in Boston. De stroom voetgangers splitste zich om ons heen. Zakenmensen, toeristen, stadgenoten, allemaal geconcentreerd op hun eigen belangrijke bezigheden, terwijl wij stonden te praten over moorden, met de kou van de late herfst op onze wangen.

'Het caféspel,' herhaalde ik. 'In mijn studietijd speelden we dat vaak. Je gaat naar een café, kijkt naar de mensen aan de andere tafels en probeert te raden wie ze zijn en wat ze doen. Als artsen in spe vonden we dat we erg goed waren in het interpreteren van lichaamstaal. Ik neem aan dat rechercheurs er net zo bedreven in zijn.'

D.D. en Phil fronsten. 'We kennen het,' zei D.D. 'Maar wat is daarmee?'

'Ik neem aan dat u de pas gescheiden vrouw er altijd snel uitpikt.'

'Uiteraard.'

'Mijn zus kan dat ook.'

Ik zag de betekenis hiervan langzaam tot hen doordringen.

'U denkt,' zei Phil, 'dat Shana had geraden dat Frankie in echtscheiding lag door hem alleen maar te observeren.'

'Zo moeilijk is het niet. Voorheen had hij altijd boterhammen bij zich die door zijn vrouw waren klaargemaakt. En toen opeens niet meer. Voorheen waren zijn overhemden altijd gewassen en gestreken, en was zijn uniform geperst. En toen opeens niet meer. Denk aan de verandering in zijn gedrag, het feit dat hij hele nachten in de gevangenis doorbracht als hij geen dienst had. Een bullebak als Frankie was vermoedelijk getrouwd met een sloofje. Een vrouw die zijn eten kookte, zijn was deed en altijd voor hem klaarstond. Toen zij zich onder zijn juk uit had gewrongen, moeten de gevolgen duidelijk zichtbaar zijn geweest. U en ik zouden hem in een bar meteen hebben herkend als een pas gescheiden man. Waarom zou mijn zus, die de hele dag niets beters te doen had dan haar omgeving te observeren, dat dan niet kunnen?'

Ze dachten erover na. 'Maar ze leek veel meer over hem te weten dan dat zijn vrouw hem had verlaten,' zei D.D. toen.

'Misschien had ze wat smeuïge roddelpraatjes opgevangen. Als iemand zich iets liet ontvallen, pikte zij dat natuurlijk meteen op. En veel hangt af van hoe je het brengt. Het maakt niet uit of je écht weet wat je zegt te weten, als je maar klínkt alsof je het weet. Christi noemde het voodoo. Ik denk eerder dat mijn zus eenvoudige trucjes gebruikt. Ze legt haar oor te luisteren, combineert feiten en gaat daarmee aan het werk.'

'Denkt u dat ze de andere bewaker, Richie, op die manier zover heeft gekregen dat hij zich als een mak schaap door haar liet vermoorden?' vroeg Phil. Hij keek bedenkelijk.

'Ik denk dat ze doorhad dat hij door zijn geweten werd gekweld. Als je dat eenmaal weet, is de rest een fluitje van een cent.'

'Met andere woorden: u zou dit ook kunnen,' zei D.D. uitdagend.

'Behalve dat ik ook door mijn geweten zou worden gekweld,' zei ik, om haar daaraan te herinneren. En om mijzelf daaraan te herinneren.

'U denkt dus dat Christi de waarheid heeft gesproken,' zei Phil. 'Dat uw zus de eerste twee bewakers naar zich toe heeft gelokt en dat ze de derde, Howard, ertoe heeft aangezet zichzelf dood te rijden. En dat ze dat niet heeft gedaan met behulp van informatie die ze van mensen buiten de gevangenis had gekregen, maar omdat ze hen wist te analyseren en te manipuleren.'

'Laten we mijn zus geen abnormale macht toeschrijven. Ze heeft al genoeg buitengewone eigenschappen.'

'Wat wil dat zeggen?' vroeg D.D.

Ik haalde diep adem. 'Ze heeft het niet gedaan.'

'Wat bedoelt u met "het"?' vroeg D.D., bij voorbaat wantrouwend. 'De moord op Donnie Johnson, de moord op de gevangene, de moord op de twee bewakers, de manipulatie van de Rose Killer, of alles bij elkaar?'

'Ze heeft Donnie Johnson niet vermoord,' zei ik en zodra ik het had gezegd, wist ik dat het waar was. 'Basale projectie, weet u nog? De drie moorden in het MCI, waar we het meest over weten, hadden een duidelijk motief: ze wilde iemand beschermen. Dat is de trigger. Een sterke persoon die een zwakke persoon bedreigt. Shana vereenzelvigt zich met de zwakke persoon en voelt zich geroepen voor hem of haar op te komen. Ze moet het kind redden, het kind dat ze ooit zelf was. Ook de aanval op haar, de gedetineerde die ze uit noodweer heeft gedood, past in het patroon. Dat is gebeurd toen Shana nog maar net in de gevangenis zat. Haar aanvaller was groter dan zij en had meer ervaring. Een sterke persoon die een zwakke persoon aanviel.'

'Alleen was Donnie Johnson geen sterke persoon,' zei Phil.

'Nee. Daarom hoorde Donnie Johnson in de groep mensen die ze dacht te moeten beschermen.'

'Hoe is het dan gegaan?' vroeg D.D.

Ik schudde mijn hoofd. 'Dat weet ik niet. Shana zei dat ze uit noodweer had gehandeld. Dat Donnie had geprobeerd haar te verkrachten. Eerlijk gezegd klonk dat niet erg logisch, toen al niet. Shana was niet alleen groter dan Donnie, maar het rijmt ook niet met hun karakters. Hij stond bekend als een vriendelijke, verlegen boekenwurm, terwijl Shana werd afgeschilderd als een brutale straatmeid die hem naar een stil plekje had gelokt om hem te vermoorden. Het zou haar eerste *thrill-kill* zijn geweest. Gezien de gruwelijke aard van de misdaad had de jury er maar één dag voor nodig om haar levenslang te geven. Zo'n soort zaak was het. Zo'n soort beklaagde was Shana.'

'U hebt het over dertig jaar geleden,' zei Phil. 'Uw zus was nog maar een tiener. Impulsief, hormonaal, roekeloos... Misschien was het een ander soort moord omdat uw zus toen nog een ander soort mens was.'

'Triggers zijn triggers,' zei ik eenvoudig. 'Was het maar waar dat we die zo makkelijk konden veranderen.'

'Waarom heeft ze zich tijdens het proces dan niet verdedigd?' vroeg D.D.

'Omdat ze Shana is. Omdat ze een antisociale persoonlijkheidsstoornis heeft, waardoor ze niet normaal met andere mensen kan omgaan, of dat nu een advocaat, een rechter of een jury is. Het is heel goed mogelijk dat ze toen ook al aan depressiviteit leed. Ik weet het niet. Ik weet niet hoe de veertienjarige Shana was, want ik heb haar tien jaar daarna pas opnieuw leren kennen. Maar als dat het geval was, verwachtte ze de zwaarst mogelijke straf te krijgen. En toen ze die inderdaad kreeg, zal ze hebben gedacht dat het geen zin had alsnog te protesteren.'

Phil knikte somber. Dat mijn vierenveertigjarige psychotische zus in de gevangenis zat, stoorde hem niet. Bedenken wie ze was geweest – een jong meisje met een moeilijke achtergrond – was veel moeilijker.

'En haar advocaat?' vroeg D.D. 'Die zal zich toch wel hebben ingespannen? Ze was per slot van rekening nog maar een meisje van veertien.'

'Hij was de beste die je gratis kon krijgen,' verzekerde ik haar.

D.D. sloeg haar ogen ten hemel.

'Charlie Sgarzi beweert dat hij liefdesbrieven van Shana aan zijn neef heeft gevonden, maar daar geloof ik niets van. Shana kan onderdanige types niet uitstaan. Het lijkt me sterk dat ze zich aangetrokken voelde tot een kleinere, jongere, zwakkere jongen.'

'Charlie heeft brieven?'

'Hij zegt dat hij ze heeft gevonden nadat zijn oom zelfmoord had gepleegd.'

'Denkt u dat hij die brieven heeft verzonnen? Om zijn boek te kunnen verkopen?'

Ik haalde mijn schouders op. 'Misschien heeft hij brieven gevonden, maar ze verkeerd geïnterpreteerd. Misschien is het een vorm van gecodeerde communicatie, of waren ze helemaal niet voor Donnie bestemd. Misschien was hij een doorgeefluik, of...' Ik zweeg peinzend. 'Donnie was een intelligente jongen, een boekenwurm. Misschien hielp hij Shana met het schrijven van de brieven. Shana heeft het op school nooit erg goed gedaan. Tot op de dag van vandaag laten haar handschrift en spelling veel te wensen over... Als je haar brieven ziet, zou je niet denken dat ze zo'n intelligente vrouw is.'

D.D. bleef fronsen.

'Denkt u dat ze dit heeft gepland?' zei ze toen. 'En nu bedoel ik álles.' Ze maakte een draaiende beweging met haar gezonde hand. 'We hebben gehoord wat Christi zei. Shana rot weg in het MCI zonder de hoop ooit nog vrij te komen. Ze verveelt zich te pletter, maar ze is slim en ze heeft tijd. Ze zou best een ingewikkelde reeks moorden kunnen beramen en er dan voor zorgen dat zij als heldin uit de bus komt. Het is meer dan tien jaar geleden dat ze de blits heeft gemaakt door Frankie neer te steken. Nu kan ze de Rose Killer ontmaskeren. U zei het zelf: vers vlees.'

Ik schudde mijn hoofd. 'Ik denk dat u vanochtend gelijk had: de Rose Killer en Shana hebben iets met elkaar te maken. Maar de schakel is niet Harry Day. De schakel is Donnie Johnson. Het gaat om wat er dertig jaar geleden is gebeurd. Het gaat om een geheim en de Rose Killer wil niet dat Charlie Sgarzi erachter komt.'

'Dus zijn we terug bij Charlie Sgarzi,' zei D.D. Ze keek daarbij naar Phil.

'Nee,' corrigeerde ik haar, wat me een geïrriteerde blik opleverde. 'Sgarzi weet nog niet wat het geheim is; dat is juist het punt. We moeten degene zien te vinden die het geheim wél kent. En ik denk dat ik u daarbij kan helpen. Shana's pleegmoeder uit die tijd. Ze woonden vlak bij de Johnsons. Alle kans dat zij zich iets herinnert over Donnie. En ik heb haar naam en telefoonnummer.'

Brenda Davies wist nog wie ik was, ook al hadden we elkaar maar één keer ontmoet, bijna zes jaar geleden, toen ik de geestelijke zorg voor mijn zus op me had genomen en met Brenda was gaan praten in het kader van mijn onderzoek naar de achtergrond van mijn patiënt. Het gesprek was toen alleen over Shana gegaan. Ze leek niet verbaasd over mijn telefoontje, noch dat ik nieuwe vragen had over de moord op Donnie Johnson. Ze zei dat ze die middag toevallig geen andere afspraken had, als we soms meteen wilden komen.

Onderweg naar South Boston verzocht ik Phil even te stoppen bij een van de Italiaanse banketbakkers om een doos gebak te kopen. Dat leek me een aardig gebaar, nu we met een oude vrouw gingen praten over een gebeurtenis die ze waarschijnlijk liever zou vergeten.

Brenda knipperde tegen het daglicht toen ze de deur van haar verwaarloosde triple-deckerwoning voor ons opendeed, ook al stond de zon vrij laag en was het licht niet erg schel.

'Dr. Adeline Glen,' zei ze onmiddellijk.

Ze leek kleiner te zijn geworden sinds ik haar voor het laatst had gezien. Ze liep een beetje krom en haar grijze haar was piekerig, waardoor ze er in haar groene gebloemde ochtendjas broos uitzag. Ik stelde de rechercheurs aan haar voor. Ze knikte beleefd, maar wrong haar handen.

Ik gaf haar de doos gebakjes. Haar fletse blauwe ogen lichtten op. We liepen door de donkere gang naar de aan de achterkant van het huis gelegen woonkamer. Ze gebaarde uitnodigend naar een verschoten tweezitsbank, nam wat stapeltjes tijdschriften van de salontafel en legde die op de vloer, waar nog meer stapels kranten en paperassen lagen. Phil en D.D. keken argwanend om zich heen.

Het huis van Brenda Davies had zes jaar geleden ook al zo vol met rommel gelegen, maar nu dreigde ze een verzamelaar te worden. Omdat ze geen pleegkinderen meer had? Omdat de leegte die was achtergebleven toen haar man was gestorven zo groot was en ze de moeilijke laatste jaren van haar leven in haar eentje door moest zien te komen?

Toen ik de chaotische keuken en woonkamer zag, had ik bij voorbaat spijt dat we deze lieve vrouw zulke moeilijke vragen gingen stellen. Dit was een van de goede pleeggezinnen geweest. Zij en haar man waren met recht trots op hun werk geweest. Daarom was mijn zus naar hén gestuurd. Maar ze hadden haar niet kunnen helpen een normaal leven op te bouwen. In plaats daarvan waren ze deel gaan uitmaken van de puinhopen die

Shana overal achterliet. Door de moord op Donnie Johnson was hun aanzien in de buurt onderuitgehaald, om nog maar te zwijgen over hun eigen vertrouwen in hun werk.

Ik begon me af te vragen of Charlie Sgarzi soms iets op het spoor was. De toedracht van die ene moord was nog steeds niet duidelijk en er waren zoveel levens door beïnvloed. Dat van Brenda Davies. De Johnsons. De Sgarzi's. Mijn zus. En nu het mijne.

Eén afgrijselijke daad. Met zulke verstrekkende gevolgen.

'Koffie, thee?' vroeg mevrouw Davies, die in de keuken stapels vuile vaat verplaatste en kannen water leeggoot tot ze een schoon bord vond. Ze legde de moorkoppen, schuimgebakjes en tompouces op het bord en droeg het met schuifelende pasjes naar de woonkamer.

Phil nam het gedienstig van haar over. Hij en D.D. sloegen de koffie af, maar toen ze zagen hoe teleurgesteld ze keek, zeiden ze dat ze toch wel graag een kopje lustten.

Haar gezicht klaarde op en ze dribbelde terug naar de keuken, waar zo te zien al jaren geen dweil over de vloer was gehaald.

Phil en D.D. zaten stijfjes op de tweezitsbank, D.D. met haar linkerarm beschermend tegen haar lichaam. Ik ging in de gammele fauteuil aan de korte kant van de salontafel zitten. Een lapjeskat sprong uit het niets op mijn schoot. Daarna kwamen er nog een paar katten tevoorschijn. Dat was te verwachten.

D.D. werd uitverkoren door een zwart-witte kat met felle groene ogen. Toen hij opdringerig zijn kop tegen haar gewonde schouder duwde, siste ze naar hem, waarop hij geschrokken van haar schoot sprong en met stijf omhooggestoken staart wegliep.

'Foei, Tom,' riep mevrouw Davies vanuit de keuken. 'Je mag de gasten niet lastigvallen. Die kat heeft geen manieren. Ik heb hem in huis genomen toen hij nog heel klein was, maar ondankbaarheid is mijn loon. Zo, hier is de koffie.'

Ze droeg de mokken met oploskoffie een voor een vanuit de

keuken naar de kamer. Phil sprong weer overeind om haar te helpen en om de toenaderingspogingen van Tom te weren. Toen we allemaal koffie hadden, ging mevrouw Davies tegenover mij zitten.

Ze had zelf geen koffie genomen en ze nam ook geen gebakje. Ze zat daar alleen maar, met haar handen ineengeslagen op haar schoot en een verwachtingsvolle uitdrukking op haar gezicht. Twee van de katten gingen aan weerskanten van haar zitten, als wachtposten. En toen zag ik het. Het verdriet in haar ogen, diep en zwaar, dat noch door haar katten noch door haar verzamelwoede kon worden weggenomen. Ze leed en ze accepteerde haar leed. Ze wist dat onze vragen haar nog meer verdriet zouden doen, maar had zich in haar lot geschikt.

'Dank u wel dat we meteen mochten komen,' zei ik.

'U zei dat het om uw zus gaat?'

'Er zijn wat nieuwe vragen gerezen over de dood van Donnie Johnson.'

'Over de moord op Donnie Johnson, bedoelt u.'

'Ja. Deze rechercheurs willen u graag wat vragen stellen. Over Shana, Donnie, uw buren. Over alles eigenlijk.'

Mevrouw Davies hield haar hoofd schuin. Ze fronste, alsof ze zich onzeker voelde, maar knikte toen. 'Het is natuurlijk lang geleden, maar u boft, want hoe ouder ik word, hoe meer mijn geheugen de voorkeur geeft aan het verre verleden boven het heden. Als u iets zou willen weten over vorige week, zou ik u misschien het antwoord schuldig moeten blijven. Maar dertig jaar geleden...' Ze zuchtte. 'Van dertig jaar geleden herinner ik me dingen die ik liever zou vergeten.'

'Vertel ons over Shana Day,' zei D.D.

Mevrouw Davies wierp een steelse blik op mij, alsof ze niet wist hoe ze dat kon doen waar ik bij was.

'Ga gerust uw gang,' zei ik geruststellend. 'Ik koester geen illusies over mijn zus. U mag best negatieve dingen over haar zeggen.'

'Ze heeft geen ziel,' zei mevrouw Davies prompt. Ze zei het nuchter. Emotieloos. 'Jeremiah en ik hadden al heel veel kinderen in huis gehad. Moeilijke kinderen, bedroefde kinderen, boze kinderen. Jongens en meisjes van alle leeftijden. We dachten dat we alles al hadden meegemaakt, dat we alles aankonden. We waren arrogant. Trots is een zonde en de duivel stuurde Shana om ons te straffen.'

'Had u nog meer kinderen in huis toen Shana bij u kwam?' vroeg Phil.

'Ja, drie. Samuel was zeventien en woonde al drie jaar bij ons. Jeremiah had zich over hem ontfermd, hem het timmermansvak geleerd. Ziet u, het probleem met de pleegzorg is dat het afgelopen is zodra een kind achttien is. Dan trekt de overheid haar handen van het kind af, of het daar nou aan toe is of niet. Sam was onzeker over zijn toekomst, maar Jeremiah dacht dat hij wel een baan voor hem kon regelen bij een vriend van ons. We hadden al tegen hem gezegd dat hij bij ons mocht blijven wonen; we beschouwden hem als een zoon. Het maakte ons niet uit wat er van hogerhand was bepaald. Wij zouden hem nooit in de steek laten.'

'Hebt u nog contact met hem?' vroeg D.D.

'Ja. Hij woont nu in Allston en komt altijd even langs als hij in de buurt is. Maar hij heeft weinig tijd, net zoals iedereen tegenwoordig. Het timmermansvak is niet wat het is geweest. Hij reist veel om werk te zoeken. Ik zie hem tegenwoordig niet meer zo vaak als vroeger.'

Ik zag dat mevrouw Davies haar handen zo strak vouwde dat haar knokkels wit werden. Een van de katten gaf haar een kopje. Automatisch aaide ze hem. De lapjeskat op mijn schoot lag te spinnen, wat bij dit moeilijke gesprek een wonderlijk sussend effect op me had.

'En de andere kinderen?' vroeg Phil.

Mevrouw Davies dreunde de feiten op. Een meisje van acht, met een prachtige mokkakleurige huid, dat nog maar twee maanden bij hen woonde en uiteindelijk was teruggestuurd naar haar aan crack verslaafde moeder. En een vijfjarig jongetje, Trevor, wiens ouders waren omgekomen bij een auto-ongeluk. Hij was bij de Davies' ondergebracht tot de autoriteiten familieleden zouden hebben gevonden die bereid waren hem in huis te nemen.

'En Shana dus. Ze hadden ons gewaarschuwd dat ze een moeilijk geval was. Ze had in twee jaar tijd in wel zes of zeven pleeggezinnen gezeten en dat is altijd een veeg teken. Problemen in de omgang met andere kinderen, problemen met gezag. Een snijder.' Mevrouw Davies zwijgt even. 'U weet wat dat wil zeggen?'

'Ze sneed met een scheermes in haar armen en benen,' antwoordde D.D.

'Ja. Tot zover ging mijn kennis ook, maar Shana sneed in haar benen, hoe zal ik het zeggen, hoger dan strikt noodzakelijk was. Helemaal... dáár.' Mevrouw Davies fluisterde dat laatste woord. 'Ik dacht dat ze ongesteld was en gaf haar de benodigde spullen, maar toen bleek dat ze zichzelf had verwond. Toen ik er iets over zei, staarde ze me alleen maar aan. Geen dankjewel voor de geboden hulp, geen erkentelijkheid dat iemand zich om haar bekommerde. Niets. Ik vroeg haar waarom ze zichzelf pijn deed. Ze haalde haar schouders op en zei: waarom niet?

Zo was Shana. Wat je ook zei, wat je ook deed... Ik heb haar op heterdaad betrapt toen ze geld uit mijn portemonnee haalde. Het deed haar niets. Ze haalde haar schouders op en zei dat ze het geld nodig had. Sam was zeventien. Ik heb Shana tot tweemaal toe in zijn slaapkamer betrapt. Ze waren... u weet wel. Dat mag niet, zei ik. Sam schaamde zich dood en kon me niet eens aankijken, maar het kon Shana helemaal niets schelen. Ze hield van seks, ze wilde seks en wie was ik dat ik zei dat het niet mocht. Geen schaamte, geen berouw, alleen maar ik, ik, ik.

Na twee weken waren we ten einde raad. Straffen had geen zin. Belonen ook niet. Jeremiah had een takenrooster gemaakt voor het hele gezin. Het was niet ingewikkeld en het leerde de kinderen iets over orde en regelmaat. Behalve Shana. Zij kwam haar bed pas uit als zij dat wilde, deed waar ze zin in had, ging weg en kwam thuis wanneer ze wilde. We hebben geprobeerd haar huisarrest te geven. Ze lachte ons vierkant uit. Toen ik haar op diefstal had betrapt, hebben we de politie erbij gehaald en toen heeft ze een nacht in de arrestantencel gezeten, maar de volgende ochtend kwam ze doodgemoedereerd weer thuis. Wat je ook deed of zei, het liet haar koud.

We dachten dat ze misschien iets meer tijd nodig had. We waren een goed pleeggezin. Schoon huis, gezonde maaltijden, attente ouders. Trevor mocht Shana wel, hoe vreemd dat misschien ook klinkt. Ik hield hen altijd in de gaten als ze samen iets deden – nee, nu moet u niet zo naar me kijken! – maar ze was echt leuk met hem. Ze las hem voor of zat met hem te tekenen. Trevor had het erg moeilijk. Hij had in één klap zijn beide ouders verloren en was erg verdrietig. Als Shana met hem speelde, verdween de smalende blik van haar gezicht en was ze bijna gewoon. Dan was ze het meisje dat ze zou kunnen zijn, dachten wij, als we nog iets beter ons best deden.'

'Wanneer heeft ze Donnie Johnson leren kennen?' vroeg Phil.

Mevrouw Davies schudde haar hoofd. 'Ik wist niet eens dat ze hem kende. Donnie woonde bij ons in de straat, maar er waren zoveel kinderen. Ze speelden altijd allemaal met elkaar. We hebben daar nooit iets achter gezocht. Kinderen speelden toen nog buiten. Als het etenstijd was, riep je hen naar binnen.'

'Ging Shana met bepaalde kinderen meer om dan met andere?' vroeg Phil.

'Met Donnies neef, Charlie. Charlie Sgarzi. Hij was ouder dan Donnie en had met nog een paar tieners een soort bende, al is dat wel een wat groot woord. Ze hingen altijd samen op straat rond. Zwarte leren jacks, sigaretten, stoer doen.'

'Dus Charlie en Shana waren met elkaar bevriend?' Mijn beurt om iets te zeggen, want dit was nieuws.

'Bevriend?' Mevrouw Davies herhaalde het woord fronsend. 'Shana was met niemand echt bevriend, geloof ik, maar ze hing wel bij dat groepje rond. Ik maakte me daar zorgen over. Het waren van die nozems en zij had al genoeg problemen. Ik heb geprobeerd er met haar over te praten, maar ze lachte me uit. Ze noemde hen *wannabe's*. Later hoorde ik van een van de andere moeders dat ze niet zozeer met die tieners omging maar meer met de broer van een van hen, die vierentwintig was en in drugs handelde. Een meisje van veertien dat zich inliet met een man van vierentwintig...'

Mevrouw Davies schudde haar hoofd. Ze was er nog steeds bedroefd om.

'Hoe lang heeft Shana bij u gewoond?' vroeg Phil.

Haar uitdrukking veranderde. Ze keek opeens heel somber en de rimpels in haar gezicht leken nog dieper te worden. 'Drie maanden,' zei ze, nauwelijks hoorbaar. 'Drie maanden. Meer had ze niet nodig om alles kapot te maken.'

'Wat is er op die dag gebeurd, mevrouw Davies?' vroeg D.D. zachtjes.

'Dat weet ik niet. Eerlijk niet. Shana was rond elf uur opgestaan en weggegaan. Toen de andere kinderen om vier uur uit school kwamen, hebben we samen een kopje thee gedronken. Shana was in geen velden of wegen te bekennen. Rond vijf uur, ja, het moet om vijf uur zijn geweest, want ik wilde net voor het eten gaan zorgen, hoorde ik gegil. Het was mevrouw Johnson. Zij woonde een paar deuren verderop. Ze stond te krijsen. Donnie, gilde ze. Donnie, Donnie...

Jeremiah rende meteen naar buiten. Toen hij bij de Johnsons aankwam, had iemand al een ambulance gebeld, maar Jeremiah wist dat het geen zin meer had. Je hoefde maar naar het verminkte lichaam van de jongen te kijken... Mevrouw Johnson is het nooit te boven gekomen. Die arme vrouw. Dat arme gezin...'

Ze haperde, maar ging toen weer door: 'Een uur later kwam Shana thuis, via de achterdeur. Ze zat onder het bloed en had een mes in haar hand. Ik schrok me lam. Ik heb haar gevraagd of ze gewond was. Ze liep naar me toe en gaf me het mes. Toen draaide ze zich om en ging naar boven. Jeremiah is naar haar toe gegaan. Ze zat op de rand van haar bed, nog steeds in die bebloede kleren. Ze deed helemaal niets. Ze zat daar alleen maar.

Hij wist het meteen. Hij zei dat hij het meteen had geweten toen hij naar haar had gekeken en de uitdrukkingsloze blik op haar gezicht had gezien. Hij vroeg haar of het bloed iets te maken had met het zoontje van de Johnsons. Ze gaf geen antwoord, maar stak haar hand in haar zak, haalde er iets uit wat leek op een verfrommelde tissue en gaf dat aan hem. Het was het oor van Donnie Johnson. Ze gaf mijn man het oor van de vermoorde jongen. Jeremiah heeft de politie gewaarschuwd. Wat moesten we anders?

George Johnson, Donnies vader, was nog eerder bij ons dan de politie. Hij had het nieuws gehoord op de politieradio en was meteen naar ons toe gekomen. Het leek mij beter hem niet binnen te laten. Ik was bang voor wat hij het meisje zou aandoen. Maar hij wist zich te beheersen toen Jeremiah hem mee naar boven nam. Hij vroeg Shana op de man af of ze zijn zoon had vermoord. Ook nu bleef ze zwijgen. Ze staarde hen alleen maar aan, met doodse ogen. Daarna kwam de politie boven. Een van de agenten deed het oor in een plastic zakje. En toen werd Shana in hechtenis genomen.

Ze is niet meer bij ons teruggekomen. Maar dat maakte niets meer uit. De schade was onherstelbaar. De buren weigerden met ons te praten. We hadden een monster in huis genomen en het op onze vrienden losgelaten. Jeremiah is het nooit te boven gekomen; het was alsof hij was gebroken. Hij verloor zijn interesse in de kinderen, in ons gezin, in ons leven. Samuel is een halfjaar later vertrokken; ik denk dat het hem te zwaar viel om in een gezin te wonen waar zo'n schaduw over was gevallen. De mooie, kleine AnaRose werd teruggestuurd naar haar biologische moeder en Trevor werd door de autoriteiten in een ander pleeggezin ondergebracht. Ze zeiden niet waarom, maar dat hoefden ze ook niet te zeggen. Dat was voor ons nog het ergst. Met Shana hadden we geen kans van slagen gehad. Maar de twee kleintjes hadden we kunnen redden. We hebben het nooit aangedurfd te vragen wat er van hen is geworden. AnaRose was een heel mooi meisje en ze moest nu terug naar haar aan crack verslaafde moeder. Wie weet hoe het haar is vergaan als haar moeder weer aan een shot toe was. En Trevor is waarschijnlijk in een van die... andere pleeggezinnen terechtgekomen. U weet wel, waar ze de kinderen alleen nemen om de maandelijkse toelage; waar ze vier kinderen op één kamer laten slapen en de grootste drie de kleinste pesten en mishandelen zonder dat iemand er een stokje voor steekt. Ik had waarschijnlijk meer vragen moeten stellen, maar ik denk dat ik de antwoorden niet had aangekund. Misschien ben ik door alles wat er is gebeurd zelf ook gebroken.'

Ze aaide de kat die rechts van haar zat en probeerde zich te vermannen.

'Kunt u ons vertellen wat er van de Johnsons is geworden?' vroeg Phil.

Mevrouw Davies keek hem aan met roodomrande ogen. 'Ik hoorde later dat Martha, Donnies moeder, aan de drank was geraakt. Ze weigerde met me te praten. Ze wilde me niet eens zien. Ik bleef steeds meer binnen, omdat het de buren zo stoorde als ze me zagen. Dat gezin... Donnie was hun grote trots geweest. Een intelligente jongen, die uitblonk in de exacte vakken. Zijn vader schepte er altijd over op dat hij bij de politie zou gaan, maar Donnie had met gemak directeur van een forensisch laboratorium kunnen worden. Ik heb gehoord dat George zich voor zijn hoofd heeft geschoten. Ouders zouden hun kinderen niet mogen overleven. Dat gaat tegen de natuur in.'

'Mevrouw Davies,' zei ik, 'was u erbij toen de politie Shana's kamer doorzocht?'

'Ja.'

'Kunt u zich herinneren of ze brieven hebben gevonden, brieven die Shana en Donnie elkaar hadden geschreven? Liefdesbrieven?'

Mevrouw Davies keek me bevreemd aan. 'Shana en een jongen van twaalf? Dat slaat nergens op. Die drugsdealer van vierentwintig lag veel meer in haar straatje.'

'Kunnen Shana en Donnie gewoon bevriend zijn geweest? Is het mogelijk dat ze zich over hem heeft ontfermd, net zoals ze zich over Trevor had ontfermd?'

'Dat weet ik niet. Ze vertelde ons nooit iets. Misschien. Ik heb altijd gedacht dat er meer achter Shana zat dan ze losliet. Al bewijst dat misschien alleen hoe naïef ik ben.'

'En de familie Sgarzi?' vroeg D.D. 'Zo te horen waren zij ook erg aangeslagen door de moord op Donnie.'

'Dat kun je wel zeggen. Janet en Martha waren zussen en hadden een heel hechte band met elkaar. Ik heb gehoord dat Janet vaak bij Martha logeerde toen die aan de drank raakte om haar verdriet te vergeten. Dat kan voor Janets eigen huwelijk en gezin niet goed zijn geweest. Helaas heeft het voor Martha ook niet geholpen, want die heeft zichzelf uiteindelijk vrij snel het graf in gedronken.'

'Dat wil dus zeggen dat Janet Sgarzi eerst haar neefje, toen haar zus en toen haar zwager heeft verloren,' zei D.D. zachtjes. 'En hoe was dat voor haar man?'

'Dat weet ik niet,' zei mevrouw Davies. 'Hij was brandweerman en werkte daarom op onregelmatige tijden. Ik weet wel dat hun zoon, Charlie, in de daaropvolgende jaren nogal eens in de problemen is gekomen. Ik weet niet of dat kwam omdat zijn neef op zo'n gruwelijke manier was vermoord of omdat zijn moeder voortdurend bij haar zus zat, maar hij raakte betrokken bij diefstal en vandalisme en dat soort dingen. Uiteindelijk hebben zijn ouders hem weggestuurd. Naar New York, meen ik. En dat heeft geholpen; ik heb Janet een keer horen zeggen dat hij uiteindelijk journalist is geworden. Dan heeft hij dus toch nog iets van zijn leven gemaakt. Ik geloof trouwens dat hij nu weer hier is, om voor Janet te zorgen. Ze is ziek, ziet u. Kanker. Niets meer aan te doen, vrees ik.'

We knikten allemaal en beseften dat mevrouw Davies niet wist dat Janet Sgarzi was vermoord. Misschien wist ze ook niets over de Rose Killer. Het leek beter dat maar zo te laten.

'Verder nog iemand die heeft geleden onder de moord op Donnie?' vroeg Phil.

'Ik zou verder niemand weten.'

'Vriendjes van Donnie? De kinderen van toen die hem het best kenden?'

Mevrouw Davies schudde haar hoofd. 'Het spijt me. Zo goed kende ik Donnie niet. Hij was een buurjongetje, meer niet. U zou het aan Charlie moeten vragen; die herinnert zich al die kinderen vast wel.'

Phil knikte. Hij vroeg haar om de achternamen van de andere kinderen die ze in huis had gehad toen Shana bij haar had gewoond. Samuel Hayes, AnaRose Simmons, Trevor Damon.

We stonden allemaal op. De lapjeskat sprong lenig van mijn schoot.

Ondanks het feit dat ons gesprek een hoop onaangename herinneringen had opgerakeld, zag ik dat mevrouw Davies het jammer vond dat we vertrokken. Ik vroeg me af hoe het was om na al die jaren nog steeds in de straat te wonen waar je behandeld werd als een paria.

Instinctief boog ik me naar haar toe om haar papierachtige wang te kussen.

Ze kneep in mijn hand.

Toen liep ze door de lange, smalle gang met ons mee naar de voordeur. Het laatste wat ik zag voordat ze de deur achter ons dichtdeed, was haar bedroefde, gerimpelde gezicht.

HOOFDSTUK 29

'Hoe is het met uw schouder?'

'Prima,' bromde D.D., al kromp ze van de pijn en was ze gedwongen zich nog voorzichtiger te bewegen dan voorheen. Ze had naar huis moeten gaan om een ijszak op haar schouder te leggen, uit te rusten en felle monologen te houden tegen Melvin. Ze had zich vandaag veel te veel ingespannen en dat begon haar lelijk op te breken.

Maar dat kon haar niet schelen. Althans, ze trok zich er niets van aan. Ze was weer aan het werk, ook al mocht het officieel niet, en deze zaak werd eindelijk interessant.

Ze keek naar Adeline, die naast haar liep, op weg naar Phils auto. Parkeren was een probleem in Southie; ze hadden nog een eindje te gaan.

'Weet u dat u bloedt?' vroeg ze aan Adeline.

'Wat?' Adeline bleef staan.

D.D. keek nieuwsgierig toe toen Adeline zichzelf snel inspecteerde en de drie schrammen op haar pols zag, die ze moest hebben opgelopen toen de kat van haar schoot sprong.

'Bent u allergisch voor katten?' vroeg D.D., want de schrammen waren gezwollen.

'Ik heb geen idee. Ik blijf altijd bij dieren uit de buurt. Juist om deze reden.'

'Voelt u daar niets van?' vroeg Phil.

Ze schudde haar hoofd.

'Ik heb een EHBO-tas in mijn auto,' zei hij hulpvaardig.

'Dank u.'

'Als we die schrammen ontsmetten, valt het hopelijk mee.'

'Dank u,' zei Adeline nogmaals. Ze liepen weer door, maar de psychiater keek alsof ze ergens over piekerde.

'Bent u nog steeds van mening dat Donnie niet door Shana is vermoord?' vroeg Phil aan haar. 'Ook nu we weten dat ze onder het bloed zat toen ze thuiskwam en Donnies oor in haar zak had? Dat zijn toch wel erg bezwarende feiten.'

'Ik denk dat mijn zus niet weet wat er die middag is gebeurd. En dat ze zich daarom tijdens de rechtszaak ook niet heeft verdedigd. Misschien heeft ze Donnie vermoord. Misschien niet. Volgens mij weet ze het niet en is dat de reden waarom ze er nooit over praat. Omdat ze het zich niet kan herinneren.'

'Hoe bedoelt u?' vroeg Phil.

'De symptomen die mevrouw Davies beschreef, wijzen op een psychotische breuk. Dat is een episode van acute primaire psychose, waarin de werkelijkheid zo ondraaglijk is dat de hersenen zich ervoor afsluiten. Waarschijnlijk leed Shana daaraan, zonder dat iemand het wist. Een psychotische breuk wordt veroorzaakt door plotselinge of extreme stress. Dat kunnen ervaringen op het slagveld zijn, maar ook de geboorte van je eerste kind, of een andere ingrijpende ervaring.'

'Zoals de moord op een twaalfjarige jongen,' zei Phil.

'Of getuige zijn van een moord.'

'Maar wacht eens even,' zei D.D. 'Waarom is haar advocaat dan niet op dat idee gekomen? Zoals u het beschrijft, hadden ze een psychotische breuk makkelijk ter verdediging kunnen aanvoeren. Tijdelijke ontoerekeningsvatbaarheid.'

Adeline haalde haar schouders op. Het was inmiddels donker geworden en de kou die ze daarstraks al hadden voelen aankomen, liet zich nu gelden. Adeline, die alleen een dunne trui aanhad, sloeg haar armen om zich heen.

'Shana zal niet in staat zijn geweest te vertellen wat er was gebeurd. Wie aan een psychotische breuk lijdt, kan zich vaak niets herinneren van het voorval dat daar de oorzaak van was. En misschien vond haar advocaat, gezien haar problematische achtergrond, dat een dergelijke verdediging niet veel zou uithalen. Shana had al een en ander op haar kerfstok. Voor de jury zou dit geen aanleiding zijn geweest aan te nemen dat dit incident anders was dan de rest.'

'Dan kan ze Donnie Johnson dus wél hebben vermoord,' zei Phil. 'En de reden waarom hij niet in het stramien van haar andere slachtoffers past, is dat ze niet toerekeningsvatbaar was toen ze hem vermoordde. Hoe zijn het bebloede mes en het oor in haar zak anders te verklaren? Alles lijkt erop te wijzen dat ze geen toevallige getuige was van de moord.'

Adeline gaf geen antwoord, maar D.D. had de indruk dat de psychiater niet van haar mening was af te brengen. Zij geloofde niet dat haar zus die jongen had vermoord. Was de wens hier de vader van de gedachte, ook al zou ze beter moeten weten? Of speelde er nog iets anders, iets wat ze nog niet met hen wilde delen? Wat D.D. nog steeds dwarszat, was de laconieke opmerking van Charlie Sgarzi: dat als het villen van het slachtoffer het visitekaartje van zowel Harry Day als Shana Day was, en geen van beiden de moorden kon hebben gepleegd, er nog altijd één familielid over was.

'U zei dat u en uw zus niet samen zijn opgegroeid,' zei D.D. 'Wanneer is het contact tussen u hersteld?'

'Ongeveer twintig jaar geleden. Toen kreeg ik opeens een brief van haar.'

'Het initiatief kwam dus van haar kant.'

'Ja,' zei Adeline.

'Waarom?'

'Geen idee. Misschien omdat ze zich verveelde. Of omdat ik haar enig overgebleven familielid was. Dat moet u maar aan háár vragen.'

'Ze heeft u geschreven omdat ze iets van u wilde,' zei D.D.

Adeline glimlachte. 'Nu klinkt u als mijn adoptievader.'

'Maar u hebt het contact sindsdien in stand gehouden. Al die jaren, ook na Shana's zelfmoordpogingen. U bent de enige met wie ze zo'n band heeft.'

'Ja.'

'Waarom? U zei dat uw zus geen empathie voelt, zich aan niemand hecht en de ware betekenis van relaties niet begrijpt. Wat wil ze dan van u? U gaat nu al twintig jaar regelmatig naar haar toe. Waarom?'

'Die regelmaat is vrij recent. Directeur McKinnon heeft het maandelijkse bezoekuur zes of zeven jaar geleden pas goedgekeurd.'

'Dat maakt niet uit. Wat wil Shana van u? We hebben het over een vrouw die een heleboel levens heeft vernietigd. Hele gezinnen. Zonder wroeging, zonder berouw. Het enige wat ze volgens u voelt, is verveling. Waarom blijft u dan bij haar op bezoek gaan? Wat wil ze na twintig jaar van u?'

'Ze wil me beschermen. Dat heeft ze Harry veertig jaar geleden beloofd. Want als je geen familie hebt, heb je niets.'

'Echt? Vindt ze echt dat ze u moet beschermen?'

Adeline hield haar blik op de stoep gericht en ging iets sneller lopen, alsof ze daardoor aan het wantrouwen in D.D.'s stem kon ontsnappen. D.D. vond dat Adeline wat haar zus betrof een blinde vlek had. Ze beriep zich op klinische evaluaties, zei tegen mensen als mevrouw Davies overtuigend dat ze geen illusies koesterde over haar zus, maar ze koesterde wel degelijk illusies. Na al die jaren had ze nog steeds behoefte aan een grote zus.

En daardoor was zij het ideale volgende slachtoffer. De vraag was waar Shana op wachtte.

'Janet Sgarzi en haar zus, Martha Johnson, hadden een erg nauwe band,' zei Phil. 'Dus als er méér achter de moord op Donnie zat, als hij in het geheim met iemand bevriend was geweest en zijn moeder dat wist, maar daar helemaal niet meer aan heeft gedacht toen bleek dat Shana het oor van haar zoon in haar zak had...'

'Dan is het mogelijk dat Janet Sgarzi, misschien zonder het te beseffen, iets over de moord wist,' vulde D.D. aan. 'En dat de Rose Killer zich daarom gedwongen zag zich na al die jaren alsnog van haar te ontdoen.'

'Ik vind dat we de doopceel van Samuel Hayes maar eens moeten lichten,' zei Phil. Ze waren inmiddels bij zijn auto aangekomen. 'Sam was destijds zeventien. Hij is door hun pleegmoeder tot tweemaal toe met Shana in bed betrapt en had zelf waarschijnlijk een niet al te fris verleden, als hij als tiener in het pleegzorgcircuit terecht is gekomen. Hij was oud genoeg en zal sterk genoeg zijn geweest om een jongen van twaalf te vermoorden. Misschien fantaseert hij nog steeds over Shana. Zijn eerste meisje, het meisje dat hij niet heeft kunnen houden, maar dat hij nooit is vergeten. Hij wil meer over haar te weten komen, leest over haar beruchte vader en besluit zelf moorden te gaan plegen. Misschien waren de roos en de champagne helemaal niet voor de slachtoffers bestemd, maar voor Shana. Misschien zijn de moorden liefdesbetuigingen aan haar.'

'Dat is wel erg luguber,' zei D.D. en toen ze huiverde, was dat niet alleen vanwege de kou.

Phils mobieltje ging. Voordat hij de portieren opende, nam hij op. D.D. en Adeline wachtten geduldig terwijl hij knikte, luisterde, nog een keer knikte en toen vloekte.

D.D. trok haar wenkbrauwen op. Phil was een brave huisvader, die nooit vloekte. In hun team was dat over het algemeen aan háár voorbehouden.

'Charlie Sgarzi houdt een protestdemonstratie voor de ingang van het MCI,' zei Phil terwijl hij zijn telefoon in zijn zak stak. 'Hij heeft vanmiddag op zijn blog alle details over de moord op zijn moeder bekendgemaakt.'

'Jezus,' kreunde D.D.

'Inclusief het verwijderen van de huid, wat een mogelijk eerbetoon is aan Harry Day, een seriemoordenaar die niemand zich tot vanmiddag vier uur herinnerde. Vanwege Sgarzi brengen alle belangrijke televisiezenders nu het nieuws dat iemand bezig is een legendarische seriemoordenaar te imiteren door in heel Boston kwetsbare vrouwen te vermoorden. En dat Harry's al net zo beruchte dochter, Shana Day, intieme details over de misdaden schijnt te kennen en van tevoren wist hoeveel reepjes huid van de lichamen zouden worden verwijderd...'

'Hoe weet Charlie dat?' vroeg D.D. verontwaardigd. 'Dat hebben wij hem niet verteld.'

Phil haalde zijn schouders op. 'Hij is journalist. Hij zal onderzoek hebben gedaan. En je weet hoe het toegaat in het forensisch lab...'

'Verdomme nog aan toe,' zei D.D. De laatste tijd lekte het forensisch lab als een gieter. Ben Whitley wist niet wie zich daar schuldig aan maakte, maar moest er gauw achter zien te komen, voordat er koppen zouden rollen.

'En nu staat Charlie voor de poort van de gevangenis te schreeuwen dat de slachtoffers gewroken moeten worden. Hebt u fut om nog even mee te gaan?' vroeg Phil aan Adeline, omdat haar auto in het centrum van de stad geparkeerd stond.

'Ja, ik ga wel mee.'

'Ik kan journalisten niet uitstaan,' mompelde D.D. toen ze voorzichtig in de auto stapte.

'Ik ook niet,' zei Adeline.

Charlie Sgarzi had een kaarsjeswake georganiseerd. Een menigte van honderd tot honderdvijftig mensen stond in het felle licht van de schijnwerpers voor het hoofdgebouw van het Massachusetts Correctional Institute. Ze droegen plakkaten met foto's van de drie slachtoffers, onder wie Charlies moeder.

Toen Phil bij de groep stopte, zongen ze 'Amazing Grace'. Een rij agenten van de oproerpolitie stond tussen hen en de poort. Charlie Sgarzi greep de megafoon toen hij Phil en D.D. zag uitstappen en begon 'gerechtigheid, gerechtigheid, gerechtigheid!' te scanderen.

Phil slaakte een diepe zucht. D.D. voelde met hem mee. In omstandigheden als deze was hun werk niet leuk. Op geweldplegers jagen? Prima. Rouwende nabestaanden tegemoet treden? Minder fijn.

Ze liet hem voorop gaan. Had ze eindelijk eens profijt van haar geblesseerde schouder.

Adeline sloot de rij. D.D. had geen idee wat de psychiater van dit circus vond.

'Charles,' zei Phil tegen de journalist.

'Bent u gekomen om Shana Day te arresteren?' vroeg Charlie. Het wit van zijn ogen was bloeddoorlopen en hij keek een beetje glazig, alsof hij aangeschoten was.

'Wil je erover praten?' stelde Phil vriendelijk voor. Hij was hier goed in.

'Ja, natuurlijk!'

'Laten we dan even een rustig plekje opzoeken. Dingen afstemmen.'

'Nee.'

'Nee?'

'Als u me iets wilt vertellen, mag iedereen het horen. Kent u de ouders van Christine Ryan? En de grootouders van Regina Barnes? Hun familie, buren, vrienden? We willen antwoorden. We eisen gerechtigheid.'

'Jezus,' liet D.D. zich ontvallen.

Charlie richtte zich abrupt tot haar. 'Wat zei u? Wat? Wat?'

'Hé, Charlie,' zei ze, alle tact overboord gooiend. 'Ik heb gehoord dat jij brieven hebt die Shana aan je neef had geschreven. Wij hebben in de auto een gerechtelijk bevel voor de inbeslagname daarvan.' Een leugentje, maar het had het beoogde effect. 'Geef maar hier, die brieven.'

Charlie liet de megafoon zakken en keek haar wazig aan. 'Wat?'

'De brieven, Charlie. Waarvan jij beweert dat Shana ze dertig jaar geleden aan je neef heeft geschreven. Die willen wij. Nu.'

Charlie wankelde op zijn benen.

'Er zijn geen brieven, hè?'

'Dit is niet het juiste tijdstip om...'

'We hebben een gerechtelijk bevel.'

'Maar...'

'Een gerechtelijk bevel.'

Hij keek haar woedend aan.

'Laten we even een rustig plekje opzoeken,' zei Phil sussend. 'We zijn gekomen om je te helpen, Charlie. Kom, laten we hier even over praten. Samen kijken wat we het best kunnen doen.'

Charlie gaf de megafoon aan een van de anderen.

Hij liep met hen mee, nog steeds wazig kijkend. Van dichtbij rook D.D. geen alcohol. Misschien had hij niet gedronken. Misschien was hij alleen emotioneel uitgeput.

Phil wachtte tot ze vijftig meter bij de menigte vandaan waren. Toen vroeg hij: 'Waarom heb je ons niet over de brieven verteld, Charlie? Je zegt dat je gerechtigheid wilt. Waarom houd je zelf dan informatie achter?'

'Ik heb ze nodig,' mompelde Charlie zonder oogcontact te maken. 'Voor mijn boek. Ik moet origineel materiaal hebben. U weet wel. Exclusieve inhoud.'

'Schrijf je echt een boek?' vroeg D.D.

'Ja.'

'Maar je hebt geen brieven. Dat weten wij, Charlie. Shana was niet verliefd op je neef, maar op jou.' D.D. had over deze theorie nagedacht sinds ze bij de pleegmoeder waren geweest. Een meisje met Shana's reputatie zou zich niet hebben ingelaten met een verlegen twaalfjarig jongetje. Charlie daarentegen, de leider van de plaatselijke jeugdbende, met een vader bij de brandweer en een oom bij de politie...

Charlie staarde hen aan. Opeens verslapte zijn gezicht. Van zijn boze houding bleef niets over. D.D. dacht heel even dat hij letterlijk zou bezwijken onder het gewicht van de schuld dat op zijn schouders rustte.

'Ik mocht haar. Ik wist dat ze slecht was, maar Jezus, ik was veertien, en je weet hoe dom jongens op hun veertiende kunnen zijn. Slechte meisjes zijn dan heel aantrekkelijk.'

'Was ze je meisje? Gingen jullie met elkaar?'

Hij grimaste. 'We gingen niet met elkaar. We gingen met elkaar naar bed.'

'En zijn er brieven? Heeft ze jóú brieven geschreven?'

'Nee. Dat heb ik gelogen.' Hij schraapte zijn keel en keek naar Adeline. 'Ik wilde alleen maar dat u naar me zou luisteren. Ik kon het niet uitstaan dat ik, na alles wat mijn familie heeft moeten doorstaan, eerst door Shana en daarna door u werd afgewimpeld. Is het echt te veel gevraagd dat ik wil weten wat er met mijn neef is gebeurd?'

Hij ging steeds feller praten nu zijn woede hem nieuwe kracht gaf.

'Donnie was jullie koerier,' zei Adeline. Ze boorde haar ogen in de zijne. 'Jij gebruikte je jongere neefje om Shana berichten te sturen. Om haar te laten weten waar en wanneer jullie elkaar zouden treffen. Omdat jij niet aldoor met haar gezien wilde worden. Met het "slechte" meisje.'

D.D. verwachtte dat hij het zou ontkennen, maar Charlie zei schor: 'Ja.'

'Wat is er die middag gebeurd?' vroeg D.D., al dacht ze dat inmiddels wel te weten.

'Shana deed steeds... eigenaardiger. Ik bedoel, ik had nog nooit een meisje gekend dat zo openlijk over seks sprak. Als zij het wilde, dan moest het. Geen excuses, geen pretenties. Ook de eerste keer nam ze het initiatief. Op een dag vroeg ze me op de man af of ik met haar naar bed wilde. En toen hebben we het gedaan.

Maar toen hoorde ik dat mevrouw Davies haar al twee keer had betrapt met Samuel, en daar schrok ik van. Ik vroeg me af met hoeveel jongens uit onze buurt ze het deed. Niet dat ze mij dat zou vertellen. Ik besloot het uit te maken. We hadden voor die middag om vijf uur met elkaar afgesproken. Achter de seringen. Gewoon wat rondhangen, misschien ergens pizza eten.

Ik heb tegen Donnie gezegd dat hij moest gaan.' Charlie sprak nu met een dikke stem. Hij slikte en ging door: 'Donnie moest tegen haar zeggen... dat ik het uit wilde maken.'

'Je hebt je neefje gestuurd om te zeggen dat je het uit wilde maken?' vroeg D.D. ongelovig.

Charlie Sgarzi sloeg zijn ogen neer. 'Ja.'

'En?'

'En toen heeft ze hem vermoord.' Charlie keek haar weer aan. 'Ik heb een stommiteit begaan. Ik heb mijn neefje gestuurd om iets te doen wat ik zelf niet durfde en toen is ze blijkbaar zo kwaad geworden dat ze hem heeft vermoord. En daardoor is mijn tante aan de drank geraakt, heeft mijn oom zich voor zijn kop geschoten en zijn mijn eigen ouders in de vernieling geraakt. Omdat ik een lafaard was. Ik hing de stoere gast uit, maar was in feite een laffe rotzak, en daar heeft iedereen van wie ik hield voor moeten boeten.'

'Heb je die middag niets gezien?' drong Phil aan.

'Ik was niet eens in de buurt. Ik was een paar maten tegengekomen en ben met hen naar een buurtwinkel gegaan. Ik wilde zo ver mogelijk van huis zijn.'

'En daarom schrijf je nu dat boek,' zei Adeline zachtjes. 'Omdat het tijd is met de waarheid voor de dag te komen.'

Er trilde een spiertje in Charlies kaak. 'Misschien. Zover ben ik nog niet met mijn zelfbespiegelingen. Maar nu u het zegt. Ik heb besloten het boek te schrijven toen bleek dat mijn moeder ongeneeslijk ziek was; zolang ze leefde, wilde ik haar niet in verlegenheid brengen. Maar als ik alvast een voorschot kon krijgen, zou ik naar behoren voor haar kunnen zorgen. Het boek zou ik... daarna afmaken. Dan kon ik de waarheid vertellen. De naakte waarheid. Want dan was ik de enige die er nog onder kon lijden en wie weet, misschien zou de waarheid bevrijdend werken.

Ik slaap slecht,' ging hij zachtjes door. 'Het is nu dertig jaar geleden, maar ik heb nog steeds nachtmerries waarin Shana met het bloederige oor van mijn neef staat te zwaaien. Ik ben een klootzak. Dat weet ik. Maar zij is en blijft het monster.'

'Met wie ging ze indertijd om?' vroeg Phil. 'Afgezien van jou?'

'Nou, om te beginnen met Sam. Hij was verliefd op haar. Wat nogal dom was. Hij dacht dat zij zijn meisje was. Dat ze verkering hadden. Zo achterlijk was ik in elk geval niet.'

'Wie nog meer?'

'Een van mijn vrienden, Steven, had een oudere broer, Shep. Volgens de geruchten ging Shana wel eens naar hem toe om joints te roken. Shana vroeg nooit iets. Die commandeerde. *Ik wil. Ik moet.* Als je veertien bent en een meisje zegt dat ze met je naar bed wil, dan zeg je geen nee. Maar achteraf gezien... Ze was angstaanjagend. Anderen waren niet belangrijk. Alles ging altijd om haar. Tot ik haar weigerde. Toen is ze door het lint gegaan. Misschien had nog nooit eerder iemand haar iets geweigerd.'

'Heb je echt alle details over je moeders dood in je blog gezet?' vroeg D.D.

'Het publiek heeft er recht op.' Charlie begon zich weer op te winden. 'Jullie houden dingen achter. De enscenering. En dat Shana op de een of andere manier in contact staat met deze nieuwe moordmachine. Er zijn in een tijdsbestek van zeven weken drie vrouwen vermoord, en jullie hebben niet eens een verdachte.'

'Ik dacht dat we Shana Day moesten arresteren,' zei D.D. onschuldig.

'Ach, krijg wat!' zei Charlie. 'Ik weet dat ze levenslang heeft en dus onmogelijk nog erger gestraft kan worden. Ik dacht alleen dat als de moordenaar hoort dat de politie weet dat ze contact met hem heeft, hij misschien uit angst het contact zal verbreken of zal onderduiken of zoiets...'

'Wat het niet makkelijker zal maken om hem te grijpen.'

'Maar waardoor misschien levens worden gered.'

'Jij moet gaan rouwen, Charlie,' zei Phil. 'Je moet jezelf een paar dagen gunnen om de zoon van de overleden Janet Sgarzi te zijn. Intussen zullen wij ons werk doen. Daarna praten we verder. Maar details over de zaak in de krant zetten...'

'Op internet.'

'Dat is hetzelfde. Daar zijn wij niet mee geholpen. We boeken vooruitgang. We zijn een verdachte op het spoor.'

'Mag ik dat citeren?' Charlie fleurde wat op.

'Nee, uit respect voor je moeder, weet je nog?'

Phil liep met Charlie terug naar de menigte, die in zijn afwezigheid stil was geworden.

D.D. bleef achter met Adeline en stak haar rechterhand in haar zak voor de warmte.

'Denkt u nog steeds dat uw zus Donnie Johnson niet heeft vermoord?' vroeg ze aan Adeline.

De psychiater gaf geen antwoord.

HOOFDSTUK 30

Volkomen afgepeigerd ging ik naar huis. Het enige wat ik nog wilde, was mijn schoenen uittrekken, een glas wijn inschenken en naar de muur gaan zitten staren tot de wervelwind van nieuwe openbaringen en oude angsten over mijn zus in mijn hoofd voorbij zou zijn.

Maar bij thuiskomst zag ik dat de deur van mijn flat op een kier stond.

Ik bleef stokstijf staan en greep onbewust mijn tas wat steviger vast.

Ik had geen vrienden of kennissen. Geen van de buren had een sleutel van mijn flat. En ik nam geen van de mannen met wie ik naar bed ging ooit mee naar huis.

De Rose Killer.

Ik deed een stap achteruit, haalde mijn mobieltje uit mijn tas en toetste het nummer van de huismeester in. Meneer Daniels had dienst.

'Hebt u iemand toegang gegeven tot mijn flat?' vroeg ik. 'Een besteljongen? Iemand die zei dat hij een kennis van me was?'

'Nee, nee, nee,' verzekerde hij me. 'Ik heb mijn lesje geleerd sinds die man... die vrouw... sinds er iemand van het gasbedrijf is geweest. Ik weet dat u moet worden gebeld als er iemand voor u komt. Het was een drukke dag. Veel bezoekers, een verhuizing, mensen die kwamen kijken naar koopflats, maar er is niemand voor u geweest, dr. Glen. Als dat zo was geweest, had ik onmiddellijk contact met u opgenomen. Hand op mijn hart.'

Ik bedankte hem en hing op. Bezoekers, een verhuizing, en mensen die flats waren komen bekijken. Stuk voor stuk geschikte dekmantels voor de Rose Killer. Het zou verdacht zijn geweest als iemand nogmaals in míjn flat had moeten zijn; maar de flat pal boven mij, waar je via de trap binnen een paar seconden kon zijn, was net zo geschikt. Of je kon je laten rondleiden... *Mag ik een momentje voor mezelf? Wat rondkijken? Om een indruk te krijgen van de rest van het gebouw?* En dan snel naar mijn flat gaan.

Ik zou D.D. moeten bellen. Om te zeggen dat ik uiteindelijk toch politiebescherming wilde.

In plaats daarvan duwde ik tegen de deur, die geruisloos openzwaaide in de donkere hal.

'Schat? Ik ben er,' riep ik, met slechts een heel lichte trilling in mijn stem.

Ik deed het licht in de hal aan en meteen werd een groot deel van de flat verlicht. Links van de betegelde hal was de keuken, recht vooruit de slaapkamer, waarvan de deur openstond, en rechts de woonkamer. De lage, zwartleren bank zag er net zo uit als altijd, en de sierkussens lagen allemaal op hun vaste plek.

Ik stapte over de drempel, met mijn linkerhand om het hengsel van mijn tas geklemd en mijn mobieltje in mijn rechterhand.

De Rose Killer viel slapende vrouwen aan, en oude vrouwen met kanker. Geen rechtstreekse confrontatie, maar een geraffineerd spel. Observeren en een plan smeden. Dan de aanval, gewapend met chloroform.

Nou, ik sliep niet. Noch was ik een oude, zieke vrouw. En ik was niet van plan me door een moordenaar uit mijn eigen huis te laten jagen. Ik kwam uit een gezin van nog engere misdadigers en dat zou ik nooit vergeten.

Ik deed meer lampen aan terwijl ik met mijn rug naar de muur en mijn blik op open terrein gericht langzaam naar de keuken liep. Alles leek in orde. De elegante meubels in de modern ingerichte kamer boden hetzelfde luxueuze comfort als altijd.

Ik zou een wapen moeten grijpen. Ik zou een honkbalknuppel of golfclub uit de kast in de hal moeten halen, maar omdat ik altijd elke vorm van sport had gemeden, bezat ik geen van beide. Ik kon in de keuken een mes pakken. Het spreekwoordelijke slagersmes om mee te dreigen, zoals de dappere heldin in horrorfilms. Alleen vond ik dat ik beter niet met messen kon gaan stoeien. Ik zou mezelf kunnen verwonden zonder dat ik het zou voelen.

Net zoals ik niets had gevoeld van de drie schrammen op mijn pols toen ik zo gezellig met de poes op schoot had gezeten. Zijn gespin was zo rustgevend geweest. Zijn vacht zo zacht. Ik had er echt van genoten en zelfs met het idee gespeeld zelf ook een poes te nemen.

Tot we weer buiten waren en D.D. zei dat ik bloedde.

Een poes. Ik kon me zelfs de gezelligheid van een poes niet veroorloven.

Opeens kreeg ik enorm de pest in. Ik was kwaad op mijn DNA, dat me had gestraft met een aandoening die mij van iedereen onderscheidde. Ik bracht mijn dagen door met patiënten die leden aan wat ik zo graag zou willen voelen. Er bestond geen Melvin die mij kon beschermen. En daarom moest ik overal nee tegen zeggen. Hobby's. Strandwandelingen. Liefde. Kinderen. Poezen.

Ik leefde als een in vacuüm verpakt stuk speelgoed, dat altijd op de plank moest blijven liggen en waarmee nooit gespeeld mocht worden, opdat het niet kapot zou gaan.

Ik wilde geen speelgoed zijn. Ik wilde een mens zijn. Een levend mens. Met schrammen, blauwe plekken, littekens en een gebroken hart. Iemand die leefde, lachte, gekwetst werd en weer heelde.

Ik wilde iets wat onmogelijk was. Er was niets aan te doen en als intelligente volwassene moest je de dingen waar je niets aan kon veranderen, leren accepteren.

Ik liet mijn blik door mijn halfverlichte flat gaan en besefte dat mijn unieke aandoening een uitstekende vorm van zelfverdediging kon zijn. Bij een hinderlaag ging het erom je doelwit te overrompelen en zoveel pijn te doen dat hij niets kon terugdoen. Maar pijn was iets wat ik niet voelde. De Rose Killer kon me een klap op mijn hoofd geven, me in mijn buik stompen, mijn arm omdraaien. Het zou niets uithalen. Ik zou blijven vechten. Ik zou niet langer het geweten maar de wraak van mijn familie zijn, terwijl ik met donkere, starende ogen mijn aanvaller door de flat najoeg.

Ik keek in de voorraadkast. In de halkast. In de wc. En tot slot in mijn slaapkamer. Ik deed het licht aan. Ik zag mijn kingsize bed, maar keek meteen naar het nachtkastje.

Niets.

Geen champagne, geen rozen, geen met bont gevoerde handboeien. Ook geen kreukels die aangaven dat iemand zich op het bed had uitgestrekt.

Ik fronste. Er waren niet veel schuilplaatsen meer over. Alleen de kleedkamer en de badkamer...

Niets.

Dat de Rose Killer hier was geweest, stond als een paal boven water. Of hij hier was geweest om zijn nieuwsgierigheid te bevredigen of om zijn obsessie te voeden, was niet duidelijk. De Rose Killer had door mijn flat gelopen, misschien in mijn lingerie gerommeld en bekeken van wat voor soort eten ik hield, voordat hij was vertrokken en de voordeur arrogant op een kier had laten staan.

Ik controleerde de hele flat nog een keer, nu minder aarzelend en nog geconcentreerder.

Toen er ook de tweede keer geen monsters onder het bed bleken te liggen en er in geen enkele kast een gemaskerde overvaller stond, zette ik eindelijk mijn tas neer, ging op de rand van mijn bed zitten en blies mijn adem uit, nu pas beseffend dat ik die een hele tijd had ingehouden.

De Rose Killer was me voor de tweede keer komen opzoeken. Precies zoals mijn zus had voorspeld. Het monster dat iets te maken had met mijn zus en met een moord van dertig jaar geleden.

Ik wist niet wat ik hiervan moest denken. Als het had gekund, zou ik waarschijnlijk enorme hoofdpijn hebben gekregen. Ik was zo moe dat ik me niet in staat achtte ook maar één gedachte te formuleren of één stap te zetten.

Opeens drong tot me door dat de moordenaar waarschijnlijk op mijn bed was gaan zitten. Misschien zelfs zijn of haar hoofd op mijn kussen had gelegd, om te zien hoe het voelde.

Ik stond op, rukte de sprei van het bed en haalde de lakens eraf. Ik liep met de hele bundel door de gang naar de wasmachine. Ik deed er extra veel waspoeder en extra veel bleekmiddel in.

Daarna keerde ik terug naar mijn slaapsuite. In de badkamer bekeek ik mezelf in de spiegel. Ik was bleker dan vanochtend. Holle wangen, holle ogen. Ik leek nu erg op mijn zus. Gevangenisleven, leven in angst, blijkbaar hadden die hetzelfde effect op je.

Ik bekeek de drie schrammen op mijn pols, die ik in de auto van rechercheur Phil had ontsmet. Ze waren niet diep en de opengehaalde huid zag er niet al te lelijk uit, al waren de wondjes nog steeds een beetje dik. Ik zou mijn temperatuur in de gaten moeten houden om me tegen infectie te beschermen. Ik knoopte mijn vest open en keek naar de mouwloze bloes die ik eronder droeg. Ik trok hem uit en bekeek de bleke huid van mijn schouders, armen en middenrif, waarbij ik me naar links en naar rechts draaide.

Een blauwe plek. Ik wist niet hoe, laat staan wanneer, maar ik had een blauwe plek opgelopen op de achterkant van mijn linkerarm. Er zat er ook een boven de tailleband van mijn broek. De kat? Of had ik me ergens aan gestoten?

Ik zou het nooit weten. Ik kon alleen de gevolgen zien, zonder de oorzaak te kennen.

Ik stapte uit mijn broek en liet die achteloos op de grond liggen. Ik zag nog een blauwe plek, aan de binnenkant van mijn rechterdijbeen. Blijkbaar was omgaan met rechercheurs niet goed voor je gezondheid.

Met mijn vingertoppen tastte ik mijn schedel af. Daarna mijn gewrichten, om te zien of er zwellingen waren. Ik kon mijn enkel verzwikken als ik van een stoep stapte. Ik kon me bezeren als ik in een auto stapte. Tot slot bekeek ik mijn ogen in de scheerspiegel en nam ik mijn temperatuur op. Die was in orde. Afgezien van het feit dat ik door een seriemoordenaar werd gestalkt, was alles oké.

Ik trok een lange, zijden peignoir aan, strikte de ceintuur en liep naar de keuken. Nam toch maar dat glas wijn. Keek naar de voordeur en besefte dat ik vannacht geen oog zou dichtdoen. Wat lette de Rose Killer nogmaals het slot open te peuteren? Of misschien was het slot helemaal geen probleem omdat de moordenaar de sleutel had. Waarom niet? De moordenaar leek hier kind aan huis te zijn.

Ik was te moe om nu nog een slotenmaker te laten komen en zette daarom een stoel schuin onder de deurknop. Opeens kwam ik op het idee kerstballen in de hal te leggen, net zoals de jongen in de film *Home Alone* had gedaan. Als het voor hem had gewerkt, waarom dan niet voor mij?

Enigszins gerustgesteld nam ik de wijn mee naar de badkamer, waar ik mezelf een warme douche gunde. De oplichtende rode cijfertjes op het digitale metertje zorgden ervoor dat ik me niet brandde.

Daarna begon ik na te denken over de grote vraag van vandaag, de ware reden van mijn woede en rusteloosheid.

Orkaan Shana.

Mijn grote zus. Die beweerde dat ze me destijds uit de kast had gehaald en in haar armen had gesloten.

Want als je geen familie hebt, heb je helemaal niets.

Ik wilde dat ze van me zou houden. Dat was afschuwelijk.

Onlogisch. Zwak. Een kwetsbaar sentiment voor een vrouw die beter zou moeten weten.

En toch wilde ik het.

Toen ze me had verteld over die laatste ogenblikken van ons samenzijn in ons ouderlijk huis, was het heel even geweest alsof ik me dat herinnerde. Het geluid van de mannen die op de deur bonkten. De stem van mijn vader in de badkamer. Mijn moeders zachte antwoord.

En Shana. Mijn grote zus was me komen halen. Mijn grote zus had me opgetild. Mijn grote zus had gezegd dat ze van me hield en me altijd zou beschermen.

Ik hield ook van haar.

Het water op mijn wangen leek dikker. Huilde ik? Had dat zin? Het kind van vier dat veertig jaar geleden had bestaan, was niet de vrouw die nu in de gevangenis zat. De volwassen Shana maakte misbruik van mensen. Ze had het leven van meneer en mevrouw Davies vernietigd, en dat van de Johnsons en de Sgarzi's. Misschien ook dat van de andere kinderen die in het pleeggezin hadden gewoond. Mevrouw Davies had gelijk. Je had kans dat de kleine Trevor in een afgrijselijk gezin terecht was gekomen waar hij was mishandeld of verkracht of op een andere manier kapotgemaakt door de meedogenloze hopeloosheid van het leven in een pleeggezin, terwijl de mooie AnaRose aan mannen was verkocht opdat haar moeder haar verslaving kon bekostigen.

En Shana had zelfs nooit hun namen genoemd. Hele gezinnen, weggevaagd door haar daden. Het was alsof zij voor haar niet meer bestonden. Omdat ze voor haar inderdaad niet meer bestonden. Zíj had iets nodig gehad. Zíj had iets gewild. En daarna was ze er klaar mee geweest.

Ik probeerde me te vermannen en draaide de kraan dicht.

Mijn zus had mij vanochtend in haar ban gekregen, omdat ze daar behendig in was. Ik was naar haar toe gegaan om te zeggen dat ik niet meer zou komen en toen had ze een verhaal opgehangen dat ze me in al die twintig jaar nog nooit had verteld. Toen ik daar had gestaan en naar haar had geluisterd, was ik volkomen in haar ban geraakt. Net zoals die eerste gevangenbewaarder, Frankie, of misschien de tweede, Richie.

Ze wist mensen te manipuleren. Ze was zelf niet in staat emoties te voelen, maar droeg geen oogkleppen als het ging om de menselijke natuur. Ze was in staat te observeren, te analyseren, informatie te vergaren. Ze was een roofdier.

En Donnie Johnson, die dertig jaar geleden door de seringenstruiken heen was gedrongen om de boodschap van zijn oudere neef over te brengen? Was hij zenuwachtig geweest? Bang voor Shana's reactie? Of was hij op zijn twaalfde nog te jong geweest om te kunnen bevatten hoe gevaarlijk het was om het hart van een tienermeisje te breken?

Tot er een sneer op Shana's gezicht was verschenen en ze hem te lijf was gegaan met een mes. Impulsief. Wild. Shana was boos en Donnie moest het ontgelden.

Mijn zus, die een verhaal had opgehangen om ervoor te zorgen dat ik zou blijven. Die twee, misschien zelfs drie mannen de dood in had gejaagd door alleen maar met hen te praten.

Ik fronste, pakte een handdoek en droogde me af.

Woorden. Ook woorden waren wapens voor mijn zus. En niet minder dodelijk dan echte wapens. En voor wie iets van gedragslijnen wist, en psychiaters wisten daar veel van, was duidelijk dat mijn zus altijd eerst woorden zou gebruiken. Praten. Uitlokken. Verleiden. Het gewenste gedrag afdwingen.

Als dat haar lukte met getrainde gevangenbewaarders, waarom zou ze het dan niet eerst hebben uitgeprobeerd op een jongen van twaalf? Ze moest een verhaal hebben opgedist waardoor hij Charlie was gaan halen. Dat ze ziek was, dat ze Charlie nodig had, dat ze niet boos was, dat ze alleen maar iets aan hem wilde teruggeven.

Ja. Ze had met Donnie gepraat. Want mijn zus zou haar gramschap niet verkwisten aan de loopjongen. Nee, het was

Charlie die haar had afgewezen en haar vlijmscherpe geest had zich onmiddellijk als een laserstraal op dat doelwit gericht.

Donnie Johnson was niet door mijn zus vermoord.

Iemand anders had het gedaan. Maar had ze het gezien? Kwam ze er soms aan toen het bijna voorbij was? Iemand... een meisje, leek mij, een meisje dat zich met een mes in haar hand over een jongen boog, zoals mijn moeder zich indertijd over mijn vader had gebogen.

Acute psychotische stoornis.

Mijn zus had geen schijn van kans gehad.

Maar het oor in haar zak dan?

Dat kon ze hebben meegenomen. Misschien had ze het zelfs eigenhandig afgesneden. Ze moet op de automatische piloot hebben gestaan, omdat de gebeurtenis niet alleen haar diepste, duisterste wensen had opgewekt, maar ook haar diepste, duisterste herinneringen. Had mijn vader ooit het oor van een meisje afgesneden? Ik denk dat ik daar wel iets over zou vinden als ik alle dossiers nogmaals doornam.

Iemand anders had Donnie vermoord. En die iemand had misschien geschrokken opgekeken toen Shana ten tonele was verschenen. Maar mijn zus had niet geschokt gereageerd. In plaats daarvan was ze naderbij gekomen, aangetrokken door de geur van het bloed...

De moordenaar had een perfecte zondebok gevonden. De een beging de misdaad, de ander ging ervoor naar de gevangenis. Mijn zus was niet in staat geweest zich te verdedigen, omdat ze zich van die avond niets herinnerde. Bovendien wist ze diep in haar hart dat ze in staat was zo'n moord te plegen.

Ze was de dochter van een seriemoordenaar, beschuldigd van moord, die een seriemoordenaar was geworden. Het was haar lot, zou Shana vermoedelijk zeggen. Ze had geen fut meer ertegen te vechten.

Maar wat wilde ze van mij?

En wat kon ik haar bieden?

Ik liep de kleedkamer in om een pyjama te pakken. Het drong pas tot me door toen ik de bovenste la van de ladekast had geopend en weer gesloten. Er was iets mis. Er klopte iets niet. Iets was niet zoals het hoorde te zijn...

Mijn verplaatsbare ladekastje. Het stond niet waar het hoorde te staan, precies boven de geheime bergplaats. Het stond een paar centimeter te ver naar voren. Alsof iemand het naar voren had gehaald en niet meer precies op zijn plek had gekregen.

Mijn hart begon sneller te kloppen.

Misschien had ik het zelf gedaan. Gisteravond, in mijn haast om de flacons te verwijderen en me van het bewijsmateriaal te ontdoen. Alleen zette ik het ladekastje altijd precies op zijn plek, een paranoïde gewoonte die ik door de jaren heen had ontwikkeld in mijn pogingen de duistere kant van mijn karakter te verbergen.

Hij was hier geweest. In mijn kleedkamer. Hij had...

En toen wist ik het.

Ik trok het kastje naar voren. De bewuste planken kwamen bloot te liggen. Ik ging op mijn knieën zitten, tilde de eerste op, en toen de tweede.

Mijn recentelijk leeggehaalde bergplaats was niet leeg meer. Er stond een schoenendoos in. Een doodgewone schoenendoos, net zo een als ik zelf had gehad. Net zo een als ik op de foto's had gezien die door de politie in het huis van mijn vader waren gemaakt.

Ik wist het. Ik wist het toen ik de doos uit het gat tilde. Ik wist het toen ik hem op de vloer neerzette.

Ik wist wat erin zat. Ik wist welke gruwelijkheden in een doodgewone schoenendoos onder een doodgewone vloer verborgen konden liggen.

De Rose Killer in mijn flat. De Rose Killer die geschenken bracht. De Rose Killer die mij het geschenk had gebracht waarvan hij of zij wist dat ik het begeerde, en het had verborgen op een plek waar niemand het bestaan van wist. Zelfs mijn zus niet.

Ik nam het deksel eraf. Legde het naast de doos.

Keek met gefascineerd afgrijzen naar de drie gloednieuwe weckpotten met verse reepjes mensenhuid die mijn eigen verzameling vervingen.

Ik gilde. Maar er was niemand die dat hoorde.

HOOFDSTUK 31

'We zijn een beetje dom bezig,' zei D.D.

'Wie zijn wij? Jij en ik? Of jij en je team?' vroeg Alex.

'Allebei.'

'En waarom zijn we een beetje dom bezig?' Ze zaten samen op de bank. D.D. was op tijd thuis geweest om Jack naar bed te brengen, een ritueel waaraan ze na deze slopende dag echt behoefte had gehad. Nu zat ze met haar voeten op Alex' schoot en een ijszak op haar geblesseerde schouder.

'Om te beginnen hebben we geen moordenaar. Ik had gehoopt dat we er inmiddels eentje zouden hebben.'

'Je kunt moordenaars niet zomaar tevoorschijn toveren.'

'Ik wilde de eliminatiemethode gebruiken. Geen toverkunsten.'

'Praat me even bij.'

'Oké.' D.D. herschikte de ijszak terwijl ze nadacht. 'Onze eerste vraag was: kan Shana contact hebben met een vriend, een bondgenoot of een moordenaar buiten de gevangenis, en zo ja, hoe?'

'En het antwoord is?'

'Waarschijnlijk niet. De belangrijkste aanwijzing dat ze een handlanger zou hebben, was dat ze dingen schijnt te weten die ze eigenlijk niet kan weten. Adeline gelooft echter dat Shana gewoon alerter is dan de meeste mensen. Het is niet zozeer dat Shana dingen weet, maar meer dat ze erg goed is in het toepassen van haar observatietechnieken om mensen te manipuleren.

Ze heeft op maar liefst drie gevangenbewaarders ingepraat tot die uit eigen beweging hun dood tegemoet gingen. Het waren gelukkig zeer onaangename kerels, maar toch...'

'Maar als ze geen contact onderhoudt met de Rose Killer, wat heeft ze dan met hem te maken?'

'Dat is een moeilijke vraag. We beginnen steeds meer te geloven dat het allemaal teruggrijpt op de moord op Donnie Johnson. Adeline gelooft allang niet meer dat haar zus de jongen heeft vermoord. Ik ben nog niet bereid zover te gaan, maar er zit beslist meer achter die avond dan tijdens de rechtszaak aan het licht is gekomen. Charlie Sgarzi staat er gekleurd op nu hij heeft bekend dat hij zijn eigen neef de dood in heeft gestuurd.'

'Heeft hij dat gedaan?'

'Ja. De twaalfjarige Donnie diende als tussenpersoon tussen Charlie en Shana. Toen Charlie zijn vriendin te hoerig of misschien wel te angstaanjagend begon te vinden, daar ben ik nog niet helemaal uit, heeft hij zijn neefje naar haar toe gestuurd om te zeggen dat hij haar niet meer wilde zien.'

'Aardig van hem.'

'Charlie geeft toe dat het erg laf van hem was, maar blijft erbij dat Shana het monster was. Maar moet je horen. Shana's toenmalige pleegmoeder vertelde ons dat Shana met minstens nog twee jongens iets had. De ene was een drugsdealer van begin twintig, ene Shep, en de andere een jongen van zeventien genaamd Sam die in hetzelfde pleeggezin woonde. Mevrouw Davies heeft Shana en Sam minstens twee keer samen in bed betrapt, en volgens Charlie was Sam echt verliefd op Shana. Zíj zag jongens als eendagsvliegen, maar voor Sam was de relatie heel serieus.'

'Ai, een gekwetste tienerjongen. Toch klinkt het nog steeds alsof Shana de enige was die een aanleiding had om Donnie te vermoorden. Een klassiek geval van schieten-op-de-boodschapper.'

D.D. haalde haar schouders op en had daar meteen spijt van, want Melvin strafte haar onmiddellijk. Ze probeerde hem tot rede te brengen, maar haar inwendige Banneling was erg van streek. Misschien omdat ze een onverstandige Zelf was geweest en zich vandaag te veel had ingespannen.

Wauw, nu klonk ze echt alsof ze gestoord was.

'Adeline is van mening dat Shana Donnie niet heeft vermoord,' zei ze, 'maar dat ze misschien heeft gezien wat er is gebeurd en daardoor een acute psychotische stoornis kreeg, waardoor het incident uit haar geheugen is gewist en de dader haar ervoor kon laten opdraaien.'

'Maar Donnie had toch geen vijanden? Hij was toch een aardige, stille jongen?'

'Naar verluidt. Het enige wat ik kan bedenken, en wat past bij jouw theorie van schieten-op-de-boodschapper, is dat Sam nog kortzichtiger was dan Charlie vermoedde en niet doorhad dat Shana het met nog meer jongens deed. Toen hij toevallig langs de seringenbosjes liep en Donnie hoorde die het voor Charlie met Shana uitmaakte, begreep hij dat Shana nóg een vriendje had en is hij door het lint gegaan.'

'Heeft iemand hem die middag gezien?' vroeg Alex. 'Zijn er getuigen die hem met bloed aan zijn kleren hebben zien thuiskomen? Heeft de pleegmoeder soms met bloed doordrenkte kleren gevonden?'

'Nee. Alleen Shana was thuisgekomen met bloed aan haar kleren. Nogmaals, ik zie Shana er beslist voor aan Donnie te hebben vermoord, maar...'

'Geen onderzoek zonder een "maar".'

'Volgens mij weten we nog lang niet alles over wat er dertig jaar geleden is gebeurd. Vandaar mijn probleem. Ik weet niet wat ik niet weet. Maar jij hebt laatst een belangrijk punt aan de orde gesteld.'

'Dank je.'

'Waarom nu? Wat is de trigger? Shana zit al dertig jaar in de gevangenis. Harry Day is al veertig jaar dood. Waarom is deze waanzin juist nu begonnen?'

'En het antwoord is?'

'Volgens mij gaat het om Charlie Sgarzi. Toen hij besloot een boek over de moord op zijn neef te schrijven om van zijn kwade geweten af te komen, is hij dingen gaan oprakelen. En dat heeft iemand blijkbaar op ideeën gebracht.'

'Iemand die jou helemaal niet kende, maar die evengoed besloot je van de trap te duwen?'

'Ik weet niet wat ik niet weet,' herhaalde D.D.

'Interessant alibi. Begin je je al iets te herinneren?'

'Nee.' Ze wreef over haar voorhoofd. 'Alleen Jacks favoriete slaapliedje. *Het regent, het regent, de pannen worden nat...*' Ze zong het zachtjes. 'Het zit nog steeds in mijn hoofd. Je kent dat wel, dat je een nummer op de radio hoort en dat je dat niet meer kwijtraakt. Alleen heb ik dit niet op de radio gehoord. Ik liep het te neuriën toen ik daar was, en toen... hoorde ik iets. En blijkbaar ben ik in actie gekomen. Misschien zag ik de moordenaar. Ik had mijn pistool in mijn hand. Ik kan mijn pistool niet tijdens mijn val hebben getrokken. Dat moet ik éérst hebben gedaan. Dus moet ik die avond iets hebben gezien of bij een schermutseling betrokken zijn geraakt. En in plaats van op de vlucht te slaan, heeft de moordenaar me van de trap geduwd.'

Alex glimlachte meelevend naar haar en begon haar voeten te masseren. 'Hoe is het met Melvin?'

'We raken steeds meer aan elkaar gewend. Speurwerk leidt af. Ik weet dat ik voorlopig nog geen toestemming krijg om weer officieel aan het werk te gaan, maar als ik deze zaak niet had om over na te denken...'

Ze dacht aan wat hij eerder had gezegd, de zweem van blaam dat het weliswaar niet haar schuld was dat ze van de trap was geduwd, maar dat ze door haar acties een moordenaar in hun leven had gebracht.

Er verschenen diepe rimpeltjes bij Alex' ooghoeken toen hij

begripvol naar haar glimlachte. 'Je bent zoals je bent, je doet wat je doen moet. En je bent sterker dan je denkt.'

'Heb je dat uit Winnie de Poeh?' vroeg ze.

'Nee, al ben ik dol op vrolijke pluchen dikkertjes. Wat dacht je dat Jack en ik op onze vrije middagen deden?'

Ze sloeg haar ogen ten hemel. Hij glimlachte weer en heel even was het leven goed.

'Oké, terug naar de moordenaar,' zei Alex toen. 'Is het volgens jou een man of een vrouw?'

Ze trok een gezicht. 'Moeilijk te zeggen. Het lijkt mij eerder een man dan een vrouw. Afgezien van Shana Day zijn er niet veel vrouwen die hun slachtoffer post mortem verminken. Maar Shana is er sowieso bij betrokken.'

'De chloroform vind ik echt iets voor een vrouw,' zei Alex. 'Bovendien is een vrouw minder verdacht dan een man als ze 's avonds door een woonwijk loopt of aanbelt bij een ongeneeslijk zieke oude vrouw. Dat kan een van de redenen zijn waarom deze moordenaar steeds onder de radar vliegt.'

'Dat is waar. Maar wat is het motief? De jongen uit het pleeggezin, Sam, die verliefd was op Shana, heeft in principe een motief. Shana heeft geen vriendinnen. Heeft ze ook nooit gehad. De enige vrouw met wie ze een band heeft, is haar zus.'

Alex keek haar aan. 'De zus die niet alleen hetzelfde moordlustige DNA heeft, maar voor arts heeft gestudeerd en dus met scalpels kan omgaan?'

'Die ja.'

'Hebben jullie haar al doorgelicht?'

'Ze maakt inmiddels min of meer deel uit van ons team. Onze tactiek is dat je je vrienden te vriend moet houden, maar je vijanden nog meer.'

'Heeft ze een alibi voor de moorden?'

'Nee. Phil heeft het gevraagd. Dr. Glen brengt de nachten in haar eentje door.'

'Wat wil zeggen...'

D.D. haalde haar schouders op en kromp weer ineen. 'Het is mogelijk dat Adeline erbij betrokken is. Het zou naïef van me zijn als ik dat zou ontkennen. Maar ik denk dat zij net zozeer voor een raadsel staat als wij. Ik denk dat ze wat haar zus betreft net zozeer in het duister tast, alleen doet het haar meer pijn dan ons. Shana is de enige familie die ze heeft. Adeline schermt met professionele termen, maar je kunt zien dat ze kwetsbaar is als het Shana betreft. Ze zou graag een normale relatie met haar willen hebben, ook al weet ze beroepshalve dat het er nooit van zal komen, omdat Shana niet in staat is normale relaties te onderhouden. Bovendien...' ging D.D. iets kordater door, 'als je gelooft dat dit iets te maken heeft met de moord op Donnie Johnson... Adeline zat toen heel ergens anders. Ze wist niet eens wat er van haar zus was geworden.'

'Waarom zijn de moorden op zo'n gruwelijke wijze gepleegd?' vroeg Alex. 'Als het een dekmantel is voor een misdaad van dertig jaar geleden, waarom moesten de slachtoffers dan worden verminkt?'

Daar hoefde D.D. niet eens over na te denken, want met het antwoord op deze vraag had ze al een tijdje zitten spelen. 'Omdat de moorden geënsceneerd zijn.'

'Wat?'

'De moorden zijn geënsceneerd. Alles aan het decor – de roos, de champagne, de handboeien, het villen van het slachtoffer – is bedoeld om onze aandacht te vestigen op de dingen waar we van de moordenaar naar moeten kijken. Zodat andere details niet opvallen. Bijvoorbeeld dat de slachtoffers eerst waren bedwelmd en snel zijn gestorven. Deze moorden zijn niet gepleegd uit hartstocht of wellust. Het zijn uitgekiende misdaden. Geënsceneerde misdrijven. Ik begin me eerlijk gezegd af te vragen of de eerste twee moorden alleen zijn gepleegd als dekmantel voor de moord op Janet Sgarzi. Opdat wij zouden denken dat zij een willekeurig slachtoffer was en niet een specifiek gekozen doelwit.'

'Behalve dat ze vanwege haar ziekte al op sterven na dood was.'

'Misschien duurde het te lang. Charlie stelt nu vragen, niet later.'

'Ik weet wel wie hier de meeste baat bij heeft,' zei Alex met een zucht. Hij tilde haar voeten van zijn schoot en stond op.

'Wie dan?'

'Harry Day. Dankzij Sgarzi, die in zijn blog de Rose Killer vergelijkt met Harry Day, zijn de media in een razend tempo bezig informatie over Harry's moorden op te graven. Hij is van een vergeten seriemoordenaar veranderd in voorpaginanieuws. Niet gek voor iemand die al veertig jaar dood is.'

D.D. keek hem aan. 'Zei ik niet dat we dom bezig waren?'

Ze zwaaide haar benen over de rand van de bank, waardoor haar schouder weer een knauw kreeg en Melvin woedend reageerde. Maar daar moest hij maar mee leren leven, want D.D. had dringend iets nodig: haar tablet.

Alex ging naar de keuken om een glas water te halen. Toen hij terugkwam, was D.D. al aan het googelen op de combinatie 'koopwaar' en 'moordenaars'. Ze had vier hits. Ze klikte de bovenste aan en begon te scrollen.

Alex keek over haar schouder mee.

'Wat is dat allemaal?' vroeg hij met gefascineerde afschuw. Het scherm stond vol foto's van schedels, bloederige dolken en geel afzetlint.

'Een website voor souvenirs van moordzaken. Het staat moordenaars in de gevangenis vrij brieven te schrijven, beelden en schilderijen te maken, enzovoorts. Die dingen worden online gekocht door verzamelaars. Toen de Nachtstalker vorig jaar overleed, waren zijn artikelen een maand lang het driedubbele waard.'

'Wil jij iets kopen of verkopen?'

'Ik kijk alleen. Moet je zien. Een met de hand geschreven bekentenis van Gary Ridgeway, alias de Moordenaar van de Groene Rivier. Honderd procent authentiek, volgens de verkoper. En hier, een brief van Jodi Arias. Met expliciete seksuele details. Jezus, daarvoor biedt iemand zesduizend dollar. De verkoper is iemand in Japan die een rating van vijf sterren heeft.'

Alex trok zijn neus op. 'Waanzinnig.'

'Internet is niets anders dan een gigantisch winkelcentrum. Omdat deze spullen niet via eBay verhandeld mogen worden, heeft men er een andere manier voor gevonden.'

'Een ondertekende bekentenis, originele kunst, kerstkaarten,' las Alex over haar schouder mee. 'Een dozijn speciaal door uw favoriete moordenaars ontworpen kaarten. Omdat niemand zo mooi "Prettige feestdagen" wenst als Charles Manson? Hoe kómen die mensen aan die spullen?'

'Even kijken...' D.D. bleef scrollen. 'Afgaand op wat ik hier lees, zijn veel van de handelaars bevriend geraakt met de moordenaars in kwestie. Je moet misschien eerst hun vertrouwen winnen voordat je om die speciaal door hen ontworpen kerstkaarten kunt vragen.'

'Maar gedetineerden mogen aan hun misdaden geen geld verdienen, dus hebben zij hier niets aan.'

'Ze krijgen geen geld, maar wel tijd, aandacht, afleiding. Volgens Adeline is verveling een groot probleem als je de rest van je leven achter de tralies moet doorbrengen. Misschien is dat de reden waarom dit voor moordenaars aantrekkelijk is. Dat ze regelmatig brieven krijgen en iets hebben om naar uit te kijken. Dat mensen hun verzoeken een schilderij of een wenskaart te maken. Ik weet het verder ook niet en ik vind het allemaal knap luguber. Hé, daar hebben we hem: Harry Day.'

Ze klikte op zijn naam. Er verscheen een nieuwe pagina.

'Twee items,' zei ze. 'Een vloerplank die uit zijn House of Horrors zou komen, en een factuur die hij aan een buurman heeft uitgeschreven voor een boekenkast. Hij was timmerman, weet je nog? Kijk eens.' D.D. tikte op het scherm. 'De prijs voor de factuur is al gestegen van tien dollar naar vijfentwintig dollar.

Maar de grote winnaar is de vloerplank, waarvan de prijs de afgelopen vier uur is gestegen van honderd dollar naar tweeduizend dollar. Die verkoper boft.'

'Een vloerplank uit het huis van Harry Day? Een oude plank?' Alex klonk sceptisch. 'Hoe kan de verkoper bewijzen dat die plank authentiek is? Hij kan uit elk willekeurig huis afkomstig zijn.'

'Dat is een risico dat de koper neemt, en dat staat er ook bij. Maar in dit specifieke geval beweert de verkoper dat bij het artikel een corresponderende aantekening in het politielogboek en een gedetailleerde beschrijving zijn inbegrepen.'

'Worden sommige van deze spullen dan door politieagenten aangeboden?'

'Daar ziet het inderdaad naar uit. Nu weet ik meteen hoe het komt dat ik op de startpagina een autopsierapport te koop zag staan.'

'Jezus.' Alex trok wit weg.

'Rustig maar. Ik ga er niet op bieden.' Maar ze begreep hem wel. Een tot levenslang veroordeelde moordenaar overhalen een zelfportret te schilderen was nog tot daaraan toe, maar veel van de aangeboden artikelen leken inbreuk te maken op de rechten van de slachtoffers en op het hele rechtsstelsel. Foto's van plaatsen delict, het rapport van een patholoog. In de ogen van een politieman stond dit bijna gelijk aan heiligschennis.

'Misschien hebben corrupte agenten deze dingen achterovergedrukt,' peinsde ze hardop. 'Dan hoop ik dat ze ontslagen zijn, want dit kan écht niet.'

'Maar Harry Day heeft zelfmoord gepleegd. Hij is nooit gearresteerd, berecht of gevangengezet. Dan kunnen die agenten niet veel hebben gehad om achterover te drukken en is er geen levende seriemoordenaar om mee bevriend te raken.'

'Vandaar misschien dat er maar twee artikelen worden aangeboden, terwijl er van andere moordenaars soms tientallen zijn.' Ze dacht na. 'Wie de gelukkige eigenaar is van iets wat met

Harry Day te maken heeft, heeft deze week een goede week. De waarde van zijn inventaris is een paar duizend procent gestegen, en gezien de prijskaartjes aan sommige van deze artikelen...' Ze draaide zich voorzichtig naar Alex. 'Als onze moordenaar een schatkist vol artikelen van Harry Day heeft, kan hij of zij om financiële redenen hebben gewild dat Harry Day weer op de voorpagina's kwam. Zou het zo eenvoudig kunnen zijn? Dat het externe motief waar we naar zochten geld is? Ordinair geld?'

Alex fronste. 'Maar wie kan er in het bezit zijn van persoonlijke bezittingen van een seriemoordenaar die al veertig jaar dood is?'

'Zijn erfgenamen. Alleen waren Shana en Adeline toen nog heel klein. Het huis zal per opbod zijn verkocht. Misschien is er geld opzijgelegd voor hun opvoeding en studie. En misschien heeft iemand wat persoonlijke artikelen voor hen bewaard. Een maatschappelijk werker of zelfs de officier van justitie. Dat heb ik vaker gezien bij zaken waarin een klein kind de enige overlevende was.'

'Heeft de pleegmoeder daar niets over gezegd?'

'Nee, en het lijkt me sterk dat zij spulletjes van Shana zou hebben bewaard. Na wat er is gebeurd. Adeline zegt dat zij ver bij haar vaders verleden vandaan is gehouden. Haar adoptievader heeft wel een dossier over de zaak voor haar gemaakt, maar ze heeft geen erfstukken.'

'En dus...?'

'Kunnen het Shana en Adeline niet zijn. Maar stel dat...'

D.D. draaide zich naar hem om. 'Stel dat Shana, de oudste dochter, toch wat dingen van haar vader had? Spulletjes die ze van het ene pleeghuis naar het andere meenam. We weten dat zij haar vader aanbad.'

'Als dat zo is, waar zijn die spullen dan gebleven?'

'Ze kan ze hebben weggegeven. Aan een vriendje. Of er was iemand anders die van het bestaan ervan wist. Misschien had ze erover opgeschept tegen de jongelui met wie ze omging en is een van hen stiekem naar haar kamer gegaan om de spullen in te pikken toen ze door de politie in hechtenis was genomen. Laten we de andere websites even bekijken.'

D.D. klikte de tweede website met artikelen van moordenaars open. Hier stond niets wat betrekking had op Harry Day, maar op de volgende wel. Twee brieven, liefdesbrieven, van Harry aan zijn vrouw. De waarde van beide artikelen was in één dag gestegen van twintig dollar naar meer dan duizend dollar.

'Stel dat je iets zou willen bewaren voor de dochters van een moordzuchtig echtpaar,' zei ze tegen Alex.

'Dan zit je hier goed mee.'

Ze klikte op de verkoper. In plaats van een naam kreeg ze een rij cijfers die bij een Gmail-account hoorde.

'Hij probeert zijn identiteit verborgen te houden,' zei Alex. 'Dat zou ik ook doen als ik artikelen wilde verkopen aan mensen die geobsedeerd zijn door seriemoordenaars.'

'Zou jij deze persoon voor me kunnen opsporen?' vroeg D.D. hem. 'Ik kan Phil vragen het door onze eigen experts te laten doen, maar daar gaat zéker een hele dag overheen. Als ik me niet vergis, heb jij een kennis op de academie...'

'Die toevallig de beste forensisch computerdeskundige is die er bestaat. Oké, ik zal het vragen.'

Alex belde hem. Vanwege het late uur trof hij Dave Matesky thuis. Hij las het e-mailadres voor. Matesky deed iets wat alleen computertechneuten kunnen en had binnen een paar minuten een naam voor hen.

Samuel Hayes.

Shana's voormalige pleegbroer.

'Krijg nou tieten.' D.D. greep de telefoon om Phil te bellen.

HOOFDSTUK 32

De zon kwam net boven de horizon uit toen ik met de voorbereidingen begon. Ik had de hele nacht geen oog dichtgedaan, maar mijn hologige uiterlijk zou me in de komende uren goed van pas komen.

Eerst mijn haar. Ik bond het zo strak mogelijk naar achteren. Geen foundation, poeder of mascara. Dr. Glen zou zich vanochtend onopgesmukt vertonen. Ze zou de wereld haar ware gezicht laten zien. Vanwege mijn huidige stressniveau zou niemand zich verbazen over deze nieuwe look. Dat ik eruitzag alsof ik elk moment kon instorten, kwam omdat ik goede redenen had om in te storten.

Drie weckpotten. In een schoenendoos. In de geheime bergplaats waaruit ik twee dagen geleden mijn eigen verzameling mensenhuid had verwijderd.

De Rose Killer was zo goed geweest mij van een nieuwe voorraad te voorzien. De huidreepjes van de slachtoffers in mijn flat. De gruwelijke oogst van de moordenaar in mijn kleedkamer.

Had de Rose Killer zich verlustigd in fantasieën over hoe ik daar had liggen slapen? De dochter van Harry Day, ineengedoken op de vloer, boven op de onschatbare souvenirs?

Ik had de camera's binnen een kwartier gevonden. Kleine elektronische ogen. Een in de kleedkamer, een in de slaapkamer, een in de woonkamer. Zo had de moordenaar van de geheime bergplaats geweten. De moordenaar had niet alleen in mijn flat rondgelopen; de moordenaar had me bespioneerd. De moordenaar moest vaker in mijn flat zijn geweest dan ik had beseft om dat allemaal te kunnen installeren.

Midden in de nacht had ik geen moeite gedaan te proberen het te begrijpen. Ik had alleen stukjes tape op de lenzen geplakt om die ogen te blinderen. Daarna was ik in mijn woonkamer op de bank gaan zitten, gewapend met niets anders dan mijn razernij, en had ik gewacht tot de moordenaar zou komen.

Ik had de politie niet gebeld. Ik had het niet doorgegeven aan D.D. Warren of rechercheur Phil. Er lag bewijsmateriaal in mijn huis. Items die ze hoogstwaarschijnlijk nodig hadden om de Rose Killer te kunnen opsporen, zowel de reepjes huid als de cameraatjes. Het maakte niets meer uit. Zij deden niet mee aan dit spel.

Dit ging alleen ons aan. Mijn familie.

Met zorg koos ik mijn kleding. Een neutrale donkerbruine broek, een zwarte bloes met lange mouwen, donkerbruine platte schoenen. Onopvallend en eenvoudig. Daarna stopte ik wat vrijetijdskleding in een weekendtas, deed er een hoeveelheid contant geld bij en legde daarbovenop een tasje met mijn make-upspullen, een schaar en een paar hoofddeksels.

Geen ontbijt. Ik zou geen hap door mijn keel kunnen krijgen.

Om zeven uur belde ik McKinnon. Ik moest mijn zus dringend spreken. Over onze vader. Kon ze me alsjeblieft toestaan...

Ze zei dat ik na negenen mocht komen.

Dat gaf me ruimschoots de tijd om naar Walmart te rijden. Wegwerpmobieltje, scheermesjes, nog wat andere benodigdheden. Toen ik klaar was, had ik nog een uur over. Ik had geen idee wat ik met die tijd moest doen en bleef domweg op het parkeerterrein in mijn auto zitten. Bij elk geluid kromp ik ineen. Zat de Rose Killer me hier ook te bespioneren? Was de moordenaar me vanaf mijn flat hiernaartoe gevolgd? Ik probeerde op de andere auto's te letten, maar ik was 007 niet. Ik was een vermoeide, gestreste psychiater, hard op weg naar totale zelfvernietiging.

Het prepareren van mijn schoen nam meer tijd in beslag dan ik had gedacht en opeens was het halfnegen. Mijn handen trilden toen ik naar het Massachusetts Correctional Institute reed.

Ik dwong mezelf rustig en gelijkmatig te ademen toen ik naar binnen ging. Ik had dit allemaal al zo vaak gedaan. Naam in het logboek zetten. Tas afgeven. Bewakers Chris en Bob groeten. Door het poortje van de metaaldetector lopen. Zoals altijd ging de zoemer vanwege mijn sos-armband.

Maria, de vrouwelijke bewaker, was daar zo aan gewend, dat ze niet eens de handscanner langs mijn lichaam liet gaan, maar volstond met een vluchtige fouillering.

Had ze me beter moeten controleren? Maar ik was een oude bekende, die hier al jaren elke maand kwam. Ze kenden me, ze vertrouwden me, ze lieten me met rust.

Maria bracht me naar de spreekkamer waar Shana en ik meestal zaten, en niet naar de verhoorkamer die de laatste tijd voor onze gesprekken was gebruikt. Ik slaakte inwendig een zucht van verlichting om dit tweede meevallertje.

Mijn zus zat er al, met geboeide polsen, zoals de reglementen voorschreven. Maria bleef op de gang, waar ze ons door de ruit kon zien, maar niet horen. Deze zogenaamde privékamers waren bedoeld voor gesprekken tussen gedetineerden en hun advocaten. Wie buiten stond, kon niet horen wat er in de kamer werd gezegd, opdat de rechten van de gedetineerden niet werden geschonden, maar kon de gedetineerde wel in de gaten houden. Dit was mijn eerste obstakel.

Alles op zijn tijd.

Ik ging de kamer binnen. Liep naar de stoel. Ging zitten.

Mijn zus zag eruit alsof ze net zo'n nacht achter de rug had als ik. Alsof ze geen oog had dichtgedaan. Onrustig. Geprikkeld. Eindelijk leken we op elkaar.

Perfect.

Ze bekeek me en fronste. 'Nieuwe look? Staat je niet.'

Ik negeerde dat en keek op mijn horloge. Vijf minuten.

Haar frons werd dieper. 'Verveel ik je nu al?'

'Vertel me over Donnie.'

Alle expressie verdween van haar gezicht. Er stond helemaal niets meer op te lezen. Ze klemde haar lippen opeen en deed er het zwijgen toe.

'Was hij een van de jongens met wie je naar bed ging?'

'Ik kende hem amper.' Niet precies een bekentenis, maar ze reageerde tenminste.

'Hij was de boodschapper. Hij moest van Charlie Sgarzi steeds aan jou doorgeven waar en wanneer jullie elkaar zouden treffen.'

Ze keek me niet aan.

'Heb je daarom niet gereageerd op de brieven van Charlie? Omdat hij niet alleen een journalist is, maar ook een oude vlam?'

Ze zei niets.

'Je ging met hem naar bed,' ging ik snel door. 'Met hem en met Samuel Hayes.'

Geen antwoord.

'Ik heb met mevrouw Davies gesproken, je voormalige pleegmoeder. Je hebt haar hele leven verpest. In de ogen van hun buren trof haar net zoveel blaam over de dood van Donnie als jou. Ze was een goede pleegmoeder, Shana. Tot jij daar in huis kwam.'

Eindelijk een reactie. Een halsstarrige blik, die ik maar al te goed kende.

'Je hebt het voor Trevor ook verpest,' zei ik gedempt.

Er ging een schokje door haar heen. Op die naam had ze niet gerekend.

'Een jochie van vijf,' ging ik meedogenloos verder, omdat ik me meedogenloos voelde, 'dat juist zo had geboft dat hij in een goed pleeggezin terecht was gekomen. Je herinnert je hem vast nog wel. Je vond het leuk om met hem te spelen, hem voor te lezen, samen met hem kleurplaten te maken. Hij was aan je gehecht. Hij was de enige in dat huis die jou vertrouwde.'

Ik zag dat ze haar kaken op elkaar klemde.

'Hij is daar weggehaald. Meneer en mevrouw Davies waren opeens niet meer twee van de beste pleegouders die ze hadden, maar personae non gratae. Trevor werd weer een dossier, een nummer. Hij is vermoedelijk in een gezin terechtgekomen waar hij elke avond werd mishandeld, of nog erger.'

Ik zag haar verbleken.

'Trevor. Weet je nog? Hij werd het kind op wie jij jezelf projecteerde. Je moest dit kind redden in plaats van jezelf. Net zoals je je medegevangene Christi wilde redden, en mij, ooit.'

'Adeline.' Ze zei het bijna smekend. 'Niet doen.'

'Maar Donnie herinner je je niet. Noch die avond. Wat er met Donnie Johnson is gebeurd. Daar herinner jij je niets van.'

'Ga weg.' Ze stond abrupt op en duwde haar stoel achteruit. Bij twijfel neme men zijn toevlucht tot woede. 'Wat doe je hier eigenlijk? Ik dacht dat je niets meer van me moest hebben. Jij houdt toch niet van mij? En ik ben toch niet in staat van iemand te houden? Ga weg, Adeline, en blijf ver bij mij uit de buurt.'

'Doe niet zo achterlijk.'

Haar eigen woorden, teruggekaatst, verrasten haar.

'Wat...'

'Ga zitten. We hebben niet veel tijd. Ik heb nog één vraag: Weet jij wie de Rose Killer is?'

Mijn zus staarde me aan. Eindelijk drong tot haar door hoe gespannen ik was. Ze schudde traag haar hoofd.

'Maar de moordenaar zal je weten te vinden. Of eigenlijk zal de Rose Killer míj weten te vinden. En dan ga jij hem of haar vermoorden. Net zoals je die bewaker hebt vermoord. Frankie.'

Ze bleef me aanstaren. 'Oké.'

'Daarna zal ik je geven wat je wilt, Shana. Wat je altijd hebt gewild.'

'Hoe weet jij wat ik wil?'

'Omdat ik je zus ben. Als ík het niet weet, wie dan wel?'

Ze bleef me aankijken. En ik haar. Ik had D.D. de waarheid verteld. Bij mijn zus ging het erom jezelf geen zand in de ogen te strooien. Bij mijn zus hing alles altijd af van wat er voor haar in zat. Ik zou mezelf graag willen wijsmaken dat ze me zou helpen omdat ze van me hield, maar ze zou zich waarschijnlijk alleen aan haar belofte houden om te krijgen wat ik haar nu eindelijk kon geven.

Ze knikte. 'Zweer je het?' vroeg ze. Ze klonk een beetje schor, niet zichzelf.

'Ik zweer het,' beloofde ik en ik glimlachte omdat de kinderlijke belofte, die me deed denken aan zusterlijke giechelbuien, zomerdagen en meisjesachtige onschuld, zo hartverscheurend was.

'Zo dadelijk,' zei ik bedaard, 'gaat er buiten iets gebeuren. Maria zal daardoor worden afgeleid. Jij moet mij dan aanvallen. Je moet me overmeesteren. Daarna zet je een stoel onder de deurknop en doe je het licht uit.'

Mijn zus staarde me aan.

'Maar ze zullen hier uiteindelijk binnenkomen, neem ik aan,' ging ik door. 'De oproerpolitie.'

'Ze zullen het raam eruit slopen. Het is kogelwerend glas, maar je kunt het met sponning en al uit de muur slaan.'

'Hoeveel tijd hebben we?'

'Ze zullen een oproerteam alarmeren. Die moeten hun spullen pakken en hierheen komen. Vijf tot zeven minuten.'

'Dan moeten we snel zijn.'

'Adeline.'

Meer kon ze niet zeggen, want op dat moment klonk er geschreeuw in de gang en begon er een sirene te loeien. Maria draaide zich om. Mijn zus sprong over de tafel op me af. Het ene ogenblik zat ik op een stoel. Het volgende ogenblik viel ik met stoel en al achterover. Ik hoorde de klap tegen de muur, voelde de druk van mijn zusters gekromde vingers op mijn luchtpijp.

Het deed uiteraard geen pijn.

Nog meer geschreeuw. Veel dichterbij nu. Maria riep iets, maar ik kon het niet verstaan vanwege het lawaai van de sirene. Opeens werd het donker in de kamer. Shana had het licht uitgedaan. Ze zette een stoel onder de deurkruk, tilde de tafel op zijn kant en schoof hem voor het raam, waardoor men niet meer naar binnen kon kijken. Vijf seconden? Tien? Mijn zus had nog sneller gereageerd dan ik had verwacht.

Ik lag languit op de vloer naast de op zijn kant staande tafel en greep naar mijn rechterschoen.

'Kom hier,' hijgde ik buiten adem. 'Steek je handen naar me uit.'

'Adeline.'

'Hou je kop. Dit is het nummer van de locker. Zodra ze je laten gaan, loop je naar de hal en ga je naar dit kastje. Dit is de combinatie. Herhaal het.'

Ze herhaalde de combinatie terwijl ik naar het randje van het scheermesje tastte en het tussen het leer en de zool van mijn schoen uit trok. Het scheermesje had daarstraks de metaaldetector laten piepen, maar Maria was ervan uitgegaan dat het kwam door mijn SOS-armband.

Ik tastte naar Shana's polsen, die aan elkaar waren gebonden met stevige tie-wraps. Zo'n klein scheermes was niet ideaal, maar ik moest me ermee behelpen.

Ik begon te zagen, dicht tegen mijn zus gedrukt, schouder aan schouder, met haar handen op mijn schoot. In al die jaren waren we nog nooit eerder zo dicht bij elkaar geweest. Zo dichtbij dat ik het geluid van haar oppervlakkige ademhaling kon horen en het zweet op haar huid kon ruiken. Hadden we ons ooit zo tegen elkaar aan gedrukt toen we nog klein waren? Om elkaar te beschermen na een van papa's uitbarstingen? Of omdat we twee eenzame kinderen waren die elkaar nodig hadden om te overleven?

Ik rook een nieuwe geur. Vers en koperachtig. Bloed.

Ik voelde natuurlijk geen pijn, maar begreep wat het glibberige gevoel tussen mijn vingertoppen betekende. Het werd nu erg moeilijk om het scheermesje stevig vast te houden. Ik had mezelf verwond. Misschien was ik een vingertop kwijt, misschien een halve vinger. Ik had geen idee.

Ik wist alleen dat ik die tie-wraps moest doorsnijden. De rest hing van Shana af.

'Hou op!' zei ze. 'Dit lukt nooit. Ik kom hier nooit weg en jij komt hierdoor achter de tralies.'

'Ik heb niets gedaan,' verzekerde ik haar. Er zat al wat speling in de tie-wraps. 'Ik ben het slachtoffer.'

'Wat?'

'Luister naar me. In het kluisje in de hal ligt mijn tas en in mijn tas zitten mijn autosleutels. Het is een witte Acura. Vijfde rij van het parkeerterrein. Je zult hem later moeten wisselen voor een andere auto, eentje waar de politie niet naar zal zoeken, maar met de Acura kun je hier in elk geval wegkomen. In de auto staat een tas met kleding, duizend dollar in contant geld, de sleutels van mijn praktijk en een wegwerpmobieltje. Bel mij niet. Zodra ik de gelegenheid heb, bel ik jou.'

Nieuwe geluiden in de gang. Denderende voetstappen en nog altijd de gillende sirene. Ik rekende erop dat de mobilisatie vertraagd verliep vanwege het incident dat buiten plaatsvond. Als er zoveel agenten naar één plek holden, hoeveel van hen zouden dan in de gaten hebben dat er elders iets plaatsvond wat net zoveel aandacht vereiste?

De tie-wraps sprongen los. Ik liet me achterover zakken, moe van de inspanningen.

'Kleed je uit,' zei ik. 'Wees snel.'

Ik trok mijn broek uit en toen mijn bloes. Zelfs mijn bh en slipje. We mochten niets aan het toeval overlaten. Ik gooide Shana al mijn kleding toe. De stof zou wel besmeurd zijn met het bloed uit de sneden in mijn vingertoppen. Het was goed dat ik donkere kleuren had gekozen, waarop je vlekken niet zo snel zag. Al zou een beetje bloed straks nauwelijks nog iets uitmaken.

Shana kwam in beweging. Hersteld van de schok en de verbijstering trok zij mijn bruine broek aan en ik haar oranje gevangenispak.

Intussen gaf ik haar nieuwe instructies: 'Ga niet naar mijn flat of mijn praktijk. Daar kijken ze natuurlijk het eerst. Zoek een plek waar je je kunt verschuilen en blijf daar. In de tas met kleren zitten nog meer spullen, onder andere een schaar. Kleed je om, knip je haar, verf het, doe wat nodig is. Zodra de gemoederen zijn bedaard, kom ik je halen.'

'Doe je dit allemaal om een moordenaar te grijpen?' vroeg ze.

'Nee.'

'Waarom dan?'

'Omdat ik je nodig heb.'

'Waarom?'

Ik hield op met wat ik aan het doen was. In het donker rook ik bloed en mijn zusters nervositeit, en ik werd helemaal kalm. Dit was het. Het einde van de dans. De plek waar we al die tijd naar op weg waren geweest.

Mijn zus en ik weer samen, terwijl er schreeuwende mannen op de deur bonkten.

'Ben je aangekleed?' vroeg ik.

'Ja.'

Ik gaf haar mijn SOS-armband, sloot hem om haar pols.

Ik gaf haar de haarclip. 'Bind je haar zo strak mogelijk naar achteren.'

Terwijl zij, zittend op de vloer, haar haar naar achteren trok, zorgde ik voor de laatste details van haar vermomming. Met mijn bebloede vingertoppen tastte ik naar haar gezicht. Voorzichtig, aarzelend, tekende ik natte strepen op haar neus en wangen. Ik liet mijn zus verdwijnen en creëerde in haar plaats een nieuwe, met bloed bedekte Adeline.

Ik besefte dat dit de eerste keer in veertig jaar was dat ik mijn zus aanraakte, écht aanraakte. We hadden gepraat. We hadden tegenover elkaar aan een tafel gezeten. Maar de vorm van haar gezicht, de bobbel op haar neusbrug... Het voelde bekend en onbekend. Zo was dat met familie.

De eerste krak. Het raam begon mee te geven. We hadden niet veel tijd meer.

'Jij bent Adeline,' zei ik tegen haar. 'Je bent een succesvolle, hoogopgeleide vrouw en je bent aangevallen door je oudere zus. Vandaar het bloed op je gezicht en je wankele manier van lopen. Als directeur McKinnon je vragen stelt, geef je korte antwoorden en doe je zo goed mogelijk mijn stem na. Het enige wat je weet, is dat het heel plotseling gebeurde. Je weet niet wat de aanleiding was, je hebt de aanval niet zien aankomen. Je bent niet ernstig gewond. Je wilt nu alleen nog maar naar huis om uit te rusten. Zorg ervoor dat iedereen de SOS-armband ziet. Ze weten dat ik die heb. Hij zal je vermomming geloofwaardig maken, of zij dat nu beseffen of niet.'

'Maar jij lijkt helemaal niet op mij,' riep Shana wanhopig uit. Haar neus raakte de mijne bijna. 'Misschien kan ik in deze kleren, met dit haar en met het bloed op mijn gezicht heel eventjes voor jou doorgaan. Maar ze zullen jou nooit erg lang voor mij aanzien.'

'Je hebt gelijk. De laatste stap van het plan.' Ik hief het scheermes op. Bracht het naar mijn rechterwang. 'Jouw liefde voor zelfverminking zal je redding zijn. Ongeschonden kan ik niet voor jou doorgaan. Maar als mijn gezicht aan flarden is gesneden...'

Ik zette het scheermes in mijn wang. Geen pijn, niet eens de kou van het staal, omdat het inmiddels door mijn eigen bloed was verwarmd.

'Wacht!' Shana greep mijn hand.

Oproerpolitie, nog hardere stemmen, het raam begon te bezwijken onder de slagen en vertoonde nu een spinnenweb van barsten.

'Laat mij het doen. Jij hebt niet genoeg ervaring. Als je te diep snijdt, houd je er een litteken aan over. Dat mag niet.'

Ze hield op met praten en haalde diep adem. Toen plukten

haar vingers het mesje tussen de mijne vandaan.

Shana, die zich nog dichter naar me toe boog, om in het donker iets te kunnen zien. Ik voelde dat haar ogen zich in de mijne boorden. Een seconde. Twee. Ze zette het scheermes op mijn rechterwang. Drie seconden. Vier.

'Gewoon doen,' fluisterde ik. 'Je weet dat ik er niets van zal voelen.'

Mijn zus maakte de eerste snee in mijn gezicht. Ik voelde haar adem, een zucht, verdrietig maar ook extatisch. Ik vroeg me af of ze net zo had gekeken toen ze in het pleegtehuis een schaar in mijn arm had gezet. En of ze zich nu aan haar woord hield en probeerde niet te diep te snijden om me niet voorgoed te verminken.

'Oké?' vroeg ze na de eerste snee. Haar stem klonk hees.

'Meer.'

'Jezus, Adeline.'

'Meer. Het moet er geloofwaardig uitzien, Shana. Om je eigen bestwil, en om de mijne.'

Nog een snee. Over mijn neus. Het mes gleed over mijn huid als een potlood waarmee op mijn gezicht werd getekend. Ik voelde nattigheid over mijn wangen stromen.

'Voorhoofd,' beval ik. 'Uit je voorhoofd bloed je als een rund.'

De ogen van mijn zus glinsterden. Niet-vergoten tranen? Ongewenste emotie? Maar ze stopte niet. Ik gaf haar haar vrijheid. Waarom zou ze stoppen? Hierna kon ze de deur uit lopen als dr. Adeline Glen. Haar grootste fantasie waarmaken door mijn leven over te nemen. Mijn auto, mijn flat, mijn praktijk. Ik had haar alles gegeven.

Shana Day. De beruchtste moordenares in de staat Massachusetts. Die het leven van mevrouw Davies had vernield. En dat van de Johnsons en de Sgarzi's, voordat ze drie mannen de dood in had gejaagd.

Die ook haar medegevangenen had gered en nog steeds verdriet had om een vijfjarig jongetje.

Mijn grote zus. Het monster dat ik nu op de wereld losliet.

Ik hief mijn hand op, legde mijn vingertoppen op haar wang terwijl ze het scheermes in de mijne zette.

'Het spijt me,' fluisterde ik, al begreep ik niet helemaal waarvan ik spijt had. Ik gaf; zij nam.

Toch zag ik in haar ogen, zo dicht bij de mijne, dat dit heel wat van haar vergde. Schaamte, omdat ze me verminkte, gecombineerd met een duivels leedvermaak, omdat ze er ook van genoot. Haar aard en haar opvoeding. Mijn aard en mijn opvoeding.

Mijn zus maakte de vijfde snee. Ik proefde het bloed op mijn lippen.

Het laatste deel van de sponning van het raam kwam los. Met een enorme klap viel het raam naar binnen. Ze stortten zich op ons, mannen in zwarte gevechtskleding die tegen mij, Shana, schreeuwden, terwijl anderen Shana, Adeline, bij me vandaan trokken. Ik hoorde mijn zus op hoge, angstige toon roepen: 'Help haar, help haar alstublieft. Ze heeft een scheermes naar binnen gesmokkeld. Misschien heeft ze haar keel doorgesneden. O god, help haar alstublieft!'

Een grote man boog zich over me heen, het vizier van zijn helm gesloten, zodat ik zijn gezicht niet kon zien.

'Je handen, kutwijf. Laat me je handen zien!'

Ik glimlachte en probeerde me voor te stellen hoe ik eruitzag, met het rode bloed op mijn witte tanden.

Een beeld Shana waardig.

Toen sleurden ze me overeind en werd ik meegenomen.

Terwijl mijn zus, dr. Adeline Glen, met wankele passen de kamer uit liep, nog in de gevangenis, maar reeds op weg naar haar vrijheid.

HOOFDSTUK 33

D.D. zag Phils naam op het schermpje en griste haar mobieltje van de tafel. Ze dacht dat hij haar zou vertellen dat ze Samuel Hayes hadden gevonden. In plaats daarvan hoorde ze: 'Shana Day is ontsnapt.'

'Wat?'

'Vanochtend. Kort na negenen. Ze is haar zus met een scheermes te lijf gegaan en heeft haar gedwongen van kleding te ruilen zodat Adeline het oranje gevangenispak aanhad, terwijl Shana eruitzag als Adeline. Toen kon ze zó de gevangenis uitlopen.'

'Wat?'

'Dat was ook míjn reactie,' zuchtte Phil. 'Adeline is gewond en wordt momenteel in de ziekenboeg van de gevangenis behandeld. Ik ga met McKinnon praten.'

'Geef me een halfuur,' zei D.D. snel.

Het was alsof ze Phils glimlach door de ether naar zich toe zag zweven. 'Oké. Tot zo.'

D.D. gooide het mobieltje op de tafel en vloog overeind.

'Alex, Alex! Ik moet me douchen en aankleden. Help me, alsjeblieft. Help me!'

McKinnon ontving hen in de hal van de gevangenis. Na alle beroering van die ochtend viel het D.D. mee dat alles er min of meer normaal uitzag. Afgezien van de gewapende agenten bij de ingang natuurlijk, en de helikopter die af en toe overvloog.

'Het opsporingsteam is aan het werk,' zei directeur McKinnon. Bij ontsnappingen kwam er een gespecialiseerd team in actie. 'Ze hebben Adelines auto al gevonden. Hij stond niet ver hiervandaan op de snelweg, zwaar beschadigd. Van Shana is vooralsnog geen spoor te bekennen.'

'Zwaar beschadigd? Hoezo?' herhaalde D.D.

'Shana is tegen een aantal auto's gebotst toen ze van het parkeerterrein reed en heeft waarschijnlijk op de snelweg ook brokken gemaakt. Vergeet niet dat ze al sinds haar veertiende in de gevangenis zit. Ze heeft waarschijnlijk nog nooit autogereden.'

Dit was iets waar D.D. helemaal niet bij had stilgestaan. Ze waren op zoek naar een vrouw die al heel jong levenslang had gekregen, en die daarom nooit had autogereden, nooit een mobiele telefoon had gebruikt, en geen enkele ervaring had met de hectische wereld van nu. Shana was te vergelijken met iemand uit de oertijd die uit een blok ijs was ontdooid.

'Kan ze met een computer omgaan?' vroeg ze.

'Shana heeft hier wat lessen gevolgd om haar school af te maken. Bij goed gedrag mocht ze soms een radio in haar cel. Ze leest ook veel, dus ze weet veel, maar ze heeft geen praktijkervaring.'

'Dan is het zaak haar zo snel mogelijk op te sporen,' zei Phil. 'Voordat ze praktijkervaring opdoet.'

McKinnon nam hen mee naar haar kantoor. 'Ik neem aan dat u met dr. Glen wilt praten.'

'Uiteraard.'

Ze knikte. 'Ze is nog in de ziekenboeg. De wonden in haar gezicht zijn oppervlakkig, maar vanwege haar onvermogen pijn te voelen kunnen ze geïnfecteerd raken zonder dat ze het merkt. De artsen maken zich meer zorgen over haar handen en hebben haar per infuus een flinke dosis antibiotica gegeven.'

'Wat is er met haar handen?' herhaalde D.D.

'Daar zitten diepe snijwonden in en het topje van haar linkerwijsvinger ligt eraf. Ze zal deze verwondingen hebben opgelopen toen ze probeerde het scheermes bij haar gezicht vandaan te houden.'

D.D. slikte. Ze kon slecht tegen snijwonden, al wist ze niet waarom. Kogelwonden, frictiewonden, vergiftiging, allemaal geen punt, maar van snijwonden werd ze al misselijk als ze er alleen maar aan dacht.

'Vanaf het begin graag,' zei Phil. Hij haalde zijn opnameapparaatje uit zijn zak en legde het op het bureau. De directeur begon.

Adeline had haar om zeven uur gebeld met het verzoek of ze nogmaals met haar zus mocht komen praten.

'In verband met de Rose Killer?' vroeg D.D.

'Een persoonlijke kwestie, zei ze. Het ging over hun vader.'

D.D. en Phil knikten.

Toen ze was aangekomen, was ze door een van de bewakers, Maria, naar de bezoekerskamer gebracht waar zij en Shana meestal zaten. Acht minuten nadat ze aan hun gesprek waren begonnen, gebeurde er buiten iets.

'Wat gebeurde er?'

McKinnon slaakte een diepe zucht. 'Er ontploften een paar rotjes. Ze lagen onder een van de auto's op het parkeerterrein. Het klonk alsof er werd geschoten. De bewakers sloegen alarm en het tactische team kwam in actie.'

'Zijn er camera's op het parkeerterrein?' vroeg Phil scherp.

'Ja, maar die dekken alleen de eerste paar rijen. De bewuste auto stond helaas te ver weg. Volgens mijn hoofdcommandant kunnen de rotjes enige tijd van tevoren zijn geplaatst; er was een lang, traag brandend lont aan verbonden. Hij dacht dat het om een flauwe grap ging of dat het iets te maken had met de demonstratie van gisteravond. Maar in het licht van wat er vervolgens gebeurde...'

'Ga door.'

'Agent Maria Lopez, die bij de bezoekerskamer stond, draaide zich instinctief om toen ze het kabaal hoorde. Toen ze weer door het raam naar binnen keek, zag ze dat Shana dr. Glen aanviel. Shana sprong over de tafel heen boven op Adeline, die met stoel en al op de grond viel.'

'Momentje,' zei D.D. 'Shana is tijdens die gesprekken toch altijd geboeid?'

'Ja, en dat was ze nu ook. Iedereen heeft zich stipt aan de regels gehouden. Iedereen heeft zijn of haar taak naar beste weten verricht.' McKinnon zei dit op afgemeten toon. 'Maar wij werken jaar in jaar uit volgens dezelfde regels en procedures, terwijl iemand als Shana niets beters te doen heeft dan manieren verzinnen om ons en onze reglementen te slim af te zijn.'

'En toen?'

'Ze heeft een van de stoelen onder de deurkruk gezet en het licht uitgedaan. Agent Lopez heeft onmiddellijk alarm geslagen, maar omdat het tactische team had gereageerd op het incident op het parkeerterrein, gingen er een paar minuten overheen voordat ze kwamen. Het heeft om precies te zijn vijf minuten geduurd voordat het volledige team zich bij de bezoekerskamer had verzameld.'

'Wat gebeurde er gedurende die tijd in de kamer?'

'Agent Lopez kon niet veel zien, omdat het licht uit was en de tafel het onderste deel van het raam blokkeerde. Ze kreeg de indruk dat Shana en dr. Adeline op de vloer met elkaar vochten. Ze zag hen af en toe terwijl ze over de grond rolden. Toen het tactische team arriveerde, zijn ze begonnen het raam van kogelwerend glas met sponning en al uit de muur te slopen.

'Toen ze uiteindelijk de kamer binnendrongen, zat dr. Adeline Glen over Shana gebogen. Althans, ze dachten dat zij het was. Beide vrouwen zaten onder het bloed. De verwondingen van dr. Glen leken oppervlakkig; in het gezicht van de gedetineerde daarentegen zat een groot aantal snijwonden. De vrouw van wie ze dachten dat het dr. Glen was, zei dat Shana haar had aangevallen met een scheermes en toen de hand aan zichzelf had geslagen. Gezien de vele zelfmoordpogingen die Shana al had gedaan, was dat volkomen geloofwaardig. In de kamer is een scheermes gevonden.'

'Hoe is Shana erin geslaagd een scheermes naar binnen te smokkelen?' vroeg D.D.

De directeur keek haar aan. 'Dat weten we niet. Agent Lopez zweert dat ze Shana nauwkeurig heeft gefouilleerd, uitwendig en inwendig, voordat ze haar naar de bezoekerskamer heeft gebracht. Maar wij tasten ook nog steeds in het duister over de manier waarop Shana eerder aan scherpe voorwerpen is gekomen. Nogmaals, ik sta helemaal voor mijn personeel in. Iedereen verricht hier uitstekend werk. Van alle gedetineerden is Shana de enige die ons steeds te slim af is.'

De stem van de directeur haperde. D.D. besefte nu pas dat ze dit allemaal heel persoonlijk opvatte. Dit was háár gevangenis, háár personeel, háár domein, en vanwege Shana's ontsnapping sloeg zij nu een bijzonder slecht figuur.

'Uw personeel heeft gedaan wat het logischerwijze moest doen,' zei Phil. 'Ze hebben de gewonde vrouw in het oranje gevangenispak naar de beveiligde ziekenboeg gebracht. En dus kon Shana, vermomd als dr. Glen...'

'Ik ben er zelf naartoe gegaan om haar te ondervragen. Ze verzekerde me dat ze niets mankeerde; dat het bloed op haar gezicht niet van haar was, maar van haar zus. Ze zei dat ze erg aangeslagen was en zo snel mogelijk naar huis wilde. Ze frunnikte aan haar SOS-armband, wat voor mij een teken was hoezeer ze van streek was. Ik heb haar nog wat vragen gesteld. Over wat er was gebeurd en waarom Shana haar plotseling had aangevallen. Ze zei dat ze het niet wist. Dat ze haar naar Donnie Johnson had gevraagd...'

Phil en D.D. keken elkaar aan.

'En dat Shana haar toen te lijf was gegaan. Het was heel snel gegaan. Meer kon ze me niet vertellen. Ik heb aangeboden haar bij ons te laten verzorgen, of een ambulance te laten komen om haar naar een ziekenhuis te brengen, maar ze wees alle hulp af.

Ik heb zelfs aangeboden...' Weer haperde haar stem. Ze vermande zich en hief haar hoofd op. '... haar zelf naar huis te brengen. Ik heb ook gezegd dat ze er goed aan zou doen met een van u beiden contact op te nemen, aangezien u zo nauw samenwerkt, en om extra bewaking te vragen nu haar zus op vrije voeten was. Uiteraard wees ze ook deze adviezen van de hand.'

D.D. móést het vragen. 'Hoe lang hebt u met haar gesproken?'

'Een minuut of vijftien, twintig.'

'En u had niet door dat het dr. Glen niet was?'

De donkere ogen van de directeur schoten vuur. 'Nee.'

Phil kuchte discreet, zoals hij altijd deed om D.D. te waarschuwen niet verder aan te dringen. D.D. schoof wat naar achteren op haar stoel en zocht een comfortabele positie voor haar schouder.

'Wanneer kwam u achter de persoonsverwisseling?' vroeg hij.

'Pas drie kwartier later, toen Adeline voldoende was opgeknapt om te kunnen praten. Ik heb uiteraard onmiddellijk ons eigen opsporingsteam aan het werk gezet en de politie gewaarschuwd.'

'Hoe is Shana aan de sleutels van Adelines auto gekomen?' vroeg Phil.

'Die zaten in Adelines tas, en die stond in een van de kluisjes. Volgens Adeline had Shana gezegd dat ze haar zou vermoorden als ze haar de combinatie van het slot niet gaf.'

D.D. vatte alles samen. 'Oké, we zoeken dus naar een ontsnapte moordenares, die vermoedelijk te voet op de vlucht is, aangezien de auto is gevonden en het vanwege haar gebrek aan rijvaardigheid voor haar weinig zin heeft een andere auto te stelen. We hebben een beschrijving van haar kleding en weten dat daarop aardig wat bloed moet zitten.'

'Ja.'

'Je zou denken dat een vrouw met bloed op haar kleding inmiddels wel door iemand zou zijn gesignaleerd,' zei D.D. 'Dat brengt me bij de vraag hoe het komt dat zich na vier uur nog niemand heeft gemeld.'

'Ze had hulp,' zei Phil rustig. 'Van de persoon die de rotjes op de parkeerplaats heeft laten ontploffen. Ze is naar de plek gereden waar ze met hem had afgesproken. Niet al te ver weg, zodat ze niet al te lang hoefde te rijden, maar wel zo ver dat de beveiligingscamera's of de agenten van de speciale eenheid niet zouden zien in welke auto ze stapte.'

'Maar wie is die persoon?' vroeg directeur McKinnon. 'Shana heeft geen vrienden of fans.'

'Ze heeft misschien geen vrienden,' zei D.D., 'maar ik denk dat ze wel een fan heeft.'

Phil keek haar aan. 'De Rose Killer.'

'En dat betekent dat we niet meer naar een ontsnapte gevangene en naar een seriemoordenaar zoeken, maar naar een moordlustig duo.'

Adeline zat rechtop op de behandeltafel toen D.D. en Phil een kwartier later met directeur McKinnon bij de ziekenboeg aankwamen. Haar gezicht ging bijna helemaal schuil onder het verband, maar ze had een vastberaden blik in haar ogen toen ze haar benen over de rand van het bed zwaaide.

'Waar denk jij naartoe te gaan?' vroeg directeur McKinnon streng.

'Naar huis.'

'Een ogenblikje...'

'Dwing me niet te gaan gillen,' zei Adeline met opeengeklemde kiezen. 'Dan gaan de hechtingen los.'

McKinnon klemde haar lippen opeen en sloeg haar armen over elkaar. Zwijgend keek ze Adeline aan. D.D. was diep onder de indruk. Voor zo'n bloedmooie zwarte vrouw was de gevangenisdirecteur een van de imponerendste mensen die ze ooit had gezien.

Ze stapte langs McKinnons roerloze gestalte heen. Phil deed aan de andere kant hetzelfde.

Adeline keek naar hen en slaakte een diepe zucht. 'Ik wil alleen maar naar huis.'

'Vindt u dat verstandig?' vroeg D.D. 'Uw zus heeft de sleutel van uw flat.'

'Als ze me had willen vermoorden, had ze dat allang kunnen doen.' De psychiater betastte het verband. 'Als je iemands gezicht aan flarden snijdt, kun je ook haar keel doorsnijden.'

'Waarom heeft ze dat dan niet gedaan?'

'Dat moet u aan háár vragen.'

'Denkt u dat ze u nog steeds beschermt?'

'Mijn gezicht zit vol hechtingen en ik ben een vingertop kwijt. Beschermen is niet het woord dat ik op dit moment zou gebruiken om mijn zus te beschrijven.'

D.D. knikte. Zij en Phil stonden aan weerskanten van Adeline, zodat ze er niet onverwachts vandoor kon gaan. Weer zuchtte Adeline.

'Wat wilt u?'

'Waarom wilde u uw zus vanochtend spreken?'

'Ik wilde haar iets vragen over onze ouders.'

'En over Donnie Johnson.'

Adeline doorboorde haar met een blik. Althans, dat probeerde ze, maar haar ogen waren nog een beetje glazig, van de schok, de angst of de verdoving, dacht D.D., voordat ze zich herinnerde dat Adeline geen verdoving nodig had. Ze vroeg zich af hoe eng de chirurg het had gevonden om de wonden van de patiënt te hechten terwijl die volledig bij bewustzijn was en hem rustig aankeek.

Adeline likte aan haar lippen. 'Ik heb een theorie over Donnie Johnson. Ik wilde die op haar loslaten.'

'Welke theorie?' vroeg Phil.

'Ik denk dat Shana aan een psychotische stoornis leed...'

'Dat zei u gisteren al.'

'Ja, maar hoe langer ik erover nadacht, hoe meer ik ervan overtuigd raakte. Weet u wat er met onze vader is gebeurd? Hoe

Harry Day aan zijn einde is gekomen?'

'Hij heeft zelfmoord gepleegd,' zei D.D.

'Niet precies. Volgens Shana heeft onze moeder het gedaan. Zij zegt dat Harry in het bad is gaan zitten en haar het scheermes heeft gegeven. En dat zij toen zijn polsen heeft doorgesneden. Terwijl Shana erbij stond. U kunt zich voorstellen hoe traumatisch dat moet zijn geweest voor een meisje van vier. Een cruciale gebeurtenis in haar ontwikkeling. Elke herhaling van een dergelijk scenario moet voor iemand als mijn zus het equivalent zijn geweest van een klap van een moker.'

'Een ogenblikje.' D.D. hief haar hand op. 'Denkt u dat Shana die avond iets heeft gezien wat op die scène leek? Een meisje dat Donnie vermoordde? Zoals ze uw moeder en uw vader indertijd had gezien?'

'Iets dergelijks zal schokkend genoeg zijn geweest om een psychotische stoornis te activeren.'

'Een moordenares,' mompelde D.D., 'die dertig jaar later een vrouwelijke seriemoordenaar wordt.'

'En wat voor antwoord hebt u gekregen?' vroeg Phil fronsend. 'Wat zei uw zus?'

'Ik heb geen antwoord gekregen. Ik noemde Donnies naam en... opeens was het een heksenketel. Er begon een sirene te loeien en mensen begonnen te schreeuwen. En Shana sprong boven op mij. Zomaar.'

Adeline knipperde met haar ogen, alsof ze er nog steeds niet helemaal overheen was.

'Ze heeft u aardig toegetakeld,' zei D.D.

'Ze moest wel. Anders zou niemand mij voor haar hebben aangezien.'

'Blijft u haar verdedigen?'

'Ik leef nog. In Shana's wereld wil dat zeggen dat ze zich heeft beheerst.'

D.D. schudde haar hoofd.

'Waar zal ze naartoe gaan, denkt u?' vroeg Phil.

'Ik weet het niet. Ze is al bijna dertig jaar niet in de buitenwereld geweest. In mijn ogen is ze kwetsbaar. Normaal gesproken zou ze naar mij zijn gekomen, maar nu ze mij zo heeft toegetakeld in ruil voor haar vrijheid... Ze weet dat ze van mij geen hulp meer hoeft te verwachten.'

'Wij denken dat ze een handlanger heeft,' zei D.D.

'Shana heeft geen vrienden.'

'Maar ze heeft een fan. De Rose Killer.'

Voor het eerst leek Adeline onzeker. 'Nee,' fluisterde ze, maar het klonk niet overtuigend.

'Shana en de Rose Killer,' zei D.D. 'De Rose Killer en Shana. Waar zouden die twee krankzinnige, moordlustige gekken naartoe gaan als ze plezier wilden maken?'

Opeens wist ze dat ze dit niet aan Adeline hoefde te vragen. Ze wist wat het antwoord was. De moordenaars zouden teruggaan naar het begin. Naar waar dit dertig jaar geleden was begonnen.

Ze keek Phil aan.

'Mevrouw Davies,' zei ze dringend. 'Hun oude buurt.'

HOOFDSTUK 34

McKinnon stond erop mij naar een autoverhuurbedrijf te brengen. Mijn auto was door de politie meegenomen en zou grondig worden onderzocht, precies zoals een plaats delict. Het was niet duidelijk of en wanneer ik hem terug zou krijgen.

Onderweg zaten we onbehaaglijk zwijgend naast elkaar. Ik dacht aan alle dingen die ik geheim moest houden. McKinnon keek met een ondoorgrondelijk gezicht voor zich uit. Alsof zij ook geheimen had en bang was iets los te laten.

Het drong tot me door dat zij en ik, nu we al zoveel jaar samen probeerden mijn zus onder controle te houden, niet meer alleen collega's waren, maar elkaar als vriendinnen waren gaan beschouwen. Ik vroeg me af of Maria Lopez, Chris en Bob dat net zo zagen. Ik vroeg me ook af hoe ze zouden reageren als ze erachter kwamen dat ik mijn zus had helpen ontsnappen. Dat ik hun vertrouwen had beschaamd.

Ik vond dat ik iets moest zeggen. Dat ik het ijs moest breken, misschien via een cryptische verontschuldiging waar ze nu niet veel van zou begrijpen, maar waar ze later misschien houvast aan zou hebben. Maar opeens keek ze me aan met zulke felle ogen dat ik instinctief ineenkromp.

'Een verstandige vrouw zou de sloten op haar deuren laten vervangen, Adeline,' zei ze, eerder streng dan behulpzaam. 'Ben jij een verstandige vrouw?'

Ik gaf geen antwoord.

'Een verstandige vrouw zou een poosje met vakantie gaan.

Naar Bermuda of zo. Ergens ver hiervandaan.'

'Als mijn zus mij had willen vermoorden, was ik al dood geweest,' zei ik beheerst.

Weer die priemende blik. 'Je gaat ervan uit dat je zus de enige is van wie je iets te vrezen hebt.'

'Hoe bedoel je?' vroeg ik scherp.

Maar ze keek weer voor zich uit en zei verder niets.

Bij het autoverhuurbedrijf schrok de balieassistent toen hij mijn verbonden gezicht en mijn ovenwantachtige linkerhand zag. McKinnon trok zich daar niets van aan. Ze begon hem te commanderen en binnen twintig minuten had ik een donkerblauwe auto tot mijn beschikking.

'Ik rij achter je aan naar je flat,' zei McKinnon. 'Dan kan ik je helpen op orde te komen.'

'Dat hoeft echt niet. Ik red me wel. Ik denk dat ik gewoon een poosje ga uitrusten.'

'Kun je daarmee de deur openmaken? De sleutel omdraaien? De ketting erop doen?' Ze wees naar mijn dik ingepakte linkerhand, die er meer uitzag als een honkbalhandschoen dan een lichaamsdeel. 'Je omkleden? Eten koken?'

'Ik red me wel.'

'Adeline...'

'Kimberley.'

Ze snoof toen ik haar bij haar voornaam noemde, want dat deed bijna nooit iemand. Weer keek ze me indringend aan. Toen dat niet hielp, zei ze: 'Neem me niet kwalijk dat ik het zeg, Adeline, maar wat Shana betreft, ben je erg kortzichtig.'

Ik betastte het verband op mijn gezicht. 'En dit is mijn straf?'

'Dat bedoel ik niet. Shana is de enige die schuldig is, maar jij bent haar zus en je lijkt vastbesloten haar goede eigenschappen toe te schrijven, of die nu bestaan of niet.'

'Als jij het zegt.'

'Vergeet niet dat ik al tien jaar met haar te maken heb. Jij bent niet de enige die haar kent en die meent te weten wat ze zal gaan doen. Daarom ga ik met je mee naar je flat. Tegen ons tweeën kan ze niets beginnen.'

Het was erg aardig van haar dat ze me wilde helpen, maar haar ogen stonden zo fel dat ik er zenuwachtig van werd. Snakte de gevangenisdirecteur, die vandaag zo voor gek was gezet, naar een kans om haar fout te herstellen? Om de gedetineerde die haar te slim af was geweest op haar plaats te zetten? Of zat er meer achter? Ik kon het niet met zekerheid zeggen.

'Ik zal meteen een slotenmaker laten komen.'

McKinnon fronste en bekeek me nog indringender.

En ik begon te denken aan dingen waaraan ik niet wilde denken. Dat D.D. er steeds meer van overtuigd raakte dat de Rose Killer een vrouw kon zijn. En dat mijn zus geen contact kon hebben gehad met iemand buiten de gevangenis, terwijl iemand bínnen die muren, een gedetineerde, een bewaker, zelfs de directeur...

'Ik moet gaan. Ik moet een poosje rusten.'

McKinnon aarzelde. Haar gezicht stond nog steeds ondoorgrondelijk.

'Weet je het zeker?'

'Heel zeker.'

'En die vakantie?'

'Ik denk erover na.'

'Houd je me op de hoogte?'

'Natuurlijk,' loog ik.

'Bel me als je iets nodig hebt, Adeline. Ik weet dat we het altijd alleen over Shana hebben als we elkaar spreken, maar na al die jaren... Als je iets nodig hebt,' zei ze nogmaals en ze beëindigde haar zin formeel met: '... zal het me een eer zijn je te helpen.'

'Ik denk trouwens niet,' zei ik terwijl ik naar de huurauto liep, 'dat Shana van haar vrijheid geniet. Na dertig jaar achter de tralies vindt ze de wereld vast erg overweldigend, zo niet angstaanjagend.'

Ze mompelde iets en hield haar pas in om ons allebei wat ruimte te geven. 'Dat zou een kleine troost zijn. Al had ik liever dat ze werd gevonden en in de boeien geslagen.'

Nu glimlachte ik, waardoor mijn huid tegen het verband schuurde, wat heel vreemd aanvoelde.

'Kimberley,' zei ik, met mijn hand op het portier.

'Ja?'

'Het spijt me. Van vanochtend. Van alles wat mijn zus je heeft aangedaan. Het... spijt me.'

'Jij hoeft je daar echt niet voor te verontschuldigen.'

Ik glimlachte weer en voor iemand die geen pijn kon voelen, vond ik het gevoel in mijn borst verdacht veel lijken op een smeulend vuurtje.

Ik wist mijn flatgebouw veilig en wel te bereiken en parkeerde de huurauto in de ondergrondse garage, nadat ik driemaal een blokje om was gereden en maar liefst vier politieauto's had gezien: drie van de politie van Boston en een van de State Police. Ze hielden mijn flat dus in de gaten. Daardoor was het absoluut noodzakelijk dat ik me goed voorbereidde op de volgende stap.

Angstvallig deed ik de deur open, al wist ik niet wat ik het meest vreesde: rechercheurs, forensische onderzoekers of de Rose Killer.

Ik trof echter alleen lege kamers aan. Voorlopig was ik voor de politie nog steeds een slachtoffer. Ze hielden het gebouw in de gaten om te zien of mijn zus haar opwachting zou maken, maar hadden vooralsnog geen reden mij lastig te vallen, omdat Shana, voor zover ze wisten, dertig kilometer hiervandaan zat, en ze ervan uitgingen dat ze te voet op de vlucht was.

Shana kon niet autorijden. Daar had ik niet aan gedacht. Nu begon ik me af te vragen wat voor details ik nog meer over het hoofd had gezien.

Snel doorzocht ik mijn flat. De camera's waren er nog en het plakband zat nog op de lenzen. De Rose Killer had dus geen gelegenheid gehad zijn of haar speeltjes weg te halen. Te druk met het stalken van de volgende vrouw? Of genoot hij of zij van deze korte luwte in de storm, om straks mijn leven weer tot een hel te maken?

Ik was niet bang meer. Eigenlijk hoopte ik dat de Rose Killer een beetje zou opschieten, dan waren we er maar van af.

In de badkamer verwijderde ik voorzichtig alle gaasjes van mijn gezicht. Het had geen zin daarmee te wachten. Ik haalde diep adem. Keek in de spiegel. Staarde naar mezelf.

Als al dat verband op mijn gezicht al angstaanjagend was geweest, dan was het bloederige patchwork waarin mijn gezicht was veranderd pas écht afschuwelijk. Zes, zeven, acht rode strepen. Over mijn voorhoofd. Over mijn rechteroog. Over mijn neus en mijn wangen. En een schuine streep over mijn kin. Ik zag eruit als het monster van Frankenstein; geen echte vrouw, maar een griezelige imitatie, opgebouwd uit aan elkaar genaaide lapjes huid.

En toch... Ik streek voorzichtig over een van de glanzende rode strepen. Betastte ook de rest. Voor slechts drie van de sneden waren hechtingen nodig geweest, en dan nog alleen op bepaalde plekken. De wonden waren erg oppervlakkig, zoals Shana had beloofd. De arts had ermee kunnen volstaan ze schoon te maken en met huidlijm te dichten.

Mijn linkerhand was er veel ernstiger aan toe, en die verwondingen had ik zelf toegebracht toen ik Shana's tie-wraps had doorgesneden.

Mijn zus had zich aan haar belofte gehouden. Dat wilde toch wel iets zeggen. Een soort eergevoel van misdadigers onder elkaar?

Geen weg terug, zei ik tegen de vrouw in de spiegel. Geen weg terug.

Ik had graag onder de douche willen gaan, maar mocht mijn hand en mijn gezicht niet natmaken, dus volstond ik met een kattenwasje, wat al lastig genoeg was met één hand. Daarna trok ik met enige moeite een niet al te strakke spijkerbroek en een eenvoudige kabeltrui aan.

Enigszins gesterkt liep ik mijn kleedkamer weer in. Achterin bevond zich een kluis waarin ik mijn sieraden bewaarde. Ik deed hem open en haalde het mobieltje eruit. Een prepaid telefoontje, het tweelingbroertje van het mobieltje dat ik voor mijn zus in de weekendtas had gestopt. Ik had haar nummer vanochtend uit mijn hoofd geleerd en toetste het nu in.

De telefoon ging over. Twee, drie, vier, vijf, zes keer.

Net toen ik in paniek begon te raken, nam mijn zus op.

'Waar ben je?' vroeg ik.

'Fanueil Hall.'

'Fanueil Hall? Wat doe je daar?'

'Ik kan niet autorijden,' zei ze effen.

'Hoe ben je er dan gekomen?'

'Ik heb een lift gekregen. Van een man. Hij stopte toen hij zag dat ik een ongeluk had gehad. Ik had mijn gezicht gewassen,' zei ze, alsof daarmee alles was verklaard.

Ik móést het vragen: 'En die man...'

'Ik heb hem niet vermoord.' Ze klonk nu een beetje wrevelig. 'Ik had geen idee waar ik naartoe moest, dus zei ik Boston en toen heeft hij me hier afgezet. Het is hier erg druk, dus val ik niet op.'

'Politie?'

'Valt mee.'

Waarschijnlijk omdat die ergens anders naar haar op zoek was.

'Ik kan er over een kwartier zijn,' zei ik. 'Ga naar Starbucks. Dat is het café in de hoek van het Food Court.'

'Ik weet wat Starbucks is,' zei ze, weer met die wrevel.

'Sorry. Ik wist niet dat je een connaisseur was op culinair gebied.'

'Doe niet zo achterlijk,' zei ze, maar het enthousiasme ontbrak.

Onwillekeurig glimlachte ik. We klonken als echte zussen. Ik hing op, pakte de grootste zonnebril die ik bezat om een zo groot mogelijk deel van mijn gezicht te bedekken, en ging naar beneden om een taxi aan te houden.

De eerste keer liep ik straal langs Shana heen. Een magere man van middelbare leeftijd in een spijkerbroek en een geruit overhemd zat in zijn eentje aan een tafel. Niet wie ik zocht. Pas toen ik mijn blik over alle tafels liet gaan, werd mijn vergissing me duidelijk. En ook waarom juist die persoon me nu opviel.

Toen ik naar het tafeltje liep, grijnsde Shana naar me.

'Het is me gelukt,' zei ze met oprechte trots.

Het was haar inderdaad gelukt. Mooi werk. Van haar halflange, sluike haar was niets meer over. Ze had het helemaal kort geknipt, in een jongensachtige coupe die haar zowel jeugdiger als mannelijker maakte, mede vanwege haar relatief brede schouders, platte borst en smalle heupen. Ik had een trainingsbroek en een sweatshirt in de tas gedaan, maar ze had blijkbaar een deel van het geld gebruikt om nieuwe kleren te kopen, want ze droeg een nieuwe, stonewashed spijkerbroek en een flanellen overhemd. Ze kon zó in een advertentie voor Gap of Old Navy. De bruine ruit stond haar veel beter dan het oranje van het gevangenispak, maar ze had ook met de make-up geëxperimenteerd. Foundation, leek mij. Misschien een beetje poeder. Genoeg om haar huid mooi glad te maken. Ze zag er jaren jonger uit.

Het was net alsof ik zat te kijken naar een uitzinnig makeoverprogramma: hoe je er twintig jaar jonger kunt uitzien en niet meer in de gevangenis hoeft te zitten!

Er stond een bekertje koffie voor haar en er lag een honkbalpet op de tafel; de weekendtas die ik voor haar in mijn auto had gezet, stond tussen haar voeten.

Ik ging tegenover haar zitten. Ik voelde me onverzorgd in mijn haastig gekozen kleren, en vond dat ik vanwege mijn hand en mijn gezicht te veel aandacht trok. We konden hier niet lang blijven. We konden nergens lang blijven zonder aandacht te trekken.

Shana nam een slokje koffie. Ze trommelde met de vingers van haar linkerhand ritmisch op de tafel, wat betekende dat ze niet zo kalm was als ze zich voordeed.

'Smaakt de koffie?' vroeg ik.

Ze trok een vies gezicht. 'Ja, naar kattenpis. En bestellen is hier een vak apart. Een snotneus die achter me in de rij stond, begon me al uit te foeteren.'

'Starbucks is een cultuurverschijnsel. Je went eraan.'

Ze trok haar neus op, zette de beker neer en begon aan de pet te frunniken.

'Wat nu?' vroeg ze.

'Heb je bepaalde wensen? Iets waar je al die jaren van hebt gedroomd?'

Ze keek me bevreemd aan. 'Adeline, ik had levenslang. Als je voor de rest van je leven bent opgesloten, droom je niet. Dan is er niets om naar uit te kijken.'

'Maar is het leven in de buitenwereld zoals je je herinnert?'

'Min of meer.' Ze haalde haar schouders op. 'Meer lawaai. Meer drukte. Alsof mijn herinneringen verschoten waren en ik nu alles weer in kleur zie.'

'Een beetje te veel van het goede.'

Weer haalde ze haar schouders op, quasinonchalant, maar ze bleef aan de pet frunniken. Na dertig jaar in eenzame opsluiting zat ze midden op de dag in het drukste winkelcentrum van Boston. Dat zou voor de meeste mensen te veel van het goede zijn.

'Als je wilt, mag je gaan,' zei ik kalm. 'Je kunt opstaan en vertrekken.'

Mijn zus hapte niet in het aas. Ze staarde me aan. 'Waar zou ik naartoe moeten? Met wie? Wat zou ik moeten doen? Ik kan niet autorijden. Ik heb nooit een baan gehad. Ik weet niet hoe je aan een flat of een huis komt, ik weet niet eens hoe je eten moet koken. Het grootste deel van mijn leven heeft de overheid voor mijn natje en mijn droogje gezorgd. Ik ben te oud om al die dingen te leren.'

'Het spijt me,' zei ik. Mijn mantra vandaag.

'Waarom? Het heeft niets met jou te maken. Gedane zaken nemen geen keer. Ik dacht dat jij psychiater was. Je komt soms niet erg intelligent over, moet ik zeggen.'

'Ga je me helpen?' vroeg ik, want nu ze op vrije voeten was, was ik daar niet meer zo zeker van.

'Ik heb mijn overvolle agenda bekeken. Vandaag heb ik nog net een halfuurtje beschikbaar voor een confrontatie met een seriemoordenaar. Maar denk erom: alleen deze. Nog meer moordenaars en we moeten het over een honorarium gaan hebben. Hé, misschien ben ik tóch inzetbaar op de arbeidsmarkt.'

'Weet je echt niet wie de Rose Killer is?'

'Nee.'

'Heb je met niemand contact gehad?'

Ze keek me aan zonder antwoord te geven.

'De moordenaar is gisteren in mijn flat geweest,' fluisterde ik. 'Hij heeft een cadeautje voor me achtergelaten. Drie weckpotten met mensenhuid.'

Mijn zus vertrok geen spier. 'Waarom denkt de moordenaar dat jij zoiets op prijs zou stellen?'

Ik gaf geen antwoord op die vraag. Ik had het haar kunnen vertellen, maar deed het niet.

'Bang, Adeline?'

'Jij niet?'

'Nooit. Ik weet niet eens wat bang zijn is. Jij kunt geen pijn voelen. Dan zou je ook niet bang hoeven zijn.'

'Ik heb soms nachtmerries. Dan zit ik op een heel donkere plek. Het enige dat ik kan zien, is een streep geel licht. In mijn droom ben ik doodsbang. Ik word elke keer gillend wakker. Mijn adoptievader begreep daar niets van. Dat een meisje dat geen pijn voelt toch bang kan zijn.'

'Je droomt van de kast,' zei mijn zus.

'Dat denk ik.'

'Er zijn inderdaad dingen waar jij bang voor moet zijn. Maar ik wil niet over het verleden praten. Jij bent met dit spel begonnen, Adeline. Ik hoop dat je het niet alleen uit nostalgische overwegingen hebt gedaan.'

'Het is voor mij heel belangrijk dat je zult doen wat je hebt beloofd: mij beschermen.'

Ze keek naar mijn gehavende gezicht en toen zag ik de ironie ervan in. Ze haalde haar schouders op en zei luchtig: 'Ik zit hier toch?'

'En daarna...'

'Daarna krijg ik van jou het enige waar ik altijd naar heb verlangd,' zei mijn zus, en voor het eerst had haar stem een dromerige klank.

Zo moest je haar behandelen. Ook al wilde je liefde en trouw, je kon beter een beroep doen op haar eigenliefde. Haar beloven dat ze er iets voor terug zou krijgen. Mijn zus, die na dertig jaar gevangenis onmogelijk het hoofd boven water zou kunnen houden in de buitenwereld.

'We gaan naar mijn flat,' zei ik tegen haar.

'Zijn we daar veilig?'

'Net zo veilig als elders.'

'Maar de politie houdt het daar vast in de gaten.'

'Daarom heb ik een plan. Vertrouw je mij, Shana?'

Ze glimlachte. 'Vertrouw jij mij, zusje?'

'Deze wonden zijn het bewijs.'

'Daar heb je gelijk in.' Ze stond op, gooide het bekertje koffie in de dichtstbijzijnde afvalbak en pakte de tas. 'Wijs me de weg. Het is jouw show.'

Ik ging met haar naar Brooks Brothers. Haar vermommingspoging had me op een idee gebracht. De politie zou er misschien iets achter zoeken als ik naar mijn flat terugkeerde met een vrouw, maar zou een vooraanstaande psychiater nergens van verdenken als ze terugkeerde met een keurig uitgedoste heer. Die een collega kon zijn. Of haar vriend. Of haar therapeut. Mogelijkheden te over, maar niemand zou hem aanzien voor mijn ontsnapte zus.

Shana gedroeg zich in de winkel erg ongedurig. Ze zat overal aan. De overhemden, de stropdassen, de kostuums, en zelfs de muurschildering. Ze liep rond met ogen op steeltjes, als een plattelander die voor het eerst in de grote stad was.

Ik koos een klassiek, donkergrijs kostuum. De verkoper, die met ons mee drentelde, hield angstvallig Shana's tastende vingers in de gaten en wierp tersluikse blikken op mijn gehavende gezicht en verbonden hand. Uiteindelijk duwde ik mijn zus met de uitgekozen kleding een kleedkamer in.

'Godallemachtig,' riep ze dertig seconden later uit.

'Wat is er?'

'Heb je gezien wat dit kost?'

'Kom, kom, schát.' Ik legde overdreven veel nadruk op het woord, vanwege de verkoper die zich in onze buurt bleef ophouden. 'Kwaliteit is duur, maar je bent het waard. Vooruit, pas het aan.'

Tien minuten later kwam ze naar buiten. Ze had moeite met sommige knopen en wist niet hoe ze de stropdas moest strikken. Ze zag eruit als iemand die meer met haar kleding worstelde dan dat ze zich erin thuis voelde. Ik verzocht de verkoper de knoopjes voor haar dicht te maken en de stropdas te strikken. Toen draaide ze zich om naar de spiegel.

We staarden allebei naar haar spiegelbeeld. Kwam het door haar kapsel? Zat het hem in de vorm van haar gezicht? Onze vader had nooit een kostuum van Brooks Brothers gedragen, maar dit... Het was Shana die hier op de dure vloerbedekking stond, maar je zou zweren dat het Harry Day was die ons in de spiegel aankeek.

Onwillekeurig huiverde ik. Shana zag het. Ze klemde haar lippen opeen en zei geen woord.

‘We nemen dit,’ zei ik tegen de verkoper. ‘Kunt u de prijskaartjes eraf halen? Hij houdt het aan.’

Ik voegde nog een lange, zwarte, wollen overjas aan onze inkopen toe en gaf mijn creditcard aan de verkoper, die overal naar keek, behalve naar mijn gezicht.

De creditcard was er een die ik in reserve hield. Ik bewaarde hem altijd in de kluis, niet in mijn portemonnee, om te voorkomen dat hij werd gestolen. De politie zou in de gaten houden wat er met mijn andere creditcards werd gekocht, omdat Shana er zogenaamd met mijn tas vandoor was gegaan. Met deze kaart liep ik geen risico. En mocht de politie deze aankoop toch achterhalen, dan was het toch niet verdacht als een vrouw als ik iets bij Brooks Brothers kocht?

Toen we klaar waren, nam ik mijn zus mee naar een kapsalon waar je geen afspraak hoefde te maken. Een verveelde jongeman gaf haar slordig geknipte haar een behoorlijke coupe en deed er, op mijn verzoek, highlights in. In de hoek van de kapsalon stond de televisie aan. Op het nieuws had men het over de ontsnapte gevangene en werd een portretfoto uit het politiedossier getoond waarop mijn zus verveeld in de camera keek. Ik wierp een blik op de kapper. Hij leek geen aandacht te hebben voor het nieuws, noch voor de foto. En al had hij gekeken, dan had hij blijkbaar geen verband gezien tussen de magere vrouw in het oranje gevangenispak en de keurige heer die hij aan het kappen was.

Toch was ik blij toen we eindelijk weg konden. We staken de straat over naar een drogist voor een laatste aankoop: een leesbril met een dik, zwart montuur. Toen ik hem bij Shana opzette, trok ze haar neus op alsof ze moest niezen.

Maar het resultaat was de moeite waard.

Shana Day was volledig verdwenen. In haar plaats stond hier een succesvol zakenman.

‘Zag jouw vader er zo uit?’ vroeg Shana. ‘Je ándere vader bedoel ik.’

'Nee.'

'Waarom niet?'

'Hij was hoogleraar; hij liep altijd in tweed.'

Mijn zus staarde me aan alsof ik een vreemde taal sprak. En voor haar was dat ongetwijfeld ook zo.

'Roger,' zei ik kordaat. Ik zette de bril recht. 'We noemen jou Roger. Je bent arts. Je bent mijn therapeut. Na wat er vanochtend allemaal is gebeurd, zal niemand ervan opkijken dat ik behoefte heb aan een gesprek met mijn therapeut.'

Mijn zus legde haar vingertoppen op de sneden in mijn gezicht.

'Ik ben een expert in pijnbeheersing,' zei ze met een stalen gezicht.

Toen draaide ze zich om. Ze bewoog zich wat ongemakkelijk onder het gewicht van de nieuwe kleren, en opende en sloot steeds haar handen.

We vervolgden onze weg door de straat. Ik keek over mijn schouder, maar mijn zus liep naast me met een gezicht dat nu weer volkomen ondoorgrondelijk stond.

HOOFDSTUK 35

Shana's voormalige pleegmoeder, mevrouw Davies, keek hen een beetje opstandig aan.

'Ze is ontsnapt? Nou en? Wat kan ze mij nog aandoen? Me slapeloze nachten bezorgen, mijn reputatie vernielen, me doen wensen dat ik al dood was? Dat hééft ze allemaal al gedaan, dat en nog veel meer.'

'Mogen we even binnenkomen?' drong Phil aan. 'Een kijkje nemen?'

Met tegenzin gaf ze gehoor aan zijn verzoek. De gebloemde ochtendjas wapperde rond haar enkels toen ze driftig door de gang liep. Ze had meer energie dan gisteren, merkte D.D. Dat kreeg je als iemand je tegen de haren in streek.

D.D. liep snel alle kamers af, terwijl Phil een kijkje nam in de tuin. Veel tuin was er niet, want de huizen waren hier zo dicht tegen elkaar aan gebouwd, dat er weinig grond overbleef. Binnen was er trouwens ook weinig ruimte. Er was nauwelijks genoeg ruimte voor mevrouw Davies, laat staan dat een ontsnapte moordenaar zich er kon verstoppen.

Ze troffen elkaar weer in de woonkamer. Mevrouw Davies was op de bank gaan zitten met een grijze kat op haar schoot.

'Hebt u enig idee waar Shana naartoe kan zijn gegaan?' vroeg Phil.

'Doe me een lol. Het is dertig jaar geleden. Mensen komen en gaan. Zelfs de stad is helemaal veranderd, met al die tunnels.'

D.D. en Phil keken elkaar aan. Daar had ze gelijk in.

'Mevrouw Davies,' zei D.D., 'gisteren had u het over een pleegdochter, AnaRose Simmons, die na de moord op Donnie Johnson uit huis was gehaald.'

'AnaRose.' Ze liet haar stuurse houding varen. 'Zo'n mooi meisje, maar zo verlegen. Ze was erg lief, maar ze zei niet veel.'

D.D. had hier de hele nacht over liggen piekeren. Ze zag Samuel Hayes wel zitten en het was beslist de moeite waard nader te onderzoeken hoe hij aan de spullen was gekomen die hij online te koop aanbood, maar als de dader een vrouw was... Zou een meisje, dat vanwege Shana uit een liefhebbend pleeggezin was weggehaald en naar haar verslaafde moeder teruggestuurd, dan geen geschikte kandidaat zijn? D.D. zou in haar plaats beslist een wrok hebben gekoesterd.

'Hebt u ooit nog iets van haar gehoord?'

'Nee. Ik heb nooit meer naar de kinderen gevraagd. Dat heb ik u al verteld.'

'Heeft ze zelf ook geen contact met u gezocht toen ze eenmaal meerderjarig was?'

Mevrouw Davies keek haar meewarig aan. 'Zo werkt dat niet. Hebt u enig idee hoeveel kinderen wij in huis hebben gehad? De meesten woonden hier korte tijd en vertrokken dan weer. En als ze eenmaal waren vertrokken, dan waren ze voorgoed verdwenen. Zo zijn pleegkinderen. Ze hechten zich niet aan je. Ze leven van dag tot dag, omdat ze nooit iets anders hebben gekend.'

D.D. fronste. 'Ja, maar toch...'

'Ik weet niet wat er van AnaRose is geworden. Misschien weet Samuel het. Hij was voor haar als een grote broer. Misschien heeft hij contact met haar gehouden.'

'Over meneer Hayes gesproken...'

'Samuel?'

'We maken ons over hem ook zorgen,' zei D.D. Phil knikte. Hij begreep hoe D.D. het ging spelen. Ze hadden Samuel nog niet gevonden en het was de moeite waard te proberen mevrouw Davies voor hun karretje te spannen.

'Hebt u misschien het nummer van zijn mobiele telefoon? Dan kunnen we hem bellen.'

'Ja, dat heb ik. Een ogenblikje.'

Ze liep naar de keuken. D.D. probeerde niet te denken aan de stapels vuile vaat, de rottende etenswaren en het kattenhaar op het aanrecht.

Algauw kwam mevrouw Davies terug met een stukje papier.

'Zal ik hem voor u bellen?' bood ze vriendelijk aan.

'Graag.'

Ze toetste het nummer in. Samuel zou er niets achter zoeken als hij door een bekende werd gebeld. Mevrouw Davies maakte het D.D. en Phil vandaag erg makkelijk.

Het duurde zo lang voordat er werd opgenomen dat D.D. zich al zorgen begon te maken, maar toen: 'Samuel!' zei mevrouw Davies verheugd. Ze lachte van oor tot oor. Het was duidelijk dat ze Samuel na al die jaren nog steeds als een zoon beschouwde.

D.D. begon zich bijna schuldig te voelen.

'Heb je het gehoord?' zei mevrouw Davies. 'Shana Day is uit de gevangenis ontsnapt. Er zitten hier twee rechercheurs. Heel aardige mensen. Ze maken zich zorgen om mij, en ook om jou, Sam.'

Ze zweeg toen Samuel iets zei. Toen fronste ze.

'Tja, dat weet ik niet... Ik... Ja... Nee. Wacht, ik geef je hen wel even. Ze wilden je sowieso spreken.'

Zonder verdere plichtplegingen gaf mevrouw Davies de telefoon aan D.D. Ze bracht hem naar haar oor.

'Samuel Hayes? U spreekt met rechercheur D.D. Warren van de politie van Boston. Mijn collega en ik werken samen met een speciale taskforce om Shana Day op te sporen.'

Weer knikte Phil instemmend. Heel goed om de nadruk te leggen op Shana. Alsof ze Samuel Hayes nergens van verdachten. Zeker niet van de moord op drie vrouwen. Laat staan dat ze vermoedden dat hij misschien contact had met een andere verdachte, AnaRose Simmons. En ze zaten helemaal niet te popelen om hem te ondervragen. Welnee.

'In dergelijke situaties,' zei D.D. vlot, 'is het gebruikelijk om te gaan praten met alle mensen met wie de ontsnapte gevangene ooit contact heeft gehad. In dit geval bent u een van die mensen. En Shana kennende, meneer Hayes, vrezen wij eerder voor uw veiligheid dan dat we u ervan verdenken iets te maken te hebben met haar ontsnapping.'

'Wat?' zei Samuel Hayes onthutst.

'We kunnen dit beter niet telefonisch bespreken,' zei D.D. gladjes. 'Als u mij uw adres even wilt geven, komen we zo snel mogelijk naar u toe.'

'U vreest voor mijn veiligheid? Maar... maar...'

Ze had hem waar ze hem hebben wilde. Hij was zo verbijsterd dat hij zich niet verzette tegen een bezoek van twee rechercheurs.

'Uw adres?' vroeg ze nogmaals.

Hij gaf het haar, al klonk hij nog steeds onzeker.

'We komen zodra we de woning van mevrouw Davies hebben beveiligd. Als ik u was, bleef ik thuis en deed ik alle ramen en deuren op slot.'

Ze beëindigde het gesprek en gaf de telefoon terug aan mevrouw Davies, die haar met grote ogen aankeek.

'Denkt u echt...?' vroeg ze ademloos.

'Hij kan beter het zekere voor het onzekere nemen,' zei D.D. 'En dat geldt ook voor u, mevrouw Davies. U kunt het best binnen blijven, alle ramen en deuren op slot doen en voor niemand opendoen. Als u iets vreemds hoort, belt u ons.' Phil gaf haar zijn visitekaartje. 'Dan sturen wij onmiddellijk een paar agenten. Goed?'

'Goed.' Maar mevrouw Davies keek niet bang. Ze keek uitdagend.

'Wilt u haar nog eens zien?' vroeg D.D. nieuwsgierig.

'Er zijn een paar dingen die ik tegen haar wil zeggen.'

'Wat dan?'

'Dat het me spijt.'

'Dat wát u spijt?'

'Wij waren de ouders,' zei mevrouw Davies. 'Het was onze taak voor haar te zorgen. Toen we beseften dat we daar niet toe in staat waren, hadden we haar naar een tehuis moeten brengen of naar een ander gezin, waar ze haar hadden kunnen helpen. Dat hebben we niet gedaan. We hebben met onze armen over elkaar geslagen zitten wachten tot er een wonder zou gebeuren. En daar heb ik spijt van.'

'Mevrouw Davies... Wat Shana heeft gedaan, was niet uw schuld.'

'Dat weet ik. Dat meisje was de duivel en tegen een duivel kun je niet op. Maar zij was het kind en wij waren de volwassenen. Daar gaat het om. Zo zie ik het tenminste.'

D.D. schudde haar hoofd. Ze was daar niet van overtuigd. Niet alle kinderen gedroegen zich als kinderen en D.D. had met voldoende jeugdige delinquenten te maken gehad om te weten dat sommige kinderen niet door deskundige psychologen, laat staan door goedbedoelende leken, en zelfs niet door een toegewijde reclasseringsambtenaar geholpen konden worden.

Mevrouw Davies beloofde dat ze de nodige veiligheidsmaatregelen zou nemen. Voordat ze naar Samuel Hayes gingen, reden ze speurend een rondje door de buurt voor het geval ze iets over het hoofd hadden gezien. Dat Shana Day vanachter een struik naar hen zat te loeren bijvoorbeeld, of een spoor van bloeddruppels dat naar de achterdeur van een van de buren liep.

Ze zagen echter niets bijzonders.

Vier uur. De zon had zijn warmte verloren. Over niet al te lange tijd zou de duisternis invallen.

Op naar Samuel Hayes.

Hij woonde in Allston, een van de dichtstbevolkte wijken van Boston. D.D. liep achter Phil aan de smalle trappen op, met haar rechterschouder aan de kant van de muur, en haalde aanvankelijk diep en gelijkmatig adem door neus en mond, maar zag zich door de stank van gekookte spruitjes en kattenpis halverwege genoopt heel oppervlakkig te ademen, en dan nog alleen door haar mond.

Toen ze op de vierde verdieping waren aangekomen, gaf Phil aan dat ze schuin achter hem moest gaan staan. Hij klopte op de deur, terwijl hij zijn rechterhand boven zijn holster hield.

Er waren immers veel dingen die ze nog niet wisten over Samuel Hayes.

Hij klopte nog een keer.

Eindelijk ging de deur open.

En stonden ze oog in oog met een man in een rolstoel.

'Ik durfde het niet aan mevrouw Davies te vertellen,' legde Samuel Hayes tien minuten later aan D.D. en Phil uit. Ze zaten in de kleine flat, Hayes in zijn rolstoel, D.D. en Phil op een tweezitsbankje.

'Ik ben vier weken geleden van een ladder gevallen toen ik aan een dak werkte. Mijn rugwervels zijn beschadigd. De eerste paar dagen zeiden de artsen dat het door de zwelling kwam dat ik mijn benen niet kon bewegen. Dat het herstel tijd kost. Maar na vier weken fysiotherapie zit ik nog steeds in een rolstoel.'

'U woont in een gebouw zonder lift,' zei D.D. 'Hoe lost u dat op?'

'Ik laat me op de grond zakken en glijd op mijn buik de trappen af. Beneden helpt de chauffeur van het busje me in de auto. In het revalidatiecentrum staat een rolstoel voor me klaar. Als ik na de therapie thuiskom, hijs ik mezelf alle trappen weer op. Aan mijn benen heb ik nog steeds niet veel, maar ik krijg zo onderhand wel de spierballen die ik altijd heb gewild.'

Hayes hief een arm op en liet zijn biceps rollen.

D.D. had moeite dit allemaal te bevatten. Hun belangrijkste verdachte was aan een rolstoel gekluisterd. Althans, dat beweerde hij zelf. Het kon natuurlijk een truc zijn, al was het een vrij lastige dekmantel als je voor de vorm steeds vier trappen op en af moest kruipen.

Was dit de reden waarom de slachtoffers van de Rose Killer in hun slaap waren verrast? Hayes hád zich op het bed kunnen hijsen, de lijken kunnen villen, zich weer van het bed laten glijden...

Jezus, ze klampte zich vast aan strohalmen. Samuel Hayes was duidelijk niet de moordenaar. Maar wie dan wel?

'Wat kunt u ons over AnaRose Simmons vertellen?' vroeg ze.

Hayes keek haar verbaasd aan. 'Het meisje dat toen ook bij de Davies woonde? God, ik heb in geen jaren aan haar gedacht.'

'Hebt u geen contact met haar gehouden?'

'Nee.'

'Wat kunt u ons over haar vertellen?' vroeg D.D.

Hayes keek alsof hij diep in zijn geheugen moest graven. 'Ik weet nog dat het een erg mooi meisje was,' zei hij toen. 'Zo'n meisje dat alle ogen naar zich toe trekt. Ik had met haar te doen. Als pleegkind heb je het nooit makkelijk, maar als je ook nog zo mooi bent...' Hij schudde zijn hoofd. 'Dat is geen voordeel. Gelukkig had ze een sterk karakter. Als je niet sterk bent, red je het niet in het pleegzorgcircuit.'

'U klinkt alsof u het goed met haar kon vinden.'

'Ik mocht haar graag. Op haar eerste avond bij ons kwam ze naar mijn kamer om te zeggen dat ze het hele huis bij elkaar zou gillen als ik haar zou aanraken. Dat was het enige wat ze zei. Toen liep ze mijn kamer weer uit.'

'Had ze een reden om u van dergelijke dingen te verdenken?' vroeg Phil.

'Helemaal niet. Ik ben geen type dat zich aan kleine meisjes vergrijpt. Ik vond het... triest. Het was duidelijk dat andere mensen zich aan haar hadden vergrepen, anders zou ze dat niet hebben gezegd.'

'U mocht haar dus.'

Hayes haalde zijn schouders op. 'Het was een lief kind. Ik probeerde haar te beschermen. Een zwart meisje heeft het in een Ierse wijk niet makkelijk, zeker niet in Southie.'

'Door wie werd ze gepest?'

'Door iedereen. Ze was een buitenbeentje en dat wist ze. Ze liet zich niet kennen, maar vriendinnetjes had ze niet. Ze kwam uit school altijd regelrecht naar huis en ging dan naar haar kamer. Waarschijnlijk voelde ze zich daar het veiligst.'

'Kon ze met Shana overweg?'

'Ze trokken niet met elkaar op, als u dat bedoelt.'

'Terwijl ze toch de enige twee meisjes in huis waren.'

'Shana was een straatmeid. Ze was bijna nooit thuis. AnaRose was juist een huismus. Braaf. Stil. Pienter. Ik denk dat één blik op Shana voor haar voldoende was om te weten wat ze níét moest doen als ze in het leven wilde slagen.'

'Wanneer hebt u haar voor het laatst gezien?'

'Ik geloof niet dat ik haar ooit nog heb gezien sinds ze daar uit huis is gegaan.'

'Uit huis is gehááld,' verbeterde D.D. hem. 'Teruggestuurd naar haar verslaafde moeder, omdat er wegens Shana twijfel was gerezen over de vraag of meneer en mevrouw Davies in staat waren hun pleegkinderen in de hand te houden.'

Hayes leek slecht op zijn gemak.

'U hebt AnaRose dus sindsdien nooit meer gesproken?'

'Ik weet niet eens waar ze naartoe is gegaan. Pleegkinderen lopen niet rond met hun telefoonnummer of nieuwe adres op hun trui gespeld. We zijn allemaal tijdelijk. En dat weten we.'

'Denkt u dat ze in staat is mensen te vermoorden?' vroeg Phil.

'Wat?'

'AnaRose had een zwaar leven en wat haar betreft had Shana iets gedaan waar zij de terugslag van kreeg. Je kunt het haar niet kwalijk nemen als ze Shana daarom haatte.'

'Als ze Shana haatte, was ze niet de enige.'

'Nee?' Phil haakte daarop in. 'Vertel.'

'Wat zou ik moeten vertellen? We hebben het over dertig jaar geleden. Ik kan me die tijd nauwelijks herinneren.'

'Meent u dat? Ondanks het feit dat u en Shana iets met elkaar hadden?'

'Wie zegt dat?'

'Mevrouw Davies.'

Hayes kreeg een kleur en boog zijn hoofd. 'O. Ja, oké, ik herinner me wel íéts.'

'Er gaat niets boven schuldgevoelens om je geheugen op te frissen,' zei Phil.

'Ik heb inderdaad iets met Shana gehad. Het duurde niet lang en het initiatief was van haar uitgegaan. We zijn een paar keer met elkaar naar bed geweest. Tot mevrouw Davies erachter kwam. Shana trok zich daar niets van aan, maar ik wel. Mevrouw Davies was – en is nog steeds – de enige moeder die ik ooit heb gekend. Ze verweet me dat ik geen respect had voor haar en meneer Davies. Dat hakte erin. Ik heb meteen met Shana gekapt. Niet dat het Shana iets kon schelen. Zij was alleen maar uit op seks. Als ik niet beschikbaar was, zocht ze gewoon een ander.'

'En hoe voelde dat?' vroeg D.D.

Hayes nam een ogenblik de tijd om zijn antwoord te formuleren. 'Als je zeventien bent, is het niet leuk als een meisje je zo onverschillig behandelt. Maar zo was Shana. Ze interesseerde zich niet voor de gevoelens van een ander. Ze dacht alleen aan zichzelf. Ik was nog jong, maar ik was niet dom.'

'Heeft ze daarna nog geprobeerd u weer in bed te krijgen?' vroeg Phil.

'Ja. Een paar keer. Ik heb haar elke keer weggestuurd. Uiteindelijk heeft ze het opgegeven.'

'Erg edelmoedig van u.'

Hayes schudde zijn hoofd. 'Helemaal niet. Shana heeft nooit gezegd dat ze verliefd op me was. Ik was beschikbaar. Dat was alles.'

'O ja?' vroeg Phil lijzig. 'En wanneer heeft ze u die spullen van haar vader, Harry Day, gegeven?'

Hayes zweeg. Toen: 'O, dat.'

'We hebben ze op internet gevonden, Sam. Het ziet ernaar uit dat je dankzij Harry Days fenomenale opmars naar hernieuwde roem van de afgelopen vierentwintig uur een flinke winst kunt gaan opstrijken. Jij boft toch maar dat Shana's vader vanwege haar ontsnapping weer in de schijnwerpers is komen te staan en dat jij heel toevallig wat spullen van deze beruchte seriemoordenaar in je bezit hebt.'

'Oké, oké.' Hayes klonk een beetje wanhopig. 'Maar het is niet wat u denkt.'

'Wat denken wij dan?'

'Ik heb die dingen niet van Shana gekregen. Ik heb haar zelfs nooit over haar vader horen praten. Alle kinderen wisten wie hij was en we hadden het wel eens over hem, maar alleen als zij er niet bij was.'

'Hoe ben je aan de brief gekomen, Sam?'

'Die heb ik gevonden.'

'Die heb je gevónden?' vroeg Phil ongelovig.

'Ja. Vlak voor mijn val. Toen ik op een dag thuiskwam, lag er een grote envelop voor de deur. Er zaten wat paperassen in. Die brief en nog een paar dingen. Ik begreep er niets van, tot ik de naam Harry Day zag. Ik ben gaan googelen en zag dat die spullen waarschijnlijk authentiek waren. Ik ontdekte dat er websites zijn waar je dergelijke rotzooi kunt verhandelen. Ik noem het rotzooi, want ik snap niet dat er mensen zijn die spullen willen hebben die van een moordenaar zijn geweest. Ik heb er eerst niets mee gedaan, maar ja... ik ben nu werkloos, dus als iemand bereid is mij geld te geven voor een brief die ik op de mat heb gevonden, waarom zou ik daar dan moeilijk over doen?'

'Gevónden,' zei Phil nogmaals.

'Ja.'

'Mogen we de envelop zien?'

Hayes duwde met enige moeite zijn rolstoel achteruit. De kleine woning was niet geschikt voor een man in een grote rolstoel. Hij moest een paar keer heen en weer manoeuvreren voordat hij de stoel gedraaid kreeg en naar een laag dressoir kon rijden waarop een hoop rommel lag. Toen hij tussen de spullen begon te zoeken, hielden Phil en D.D. zijn handen goed in de gaten, bedacht op onverwachte bewegingen, want rolstoel of geen rolstoel, Samuel Hayes bleef voorlopig een verdachte.

'Dit is 'm.'

Hij draaide de stoel met net zoveel moeite weer om. D.D. moest zich inhouden om niet overeind te springen om hem te helpen.

Phil trok latexhandschoenen aan. Hij bekeek eerst de buitenkant van de envelop, die het formaat van een A4'tje had. Er stond niets op geschreven, noch zat er een postzegel of poststempel op. Het was een doodgewone envelop die eruitzag alsof hij regelrecht uit de doos kwam.

Phil deed de flap open en schudde de inhoud eruit.

'Geboorteakte,' zei hij hardop ten behoeve van D.D. 'Op naam van Harry Day.'

Ze trok één wenkbrauw op.

'Een brief aan een klant over een timmerklus. Drie brieven aan zijn vrouw. En dit.'

Het laatste was een vel vergeeld tekenpapier, dubbelgevouwen als een kaart. Op de buitenkant stond in een kinderlijk handschrift 'Papa'. Aan de binnenkant had een volwassene geschreven: 'Een heel fijne Vaderdag gewenst!' De kaart was versierd met rode en blauwe kringeltjes en dingen die waarschijnlijk sterren moesten voorstellen. Eronder stond SHANA, met de s in spiegelbeeld.

Een kaart voor Vaderdag. Van een klein meisje voor haar vader. Van een toekomstige moordenares voor een moordenaar.

'Heb je enig idee hoeveel zoiets waard is?' riep D.D. uit.

'Gisteren was het niet veel,' zei Hayes. 'Maar nu...' Hij maakte zijn zin niet af. Het scheen nu pas tot hem door te dringen dat het voor hem niet gunstig was dat de spullen die hij in zijn bezit had zo sterk in waarde aan het stijgen waren.

Tienduizend dollar, schatte D.D. in het wilde weg. Of nog veel meer. Zo'n zeldzaam persoonlijk item kon voor de juiste verzamelaar van onschatbare waarde zijn.

'Gevónden?' vroeg Phil nogmaals.

'Erewoord.'

'En je hebt je niet afgevraagd waarom? Heb je aan je buren gevraagd of ze hebben gezien wie de envelop voor je deur heeft neergelegd? Heb je de politie gebeld om te melden dat je spullen had ontvangen die ooit eigendom waren van een moordenaar?'

'Mijn buren? Die ken ik niet eens. Voordat ik in deze stoel terechtkwam, werkte ik van de vroege ochtend tot de late avond. En nu zit ik de hele dag in huis en kruip ik eens in de week de trap af. De buren interesseren me niet. Hier bemoeit iedereen zich met zijn eigen zaken. Zo hebben we het graag.'

'Maar je moet je hebben afgevraagd...'

'Wat ik me afvraag, is waarom ik die ladder niet beter heb vastgezet. En waarom ik zo nodig in de motregen aan dat dak moest werken. Dat is wat ik me afvraag.'

'Je begrijpt natuurlijk wel welke indruk dit maakt,' zei Phil.

'Dat ik voor duizenden dollars aan redenen zou hebben om Shana te helpen ontsnappen en Harry Day weer op de voorpagina's te krijgen? Maar ik heb Shana al dertig jaar niet gesproken. En eerlijk gezegd vind ik haar eng. En o ja, ik kan niet lopen, laat staan autorijden. Aan mij heeft ze dus echt helemaal niks.'

'Er zijn invalidenauto's waarin de bestuurder met handpedalen werkt,' zei D.D.

Hayes keek haar meewarig aan. 'Ziet dit eruit als de flat van een man die zich zo'n auto kan veroorloven? Weet u waarom ik die rotzooi te koop heb gezet? Omdat ik het geld nodig heb. Ik wil naar een flat in een gebouw met een lift. Ik heb geen grote dromen meer. Ik ben alleen blij dat ik nog kán dromen.'

'Vertel ons over Donnie Johnson,' zei Phil.

Hayes keek verbaasd. 'Wat?'

'Donnie Johnson. Dertig jaar geleden. Wat heb je die avond gezien?'

'Niets. Ik zat op mijn kamer huiswerk te maken. Ik ben gaan kijken wat er aan de hand was toen ik mevrouw Davies naar meneer Davies hoorde roepen dat er iets met Shana was.'

'Heb je Shana gezien?'

'Nee. Haar kamer was op de tweede verdieping. Na het... nadat Shana en ik betrapt waren, moest ik van meneer en mevrouw Davies naar een kamer op de eerste etage verhuizen, dichter bij hun eigen slaapkamer. Toen ik de gang op kwam, zag ik bloed op de trap. Op hetzelfde moment werd beneden de voordeur opengegooid en stormde Donnies vader naar binnen. Het was een chaotische toestand. Het was net alsof de volwassenen allemaal gek waren geworden. Ik ben mijn slaapkamer weer in gevlucht en daar gebleven.'

D.D. besloot een gokje te wagen. 'Dat is niet wat Charlie Sgarzi zegt. Hij zegt dat jij jaloers was omdat Shana zijn meisje was. En dat je uit wraak zijn neefje hebt vermoord.'

Hayes fronste. 'Charlie Sgarzi? Wat heeft die hiermee te maken?'

'In het kader van ons onderzoek praten we met iedereen die Shana heeft gekend. En aangezien zij en Charlie een stelletje waren...'

'Wat? Wacht eens even!'

Hayes verhief opeens zijn stem. Uit vijandigheid? Uit afgunst? D.D. en Phil wisselden een blik. Phil bracht zijn hand weer naar zijn holster.

'Charlie Sgarzi zegt dat hij en Shana een stelletje waren,' herhaalde D.D. 'Hij zei dat ze met elkaar naar bed gingen.'

'Dat liegt hij!'

De woorden vlogen door de kleine kamer.

D.D. zei niets. Ze wachtte.

Hayes krabde op zijn hoofd. 'Moment. Ik wil u iets laten zien.'

Weer draaide hij de rolstoel en reed hij naar het overvolle dressoir. Ditmaal bukte hij zich naar een oude, gedeukte kartonnen doos die ernaast op de grond stond, maar hij kon er niet bij. Phil stond op, tilde de doos op en zette hem op Hayes' schoot, maar hield Hayes goed in de gaten toen hij het deksel eraf nam.

Het was een doos vol paperassen. Hayes begon erin te zoeken. Even later zei hij: 'Hier!' Hij zwaaide met een polaroidfoto.

Phil zette de doos weer op de vloer en hielp Hayes terug naar zijn plek. De man gaf hun de foto, alsof die alles zou verklaren.

D.D. zag vier tieners. De kleuren van de foto waren door de jaren heen vlekkerig geworden, waardoor de gezichten van de jongens eruitzagen alsof ze begonnen te smelten. Ze herkende Hayes. Golvend bruin haar, een shirt van de Celtics dat donkergroen moest zijn geweest, maar nu de kleur van limoen had. De twee jongens naast hem zeiden haar niets.

En helemaal links stond een slungelige, magere figuur, met lang haar dat van voren kort was geknipt maar van achteren lang gelaten, in een T-shirt van Metallica en een zwart motorjack vol metalen studs en zilverkleurige kettingen.

'Charlie Sgarzi,' zei ze.

'De kameleon,' zei Sam. 'In een van zijn vele vermommingen.'

'Wat bedoel je?'

'Precies wat ik zeg. Charlie was net een kameleon. Deze twee jongens, Tommy en Adam, hielden van heavy metal. Als Charlie met hen optrok, deed hij net alsof hij ook van heavy metal hield. Shana was een stoere straatmeid, dus als hij met haar optrok, stak hij een pakje Marlboro in zijn achterzak. Maar je kon hem net zo goed in een keurig overhemd braaf bij zijn moeder zien zitten. En een dag later zat hij met zwartgelakte nagels in een lange trenchcoat bij de fans van de Flock of Seagulls. Hij paste zich aan iedereen aan. Zolang hij er maar bij hoorde.'

Phil haalde zijn schouders op. 'Hij probeerde van alles uit. Typisch tienergedrag.'

'Maar het ging Charlie er niet om uit te zoeken wie hij was.'
'Waarom dan?'
'Charlie ging niet met Shana naar bed. Charlie is gay.'

Hayes beweerde een neus voor die dingen te hebben.

'Geloof me, je redt het in het pleegzorgcircuit niet als je niet in staat bent de jongens eruit te pikken die op andere jongens vallen. Vooral de jongens die daar kwaad om worden.'

'Was Charlie bang voor de reactie van zijn ouders?' vroeg D.D.

'Geen idee. Ik weet wel dat zijn ouders vrij conservatief waren. Een huisvrouw en een brandweerman. Dan weet je het wel. Maar ik geloof niet dat het om zijn ouders ging. Ik denk dat Charlie zichzelf in de weg zat. Hij wilde net zo zijn als iedereen. Alleen had hij dit probleem. Tegenwoordig is het niet zo'n punt, maar als je dertig jaar geleden een jongen was die op jongens viel en in Southie woonde, was je je leven niet zeker. Daarom verborg hij het. Hij was voortdurend bezig zich voor een ander uit te geven. En daar was hij goed in. Een geboren acteur. Maar ík wist het.'

'Omdat jij daar zo'n goede neus voor hebt?' Weer trok D.D. één wenkbrauw op.

'Nee, omdat ik hem heb betrapt met Donnie.'

'Wat?'

'Hij zat met zijn hand in Donnies broek. Ik heb het zelf gezien. Charlie keek op, zag me en duwde zijn neefje snel van zich af, alsof ze aan het stoeien waren, maar ik wist wat ik had gezien en hij wist dat ik het wist.'

'Hoe reageerde Donnie?' vroeg Phil.

'Hij was erg van streek. Hij moest niets van Charlie hebben, maar Charlie was groter en sterker. Donnie was geen partij voor hem.'

'En dit heb je dertig jaar geleden niet aan de politie verteld?' vroeg D.D.

Hayes haalde zijn schouders op. 'Niemand heeft me ernaar gevraagd. Bovendien was Shana degene die een bloederig oor uit haar zak haalde. Ik weet dat Charlie zijn neefje lastigviel, maar ik geloof nog steeds dat Shana Donnie heeft vermoord. Charlie had een vals trekje, maar hij was wel consequent. Als hij zijn leren jack aanhad en voor stoere jongen speelde, moest je voor hem oppassen. Maar in zijn nette overhemd, als hij het brave zoontje van zijn moeder was, vormde hij geen bedreiging. Het was net alsof hij een schakelaar had waarmee hij zichzelf steeds in iemand anders kon veranderen. Ook geweld was een kwestie van welke rol hij speelde.'

Het duizelde D.D. 'Wanneer heb je Charlie voor het laatst gesproken?'

'Eeuwen geleden. Een halfjaar nadat Shana was gearresteerd, ben ik niet alleen het huis uitgegaan, maar ook uit Southie vertrokken. Sindsdien heb ik niets meer van Charlie gehoord of gezien.'

'Weet je dat hij een boek schrijft over de moord op zijn neef?' vroeg Phil.

Hayes schudde zijn hoofd.

'Heeft hij daarover geen contact met je opgenomen?'

Hij glimlachte meewarig. 'Alsof hij míj vragen zou stellen over Donnie.'

D.D. knikte. Dit onderschreef Hayes' verhaal enigszins, want het was verdacht, of in elk geval opvallend, dat Charlie met iedereen contact had opgenomen over de dag waarop de moord was gepleegd behalve met Shana's pleegbroer.

'Als Charlie niet met Shana naar bed ging, wat deden ze dan samen?'

'Dat weet ik niet. Rondhangen. In zo'n kleine buurt heb je het niet voor het kiezen. Je gaat om met wie er woont. Maar Shana wist wat een nepfiguur Charlie was. Ze heeft een paar keer gedreigd die achterlijke jas van hem kapot te snijden. Als ze in zo'n bui was, bleef Charlie bij haar uit de buurt. Maar ik zag hem vaak naar haar kijken. Stiekem. Hij leek door haar gefascineerd te zijn. Op veilige afstand.'

'Denk je dat hij haar zou helpen uit de gevangenis te ontsnappen?'

'Charlie? Shana? Hebben die dan contact met elkaar gehouden?'

D.D. zei bijna nee, maar dat was niet waar. Charlie had Shana geschreven. Meerdere keren in de afgelopen drie maanden. Ze had geen van zijn brieven beantwoord. En dat was nu juist het punt. Hij had haar geschreven, maar zij had er niet op gereageerd.

Tenzij dat een soort code was. Geen antwoord was een antwoord.

Want goed beschouwd was er sinds drie maanden geleden iets veranderd in Shana's leven en die verandering was veroorzaakt door Charlie, de kameleon, die beweerde een boek te schrijven. Hoe groot was de kans dat Charlies verschijning en Shana's verdwijning níét iets met elkaar te maken hadden?

'Denk je dat Charlie haar zou helpen?' vroeg D.D. nogmaals.

Hayes trok een gezicht. 'De Shana die ik kende, was gek, en niet op een leuke manier. Wat ik ook van Charlie mag denken, dom is hij niet. Hij is zelfs erg intelligent. Dus dat hij zich nu met haar zou inlaten... Nee, dat zie ik niet. Maar ja, niets zo veranderlijk als de mens.'

'Ben jij veranderd?'

Hayes keek haar alleen maar aan en wees toen naar de rolstoel.

'Ik bedoel sinds die nacht. Wat heb je ervan geleerd?'

'Dat je je pleegzus niet met scherpe voorwerpen moet laten spelen.'

'Mevrouw Davies mist je.'

Hayes keek onbehaaglijk en kreeg een kleur. 'Zijn we klaar?'

'We nemen het cadeaupakketje van Harry Day mee.'

'Balen.'

‘Als je verhaal met feiten gestaafd kan worden, krijg je het misschien terug.’

‘Hoeft niet.’ Hayes leek verbaasd over zijn eigen woorden. ‘Ik wil het niet terug. Het geld is welkom, maar de spullen niet... Harry Day heeft zoveel verdriet veroorzaakt. Zoveel levens vernietigd. Hele gezinnen uiteengereten. En Shana idem dito. Meneer en mevrouw Davies waren juist geweldige mensen... U hebt gelijk; ik moet mevrouw Davies vaker bellen. Ik ben altijd bang dat ik haar stoor... terwijl ze natuurlijk juist niets liever wil dan gestoord worden. Ik ben duidelijk niet veranderd. Zelfs na dertig jaar ben ik nog net zo dom als vroeger.’

Daar had D.D. niets aan toe te voegen.

Ze bedankten Hayes voor zijn tijd. Phil deed de spullen in de envelop en D.D. gaf Sam dezelfde loze waarschuwing als mevrouw Davies: dat hij de ramen en deuren op slot moest houden en voor niemand moest opendoen.

‘Charlie Sgarzi,’ zei Phil hoofdschuddend toen ze de trap afliepen. ‘Ik begrijp er niets meer van. Eerst zegt hij dat Shana zijn hele familie kapot heeft gemaakt. Nu blijkt dat hij zijn neefje betastte. Hij houdt een demonstratie bij de gevangenis omdat hij vindt dat Shana de dood van zijn moeder op haar geweten heeft. En de dag daarna zou hij Shana hebben geholpen te ontsnappen? Waarom? Omdat dit een mooi hoofdstuk zou zijn voor zijn boek?’

‘Ik begrijp van Charlies relatie met Shana net zo weinig als jij,’ verzekerde D.D. hem, ‘maar als we het over aannemelijke verdachten voor de rozenmoorden hebben, dan denk ik niet aan een lang vergeten meisje genaamd AnaRose, noch aan haar pleegbroer Samuel Hayes die momenteel in een rolstoel zit. Dan denk ik aan Charlie Sgarzi.’

‘Maar dan zou die zijn eigen moeder hebben vermoord. De brave zoon die zo trouw voor haar zorgde, bij haar thuis op de bank sliep en elke dag de soep voor haar meebracht waar ze van hield. Híj zou onze voornaamste verdachte zijn?’

Ze waren inmiddels buiten en snoven opgelucht de frisse lucht op.

'Het komt allemaal door dat boek,' zei D.D. 'Het is begonnen toen Charlie besloot een bestseller te schrijven om zijn moeders verzorging te kunnen betalen. Alleen...' Ze legde haar hand op haar geblesseerde schouder en keek alsof haar opeens een lichtje opging. 'Allemachtig, Phil, wíj zijn Charlies boek! Hij schrijft niet over zijn neefje; dat is oud nieuws. Wat hebben we geleerd van die websites over oude misdaden? Dat die lang niet zo lucratief zijn als boeken over nieuwe moordenaars, vers van de pers. Daarom heeft Charlie de meest weerzinwekkende moordenaar sinds Harry Day gecreëerd: de Rose Killer, die een hele stad in zijn greep houdt, de volle aandacht van de media krijgt en er uiteindelijk voor zal zorgen dat Charlie een voorschot van zeven cijfers kan opstrijken voor een boek over de moordenaar die zijn eigen moeder op gruwelijke wijze heeft afgeslacht. Charlie schrijft niet meer over Donnie en over vroeger. Hij schrijft over ons.'

HOOFDSTUK 36

We hadden naar mijn flat moeten gaan, maar dat deden we niet. Het zag ernaar uit dat Shana door niemand zou worden herkend en toen het donker werd, werden we steeds brutaler. Shana wilde pizza en ik wist een zaakje waar je enorme punten kreeg waar de kaas in lange, warme slierten vanaf droop. De jongen achter de toonbank schrok zo van mijn verminkte gezicht dat hij met open mond naar me staarde en vergat te vragen wat we wilden bestellen.

Shana boog zich naar hem toe. Ze keek hem alleen maar aan. Hij piepte, wreef over zijn armen alsof hij kippenvel had en maakte toen snel onze bestelling klaar. We mochten er niet eens voor betalen.

We aten ze buiten op terwijl we door de straat slenterden. Het vet droop over onze kin en we kregen echt het gevoel dat we een goede stunt hadden uitgehaald.

Shana zei dat het de beste pizza was die ze ooit had gegeten. Ze herinnerde zich de pizza's van vroeger. Ze had in de gevangenis voortdurend herinneringen opgehaald aan de tijd voordat ze tot levenslang was veroordeeld en speelde die dan in haar hoofd van minuut tot minuut af, als videofilmpjes. Misschien kwam het daardoor dat ze niets was vergeten. Ze had haar geheugen verheven tot een kunstvorm die diende als filmarchief.

De klok sloeg vijf. Forensen haastten zich naar de bus of de metro, of zochten een taxi, weggedoken in hun jassen tegen de kou.

Wij hardden ons tegen de kou en liepen door, zwijgend nu, want anders zou dit alles veel te reëel worden en zouden we ten prooi vallen aan twijfel, angst en aarzeling. Het was beter om alleen te bestaan. Om niet te denken aan de uren die in het verschiet lagen.

Kun je een heel leven samenvatten in één middag? Kun je een familie reconstrueren? Verbroken banden herstellen?

Ik liep met Shana over de Boston Common naar de Public Garden, waar het zelfs zo laat in de herfst nog prachtig was. Net zoals in de kledingzaak wilde ze alles aanraken. De bast van een majestueuze boom. De hangende takken van een treurwilg. De puntige blaadjes van een haag. Vanaf de brug keken we naar de toeristen die foto's namen van het meer waarop in de lente de zwanenboten weer zouden varen. We liepen door Newbury Street, waar Shana zich vergaapte aan de etalages vol designkleding en belachelijk dure spullen.

Ze bleef haar vingers krommen en strekken, maar vertraagde haar tempo geen seconde, ook niet als andere voetgangers tegen haar opbotsten en toen ze een keer bijna over een hondenriem struikelde. Haar ogen bleven fel en namen alles op. Ze deed me denken aan een havik die nog niet gereed was uit te vliegen, maar zich de belofte van de weidse hemel al herinnerde.

We zwierven door de stad. Naar het Prudential Center en toen via de voetgangersbrug naar Copley Center. We hadden geen doel. We liepen gewoon.

Soms staarden mensen naar mij en soms staarden mensen naar haar. Maar op dit drukke uur van de dag keek niemand echt goed of erg lang. Het instinct van mijn zus klopte: in de drukte vielen we niet op.

Shana vertelde me over het smakeloze eten in de gevangenis, ze vertelde dat sommige bewakers best aardig waren, over een leven zonder privacy en over douches waar nauwelijks druk op het water stond. En ze stelde me honderden vragen. Over de verkeerslichten en de modetrends en wat dat voor rare kleine autootjes waren die eruitzagen alsof ze in je tas pasten, en waarom alle bestuurders zo verbeten keken. Ze wilde de gebouwen aanraken. Ze wilde alles zien en overal naar kijken. Ze wilde in een paar uur een hele stad in zich opnemen.

Mijn zus. Wij tweeën, eindelijk bij elkaar.

De klok sloeg zes. Het werd kouder. Het werd stiller op straat.

Nog een pizza, zei mijn zus. Ditmaal bestelde ik een hele pizza en nam er een sixpack bier bij. Ik droeg het bier, Shana de doos met de pizza en toen er eindelijk een taxi stopte, gaf ik de bestuurder mijn adres.

We zeiden in de taxi niets tegen elkaar. We zeiden ook niets toen we uitstapten voor de wolkenkrabber waar ik woonde. Shana keek omhoog, steeds hoger, en zei geen woord.

Op de hoek van de straat stond een patrouilleauto, maar het zwaailicht was uit en het portier werd niet geopend toen ze mij en een mannelijke collega met pizza en bier naar binnen zagen gaan.

Misschien dachten die agenten dat het slim van me was dat ik een man had uitgenodigd.

Wie weet?

Binnen werden we begroet door meneer Daniels. Toen hij mijn gehavende gezicht zag, trok hij wit weg en begon hij te stotteren.

Er was iemand voor me geweest, een uur geleden.

'Een meneer Sgarzi. Charlie Sgarzi,' zei hij benepen.

Shana maakte een geluid, diep in haar keel. Iets wat op een grom leek.

Meneer Daniels keek nerveus naar haar en zei: 'Ik heb hem niet binnengelaten. Ik heb gezegd dat hij mij zijn naam en telefoonnummer kon geven en dat u dan wel contact met hem zou opnemen.'

'U hebt hem dus verteld dat ik niet thuis was,' zei ik.

Meneer Daniels keek me bevreemd aan. 'Tja, ik moest wel. Hij wilde u spreken en u was er niet.'

Ik liet het daarbij, pakte het briefje aan en bedankte hem voor zijn hulp.

In de lift wankelde Shana toen we opstegen. Ze trok wit weg en bleef in het midden staan terwijl de etages onder ons weggleden. Toen we op mijn verdieping waren aangekomen, haastte ze zich naar buiten.

'Zo snel,' mompelde ze. 'Alles. Zo verrekte snél.'

We liepen naar de deur van mijn flat. Zij ging voorop. Ik liep achter haar aan. Alsof het zo hoorde. Alsof we dit al jaren zo deden.

We zetten de pizza en het bier in de keuken en doorzochten snel de flat. Van de Rose Killer was geen spoor te bekennen. De camera's waren er nog en het plakband zat nog op de lenzen.

'Ik heb een mes nodig,' zei mijn zus.

Ik wees haar het messenblok in de keuken.

Ze koos er met zorg een uit. Niet het grootste, niet het kleinste, maar eentje dat blijkbaar goed in de hand lag. Toen pakte ze de slijpsteen en begon het lemmet te scherpen.

Dat was het. Onze tijd was gekomen. Alles wat we hadden kunnen zeggen. Alles wat we hadden moeten zeggen. Het maakte nu niets meer uit. Het uur had geslagen.

Misschien had mijn adoptievader gelijk gehad. Misschien had ik indertijd die eerste brief niet moeten lezen. Ik had de rest van mijn leven dr. Glen kunnen blijven zonder ooit aan de stamboom van de familie Day te hoeven denken. Ik had alleen naar de toekomst kunnen kijken, niet naar het verleden.

Shana deed haar jas uit en maakte de pizzadoos open. Het geslepen mes lag naast haar op de eetbar, binnen handbereik. Ik had een seriemoordenaar van een wapen voorzien, dacht ik opeens, maar het bleef bij die gedachte, alsof dit op iemand anders van toepassing was. Ik had de beruchtste moordenares van het land geholpen uit de gevangenis te ontsnappen. Ik had haar meegenomen naar mijn flat. Een vrouw die niet in staat was relaties aan te gaan en geen empathie, liefde of berouw voelde.

Ik bracht mijn verbonden linkerhand naar mijn gezicht. Naar de rode lijntjes die ik niet kon voelen.

Mijn zus. Die, haar woord getrouw, heel oppervlakkige sneden in mijn gezicht had gemaakt. Die er niet vandoor was gegaan in de eerste uren na haar ontsnapping, toen ze daarvoor de gelegenheid had gehad. Die nu op haar gemak pizza zat te eten. Ze zou het opnemen tegen een andere seriemoordenaar, ze zou haar kleine zusje beschermen, omdat ze dat had beloofd. Aan onze vader, veertig jaar geleden. Aan mij, vanochtend.

En ik besefte dat ik zelfs na al die jaren mijn zus nog steeds niet kende, terwijl ik haar toch goed genoeg kende. Zo ging dat met familie. Zo was de mens.

Ik stak mijn hand uit. Pakte de hare.

Ze kneep terug.

'En nu?' vroeg ze terwijl ze nog een punt pizza nam.

'Nu wachten we,' zei ik.

HOOFDSTUK 37

'Wat weten we over Charlie Sgarzi?' D.D. zat hardop te denken toen zij en Phil naar het adres van de journalist reden. 'Hij is een *wannabe*, een kameleon. Wat weten we over de Rose Killer? Zijn misdaden lijken eerder op geënsceneerde toneelstukjes dan op moorden die uit hartstocht worden gepleegd. De slachtoffers worden bijna té snel gedood en de verminking die post mortem wordt uitgevoerd is bijna té schokkend. En dan hebben we de champagne en de roos nog, die nergens op slaan. Behalve als decor. Omdat Charlie ook nu, na al die jaren, nog steeds rollen speelt. Hij doet wat hij denkt dat een moordenaar moet doen. Alsof hij een acteur is. Of een romanfiguur.'

Phil wierp een korte blik op haar. 'Om zijn boek te verkopen is hij een seriemoordenaar geworden?'

'Ja. We weten dat het motief voor de moorden geen obsessie, dwangimpuls of seksueel sadistische fantasie is. Blijft over: financieel gewin. Wat durf jij erom te verwedden dat Charlie heeft geprobeerd een boek te slijten over de moord op zijn neefje en dat niemand belangstelling had? Shana Day was niet sexy genoeg, en haar beruchte vader, Harry Day, kon niemand zich herinneren.'

Phil borduurde erop voort: 'Dus creëert Charlie een moordenaar in de stijl van Harry Day. Alleen is hij niet in staat zijn slachtoffers te verkrachten en is hij niet wreed genoeg om ze een paar dagen te martelen en dan pas te vermoorden. Er blijft voor hem dus maar één kenmerkend onderdeel over: het villen.'

'Wat op zich luguber genoeg is. En omdat hij geen ervaring heeft met deze dingen, speelt hij op safe. Hij overvalt de vrouwen in hun slaap en bedwelmt hen om te voorkomen dat ze zich verzetten. Hij houdt het simpel. Omdat het niet om de moord gaat, maar om het eindspel.'

'Zijn moeder.' Phil slaakte een diepe zucht. 'Vooruit, D.D., zeg nou zelf. Zou hij echt zijn eigen moeder hebben vermoord?'

'Hij moest wel.'

'Waarom?'

'Als zijn moeder werd gedood, zou hij geen verdachte zijn. Aan de andere kant had hij daardoor als insider een schitterende invalshoek voor zijn boek. Ik had het mis. De trigger voor de daden van de Rose Killer was niet dat Charlie onderzoek deed naar de moord op Donnie, maar dat zijn moeder een ongeneeslijke vorm van kanker kreeg. Dat was de reden waarom hij is teruggekomen, weet je nog? En daardoor is hij gaan nadenken over het verleden. Niemand had belangstelling voor boek A, dus begon hij plannen te maken voor boek B... Tegen die tijd was het met zijn moeder al erg slecht gesteld. Je hebt haar gezien. En vanwege de aard van haar ziekte en het feit dat ze nog dagen of weken zo moest lijden, durf ik er iets om te verwedden dat Charlie zichzelf heeft wijsgemaakt dat de methode van de Rose Killer menslievender was. Ze zou er niets van voelen. Toch was de uitvoering van het plan moeilijker dan hij had gedacht. Weet je nog dat ze aan sommige reepjes huid konden zien dat zijn handen hadden getrild? Ondanks het feit dat hij alles zorgvuldig had gepland, was het makkelijker gezegd dan gedaan.'

Ze zag aan Phils gezicht dat hij het niet eens was met deze theorie, maar hij ging er niet tegen in. 'En jij? Charlie Sgarzi kende jou niet eens. Waarom heeft hij jou van de trap geduwd?'

'Ik moet hem hebben verrast, zoals we van het begin af aan dachten. Hij was teruggekeerd naar de plaats delict, dacht dat daar niemand was en liep opeens een rechercheur tegen het lijf. Van schrik duwde hij me van de trap. Hij zal daarna meteen zijn gevlucht, blij dat hij alsnog kon ontsnappen. Alleen, zoals Alex en jij al zeiden, ik kwam terug. Ik begon naar hem te zoeken. Dat zal hem angst hebben aangejaagd, maar hem ook aan het denken hebben gezet. Wat heeft iedere misdadiger nodig? Een aartsvijand. En nu had de Rose Killer er een, ook al had hij dat niet gepland. Angstaanjagend voor hem als moordenaar, opwindend voor hem als toekomstig bestsellerauteur. Reden te meer om mij te treiteren met dat kaartje dat hij bij mij thuis heeft achtergelaten. De hoogte van het voorschot voor Charlies bestseller zou met sprongen stijgen.'

Phil kreunde. 'En dat hij Shana zou hebben geholpen te ontsnappen?'

'Ja, dat is nog een vraagteken.'

'Eindelijk een eerlijk antwoord.'

'Uiteindelijk heeft hij Samuel Hayes voor zijn karretje gespannen,' legde D.D. ongeduldig uit. 'Hoe valt anders te verklaren dat die spullen van Harry Day opeens bij hem op de mat lagen? Dat heeft Charlie gedaan om ons via Hayes op een dwaalspoor te brengen. Als Hayes niet van de ladder was gevallen en zijn rugwervels had beschadigd, was hij nu onze belangrijkste verdachte geweest. Een spannend boek staat of valt met de verdachten. Dus heeft Charlie een sterke verdachte gecreëerd: Samuel Hayes, die dertig jaar geleden iets met Shana Day heeft gehad en nu persoonlijke documenten van haar vader in zijn bezit heeft. Dat maakt hem erg verdacht. Vooral omdat hij beweert dat hij die spullen heeft gevónden.'

'Maar Hayes zit in een rolstoel,' bracht Phil ertegen in. 'Hoe kunnen we hem dan van de moorden verdenken?'

'Hij zit pas sinds kort in die rolstoel en hij heeft zelf gezegd dat hij de envelop vóór zijn ongeluk heeft ontvangen. Sterker nog, de envelop moet kort na de eerste moord van de Rose Killer zijn afgeleverd.'

Phil keek stuurs. Daardoor wist D.D. dat ze aan de winnende hand was.

'En dr. Glen?' vroeg Phil. 'De Rose Killer stalkt haar ook. Wij dachten als fan, maar hoe past dat in jouw theorie?'

D.D. dacht erover na. 'Het crescendo,' zei ze toen zachtjes. 'Omdat dit spel niet eeuwig kan duren en hij het met een climax wil afsluiten. Door de dochter van zijn idool te vermoorden. De bloederige finale.'

'En dan? Verdwijnt de Rose Killer dan in het niets? Zal hij nooit meer een moord plegen?' Phil trok zijn neus op. 'Nogal teleurstellend. Zowel in het ware leven als in een boek.'

'Je hebt gelijk: de zaak moet worden opgelost. Anders kan Charlie geen citaten krijgen van de betrokken rechercheurs, laat staan dat hij toestemming krijgt het boek te publiceren. Om Charlies plan te laten slagen moet de Rose Killer worden gepakt. Maar hoe?' D.D. wreef over haar slaap, want ze voelde hoofdpijn opkomen.

'Charlie is van plan zichzelf aan te geven?' vroeg Phil. 'Wacht, dat kan niet. Moordenaars mogen geen geld verdienen aan hun misdaden. Als Charlie wordt ontmaskerd als de Rose Killer, heeft hij niets meer aan dat boek.'

'Een offerlam,' redeneerde D.D. 'Dat is de enige manier. Charlie laat iemand anders voor de moorden opdraaien. Misschien heeft hij daarom Samuel Hayes er met de haren bij gesleept. Charlie vermoordt dr. Glen, keert terug naar de flat van Hayes, overmeestert hem met chloroform. Terwijl Hayes bewusteloos is, verstopt Charlie het moordwapen in zijn flat, schrijft misschien zelfs een zelfmoordbriefje, en legt Hayes in het bad.'

'In het bad? Waarom in het bad?'

Ze waren bijna bij het adres van Charlie. D.D. ging snel door.

'Omdat Harry Day zo is gestorven, weet je nog? Die heeft in de badkuip zijn polsen doorgesneden. Een passend einde van een passende criminele carrière. Het eind van de zaak en het begin van Charlies faam. Over vijf, zes maanden tekent Charlie een vet contract met een uitgeverij en wordt hij voor alle talkshows uitgenodigd. Misschien krijgt hij zelfs een eigen show, à la Nancy Grace of John Walsh. Roem en rijkdom. Wat zou een kameleon zich nog meer kunnen wensen.'

'Dat Samuel Hayes niet van de ladder was gevallen.'

'Een kleinigheid.'

Phil stopte voor het flatgebouw waar Sgarzi woonde. D.D. deed onmiddellijk haar portier open. Ze voelde haar schouder, Melvin en haar hoofdpijn niet meer. Ze voelde verwachting, opwinding en adrenaline. Ze voelde alles wat dit werk voor haar zo aantrekkelijk maakte.

'Wacht.'

Ze stopte toen ze hoorde hoe streng hij klonk. 'Jij blijft hier,' zei hij. 'Jij gaat niet mee naar iemand die misschien al drie mensen heeft vermoord, D.D. Je bent officieel niet eens aan het werk. Bovendien, als jou iets zou overkomen, vermoordt Alex mij.'

'Alex zal jou niet vermoorden,' zei ze liefjes. 'Hij zal alleen de plaats delict waar jij het leven hebt gelaten op erg slordige wijze onderzoeken.'

'D.D.'

'Phil.'

'D.D.'

'Nee. Ik blijf niet als een hulpeloze pup in de auto zitten. We zijn partners. Jij hebt mij altijd dekking gegeven en ik jou. Geef me het pistool dat in het handschoenenkastje ligt. In geval van nood zal ik me daarmee kunnen redden, ook met één hand. Bovendien zal het misschien helemaal niet zo gaan.'

'Hoe bedoel je?'

'We kunnen Charlie net zo aanpakken als Hayes. We zijn hier niet omdat we denken dat hij de Rose Killer is; we willen alleen met hem praten over het feit dat Shana is ontsnapt. We maken ons zorgen over zijn veiligheid. Wij staan aan zijn kant, we zijn zijn beste vrienden. En nu we er toch zijn, kunnen we mooi even zijn flat bekijken, de sloten op de ramen controleren, kijken of we iets verdachts zien rondslingeren.'

Ze zag aan Phil dat het hem nog steeds niet aanstond, maar

dat ze al zo lang partners waren, kwam vooral omdat Phil haar nooit iets kon weigeren.

Hij ging voorop. Zij volgde braaf op twee passen afstand.

Ze liepen de trappen op en waren allebei buiten adem toen ze bij de deur van de flat aankwamen. Weer gebaarde Phil dat ze schuin achter hem moest gaan staan. Ze deed dat demonstratief. Uiteindelijk was de voorzorgsmaatregel overbodig. Phil kon kloppen wat hij wilde, maar Charlie deed niet open.

HOOFDSTUK 38

De pizza was niet goed gevallen. Ik had er maar één punt van genomen met één biertje erbij, maar het lag als een blok in mijn maag. Ik drentelde lusteloos door de keuken, werd steeds misselijker en voelde een loodzware vermoeidheid over me heen komen.

De lange dag begon me op te breken. Na de adrenalineroes kwam de onvermijdelijke terugslag.

Ik zag dat Shana zich ook niet al te lekker voelde. Zij had het grootste deel van de pizza voor haar rekening genomen en ik kon aan haar zien dat ze daar nu spijt van had. Zij had nog een blikje bier geopend, maar het stond halfvol op de eetbar. Ze dronk het met veel meer zelfbeheersing dan ik haar had toegedacht. Toen ze veertien was, had ze waarschijnlijk in haar eentje een hele krat soldaat kunnen maken. Haar vierenveertigjarige tegenhanger had eindelijk iets geleerd over geduld en discipline.

Of ze was bang dat ze zou moeten overgeven.

Ze masseerde haar slapen. Toen stond ze abrupt op. Door de plotselinge beweging dreigde ze heel even haar evenwicht te verliezen.

'Kom,' zei ze met een wat dikke tong. 'We moeten je wonden verzorgen.'

Ze liep naar de badkamer. Ik volgde in haar kielzog, al had ik nauwelijks kracht om te lopen. Ik zou koffie moeten zetten. Als het zo doorging, zouden we moeite hebben onze ogen lang genoeg open te houden om het tegen de moordenaar op te nemen.

In de badkamer pakte ik de verbandtas die ik voor mijn dagelijkse ritueel gebruikte. Shana streek met haar vlakke hand over het marmeren wastafelblad en de roestvrijstalen kranen. Ze zette grote ogen op toen ze de vier glanzende douchekoppen in de grote douchecel zag. Maar het was de sensueel gevormde badkuip waar ze geen genoeg van kon krijgen. Haar vingers gleden over de zachte rondingen, volgden de lijn die in het midden daalde en aan beide uiteinden weer steeg.

'Heel anders dan die van thuis,' was het enige wat ze erover zei.

Omdat mijn linkerhand zo dik zat ingepakt, kon ik de antiseptische gaasjes niet uit de verpakking halen. Shana deed het voor me. Met de vochtige lapjes bette ze voorzichtig het vurige raster op mijn gezicht. In het ziekenhuis hadden ze zich zorgen gemaakt dat ik een infectie zou oplopen, omdat ik de pijn die daarmee gepaard ging niet zou voelen. Ik had het hart niet gehad te zeggen dat het niets uitmaakte, net zoals ik het hart niet had tegen mijn zus te zeggen dat het niet nodig was mij te verzorgen.

'Doet het echt geen pijn?'

'Nee.'

'Hoe voelt dat?'

'Dat weet ik niet. Ik heb niets om het mee te vergelijken.'

Ze wikkelde het verband van mijn linkerhand af. Onder de want zat mijn wijsvinger in een speciaal plastic hoesje. Shana liet het zitten en begon de andere wonden te verzorgen.

Toen ze ermee klaar was, wilde ze het verband er weer omheen wikkelen, maar ik schudde mijn hoofd. Ik wilde niet ingepakt worden als een Egyptische mummie. Ik wilde in bed kruipen en slapen.

Mijn hoofd was nu loodzwaar. En mijn armen en benen ook.

Ik was iets van plan geweest. Ik moest in de keuken iets doen, maar ik kon me niet herinneren wat. Mijn gedachten zweefden aldoor weg en het kostte me hoe langer hoe meer moeite ze weer te vangen.

Naast me stond Shana op haar benen te zwaaien. Weer ging haar blik verlangend naar de badkuip...

De telefoon ging.

Het schrille geluid sneed door de flat en drong tot mijn wazige brein door.

Met logge stappen liep ik naar de slaapkamer en pakte de draadloze telefoon van het nachtkastje.

'Dr. Glen?' Het was Charlie Sgarzi.

Ik knikte, maar herinnerde me toen dat hij me niet kon zien. 'Ja?' Ik likte aan mijn lippen.

'Alles in orde? U klinkt vreemd.'

'Alleen... moe.'

'Geen wonder. Het is een lange dag geweest. Ik moet bekennen dat ik flink de zenuwen heb nu Shana is ontsnapt. Ik durf zelfs niet naar huis, maar ik zou niet weten waar ik anders naartoe zou kunnen. Zou u het goed vinden als ik even bij u kwam? Dan kunnen we elkaar gezelschap houden en de zaak bespreken. Twee weten meer dan één.'

'Nee... liever niet.'

'Ik hoef niet naar uw flat te komen,' zei hij snel. 'Tenzij u dat zelf wilt, natuurlijk. We kunnen beneden in de hal gaan zitten. Ik neem aan dat er een politieauto voor de deur staat? Ik hoop het. Extra bescherming.'

Ik wreef over mijn slapen. Ik weet niet goed waarom. Misschien om van het gevoel af te komen dat mijn oren dichtzaten en dat ik watten in mijn hoofd had. Zeg nee, dacht ik, maar ik kon mijn lippen niet bewegen. Ik kon niet meer praten.

Ik stond daar maar, met de telefoon in mijn hand. Ik was nu erg duizelig. Eindelijk, in de diepste diepten van mijn bewustzijn, voelde ik de eerste prikkeling van angst. Wat hier gebeurde, lag niet aan het te zware eten en ook niet aan het feit dat het zo'n lange, vermoeiende dag was geweest.

Wat er met mij gebeurde, en wat er met mijn zus gebeurde, was veel erger. Vooral omdat de Rose Killer ervan hield vrouwen te doden als ze bewusteloos waren.

Een geluid in de badkamer. Een bons. Alsof mijn zus was gevallen.

Op het allerlaatste moment had ik het door. Ik keek naar de hoek van het plafond waar het koolmonoxidealarm zou moeten zitten. Het zat er niet meer. Het was verwijderd door de Rose Killer. Waarschijnlijk kort nadat hij met het centrale verwarmingssysteem had geknoeid en was begonnen me te vergiftigen.

Raam. Als ik bij een raam kon komen. Het openzetten. Mijn hoofd naar buiten steken.

Maar mijn benen gehoorzaamden me niet. Langzaam maar zeker zakte ik in elkaar.

'Dr. Glen?' De stem van Charlie door de telefoon die vlak naast mijn gezicht op de grond lag.

Ik staarde ernaar. Dwong mezelf 'help' te fluisteren. Maar wat eruit kwam was niet meer dan een zucht.

'Is alles in orde?'

Mijn oogleden zakten dicht.

'Dr. Glen?'

'Bel de politie,' probeerde ik te zeggen. Maar er kwamen geen woorden uit mijn mond.

Ik werd me bewust van een nieuw geluid.

Het slot op de voordeur gleed soepeltjes open. Het werd geopend door iemand die de sleutel had. De deurknop ging naar beneden. De deur werd geopend.

Ik had niets meer aan de politie.

De Rose Killer was al hier.

HOOFDSTUK 39

Het duurde even voordat D.D. de huismeester had gevonden en toen moest de oude, zwaarlijvige man een heleboel sleutels aan zijn sleutelbos uitproberen voordat hij die van Charlies flat had gevonden.

'We maken ons zorgen om zijn veiligheid. We hebben redenen om aan te nemen dat hij in gevaar verkeert. We willen alleen een kijkje nemen om te zien of alles in orde is met hem,' legde D.D. nogal omstandig uit.

Te oordelen naar de uitdrukking op zijn gezicht interesseerde het de man absoluut niet waarom ze naar binnen wilden en of ze daar een geldige reden voor hadden, maar D.D. en Phil hielden zich voor alle zekerheid aan de regels.

Hij maakte de deur voor hen open maar ging zelf niet mee naar binnen. Hij zei dat hij het druk had, vroeg of ze de deur alsjeblieft dicht wilden doen als ze klaar waren en liep weg.

'Er heeft iemand gebeld toen jij naar hem op zoek was,' zei Phil zodra de huismeester buiten gehoorsafstand was. 'Een man, die vertelde dat hij Shana een lift had gegeven. Hij had haar met panne langs de snelweg zien staan. Omdat het een dure auto was en zij normaal gekleed was, had hij geen idee dat ze een ontsnapte gevangene was. Bovendien was er toen nog niets over op het nieuws geweest.'

'Wie was die man?'

'Een vertegenwoordiger die op weg was naar een congres in Boston. Hij heeft haar bij Faneuil Hall afgezet. Ze zei dat ze daarvandaan naar huis kon lopen.'

D.D. fronste. Buiten was het inmiddels helemaal donker en de flat was gevuld met schaduwen. Ze had na het avontuur van vanochtend naar huis moeten gaan. Ze had nu met haar man en kind aan tafel moeten zitten. Haar schouder deed pijn en het gevoel van naderend onheil werd steeds sterker. Ze naderden het punt waarop het in een onderzoek twee kanten op kon gaan: of alles werd eindelijk duidelijk of alles viel in duigen. Wat zou het in dit geval worden? Eén ding was zeker: de tijd drong.

'Dus het was niet de Rose Killer die Shana heeft geholpen te ontsnappen?' zei ze nogmaals. Ze liet haar blik door de flat gaan, alsof ze de spullen daarin kon dwingen te onthullen wat ze nog niet wisten.

'Blijkbaar niet.'

'Wie heeft de rotjes dan laten ontploffen?'

'Daar zijn ze nog mee bezig.'

'Je kunt mij niet wijsmaken dat Shana's ontsnapping niets te maken heeft met de Rose Killer,' zei D.D. kalm. 'Er móét verband tussen die twee bestaan.'

'Dat ben ik met je eens.' Phil gebaarde om zich heen. 'En dat wil zeggen dat we tot nu toe iets over het hoofd hebben gezien en dat het nu zaak is er zo snel mogelijk achter te komen wat het is.'

Hij deed het licht aan en toen gingen ze aan het werk. D.D. begon met de dubbele rij boekenplanken achter de bank. Phil, die goed was met computers, ging aan het tv-tafeltje zitten waarop Sgarzi's laptop stond. D.D. zag vier rijen boeken over waargebeurde moorden, waaronder alle boeken van Ann Rule.

'Hij was in elk geval geïnteresseerd in het genre,' zei ze, bladerend in boeken met titels als *The Stranger Beside me* en *Green River, Running Red.* Er stonden ook boeken over het schrijversvak. Verontrustender waren de drie hardcover boeken over moordonderzoeken, met op de kaft het lokkertje dat ze authentieke foto's van plaatsen delict bevatten.

D.D. deed één ervan open op de plek waar een geel briefje tussen de pagina's zat. Het hoofdstuk heette 'Post mortem verminking'. Juist.

'D.D.'

Ze legde het boek neer en liep naar Phil, die ingespannen naar het computerscherm zat te kijken.

'Dit zijn bestanden van videofilmpjes,' zei hij. 'Zo te zien zijn ze gemaakt met goedkope bewakingscamera's, die je in elke doe-het-zelfzaak kunt kopen. Tientallen filmpjes, die de afgelopen vier tot vijf maanden zijn gemaakt. De bestanden hebben geen naam.'

'Open het meest recente.'

Hij keek naar haar op. 'Zouden we dat wel doen?'

Ze glimlachte naar haar partner. Terwijl hij met de muis in de weer ging, pakte zij de gele blocnote die naast de computer lag.

Wie ben ik? had Charlie boven aan de pagina geschreven. *Goede buur, behulpzame journalist.*

Hoe zie ik eruit? Keurig gekleed, kantoorfiguur, valt in de lift niet op, trekt geen aandacht.

Belangrijkste motivatie? Bezorgd om haar veiligheid, wil alleen helpen.

Doel van de missie? Het beste voor het laatst bewaren; de dochter van Harry Day, Shana Days enige zwakte, nu mijn laatste doelwit. Omdat ik niet ben zoals jij en omdat jij niet bent zoals ik. Ik ben beter. Ik ben altijd beter geweest.

Nettowinst? De ontknoping. De winnaar krijgt alles, de verliezer krijgt niets.

'D.D.' Phils stem drong tot haar door, zacht en gespannen.

D.D. keek naar het computerscherm. Phil had door de zwartwitbeelden gescrold. Ze zag iets wat eruitzag als een kleedkamer. Het hoofd en de schouders van een vrouw kwamen in beeld.

Dr. Adeline Glen, die naar de camera liep.

Die hen opeens in de ogen keek.

Een stukje wit plakband in haar hand. Toen werd het scherm zwart.

'Ze heeft de camera gevonden,' zei Phil.

'En de lens afgeplakt! Hoe laat? Hoe laat?'

'Ik weet het niet.' Phil liet de cursor over het scherm gaan. Er staat een datum, maar geen tijdstip. En de datum is... gisteren.'

D.D. bleef stokstijf staan, volkomen overdonderd. 'Maar Adeline was gisteren bijna de hele dag bij ons. Dan moet dit geweest zijn toen ze 's avonds thuiskwam. Ze heeft haar flat doorzocht, een verborgen camera in haar slaapkamer gevonden en... ons níét gebeld?'

Phil keek naar haar op. 'Dat klinkt niet best.'

Nee, dat klonk niet best. En... D.D. deed haar ogen dicht. Want opeens wist ze het. Wat ze tot nu toe niet hadden geweten, het ontbrekende stukje van de puzzel, dat ze hier waren komen zoeken. 'Adeline heeft het gedaan,' zei ze zachtjes. 'Adeline is degene die het incident op het parkeerterrein heeft veroorzaakt. Vlak voordat ze naar binnen is gegaan, heeft ze de rotjes onder de auto gegooid. De timing klopt.'

'Heeft zíj haar zus dan helpen ontsnappen?' vroeg Phil ongelovig. 'Heeft ze vrijwillig haar gezicht zo laten toetakelen?'

'Ze voelt geen pijn, weet je nog? Maar ze voelt wel angst.' D.D. tikte op het beeldscherm, op het bevroren frame van de film. 'Ze moet hebben begrepen dat het de Rose Killer was die haar bespiedde. Dat hij haar al maanden bespiedde. Wat zouden wij hebben gedaan als ze ons had gebeld?'

'We zouden haar hebben laten bewaken,' zei Phil automatisch.

'Dat hebben we al eerder aangeboden en dat had ze afgewezen. Maar als ze het met haar zus op een akkoordje had gegooid...'

'Ik bevrijd jou uit de gevangenis als jij de seriemoordenaar die op mij loert voor je rekening neemt,' vulde Phil aan.

'Shana zal niet alleen Adeline beschermen. Ze zal ervoor zorgen dat dit spel definitief ten einde komt. Wat zei Adeline? Dit is waar Shana goed in is.'

Phil duwde zijn stoel achteruit. Zonder nog iets te zeggen gingen ze op weg naar Adelines adres.

Ze zouden een halfuur nodig hebben om er te komen.

HOOFDSTUK 40

Languit op de vloer van mijn slaapkamer, zonder in staat te zijn me te bewegen, zag ik de voordeur van mijn flat opengaan. Mijn oogleden waren zwaar, mijn huid was klam en ik was misselijk. De symptomen van griep, alleen was het geen griep. Het was koolmonoxidevergiftiging.

Charlie Sgarzi kwam binnen. Niet meer in zijn ruime trenchcoat, maar in een getailleerde beige broek en een overhemd met smalle streepjes. Hij zag er kleiner en slanker uit. Niet langer een karikatuur, eerder een roofdier dat op het punt staat zijn buit te bespringen.

Hij droeg een masker dat zijn neus en mond bedekte en had een donkere tas bij zich waarin ongetwijfeld spullen zaten die ik maar al te goed kende. In het bijzonder een vlijmscherp scalpel en een weckpot die al gevuld moest zijn met formaldehyde.

Hij deed de deur dicht en op slot en stak de sleutel in zijn zak.

Toen kwam hij naar me toe.

'Paul Donabedian,' zei hij. Zijn stem klonk gedempt vanwege het masker. Hij stak zijn hand uit. 'Aangenaam kennis te maken. Ik heb twee maanden geleden een flat gehuurd in dit gebouw. Dat stelde me in staat hier te doen wat ik wilde zonder achterdocht te wekken. Trouwens, zodra je langs de conciërge bent, let er niemand meer op je. Ik loop al weken de trap op en af naar jouw flat. Ik heb op mijn gemak de inrichting bekeken, een sleutel laten maken en mijn camera's geïnstalleerd. En nu heb je die gevonden. Daar schrok je van, hè? Je hebt snel iets op de lenzen geplakt. Alsof ik me door zoiets zou laten tegenhouden.'

Hij stapte over me heen. Ik zou me moeten bewegen. Me omdraaien, zijn enkel grijpen. Of proberen bij de deur te komen. Het was alsof er een loodzwaar gewicht op mijn borst lag. De druk op mijn naar zuurstof snakkende longen steeg tot ondraaglijke hoogte.

Charlie zette zijn tas op het bed, liep naar de verwarming en reikte erachter om de schakelaar om te draaien. Daarna zette hij aan de andere kant van de kamer beide ramen open om frisse lucht binnen te laten.

Ik probeerde mijn longen te dwingen uit te zetten om zuurstof op te nemen zodra die mij zou bereiken. Maar de ramen waren te ver weg. Of ik was al te ver heen.

'Het koolmonoxidegehalte mag niet te hoog zijn,' legde Charlie uit. 'Anders krijgt het ook invloed op mij. Ik weet niet hoe effectief dit masker is. Bovendien, als ik alle sporen van het koolmonoxide laat verdwijnen, maakt dat het onderzoek voor de politie veel interessanter. Een bekende psychiater, een intelligente, inzichtelijke en gewaarschuwde vrouw, een vrouw die beter had moeten weten, is uiteindelijk toch in haar eigen slaapkamer vermoord. Wat een dramatische scène. De lezers zullen ervan smullen.'

Hij keerde terug naar zijn tas. Deed de rits open.

Aan mijn rechterhand trilden mijn vingers. Een teken van leven. Of het begin van een beroerte omdat mijn hersenen niet voldoende zuurstof kregen?

'Je mag je bevoorrecht voelen, Adeline. Ik heb het beste voor het laatst bewaard. De eerste twee vrouwen had ik uiteraard met zorg gekozen. Wat mij het meest beviel, was dat ze op zichzelf woonden en leuk waren om te zien. Dat maakte hen uitermate geschikt als slachtoffers. Want zeg nou zelf, lelijke en onsympathieke vrouwen, daar geeft niemand iets om. Maar twee leuke jonge meiden met een goede baan, een grote vriendenkring en een bezorgde familie – dat zorgt voor pakkende krantenkoppen. Zo'n boek verkoopt zichzelf.

Ik denk dat je vader er net zo over dacht. Heb je de foto's van zijn slachtoffers ooit bekeken? Er zat er niet één bij die lelijk was. Hij had een goede smaak. Als toekomstig bestsellerauteur van zijn biografie heb ik mijn best gedaan in zijn voetstappen te treden. Alleen heb ik helaas geen vrijstaand huis met een grote schuur of losse vloerplanken. Dat is het nadeel van een moderne flat.'

Hij trok latexhandschoenen aan en pakte een flesje. Chloroform. Voor het geval de koolmonoxidevergiftiging begon uit te werken. Voor het geval ik zou proberen me te verzetten.

Ik probeerde geluiden uit de aangrenzende badkamer op te vangen. Shana. Hij scheen niet te weten dat zij hier was. Als ze bij bewustzijn kwam en haar mes nog had...

'Goed,' zei Charlie kordaat. 'Ik heb een kleine taak voor je, Adeline. Deze zaak moet namelijk vanavond worden afgerond. De grond wordt me te heet onder de voeten nu de politie zo'n intensief onderzoek instelt en je zus ook nog is ontsnapt. Anders had ik het misschien nog wat gerekt, om de spanning zo hoog mogelijk te laten oplopen. Alhoewel... het is nooit verstandig onnodig risico's te nemen. Ik heb een paar haren bij me. Sam Hayes is zo vriendelijk geweest die af te staan, al weet hij dat zelf niet.

Jij moet die haren toevoegen aan jouw, eh... je weet wel. Van onderen. Dan komt de patholoog ze vanzelf tegen als hij je daar, eh... kamt. Het DNA zal uitwijzen dat ze van Sam zijn. Dan gaat de politie naar zijn flat, waar zal blijken dat hij daar helemaal in zijn dooie eentje woont en er niemand is die hem een waterdicht alibi kan geven. Bovendien zal blijken dat hij heel toevallig de trotse eigenaar is van een paar onschatbare voorwerpen die ooit van Harry Day zijn geweest. Als dát niet genoeg is om hem te arresteren, dan weet ik het ook niet meer.'

Charlie haalde een afsluitbaar plastic zakje uit de tas, maakte het open en schudde er twee korte bruine haren uit. Hij boog zich over me heen, keek in mijn glazige ogen en bekeek mijn gehavende gezicht.

'Nou nou. Ik heb altijd geweten dat Shana een vals kreng was, maar dat ze haar eigen zus zo zou toetakelen...' Hij klakte met zijn tong. Toen legde hij de haren in mijn geopende rechterhand en sloot mijn vingers eromheen.

'Ze heeft het... niet gedaan,' hoorde ik mezelf fluisteren.

'Jouw gezicht?'

'Jouw neef.'

Hij verstijfde. De uitdrukking op zijn gezicht veranderde en daarmee zijn houding. De keurige, beheerste Paul Donabedian was verdwenen. Als een kameleon die zich aan zijn omgeving aanpast, nam Charlie Sgarzi zijn plaats in. Zijn oogleden zakten halfdicht en er lag nu een dreigende blik in zijn ogen. Zelfs na al die jaren beviel de rol van de leider van de straatbende hem nog steeds het best.

'Hou je bek over Donnie,' gromde hij.

'Jíj hebt hem vermoord.'

Hij keek me woedend aan.

'Het was een ongeluk.'

'Ongeluk? Hij wilde... dat je ophield.'

'We waren aan het stoeien. Gewoon aan het stoeien!'

'Shana heeft je gezien. Over hem gebogen. Knie op zijn borst? Handen rond zijn nek?'

'Hou je bek!'

'Jij... hebt hem vermoord. Zij... werd dol. Ze greep het mes. Jij bent gevlucht. Zij stortte zich op Donnie.'

'Ze heeft zijn oor afgesneden!'

'Ze... dekte... jou.'

'Ze was niet goed bij haar hoofd.'

'Psychotische stoornis. Jij had haar kapotgemaakt. En er was niemand...' Een vleugje frisse lucht dreef langs mijn neus. Mijn longen zetten uit. Ik zuchtte van opluchting. 'Er was niemand... om haar... weer in orde te maken.'

'Gedane zaken nemen geen keer. Ik heb mijn lesje geleerd. Ik ben vertrokken. Naar New York, waar ik een nieuw leven heb opgebouwd.'

'Charlie,' zei ik zachtjes.

'Kop dicht!'

'Ik keek vroeger altijd naar andere mensen... omdat ik zo benieuwd was... hoe pijn voelt. Jij kijkt vast ook naar andere mensen... om te weten... wat emoties zijn. Omdat je... er zelf geen voelt.'

'Laten we dan hopen dat ik het gevoel van succes goed genoeg kan nabootsen, want morgenochtend zullen alle belangrijke media me willen interviewen. Hoe ik omga met het feit dat mijn moeder is vermoord door de nu ontmaskerde Rose Killer. Hoe het voelt dat ik vanwege jouw familie mijn hele familie heb verloren. Maar hij die neemt, geeft ook terug. Wat Harry Day en de Rose Killer betreft, ben ik dé expert. Morgenochtend zal ik zegevierend voor de camera's staan. Boekcontracten, televisie-optredens, filmrechten. Het zal me allemaal op een gouden schaaltje worden gepresenteerd. En dan hoef ik me nooit meer voor een ander uit te geven. Dan heb ik eindelijk alles wat ik altijd heb gewild.'

'Je moeder...'

'Mijn moeder lag op sterven!' schreeuwde Charlie. 'Heb je gezien wat haar ziekte haar had aangedaan? Heb je dat gezien? Kanker is de wreedste moordenaar die er bestaat. Ik heb iets in haar thee gedaan. Ze viel in slaap. Zo kon ik haar uit haar lijden verlossen.'

Meer zuurstof sloop bij me naar binnen, langzaam maar gestaag. Zou de frisse lucht ook de badkamer weten te bereiken? Mijn zus weten te vinden?

Charlie rukte het masker van zijn gezicht, er blijkbaar op vertrouwend dat het veilig was. Hij stond te popelen om aan de apotheose van deze avond te beginnen. 'Vooruit. Stop die haren in je slipje.'

Ik bleef hem met glazige ogen aanstaren. 'Ze hield van je.'

Hij fronste naar me. 'Natuurlijk. Ik was een goede zoon. Ik zorgde voor haar.'

'Nadat je haar neefje had vermoord... haar zus de dood in had gedreven.'

'Niet met opzet.'

'Lang haar. Had je lang haar?'

'Wat?' Hij knipperde onthutst met zijn ogen. Ik haalde diep adem.

'Had je... lang haar?'

'Ik had een matje. Zoals iedereen in de jaren tachtig. Hoezo?'

Ik glimlachte. 'Je zag eruit als een meisje... van achteren. Dat is wat Shana zag. Onze moeder die zich over onze vader boog. Ik wist het.'

'Jij bent net zo gek als zij.'

Een nieuwe stem. Zacht. Dreigend. Helemaal Shana. 'Maar lang niet zo gevaarlijk.'

Charlie graaide naar zijn tas. Om het scalpel te pakken natuurlijk. Maar zijn tastende hand vond het flesje chloroform. Hij sloeg het kapot op de klaarliggende lap, pakte die met scherven en al op en sloeg ermee naar Shana's hoofd.

Hij raakte haar van opzij. Vanwege het koolmonoxide dat haar lichaam nog steeds vergiftigde, waren haar reflexen vertraagd. Ze raakte uit haar evenwicht en viel op één knie. Hij maakte van de gelegenheid gebruik om de lap met de glasscherven en het chloroform in haar gezicht te duwen.

Ik had niet gedacht dat hij zo woest zou reageren en zag aan Shana's gezicht dat zijn doelgerichte aanval haar ook verraste. Charlie was misschien ooit een aspirerend straatvechtertje geweest, maar gedurende de afgelopen dertig jaar was hij er echt een geworden.

Ik probeerde me om te draaien zodat ik in elk geval op mijn knieën kon gaan zitten. Het was hoog tijd dat ik opstond. Het was hoog tijd dat ik Shana te hulp schoot.

Maar ik was in de slaapkamer geveld, waar hij met de thermostaat van de verwarming had geknoeid waardoor de invloed van het koolmonoxide het sterkst moest zijn geweest. Me omdraaien lukte voorlopig nog niet.

Ik keek weer en zag dat mijn zus Charlie in zijn kruis greep en haar hand omdraaide. Hij brulde en liet de lap los om instinctief zijn edele delen te beschermen. Ook hij zakte op één knie. Grommend als een beest stompte hij Shana in haar gezicht. Haar hoofd knikte achterover. Ik hoorde iets kraken, vermoedelijk haar neusbeen. Maar ze herstelde zich snel en richtte haar hand op zijn keel, met haar vingers strak en stijf tegen elkaar als een steekwapen.

Opstaan, opstaan. Vooruit, Adeline, je moet opstaan.

Shana raakte hem. Drie, vier keer. Ze had haar snelheid terug. Blijkbaar was het gif uit haar lichaam verdwenen. Maar ze bleef een bantamgewicht, een magere, pezige vrouw die het opnam tegen een grotere, sterkere man.

Ze kwamen overeind, maar hij bleef op haar inbeuken. Stoot, stoot, uppercut. Ze deinsde achteruit; hij stompte haar in haar gezicht, timmerde met harde, felle stoten haar ogen dicht. Een man die duidelijk tijd had doorgebracht in een boksring. Een man die ervan genoot anderen pijn te doen.

Scalpel. In de tas. Ik wist overeind te komen. Vond het scalpel. De haren vielen op de vloer. De gladde zilveren handgreep kwam ervoor in de plaats.

Een stap, en nog een, het mes in mijn hand.

Shana stond klem in een hoek van de kamer en werd door Charlie genadeloos afgerost. Ze maakte echter niet de indruk wanhopig te zijn. Af en toe zag ik in een flits haar gezicht en daarop was niets anders dan pure vastberadenheid te zien. Ze was gekomen om deze man te vermoorden en het was duidelijk dat ze niet zou stoppen tenzij zij als eerste het loodje zou leggen.

Charlie had geen erg in mij. Hij was volkomen geconcentreerd op mijn zus. Elke keer dat hij haar raakte, gromde hij. Hij verkeerde in trance. Eindelijk was hij sterk genoeg, slim genoeg, stoer genoeg om het van de legendarische Shana Day te winnen.

Nog een stap. Nu stond ik pal achter hem. Ik hief het scalpel op. Een laatste ademhaling:

Ik ben mijn vader. Ik ben mijn moeder.

Ik ben het geweten van mijn familie.

Ik stak het scalpel tussen zijn schouderbladen, dwars door spieren, zenuwen en pezen. Als arts wist ik precies hoe en waar ik hem moest steken, opdat het mes tussen de wervels diep naar binnen zou dringen. En daarna draaide ik het rond om zo veel mogelijk schade aan te richten.

Charlies lichaam verslapte. Zijn hoofd draaide een beetje zodat ik zijn verblufte gezicht kon zien. Hij opende zijn mond alsof hij wilde gaan brullen.

Maar er kwam geen geluid uit. Shana trok het scalpel uit zijn rug en sneed met een soepele beweging zijn onbeschermde keel door.

Charlie Sgarzi viel voorover. Mijn zus deed snel een stap opzij.

Op hetzelfde moment werd er op de deur geklopt.

'Politie!' riep Phil. 'Dr. Glen, ik ben het. Phil. Kunt u me horen?'

Shana en ik keken elkaar aan. We zeiden geen van tweeën iets.

'Adeline.' Een andere stem. D.D. Warren. 'Is alles in orde? Je buren hebben de politie gebeld. Adeline, doe open als je kunt. We willen graag zien dat alles in orde is met je.'

Mijn zus en ik bleven elkaar aankijken.

Een nieuw geluid. Een bonk. Dat zou rechercheur Phil wel zijn, die met zijn schouder tegen de deur ramde.

'Ze zullen de huismeester erbij halen,' zei ik zachtjes tegen Shana. 'Hij zal hen binnenlaten.'

'Hoe lang?'

'Vijf, tien minuten.'

'Dat is genoeg,' zei ze en ik wist wat ze bedoelde. Ik had haar vanochtend in de bezoekerskamer van de gevangenis iets beloofd. Nu moest ik mijn belofte waarmaken.

Zwijgend liepen we naar de badkamer. Shana begon zich onderweg al uit te kleden. De aspirine lag nog op het wastafelblad, samen met mijn tas met medische instrumenten. Ik gaf haar vier tabletten. Ze slikte ze in één keer door.

Toen streken haar vingers liefdevol over de badkuip. Ik draaide de eerste kraan open, toen de tweede.

Ze wachtte niet tot het water de juiste temperatuur had. Naakt stapte ze erin. Haar lichaam was bedekt met lange, ribbelige littekens en korte lijntjes die elkaar kriskras kruisten.

'Ik kan niet teruggaan,' zei ze.

Ik knikte. Omdat ik dat had geweten; ik had dat al die tijd geweten. Wat was het enige waar mijn zus al die jaren naar had verlangd? Vrijheid. Totale vrijheid. Het soort vrijheid dat alleen de dood je kan geven.

'Jij hebt Donnie niet vermoord,' zei ik tegen haar, omdat ik niet wist of ze dat wist.

Ze haalde haar schouders op en liet haar hoofd op de gladde rand van het witte porselein rusten. 'Dat maakt nu niets meer uit.'

Weer werd er op de deur gebonsd. Phil, die bleef proberen de deur open te breken, terwijl D.D. ongetwijfeld op zoek was gegaan naar de huismeester. Ik liep naar de deur van de badkamer. Deed hem dicht en op slot. Niet dat hij erg stevig was, maar het ging erom zo veel mogelijk tijd te winnen.

'Was je verliefd op Charlie?' vroeg ik mijn zus nieuwsgierig. 'Heb je hem daarom spullen van pa gegeven? De spullen die hij nu blijkbaar aan Samuel Hayes heeft gegeven?'

'Ik heb hem niets van pa gegeven. Maar we hadden het er wel eens over. Ik wist dat hij anders was. Dat hij mensen kon belazeren. Behalve mij. Een monster herkent een ander monster altijd.'

Ze slaakte een diepe zucht. 'Ik had een doos met spullen van pa. Die stond onder mijn bed. Misschien heeft Charlie die meegenomen. Ik heb er nooit aan gedacht om te vragen waar mijn bezittingen waren gebleven nadat ik was gearresteerd. Niet dat ik die dingen zou hebben mogen houden.'

'Maar hield je van hem?'

Ze keek me aan. Haar neus was gebroken, haar ogen waren gezwollen, haar hele gezicht zat onder het bloed.

'Adeline,' zei ze ernstig, 'ik voel dingen als liefde niet. Ik kan haten. Ik voel pijn. De rest is voor mij een mysterie.'

Het water kwam nu tot haar middel. Ze reikte over de rand van het bad naar de vloer om het mes te pakken dat ze een paar uur geleden had gekozen en gewet.

'Dat is niet waar,' zei ik. 'Je houdt van míj.'

'Maar jij bent mijn kleine zusje,' zei ze, alsof daarmee alles was verklaard.

Het gebonk was opgehouden. Mijn flat, zo stil, toen mijn zus mij het mes gaf.

'Ik weet niet of ik het kan.'

'Het is niet moeilijk.'

'Shana...'

Mijn zus keek me alleen maar aan. Haar laatste verzoek, mijn enige belofte. Ze stak me haar bleke onderarm toe. Van zo dichtbij zag ik de dunne, witte lijntjes van andere messen. Als een wegenkaart die me liet zien waar ik moest zijn.

'Denk aan wat ik je heb verteld,' zei ze bruusk. 'De instructies die hij mama gaf. Hoe het moet.'

Ik herinnerde het me.

Ik koos een smalle, blauwe ader. Ik koos de plek met zorg. Toen de snee, langzaam en recht, terwijl de arm van mijn zus onder me trilde.

Ze zuchtte. Haar adem stokte niet eens. Het was een gewone zucht, alsof méér dan haar bloed haar lichaam verliet. Misschien haar razernij. Misschien haar verdriet. Misschien al die weerzinwekkende begeerten en afschuwelijke verlangens die onze vader er bij haar had ingeslagen toen ze te jong was geweest om zich te verdedigen, maar oud genoeg om beter te weten.

Ze stak haar andere arm uit. En daar sneed ik ook in. Toen zakten beide armen naar beneden, in het water, dat al roze begon te kleuren nu het leven uit haar wegvloeide.

'Ik hou van je,' fluisterde ik.

'Dat heeft zíj niet tegen hem gezegd,' mompelde Shana. 'Mama. Papa. Ze hield niet van hem. Maar ik wel. Ik wel...'

Haar ogen sloten zich. Haar hoofd zakte opzij op de rand van het bad.

Meer geluiden nu. Geklop en gebonk. Rechercheur Phil die een laatste waarschuwing riep.

Ik legde mijn vingers in mijn zusters hals. Het was voorbij. Geen gevangeniscel meer voor Shana Day. Geen dagen meer om tegen op te zien. Geen levens meer om te ruïneren.

Nog een laatste taak. Ik liep naar de badkamerdeur. Deed die van het slot. Het minste wat ik kon doen, gezien de conditie van D.D.'s schouder.

Toen trok ik ook mijn kleren uit. Nam de zijden badjas van de haak bij de badkuip.

Ik ging naast het levenloze lichaam van mijn zus zitten, bekeek eerst het mes en toen mijn eigen gladde, blanke onderarm.

Mijn vingers trilden. Vreemd, voor een vrouw die geen pijn kon voelen. Wie had dat kunnen denken?

En toen...

HOOFDSTUK 41

D.D. en Phil stormden met getrokken wapens de flat binnen, Phil voorop, D.D. schuin achter hem om haar geblesseerde schouder te beschermen. De huismeester rende als een haas door de gang naar de lift. Hij wist niet hoe snel hij beneden moest komen, waar versterking in de vorm van een SWAT-team en alle beschikbare politieagenten van Boston nu elk moment kon arriveren.

Het eerste wat D.D. opviel, was de stank van bloed. Het tweede was een grote tas op een kingsize bed in de kamer recht tegenover de voordeur.

'Slaapkamer,' fluisterde ze tegen Phil.

Hij knikte, stelde zich op met zijn rug naar de muur en liep toen snel naar de deur van de kamer.

'Jezus.'

D.D. stapte langs hem heen en zag Charlie Sgarzi op zijn buik in een plas bloed liggen. Wat hier ook was gebeurd, het was niet volgens de plannen van de Rose Killer verlopen.

Phil bekeek het lichaam van dichtbij en schudde zijn hoofd.

'Doorgesneden keel,' fluisterde hij.

D.D. trok één wenkbrauw op. 'Ik kan me vergissen, maar ziet dit er niet uit als iets wat Shana zou doen?'

Phil trok een gezicht, want hij was tot dezelfde conclusie gekomen. Shana Day, een van de beruchtste moordenaressen van Massachusetts, moest zich ergens in deze flat bevinden, samen met haar zus Adeline.

Phil wees naar een korte gang met twee gesloten deuren. Hij liep naar de eerste. D.D. zou haar best doen hem te dekken, ook al had ze maar één hand beschikbaar.

Phil trapte de deur open. Het was een kleedkamer, die hij snel doorzocht. Daarna liepen ze naar deur nummer twee. De badkamer, dacht D.D. Ze hoorde het geluid van stromend water.

Phil probeerde voorzichtig de deurkruk.

Met een knikje gaf hij aan dat de deur niet op slot was.

D.D. ging weer schuin achter hem staan.

Phil duwde de deurkruk omlaag en gooide de deur open.

D.D. stapte snel naar binnen, voorop nu, met Phil als backup.

En daar stond Adeline, naast een met bloed besmeurde badkuip, met een mes boven haar pols.

'Nee,' riep Phil.

D.D. nam niet eens de moeite iets te roepen. Adrenaline. Gevaar. Besluitvaardigheid. Alles waar ze in dit werk van hield.

Ze schoot.

Het mes vloog door de lucht. Geen slecht schot met één hand, dacht D.D., al had ze natuurlijk op slechts anderhalve meter afstand van haar doelwit gestaan.

Het mes kletterde op de vloer. Phil vloog erop af en schopte het bij Adeline vandaan.

De psychiater verroerde zich niet. Ze stond daar alleen maar, in een zee van water en bloed, en glimlachte naar hen.

'Dat was echt niet nodig,' zei ze zachtjes.

'Niet zeuren,' zei D.D. bruusk. Ze rekte haar nek. Achter Adeline zag ze een andere vrouw, die in het roze water lag. Shana.

'Doorgesneden polsen,' zei Adeline. Een verklaring, geen vraag. 'De prijs voor haar hulp. Ze is dood. Dat heb ik gecontroleerd voordat ik de deur van het slot heb gedaan.'

'Zet jij de familietraditie voort?' vroeg D.D. cru. Ze had de smoor in, al wist ze niet precies waarom. De Rose Killer was dood, Shana Day was duidelijk niet meer te redden. Het ergste was achter de rug en toch bleef D.D.'s hart razendsnel kloppen. Alles aan dit tafereel maakte haar woedend.

Adeline leek niet erg stevig op haar benen te staan. De schok, de nasleep van de adrenaline. Ze tastte naar de rand van het bad. 'Charlie heeft die vrouwen vermoord,' fluisterde ze.

'Ja, dat weten we.'

'U zult haren vinden. In mijn slaapkamer. Van Samuel Hayes. Maar daar kan hij niets aan doen. Charlie heeft de haren meegebracht om hem verdacht te maken.'

'Dat weten we ook. Charlie wilde Hayes voor de moorden laten opdraaien. Maar Hayes is van een ladder gevallen en zit in een rolstoel. Hij kan het dus niet hebben gedaan.'

Adeline glimlachte flauwtjes. 'Mooi. In mijn kleedkamer, onder het ladekastje, in een ruimte onder de vloer... heeft Charlie weckpotten achtergelaten. Met reepjes huid van de slachtoffers. Hij probeerde me... gek te maken. Het is hem gelukt.'

'Jezus, mens, ga zitten!' D.D. kon zich niet meer inhouden. 'Ik meen het, Adeline. Je had ons moeten waarschuwen toen je de camera's had ontdekt... In plaats daarvan heb je je zus geholpen uit de gevangenis te ontsnappen, waarbij je jezelf en de hele stad in gevaar hebt gebracht. Als je ons nog vierentwintig uur de tijd had gegeven... We weten inmiddels wat er dertig jaar geleden is gebeurd en wat Charlie nu allemaal heeft gedaan. Het wie, wat, waarom en hoe; we weten alles. Je had dit niet hoeven doen, Adeline. Echt niet.'

'Maar ik héb het gedaan.'

'Adeline.' D.D. bekeek haar onderzoekend. Ze voelde dat Phil, die naast haar stond, nu ook ongerust werd. De psychiater was erg bleek. Gevaarlijk bleek.

'Geef alstublieft aan directeur McKinnon door dat het me spijt.'

'Zelfverdediging,' zei D.D. 'Verzachtende omstandigheden, zenuwinstorting. Mogelijkheden genoeg om de gebeurtenissen van vandaag te rechtvaardigen.' Ze deed een stap naar voren. En toen nog een. Ze keek naar de polsen van de psychiater. 'Charlie is dood en je zus kan jou niets meer doen, en daar gaat het om. Adeline? Adeline?'

De vrouw zakte in elkaar. Of liever gezegd, ze liet zich op haar knieën zakken. D.D. schoot naar voren en probeerde met haar gezonde hand haar schouder te grijpen, maar de vloer was zo glibberig. Ze kon de psychiater niet opvangen, er alleen voor zorgen dat ze tegen de badkuip geleund kwam te zitten. In de plas bloed. Veel te veel bloed als je bedacht dat Shana's doorgesneden polsen onder water zaten...

D.D. sloot haar ogen. 'O, Adeline. Wat heb je gedaan?'

'Wat ik doen moest. Zelfs opvoeding kan niet tegen deze aanleg op, D.D. Vraag maar aan mijn adoptievader. Hij heeft zo zijn best gedaan, en toch... Je ziet het.'

Adeline had haar dijen opengesneden. Het mes op haar polsen was slechts de tweede akte geweest. De belangrijkste gebeurtenis had zich al voltrokken voordat D.D. en Phil naar binnen waren gestormd. Nóg een truc die Adeline uit het repertoire van haar zus had overgenomen.

'Adeline...'

'Ssst. Alles is zoals het moet zijn.'

'Jij bent niet je zus! Verdorie nog aan toe. Je bent een bekwame psychiater. Je helpt mensen. Je hebt míj geholpen!'

Phil sprak in zijn walkietalkie. Hij vroeg met spoed om een ambulance, maar ze wisten dat die niet op tijd zou zijn. Net zo min als het SWAT-team. Net zo min als alle agenten die nu het gebouw binnendrongen, de trappen op renden en de flat binnenstormden.

Ze kwamen allemaal te laat. Net zoals D.D. en Phil. Te laat.

Phil greep een stel handdoeken. D.D. negeerde de tegenwerpingen van Adeline toen ze haar kamerjas opende om haar benen te bekijken. De dijslagader. Jezus. Het was een wonder dat Adeline nog leefde.

Phil gaf haar de handdoeken. Ze drukte die op de wonden, drukte hard, met haar gezicht zo dicht bij dat van Adeline dat ze de koelte van haar bloedeloze huid kon voelen.

'Hou vol,' zei ze. 'Vooruit, Adeline. Doe het voor mij. Jij en ik tegen alle Melvins van deze wereld. Het hoeft niet zo te zijn. Het heeft nooit zo hoeven te zijn.'

Adelines hand gleed over D.D.'s arm. Om te helpen of te hinderen? Haar koude vingers streken over de rug van D.D.'s hand.

'Kun je... mijn hand vasthouden?'

D.D. wilde het niet. Ze wilde druk blijven uitoefenen op de wonden. Ze moest dit in orde maken, deze wonden dichten. Ze moest deze vrouw redden, omdat ze sterk en intelligent was en... en...

'Verdomme.'

Ze kon dit niet. Adeline was stervende. Ze was eigenlijk al dood, ook al wilde D.D. nog zo graag dat ze...

Phil knielde naast haar. Hij nam haar taak over. Er drong niet eens veel bloed in de handdoeken omdat het meeste al op de vloer lag.

D.D. nam Adelines hand in de hare. Ze hield hem op haar schoot.

Achter haar hoorde ze de bonkende voetstappen van de mannen van het SWAT-team.

Adeline glimlachte, alsof het om een mop ging die alleen zij doorhad. Haar oogleden sloten zich trillend.

'Het is goed,' fluisterde ze. 'Waar ik naartoe ga...'

Ze kneep nog een keer in D.D.'s hand.

En toen was voor haar alles afgelopen.

EPILOOG

Beste rechercheur Warren:
Als u dit leest, is alles voorbij.

Er was niet veel publiek, maar dat was niet verwonderlijk. Dr. Adeline Glen had een erg teruggetrokken leven geleid. Er waren slechts enkele collega's, een gevangenisdirecteur en een paar rechercheurs om afscheid van haar te nemen.

Alex was met D.D. meegekomen. Phil ook. Als een somber trio stonden ze een beetje apart van de anderen te luisteren naar de onpersoonlijke woorden van de geestelijke. Toen werd de kist neergelaten en volgde de eerste schep aarde.

Het spijt me dat ik u niet méér heb verteld. Over de camera's, de weckpotten, de laatste vierentwintig uur, toen ik had begrepen wat de Rose Killer van plan was en waar ik zelf toe in staat was.

Zoals u uit onze gesprekken weet, heeft iedereen een trigger. Uiteindelijk is gebleken dat een klein, weerloos slachtoffer het goede in mijn zus Shana opwekt, terwijl een losgeslagen moordenaar in mij het slechte opwekt.

Shana Day was een dag eerder dan haar zus begraven. Een eenvoudige houten kist, een gat in de grond. Adeline had jaren geleden uitgezocht waar hun ouders waren begraven en de twee graven naast hen gekocht.

Mevrouw Davies had Shana's begrafenis bijgewoond. Dat had

D.D. niet verbaasd. De oude vrouw was naar de kist gelopen en had een paar woorden gefluisterd. D.D. had het niet kunnen verstaan, maar durfde er iets om te verwedden dat mevrouw Davies eindelijk haar excuses had aangeboden, of dat nu nodig was of niet.

Ik heb een weloverwogen risico genomen toen ik mijn zus hielp te ontsnappen. Ik heb erop gegokt dat haar trigger net zo sterk was als de mijne. Maar nog meer heb ik gegokt op de band die tussen ons bestond. De band die we na al die jaren hadden gesmeed. We waren zussen.

En nu zouden we voor de laatste keer voor elkaar opkomen.

In de dagen na de bloederige scène in Adelines flat hadden Phil en Neil Charlie Sgarzi's flat uitgekamd. In een afgesloten dossierkast hadden ze mappen vol aantekeningen, foto's en researchmateriaal gevonden, die hij had gebruikt om de Rose Killer te kunnen worden. Surveillancefilmpjes van zijn slachtoffers. Afgedrukte pagina's van websites over de hoeveelheid chloroform die nodig was om iemand te verdoven. Met de hand geschreven logboeken over de activiteiten van de vrouwen die hij had bespied. Er zaten zelfs krantenartikelen over D.D. bij, en een wazige foto van haar bij de tweede plaats delict. Voor zover Phil het kon beoordelen, was Charlie haar in het huis van het eerste slachtoffer inderdaad per ongeluk tegen het lijf gelopen, en omdat hij een groot fan van waargebeurde misdaden was, had hij haar onmiddellijk herkend als de rechercheur die de leiding had gehad over de onderzoeken naar notoire moordzaken. Op dat moment had hij zijn besluit genomen. De Rose Killer zou het opnemen tegen de beste rechercheur van het Boston PD. Een duel tussen twee grootheden, een strijd die zou uitwijzen wie het slimst was. Dat was, zo hadden Charlies aantekeningen uitgewezen, waar de lezers van misdaadromans van smulden.

D.D. had graag gezien dat in het boek kwam te staan dat zij had gewonnen. Maar het boek zou nu nooit worden geschreven.

Als u dit leest, is de Rose Killer hopelijk dood. Geveld door Shana, of desnoods door mij. Ik had graag gezien dat daarmee een einde zou komen aan de geweldplegingen, maar dat is ijdele hoop.

Ik heb een hobby. Niemand weet ervan. Ik verleid mannen en snijd een klein reepje huid van hun rug als ze slapen. Ik bewaar deze souvenirs in formaldehyde, onder de vloer van mijn kleedkamer.

Dokter, heel uzelf, zult u denken. U moest eens weten hoe vaak ik heb gezworen dat ik ermee zou ophouden, hoe vaak ik van mijzelf heb geëist de mens te worden die mijn adoptievader voor ogen had. Maar het meisje dat gedurende haar eerste levensjaar moest slapen op de griezeligste verzameling trofeeën ter wereld, is niet in staat zich van dat trauma te bevrijden. Zij is het prototype van de Banneling en wil zelfs na veertig jaar nog steeds gehoord worden.

De dienst liep ten einde. Directeur McKinnon kwam naar hen toe. Ze zag er beeldschoon uit in haar getailleerde zwarte mantelpakje.

'Heren, mevrouw,' zei ze formeel.

'Directeur McKinnon.'

D.D. had haar gisteren nog gesproken. Niet in de gevangenis, maar in een cafeetje waar ze samen koffie hadden gedronken. Als twee vrouwen die herinneringen aan een vriendin ophaalden.

McKinnon was gekwetst door wat Adeline had gedaan. En opeens had D.D. beseft dat dit ook voor haar gold. Waarom had Adeline niet meer vertrouwen in hen gehad, niet om hulp gevraagd, niet aan haar of Phil verteld wat er aan de hand was?

D.D. zou bereid zijn geweest de nacht in Adelines flat door te brengen, als dat zou hebben geholpen. McKinnon zei dat ze Shana misschien verlof had kunnen geven wegens urgente familiezaken. Als ze het maar hadden geweten...

Maar Adeline had hen niet in vertrouwen genomen. In plaats daarvan had ze haar eigen plannen gesmeed. En nu zaten D.D. en McKinnon met de brokstukken.

'Is de rust al een beetje weergekeerd?' vroeg D.D. nu aan McKinnon.

'Ik geloof dat de verslaggevers beginnen te geloven dat ik niets te zeggen heb.'

'Hoe zit het met de talkshows?'

McKinnon trok één elegante schouder op. 'De eerste opwinding is geluwd. Een ontvluchte misdadiger is interessant. Eentje die nu dood en begraven is... minder.'

D.D. knikte. Ze begreep wat ze bedoelde. Dat ook een sterk disfunctionele relatie een relatie was. Tien jaar had McKinnon zich bekommerd om Shana Day en nu was die er zomaar opeens niet meer. Dat hakte erin.

'Hoe is het met uw schouder?' vroeg McKinnon.

'Kijk eens.' D.D. tilde voorzichtig haar linkerarm iets op. Het was nog niet veel, maar het was vooruitgang.

'Wat heerlijk voor u.'

'Ja, over niet al te lange tijd ben ik weer de schrik van het Boston PD. Zo niet voor de misdadigers, dan in elk geval voor mijn team.'

Phil glimlachte. Hij miste haar op het werk en hij wist dat dat ook voor Neil gold.

McKinnon nam afscheid en liep over de begraafplaats naar haar auto. Phils mobiele telefoon trilde alweer. Hij liep een stukje bij hen vandaan.

D.D. en Alex bleven samen achter.

Ik weet, rechercheur Warren, dat u me zou hebben geholpen als ik u dat had verzocht. U zou de cavalerie hebben laten opdraven, in uw handen hebben gespuugd en u voor mij in de strijd hebben geworpen.

Dank u dat u zoveel vertrouwen in mij had.

Maar eerlijk gezegd heb ik geboft dat ik nog zo lang heb geleefd. Een vrouw met een aandoening als de mijne had allang moeten bezwijken aan een infectie of een verwonding. De strenge waakzaamheid die mijn adoptievader er bij me heeft ingestampt, is mijn redding maar ook mijn straf geweest. Avond aan avond moest ik elke centimeter van mijn lichaam bekijken, terwijl ik me zelfs de kleinste pleziertjes moest ontzeggen, zoals een strandwandeling, een fietstocht, of een avondje stappen.

En waarvoor? Voor een man met wie ik nooit zal trouwen? Kinderen die ik nooit zal krijgen? Het leven dat ik nooit ten volle kan leven?

Ik ben moe, D.D. Ik leef al te lang geïsoleerd door een aandoening die klinkt als een zegen maar in werkelijkheid een vloek is. Ik ben mijn band met het mensdom kwijt. Ik voel me geen mens meer.

Alex wachtte geduldig. D.D. leunde tegen hem aan. Ze wilde hier nog niet weg, al wist ze niet precies waarom niet.

'Adeline heeft al haar geld nagelaten aan een pleegzorgorganisatie,' zei ze. 'Het is een niet onaanzienlijk kapitaal. Ze was blijkbaar erg succesvol, en ze was bovendien de enige erfgenaam van haar adoptievader.'

'Het is logisch dat ze graag wil dat andere kinderen betere kansen krijgen,' zei Alex.

'Beter dan zij en haar zus.'

'Adeline zag het verschil niet tussen slechte keuzes maken en een slecht mens zijn,' meende Alex. 'Misschien is ze, omdat het maken van slechte keuzes bij haar in de familie zat, na één fout tot de conclusie gekomen dat de uitzondering de regel vormde. Toch heeft zij een geweldige herkansing gekregen toen ze werd geadopteerd en heeft ze die benut om hogerop te komen in het leven. Ze was een intelligente, empathische, zeer gewaardeerde vrouw. Zelfs toen ze het spoor bijster raakte...' Hij haalde zijn schouders op.

D.D. wist wat hij bedoelde. 'Voor haar stijl valt wel iets te zeggen. Charlie Sgarzi's gezicht moet boekdelen hebben gesproken toen hij Shana zag... Hopelijk was dat alles waard.'

'Ze heeft jou geholpen,' zei Alex ernstig. 'Daarvoor ben ik haar eeuwig dankbaar.'

'Weet je, je wordt ouder, krijgt last van pijntjes hier en daar, en dan haal je een domme stunt uit waardoor je écht geblesseerd raakt en is het zo makkelijk om bitter te zijn. Ik wilde geen pijn lijden. Ik wilde het niet kalm aan doen. Ik wilde me niet zo... zwak voelen. Maar Adeline had gelijk: Melvin past op mij. En pijn schept een band. Het is een bouwsteen in het bouwwerk van het mensdom. Adeline heeft daarin nooit kunnen delen. Dat is wat uiteindelijk haar ondergang is geworden.'

'Denk je dat haar zus van haar hield?' vroeg Alex. 'Dat was Adelines grootste wens, maar is die uitgekomen, na alles wat ze had gedaan?'

'Ik weet het niet. Adeline zei zelf dat Shana dergelijke emoties niet bezat. Aan de andere kant... Ze kenden elkaar, begrepen elkaar op een manier die voor andere mensen niet te bevatten is. Ook als Adeline geen zusterlijke liefde voelde, durf ik te wedden dat ze zich minder alleen voelde met Shana naast zich. En dat was, denk ik, voldoende.'

Alex knikte. Ze bleven nog even zo staan. Een bulldozer schoof de aarde in het graf. Stof zijt gij en tot stof zult gij wederkeren.

D.D. vond dat ze iets moest zeggen, maar wat? Ze had Adeline niet erg lang, en dus niet erg goed, gekend. Toch rouwde ze om haar dood.

'Dank je,' fluisterde ze uiteindelijk, met haar hoofd op Alex' schouder. 'Voor de lessen die je te bieden had en voor wat je me hebt helpen inzien. Ik ben het nog steeds niet eens met wat je hebt gedaan, Adeline, maar ik begrijp het wel. Ik hoop dat het voor jou de moeite waard was. Ik hoop dat jij en je zus schouder aan schouder hebben gestaan en dat jij je toen niet meer zo eenzaam voelde. Dat je wist dat je op je familie kon rekenen. Slaap zacht, Adeline. Slaap zacht.'

Ze haalde diep adem. Ze had tranen in haar ogen, maar dat gaf niets. Tranen waren, net als pijn, de grote gelijkmaker. En er was niets wat de grote D.D. Warren niet aankon.

Ze hief haar hoofd op om Alex te kussen. 'Dankjewel dat je bent meegegaan.'

Alex pakte haar hand. 'Dat spreekt vanzelf.'

D.D. glimlachte. Hand in hand liepen ze weg.

Als u deze brief leest, rechercheur Warren, is mijn verhaal af en hoef ik niet meer bang te zijn in het donker.

Mijn zus en ik hebben onze dans beëindigd. Twee verloren zielen, die elkaar op het juiste moment hebben gevonden.

Nu stel ik me ons weer voor als kleine meisjes. De grote zus van vier en de baby van bijna een jaar. We houden elkaar bij de hand en we glimlachen.

We staan op het punt te gaan doen waar we veertig jaar op hebben gewacht.

Shana zal de eerste stap zetten.

Ik zal haar volgen. Als we uit de schaduwen van ons ouderlijk huis tevoorschijn komen. Als we weglopen bij de gruwelijke erfenis van onze vader.

Als wij, twee zusjes, eindelijk samen het licht tegemoet gaan.

DANKWOORD

Dit boek was een interessante en persoonlijke reis voor mij. Omdat ik een slechte rug heb, heb ik de afgelopen tien jaar veel geleerd over pijnmanagementtheorieën, -technieken en -behandelingen. Net zoals D.D. stond ik in het begin sceptisch tegenover het interne-familiesysteem en het idee dat je je pijn een naam moet geven. En toch heb ik, net zoals D.D., geleerd dat de vreemdste dingen je kunnen helpen, en dat met je pijn praten beslist meer oplevert dan de pijn vervloeken. Hiervoor dank ik Benita Silver, klinisch psycholoog, van wie Adeline haar expertise in de therapie van het IFS heeft. Het spreekt vanzelf dat eventuele fouten in Adelines uitleg van het model en de therapie alleen aan mij te wijten zijn.

Nadat hij me jaren had geholpen mijn rug opnieuw in model te krijgen, had chiropractor Shawn Tayler er veel plezier in voor de legendarische rechercheur D.D. Warren een ernstige blessure te bedenken. Met behulp van zijn vrouw Larissa heeft hij voor haar een uitermate zeldzame en pijnlijke verwonding verzonnen, waarna fysiotherapeut Gary Tilton hen assisteerde om een geschikt genezingsprogramma op te stellen. Ook hier geldt dat eventuele fouten alleen aan mij te wijten zijn.

Veel dank ben ik verschuldigd aan Wayne Rock, gepensioneerd rechercheur en oude vriend, die me heeft geholpen in te zien hoe het Boston PD met een geblesseerde rechercheur zou omgaan, in het bijzonder een rechercheur die haar wapen had afgevuurd. Bedankt, Wayne, en wederom geldt dat fouten alleen aan mij te wijten zijn. Het auteur-zijn moet ook voordelen hebben.

Aangezien ik een van die mensen ben die zich niet erg op hun gemak voelen in rouwkamers, had ik veel te leren over de gang van zaken en over de betreffende vergunningen in Massachusetts. Dankjewel, Bob Scatamacchia, dat je me zo geduldig hebt uitgelegd hoe het in een rouwkamer toegaat en waar het balsemen precies uit bestaat. Het is een van de dingen waar niemand graag over praat, maar waar iedereen uiteindelijk mee te maken krijgt. Bedankt, Bob!

En nu we het toch over de dood hebben: Tonya Creighton was ditmaal de winnaar van de jaarlijkse Kill a Friend, Maim a Buddy-loterij op LisaGardner.com. Zij koos Christi Willey voor een glansrol als ex-gedetineerde.

Dawn Whiteside viel in de prijzen bij de internationale Kill a Friend, Maim a Mate. Zij liet Christine Ryan sterven en was daarmee de eerste winnaar die op de allereerste pagina van een boek voorkomt. Ik hoop dat jullie tevreden zijn!

Tot slot won Kim Beals op de jaarlijkse Rozzie May Animal Alliance-veiling het recht om een romanfiguur te noemen. Zij besloot de eer te gunnen aan haar vader, Daniel Coakley, een ware gentleman, die door zijn hele familie op handen wordt gedragen. Gefeliciteerd, Daniel!

Ook ditmaal hebben mijn redacteuren, Ben Sevier en Vicki Mellor, alles op alles gezet om van *Zonder angst* een beter boek te maken. Ik wou dat ik kon zeggen dat er aan mijn werk niets te verbeteren viel, maar dat is niet zo. Aan de andere kant: dankzij deze geweldige redacteuren hoeft niemand dat te weten. Tot slot veel dank aan mijn literair agent, Meg Ruley, voor haar briljante inzichten en praktische leiding. In zo'n krankzinnige business als deze is het goed om haar naast me te weten.

Tot slot: veel liefs aan mijn geweldige gezin, een creatieve kracht op zich, die me scherp houdt en ervoor zorgt dat het leven me nooit gaat vervelen. Perfect!